Ensuite

Cours intermédiaire de français

Bette G. Hirsch

Cabrillo College

Chantal P. Thompson

Brigham Young University

RANDOM HOUSE ⌂ NEW YORK   *This is an* EBI *book*

Library of Congress Cataloging-in-Publication Data

Hirsch, Bette G.
  Ensuite: cours intermédiaire de français.
  "This is an EBI book."
  1. French language—Textbooks for foreign speakers—
English.   2. French language—Grammar—1950–
I. Thompson, Chantal P.   II. Title.
PC2129.E5H57 1989   448.2′421   88-32488
ISBN 0-394-37764-8

Manufactured in the United States of America

9 8 7 6 5 4 3 2 1

Sponsoring Editor: Eirik Børve
Developmental Editor: Eileen LeVan
Copyeditor: Frederick Hodgson
Project Manager: Greg Hubit
Designer: Wendy Calmenson/The Book Company
Production Supervisor: Susan McCabe
Senior Production Manager: Karen Judd
Photo Researcher: Judy Mason
Compositor: Ruttle, Shaw & Wetherill, Inc.
Printer: R. R. Donnelley & Sons Company / Rita Gatlin
Cover Photo: La pyramide de verre, crée en 1987 par I. M. Pei,
            éclaire les nouveaux locaux souterrains du Louvre
            © Mark Segal/Panoramic Stock Images, Chicago
Cover Color Separator: Color Tech
Cover Printer: Phoenix Color Corporation

Permission to reprint the following literary excerpts and illustrations is gratefully acknowledged:

Excerpt from *Contre bonne fortune,* by Guy de Rothschild. Editions Belfond, Paris.

Excerpt from *Les choses, une histoire des années soixante,* by Georges Pérec. Editions Julliard, Paris.

Excerpt from *Les Stances à Sophie,* by Christiane Rochefort. Editions Bernard Grasset, Paris.

"La Kid Géneration" and "Femmes: les longs chemins de l'ambition," *L'Express international,* Paris.

(Credits continued on page 534)

TABLE DES MATIÈRES

PREFACE

Ensuite offers a complete package of instructional materials for intermediate French courses. It aims to build students' proficiency in all four skills—reading, listening, writing, speaking—and to enhance their knowledge of the culture of French-speaking people. *Ensuite* is based on the belief that students learn foreign languages best if they are exposed to authentic materials and, at the same time, given the guidelines they need to understand them. Equally important, students must have many opportunities to express their own ideas in a foreign language and to communicate real information. It is not enough simply to learn and practice the "rules"; without frequent communicative practice, students will not be able to take the French they have learned out of the classroom and into the world.

■ *Authentic Materials*

The authentic readings in *Ensuite* offer a vision of diversity in the francophone world. These materials include newspaper and magazine articles (ranging from the serious to the frivolous), interviews, essays, short stories, poems, selections from a novel and a play, and cartoons and advertisements of all sorts. Literary selections represent several centuries and a variety of geographical areas—with an emphasis, however, on the modern. Nonliterary readings treat topics of current interest in both the English-speaking and the French-speaking worlds, from fast foods to immigration policy. Through these authentic materials, students learn to understand "real" French; they are exposed to language used in a natural way and to a wealth of information about the ideas, interests, and values of the francophone world.

Authentic materials appear not only in the main reading section of the chapters, but throughout the other sections as well. Students practice new vocabulary by using an ad for a rental car agency, for example, or they review a grammar point by summarizing the findings of a survey or poll. No piece of "realia" was added merely for decoration. All pieces are integrated into activities so that students use what they see. Similarly, no reading has been edited to make it more accessible to students. Readings and realia are pitched to challenge students. At the same time, reading strategies, pre-reading tasks, and follow-up activities give guidance and make the pieces approachable.

Ensuite attempts to teach students the skills they need to feel confident whenever they encounter authentic French texts. Rather than giving students an article and having them read it "cold" (with no preparation), *Ensuite* provides pre-reading strategies and specific tasks that prepare students for reading. In an article full of facts, for example, students are asked to go through it quickly and to circle the main idea in each paragraph. Next, they underline the key supporting facts and eliminate detail. The introduction to a poem leads students to think in a simple way about how sound affects the meaning. The accompanying task leads students to *see* the effect of rhythm in the poem they are reading. These examples represent general reading skills that may be used whenever students read, even in their native language. Most important, the pre-reading tasks help students get through the text a first time, usually the most frustrating part of reading in a foreign language.

Each unit (*Thème*) of *Ensuite* concludes with an interview. French speakers from various walks of life talk about diverse topics related to the theme of the unit. Students encounter the thoughts and opinions of an artist, a publisher and former teacher, a teenager, a famous chef, and several professional people— always in the individual's own words, with his or her characteristic style of expression. The intent is to bridge the gap between English-speaking students and the French-speaking world, that is, to give students a greater understanding of the people whose language they are learning. These interviews also serve to expose students again to "real" language—this time to transcribed spoken French, whose colloquial flavor and color have been preserved.

Authentic interviews are also used in the laboratory program as the basis for listening comprehension activities. Guided by listening tasks, students hear brief excerpts from unscripted conversations, related to the chapter theme, with native French speakers. Their remarks are accessible to intermediate level students partly because the interviewees knew that they were addressing non-native speakers. Constrained only by that awareness of audience, the speakers interviewed answered questions freely. Their comments are natural and vivid, and their personalities come through clearly.

■ *Teaching Communication Skills*

The development of strong reading and listening skills is of course not our only goal. *Ensuite* aims to teach students to use French, not merely to understand it. Authentic materials, grammar points, vocabulary, and activities were all chosen or created in order to allow students to practice the skills that they will need to get along in a French-speaking region. The activities are lively and proficiency-oriented. Both oral and written, they have been designed first and foremost to pique students' interest, to encourage them to explore the ideas presented in the text, to express their opinions, and to react to those of their classmates.

Ensuite is therefore built on a *functional syllabus*. Grammar and vocabulary, in particular, are introduced not as ends in themselves—as material for students to master—but as a means to communication and self-expression. Grammar explanations separate material students need for the chapter's activities from supplementary details. Vocabulary lists present familiar, frequently used words and expressions related to the chapter theme. Grammar and vocabulary sections aim to present what students will need to carry out communicative language functions in culturally authentic contexts. This means that communicative functions, such as *asking for and giving information, describing, telling a story in the past,* or *comparing,* are the focus of the lesson. Grammar, vocabulary, and other information are presented to allow students to carry out the function, to use French in the process of exchanging information and ideas.

Students learn more, with more enthusiasm, if they feel they are expressing ideas that matter to them and exchanging real information with others. The authors of *Ensuite* believe that language learning should be interactive whenever practical. Students will usually talk more freely among themselves than in a full-class setting focused on the instructor. *Ensuite* gives students the opportunity to spend class time working with a partner or in small groups on contextualized activities involving the skills of describing, narrating, investigating, requesting, cajoling, and discussing—activities in which the exchange of information is genuine. Group work helps make students less inhibited; they learn that they can get their ideas across and that speaking French can be fun.

Structured practice must of course balance freer communicative activities. Although the majority of activities in *Ensuite* are interactive, each series of exercises in the grammar sections of the text begins with one or more controlled tasks, focused on the grammar point introduced. The workbook–laboratory manual provides additional controlled practice of the chapter's grammar and vocabulary. Especially at the intermediate level, students often have widely varying levels of proficiency. Together with its ancillaries, *Ensuite* aims to give instructors the flexibility to provide controlled practice for their students as necessary.

With the varying abilities of intermediate students in mind, the authors of *Ensuite* have also introduced essential grammar in a streamlined way. Each grammar section is broken into two parts. The first, **Structures,** presents the main grammar points that students will need in order to do the activities in the chapter and to talk about the chapter theme. This section could be subtitled *Grammar for Communication;* it contains the principles essential to carrying out the communicative functions of the chapter. The second grammar section, **En détail,** appears at the end of the chapter. As the title suggests, it gives students more detail about the chapter's main grammar points. For some students, this section will serve mainly as a reference section in which they can verify familiar material that they have not yet completely mastered. Such students will use **En détail** occasionally. Others will want to study it as they would the material in **Structures,** because they will find that it contains important new information. In later chapters, where more sophisticated functions such as *expressing opinions* and *hypothesizing* are introduced, all students will probably find that they need to use **En détail** to do the chapter's activities. This dual grammar presentation should make studying grammar less intimidating; students need not feel overwhelmed by details when they turn to a new topic.

The authors of *Ensuite* believe that students learn most thoroughly through a spiraling approach in which material already presented is practiced further as new related material is introduced and practiced. Only one pass at essential communicative functions, such as *narrating* and *describing in past and future time,* is clearly not enough. For this reason, *Ensuite* recycles important grammar and vocabulary both within its chapters and systematically from chapter to chapter. The past tenses are first introduced in **Thème II,** for example, and then presented again in **Thème IV.** Students are therefore given two substantial opportunities (over the course of six chapters) to work uniquely on *narrating and describing in past time.* The authors hope that students will grow confident and proficient in talking and writing about the past through this process of repeated exposure.

■ *Teaching for Proficiency*

Foremost among the underlying organizational principles of *Ensuite* are the proficiency guidelines developed by the American Council on the Teaching of Foreign Languages (ACTFL) and based on standards long used by the United States government and armed services. The guidelines identify four major levels of linguistic development. These levels and their subdivisions are as follows:

Superior
{ Advanced Plus
{ Advanced
{ Intermediate High
{ Intermediate Mid
{ Intermediate Low
{ Novice High
{ Novice Mid
{ Novice Low

Many instructors have learned to use this terminology to measure students' oral proficiency. The notion of proficiency can also be applied to reading, writing, listening, and cultural awareness skills. *Ensuite* provides a wide variety of contexts and activities aimed at simultaneously developing students' proficiency in all five areas. Proficiency goals are inherent in the sequence of grammar presentation. Those structures most needed by learners at the lower proficiency levels are treated first and recycled frequently, while more demanding structures are added and spiraled along with the simpler ones as the text progresses.

The authors have made three key assumptions about the development of oral proficiency. First, most students at the beginning of the second year of college language study (after a summer hiatus) would prove to be at the lower end of the ACTFL scale (Novice High to Intermediate Mid) if tested in an oral interview. Second, a reasonable goal for second-year students would be the middle range (Intermediate Mid to Advanced). Third, students should be exposed to the structures needed to achieve the highest levels (Advanced Plus to Superior), even though such achievement is not likely after two years of language study.

Equivalent levels of proficiency for the other three skills are equally desirable, but the four skills will not evolve at an equal pace. Students generally can read and understand at a higher level than they can speak. *Ensuite* aims to provide an opportunity to develop all four, although such development must necessarily depend on the ability and effort of the individual.

Before beginning work on *Ensuite,* the authors identified the following ten basic language functions, the mastery of which is necessary to progress up the ACTFL scale:

1. asking and answering questions
2. describing in present time
3. narrating in present time
4. surviving a simple (predictable) situation
5. describing in past time
6. narrating in past time
7. describing and narrating in future time
8. surviving a situation with a complication (an unpredictable situation)
9. supporting opinion
10. hypothesizing

Each unit of the text targets one or two of these functions, progressing from the simplest (numbers one and two) to the most difficult (numbers nine and ten).

■ *Organization of* Ensuite

The text consists of seven units of three chapters each. The activities are primarily interactive; more traditional grammar exercises are found, for the most part, in the workbook.

Each of the seven units is introduced by thematic materials, often visual (advertisements, brief clippings from magazines, photos with captions, and so on). A short introduction to the unit was designed to spark students' interest and to provide general information about the unit's contents. This section should allow students to activate background knowledge about the targeted theme and functions. Instructors may wish to use it as an informal pretest to pinpoint the strengths and weaknesses of the class.

Each chapter has five main sections: **Paroles, Lecture(s), Structures, Par écrit,** and **En détail. Paroles** presents the essential vocabulary of the chapter. Many of the words will be familiar to students; the activities in **Paroles** have been created to help students activate them. This section sets the stage for the reading and grammar-related activities to follow.

Lecture(s) consists of one or several readings. To help students read authentic materials with greater comprehension and enjoyment, each **Lecture(s)** section offers both a set of general reading strategies and a set of pre-reading questions. An introduction to the readings provides cultural and thematic information. Through Chapter 15, a brief vocabulary section, **Étude de mots,** has students practice a few key words from the readings. Follow-up activities verify comprehension of the reading and relate it to students' own experiences.

Structures presents grammar points illustrated by examples taken from or related to the reading(s). All grammar presentations are given in English to make it possible for students to prepare that section of the chapter on their own, but French is the language of the guided activities that appear throughout the section. The activities that conclude **Structures** are pair or group activities for the most part, and always include at least one role-play. Such activities put the grammar to work in realistic contexts. Realia and visuals are incorporated into these activities from time to time, as they are throughout the text.

Par écrit focuses on writing. It offers general strategies for good writing, including ways to come up with interesting ideas, anticipating the reader's expectations, and useful techniques for organizing a descriptive or narrative passage. Pre-writing tasks help students take the first step toward writing the essay proposed in the section. Essay topics are genuine writing tasks, not oral exercises made into writing tasks. This section focuses specifically on the writing skill, sometimes overlooked in textbooks built upon communicative activities.

En détail offers further detail on the main grammar points in the chapter. This material may be treated as essential or supplementary according to the needs of the students.

Each unit closes with an interview with a native French speaker. These interviews were conducted by the authors and are thematically related to the unit. After their work in the unit, students should be able to read them quickly and easily.

■ *Program Components*

The *Ensuite* package also contains a *Cahier de laboratoire et d'exercices écrits*, computer materials for the student, a *Tapescript,* an *Instructor's Manual,* and an optional *Instructor's Resource Kit.*

The *Cahier de laboratoire et d'exercices écrits* and its accompanying tape program contain two types of material. The workbook offers basic, controlled written grammar and vocabulary activities to supplement the creative, interactive activities in the student text. Answers to most exercises are included in the workbook. The Laboratory Program aims to develop both listening and speaking skills through discrete-item practice as well as through discourse-level listening comprehension passages. It is available on cassette or reel-to-reel tapes.

The computer materials available for student use with *Ensuite* include the *Random House Language Tutor,* containing all the manipulative activities from the student text, as well as *Jeux communicatifs* by John Underwood of Western Washington University and Richard Bassein of Mills College.

The *Instructor's Manual to Accompany Ensuite* offers theoretical and methodological commentary on using *Ensuite* and on teaching for proficiency with the text, as well as practical, chapter-by-chapter notes on how to use the book in the classroom on a daily basis. The *Instructor's Manual* also contains guidelines on developing appropriate exams for the proficiency-oriented classroom.

The optional *Instructor's Resource Kit* is coordinated chapter-by-chapter with the student text. It provides optional activities and role-plays, realia from the student text enlarged for ease of use, and new realia thematically related to each chapter. A set of colored slides is available to the department. In addition the kit contains supplementary readings, arranged in order of difficulty, with accompanying discussion questions. These readings can be used at any time during the semester, and should help students solidify what they have been learning.

■ *Acknowledgments*

The authors wish to acknowledge the help of many people, without whom *Ensuite* would never have come to be.

The following instructors participated in a series of surveys and reviews that were indispensable in the early stages of development. The appearance of their names does not necessarily constitute their endorsement of the text or its methodology. Linda Bunney-Sarhad, California State University at Stanislaus; Walter L. Chatfield, Iowa State University; Claire Dehon, Kansas State University; Joan Dye, Hunter College of CUNY; Alvin E. Ford, California State University at Northridge; Nicole Fouletier-Smith, University of Nebraska at Lincoln; Evelyn Gould, University of Oregon; Clara Krug, Georgia Southern College; Anne D. Lutkus, University of Rochester; Mildred Mortimer, University of Colorado at Boulder; Carol J. Murphy, University of Florida; Lea Schein, Nassau Community College; Richard Williamson, Bates College.

We wish to thank the many people whose materials are reproduced here, especially Hélène de Beauvoir, Xavier Stelly, Joseph Garreau, Yannick Vernay, Georges Blanc, Jacques Préaux, and Marie Galanti. A special thanks to Yolanda Patterson who interviewed Hélène de Beauvoir and suggested several readings.

We owe a debt of gratitude to Eirik Børve and Thalia Dorwick of Random

House for the original impetus and careful guidance that led to *Ensuite*. Especially we want to thank our talented and hardworking editor Eileen LeVan who inspired us to transform our "best" efforts into a far better final product. Her unerring sense of what was needed to improve *Ensuite* is greatly appreciated.

Finally, we want to express our appreciation to Bill Thompson, Joe Hirsch, and our children (Nick, Erica, Natalie, Adam, Julie, Mike, Michelle, Hillary) whose patience, confidence, and love sustained us through the many long months from idea to manuscript to publication. We dedicate this book to them.

Ensuite

Qui êtes-vous?

▪▪ En bref

Who are you? The first unit of *Ensuite* will help you explore ways to answer this question in French. You will read and talk about some of the topics that people use to define themselves and others, such as personality, style, family background, and upbringing.

Each of the units (**Thèmes**) in *Ensuite* is designed to help you master specific skills; the vocabulary and grammatical structures presented in each chapter were chosen with these skills in mind. In **Thème I,** for example, one of your goals will be to learn how to obtain various kinds of information in French; therefore, one of the grammar points concerns interrogative forms and how to use them. To help you recognize the organization of the unit so that you can identify your own goals before you start working, each unit begins with a list of the main skills (functions) and corresponding structures that will be presented in it. If you focus on these global skills whenever you work with the unit, you will improve your skills in French more quickly than if you simply read and do the activities without thinking about their purpose. When you finish the unit, you may want to return to these lists to gauge your progress.

These are the functions and structures presented in **Thème I.**

Functions

- Describing in the present tense
- Narrating (telling what is happening)
- Asking questions

Structures

- Adjectives
- Verbs in the present tense
- Interrogative forms

A. *Le chemisier «Équipements». Petit col pointu. Poche poitrine avec pli et 2 petits boutons. Manches longues à poignets boutonnés. Blanc. Prix: 225 F.*

B. *La jupe longue en jean «Et Vous». 100% coton. Prix: 295 F.*

C. *Le sweat-shirt, 100% coton, bien ample. Prix: 230 F.*

D. *Le pantalon «Et Vous». Confortable en gabardine souple. Doublé. Prix: 320 F.*

E. *Le chapeau. Imitation paille. Prix: 105 F.*

F. *Les bretelles élastiques à boutonner. Réglables. Prix: 35 F.*

The opening section of each unit gives you the opportunity to try out the unit's functions before you begin to study them in the chapters. As you do the activities in these opening sections, keep the unit goals in mind so that you will know in which areas your French is already strong and in which ones you will need to improve.

▦ Avant de commencer

The illustration above appears in *La Redoute,* a mail order catalogue available in bookstores and at newsstands throughout France.

■ *Activités*

1. Sur cette photo vous voyez deux jeunes gens. Imaginez que vous êtes la jeune fille ou le jeune homme. Présentez-vous à un(e) camarade de classe, qui va jouer le rôle de l'autre personne. Vous donnerez votre

nom, puis vous répondrez aux questions que votre camarade vous posera sur votre âge, votre occupation, votre personnalité et vos vêtements. Faites preuve d'imagination en créant «votre» identité.

2. Et vous?
   a. Tournez-vous vers un autre étudiant (une autre étudiante) et décrivez-vous (taille cheveux, yeux, vêtements, apparence physique). Pouvez-vous décrire aussi votre personnalité? vos goûts? vos activités journalières? Pour une fois, ne soyez pas modeste.
   b. A la fin, présentez l'autre étudiant(e) à la classe.

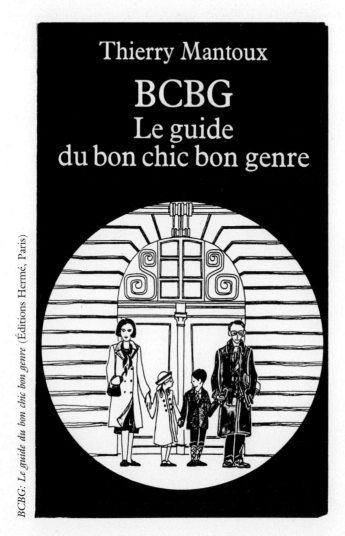

BCBG: Le guide du bon chic bon genre (Éditions Hermé, Paris)

CHAPITRE 1

Le look

PAROLES

La description physique

Le corps: on peut être **petit** (*short*), **grand** (*tall*), **de taille moyenne** (*of average height*), **mince** (*slim*), **maigre** (*skinny*), **gros** (*fat*), **beau, moche** (*ugly*), **musclé, athlétique.**

Les cheveux: on peut avoir les cheveux **blonds, bruns, châtains** (*dark blond*), **roux** (*red*), **longs, courts, bouclés** ou **frisés** (*curly*), **ondulés** (*wavy*), **raides** (*straight*), avec ou sans **frange** [f.] (*bangs*).

Les yeux: on peut avoir les yeux **bleus, marron, verts;** on peut **porter** des **lunettes** [f.] (*glasses*) ou des **lentilles** [f.] (*contact lenses*).

La personnalité

ON PEUT ÊTRE	OU AU CONTRAIRE
agréable, aimable, sympathique	désagréable, froid, antipathique
agressif, ouvert, bavard	réservé, timide
dynamique	mou
égoïste	altruiste
idéaliste	réaliste
intelligent	bête, stupide
intéressant	ennuyeux
optimiste	pessimiste
têtu, obstiné	facile à vivre
travailleur	paresseux

Les vêtements

Pour hommes: un **costume** (*suit*), une **chemise** (*shirt*), un **veston** ou une **veste** (*suit coat*), une **cravate** (*tie*).

Pour femmes: un **tailleur** (*suit*), une **jupe** (*skirt*), un **chemisier** (*blouse*), une **veste** (*jacket*), une **robe** (*dress*).

«Unisexe»:   un **pantalon**, un **blue-jean**, un **short**, un **jogging;** un **tee-shirt,** un **pull** (à **manches** longues ou courtes), un **polo;** des **sous-vêtements** [m.] (*underwear*); des **chaussettes** [f.] (*socks*), des **baskets** [m.] (*tennis shoes*), des **chaussures habillées** (*dress shoes*), des **bottes** [f.] (*boots*), des **sandales** [f.]; un **manteau** (*coat*), un **imperméable** (*raincoat*), un **blouson** (*waist-length jacket*). un gilet (vest)

Les accessoires [m.]:   une **ceinture** (*belt*), un **chapeau** (*hat*), une **écharpe** (*scarf*), des **gants** [m.] (*gloves*); une **poche** (*pocket*), un **bouton** (*button*), une **fermeture-éclair** (*zipper*).

Les tissus [m.]:   un vêtement en **coton** (*cotton*), en **laine** (*wool*), en **polyester,** en **soie** (*silk*); un **tissu uni** (*solid color fabric*), à **carreaux** (*plaid*), à **rayures** (*striped*), **imprimé** (*print*); **assorti** (*matching*).

Le Figaro, 12 octobre 1985, p. vi

■ *Parlons-en*

1. En groupes de deux, décrivez les traits physiques et les vêtements des trois personnes que vous voyez sur la photo. Essayez aussi de deviner leur âge, leur profession et leur personnalité.
2. **Place à la fantaisie.** Il paraît que ces trois personnes sont en fait schizophrènes! Imaginez «l'autre» personnalité de chacune, et les vêtements qu'elles aiment porter quand elles se métamorphosent. Soyez prêts à présenter vos nouvelles hypothèses à la classe—avec originalité!

LECTURES ▦ : : : · · · · · · · · · · · · : · · · · · · · · · · :

▦ Lecture 1

Have you ever thought about how much your opinions of others are influenced by the clothes they wear? In the early 1980s the satiric *Official Preppy Handbook,* popular among college and high school students, described and mocked some of the current codes of "in" behavior and dress. In 1985, the French equivalent of the *Official Preppy Handbook* appeared: *BCBG: Le guide du bon chic bon genre* by Thierry Mantoux (Paris: Hermé, 1985). You will read a few excerpts from *BCBG* in this chapter.

■ *Avant de lire*

Reading Strategies: An Introduction   When you read in your native language, you use a variety of strategies to make sense of what you see on the page. Understanding a text involves much more than just understanding the meaning of each word in it. Reading is a complex, active process. For example, readers constantly make judgments about which parts of a passage are important; often, they completely ignore other sections of the text. How they read— in depth or superficially—depends on what they are looking for. Moreover, in most cases, readers draw conclusions about what the text means based not only on what they see on the page but also on what they know about the subject before they read, that is, on what they expect to find in the text. These are only a few of the processes involved in reading. You will analyze some of them as you use *Ensuite.* Most reading involves intelligent guessing. Good readers are active; they do not simply find the meaning, but they also help to create it.

Although you use reading strategies automatically when you read in your native language, you might not be using them when you read in French. The reading strategies presented in *Ensuite* are designed to help you read actively in French. You will find general suggestions appropriate to all kinds of readings as well as specific approaches to the text in a certain chapter.

Skimming and Scanning   Efficient reading is often not linear; it is a "back and forth" process. When you read, it is often more productive to go through a new passage quickly at first, to get the "gist" of it, than it is to read laboriously word by word and paragraph by paragraph from the outset. Reading for the gist is called *skimming*. After you skim the entire text, your second reading will be more focused; you will know which parts to analyze more carefully and which parts require less attention. Once you know roughly what the author is writing about, you will often be able to guess the meaning of unfamiliar phrases that you might not have understood otherwise. You will also be able to decide which phrases you can safely skip because they are less important than others.

Another way to approach a new reading is to *scan* it for specific information. Scanning is appropriate when you do not really need to master the general content to find out what you need to know. Readers usually scan material such as movie and book reviews, catalogues, information brochures, and reference books.

Skimming for the gist and scanning for specific information are especially good ways to orient yourself when you read in a foreign language.

■ *Étude de mots*

Skim the following definitions for their key ideas. What ideas are most closely associated with **BCBG?** After skimming for the gist of each paragraph, find words that look like English words and guess their meaning in French. This kind of guessing will minimize the time you spend looking words up in the dictionary.

BCBG (bécébégé) *adj.* et *n. invar.* • *Sigle*° *de bon chic bon genre,* signifie ce qui est de bon ton.° C'est en réalité, en fonction de normes très complexes, tout ce qui différencie ceux qui savent de ceux qui ne savent pas, l'aristocratie et la vielle bourgeoisie des autres, les noveaux riches des anciens (surtout ceux qui sont maintenant fauchés,° ce qui n'a qu'une importance relative puisqu'ils sont BCBG) • *dérivés:* **NAP** (napp) appellation parisienne qui signifie «Neuilly-Auteuil-Passy»° et qualifie la jeunesse dorée° qui s'habille avec la panoplie BCBG.—**CPCH** (cépécéhache) appellation usitée pour les jeunes filles de 18 ans qui reçoivent en cadeau d'anniversaire leur premier *collier*° *de perles* et leur premier *carré*° *Hermès.*° • *A l'étranger:* **SLOANE RANGER** (slonne-reinegeure) BCBG anglais. **PREPPY** (prrépie) BCBG américain.

première lettre de chaque mot dans un nom propre
elégant

≠ riche

quartiers chic de Paris
comparez: *or*

pour le cou
foulard (*scarf*)
maison de haute couture, comme Dior

BCBG: Le guide du bon chic bon genre (Éditions Hermé, Paris)

Activité. Trouvez le mot convenable.

1. Ce qui est _____ est accepté par les BCBG.
2. La jeunesse _____ signifie les jeunes gens de bonne famille.
3. BCBG est le _____ pour bon chic bon genre.
4. Celui qui n'a jamais d'argent est _____.

BCBG: Le guide du bon chic bon genre [extrait]

Ce qui est BCBG:

- faire le baisemain
- vouvoyer[a] ses parents
- l'understatement
- le loden vert
- le foulard Hermès
- le stylo Mont Blanc
- le carnet Hermès
- avoir une voiture française
- le carnet du jour du Figaro
- les rallyes[b]
- le bridge
- écrire des lettres et répondre à toutes celles que l'on reçoit
- dire «à la maison», même si l'on a un château ou un appartement
- parler anglais avec l'accent d'Oxbridge
- la soie, le coton, le lin, la laine, le tweed
- les cravates club ou à motif cachemire
- aller à la chasse
- jouer au golf, au tennis
- ne pas être à la mode
- s'habiller sobrement
- ne jamais parler de ses origines
- recevoir ses amis avec suffisamment de grandeur pour qu'ils apprécient votre simplicité
- parler à tous simplement
- ne jamais montrer ses sentiments en public
- préférer le bon goût au confort

Ce qui n'est pas BCBG:

- être vu sur les Champs-Elysées pendant le week-end
- aller au coiffeur, au docteur
- parler l'américain
- rouler en Ford granada bleu pâle neuve
- arriver à l'heure à une réception
- passer ses vacances dans un club ou une caravane[c]
- jouer au tiercé[d]
- regarder la télévision le samedi soir
- parler d'argent, de ses problèmes personnels
- porter des couleurs voyantes[e] (orange, vert pomme)
- faire des courses en «jogging[f]»
- être anticlérical et antimilitariste.

[a] dire «vous» à

[b] réceptions
[c] véhicule pour le camping
[d] *three-horse combination bet*

[e] qui se voient de loin

[f] vêtement de sport

BCBG: Le guide du bon chic bon genre (Éditions Hermé, Paris)

■ *Avez-vous compris?*

A. Regardez les deux listes de ce qui est BCBG et de ce qui ne l'est pas. Complétez les phrases suivantes.

1. Un BCBG ne porte pas de couleurs _____ et ne joue pas au _____. Il (Elle) ne passe pas ses vacances dans _____.
2. Un BCBG est très poli et _____ ses parents.
3. Le _____ Hermès est un accessoire très apprécié par les BCBG.

B. Vrai ou faux?

1. Un BCBG aime les vêtements en polyester. 2. Un BCBG parle souvent de ses origines et de son argent. 3. Un BCBG joue au tennis et au bridge. 4. Un BCBG parle anglais avec un accent américain. 5. Un BCBG est souvent en retard à une réception. 6. Un BCBG montre ses sentiments en public. 7. Un BCBG fait des courses en «jogging».

■ *Et vous?*

A. Regardez de nouveau les deux listes et déterminez si vous êtes BCBG ou non. Expliquez votre décision en donnant plusieurs raisons.

B. Certaines des caractéristiques mentionnées ci-dessus sont particulières à la culture française et ne s'appliquent pas à la culture américaine. Identifiez-en quelques-unes. Essayez de trouver des exemples du «preppy» spécifiquement liés à la culture américaine.

C. Nommez cinq aspects caractérisant un étudiant (une étudiante) typique de votre université. Puis comparez-vous à cet étudiant (cette étudiante) «typique».

D. Pensez-vous que le snobisme soit à la base d'une telle liste?

E. A votre avis, pourquoi les guides de mode sont-ils si populaires parmi les jeunes?

■■ Lecture 2

The following photograph appears in *Vendredi, samedi, dimanche* (N°. 423 du 10 au 16 octobre, 1985). *VSD* is a popular French magazine that reflects the current heightened interest in weekend activities and leisure in general. This particular photo introduces an article about the computer age and its impact on fashion.

■ *Avant de lire*

Scan the caption and labels accompanying the photo for the following items:

1. words or expressions you have just learned (list at least five),

2. words derived from those you have just learned (**BCBGismes**), and
3. cognates, words that look very much like English words. List at least twelve of these.

■ *Étude de mots*

Scan the text for the following words, guess their meaning in context, and match them with their English equivalents.

1. l'habillement (*m.*)
2. la centrale de communication
3. la montre-ordinateur
4. la puce de silicium
5. la drague
6. branchés

a. plugged in (here, "in" people)
b. silicon chip
c. "cruising" for members of the opposite sex
d. dress
e. computerized watch
f. communication station
g. integrated software

Bip-bip! Voici le look techno!

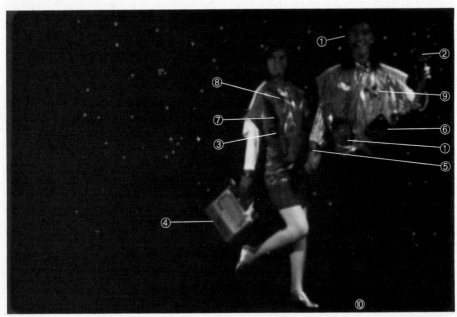

Vendredi, samedi, dimanche, n° 423, 10–16 octobre 1985, p. 34–35

Après le style punk, néo-romantique, NAP et autres bécébégismes, voici le look techno avec ses tics° et ses règles élémentaires en matière d'habille-ment° et de savoir-vivre. Et d'abord, le chic du chic qui consiste à se transformer en centrale de communication. Beeper, micro-portable,° télé-phone sans fil,° montre-ordinateur, vêtements dessinés par computer, puce de silicium en guise de boutons de manchettes, winkie, le symbole de la drague électronique qui dit oui (en vert) et non (en rouge) accroché° à la boutonnière, autant de must que nous vous présentons et qui vous per-mettront d'entrer dans la caste très fermée des SVG (Silicon Valley guys), les nouveaux branchés de l'ère post-industrielle.

habitudes
comparez: s'habiller
abr. micro-ordinateur /
sans... portable

attaché

1. Casque walkie-talkie
2. Beeper: indispensable
3. Téléphone portable
4. Microportable: l'informatique en balade°   *promenade*
5. Montre-agenda: Elle est pourvue d'une alarme programmable un an à l'avance.
6. Platine° à disque laser   *deck of recording equip-ment*
7. Winkie: must de la nouvelle drague et symbole techno par excel-lence. Deux lumières clignotent° selon votre humeur.   *s'allument et s'éteignent*
8. Microprocesseur: le vrai chic californien. Out les badges, foulards, colliers et le reste. Le vrai branché techno l'affiche au revers du veston.
9. Vêtements techno: amples, résolument décontractés,° ils s'inspirent souvent du graphisme des circuits intégrés.   *relaxed*
10. Chaussures: attention. Une nécessité pour les vrais «techno-guys». Des chaussures antistatiques. Évitent l'électricité d'origine magné-tique qui peut volatiser en une fraction de seconde un programme d'ordinateur.

■ *Avez-vous compris?*

A. Choisissez les mots qui conviennent le mieux.

1. Le look techno est devenu populaire (*avant, après*), le look BCBG.
2. Pour être (*NAP, SVG, punk*) on suggère le look techno.   3. On met le casque walkie-talkie (*sur les manchettes, sur la tête, autour de la taille*).

B. Vrai ou faux?

1. Le look techno suggère un type d'habillement qui ressemble à une cen-trale nucléaire.   2. Les branchés du look techno emploient des logiciels

pour trouver de nouveaux amis. 3. Les vêtements techno s'inspirent des circuits intégrés avec leurs puces de silicium.

■ *Et vous?*

1. Imaginez que vous êtes très BCBG. Vous venez de faire la connaissance du jeune couple «look techno» de la photo. Décrivez leur look à un ami (une amie). Donnez beaucoup de détails et essayez d'employer au moins une douzaine de mots du texte.
2. Quel est *votre* look? Décrivez-vous de façon schématique. Mentionnez les vêtements que vous mettez pour aller à l'université, au travail et pendant le week-end. Vous pouvez emprunter un des looks que nous avons vus en détail dans ce chapitre, ou créer un autre look tout à fait original.

STRUCTURES ■:::::::::::::::::::::::::::::::::

Elle et lui

ELLE: elle est **petite, mince, blonde;** elle a les yeux **bleus,** les cheveux **bouclés;** elle est **dynamique, bavarde, exubérante** même; elle est **intelligente, douée** en langues, **studieuse** quand il le faut, **insouciante** quand elle le peut; elle s'habille à la **dernière** mode; elle aime les couleurs **vives,** la musique **moderne.**

LUI: il est **grand, fort, brun;** il a les yeux **marron,** les cheveux **raides;** il est **calme, sérieux, réservé;** il est **intelligent, doué** en maths, **studieux** et de nature **inquiète;** il préfère le style BCBG aux modes **passagères;** il aime les couleurs **neutres,** la musique **classique.**

Ils sont tous les deux très **gentils,** mais sont-ils **compatibles?**

■ 1. Agreement of Adjectives

Adjectives are used to describe people, places, and things. They agree in gender and number with the nouns they modify. The following rules show you how to make them agree.

A. Gender Agreement

General Rule.   Add an **e** to the masculine adjective to form the feminine.

>Il est **doué** en maths; elle est **douée** en langues.

If the masculine form already ends with a mute **e,** there is no change for the feminine.

>un style **moderne** pour la vie **moderne**

Several small groups of adjectives, however, follow particular rules. Here are a few examples.

ENDING	EXAMPLES
-f → -ve	vif → vive
-x → -se	studieux → studieuse
-er → -ère	dernier → dernière

Notez bien

The **En détail** section at the end of this chapter will provide you with a more complete list of these and other exceptions. You will find such a section at the end of all chapters; use it as a reference as you read **Structures** and do the activities. Important structures are outlined in the chapter itself, but lists, additional information, and review tips are given in **En détail.** Some of the finer points are presented in **En détail** "for recognition only," because at the intermediate level you need to understand these structures only when you read and listen, but you do not need to use them when you speak and write. All other material in the **En détail** sections is for your active use. Parenthetical numbers after an explanation in **Structures,** for example (1.3), refer you to the corresponding section in **En détail.** The first number is the chapter number; the second is the **En détail** section number.

A few adjectives are totally irregular and must be learned individually. (1.1)

>un **beau** costume et une **belle** chemise

B. Plural Forms

General Rule.   Plurals are formed by adding an **s** to the singular form.

>Le **petit** garçon a deux **petits** frères.

If the singular form ends with an **s** or an **x,** there is no change.

> Il porte un pantalon **gris** et des baskets **gris.**
> Il est **roux;** il a les cheveux **roux.**

Irregular Forms (1.1)

ENDINGS	EXAMPLES
-eau $\rightarrow$ -eaux	beau $\rightarrow$ beaux
-al $\rightarrow$ -aux	idéal $\rightarrow$ idéaux

Multiple Nouns.   When there is more than one noun in the sentence, the form of the adjective is feminine if all the nouns are feminine; if one or more nouns are masculine, the form is masculine.

> des femmes et des filles **originales**
> un homme et une femme **originaux**

C. Invariable Adjectives

The following kinds of color adjectives do not have feminine or plural forms.

Compound Adjectives

> une robe ble**u** clair   *light blue*
> une robe ble**u** marine   *navy blue*
> des chaussettes ver**t** foncé   *dark green*

Adjectives That Are Also Nouns (1.2)

> des vêtements **marron** ou **turquoise**

▪▪ 2. Placement of Adjectives

In French, adjectives usually follow the nouns that they modify.

> les couleurs **vives**   la musique **moderne**   les modes **passagères**

A certain number of short, frequently used adjectives, however, usually precede the noun. (1.3)

> une **jolie** robe   à la **dernière** mode

A few adjectives can be used either before or after the noun, and the meaning changes accordingly. When used before the noun, they usually take on a figurative, that is, a non-literal meaning. (1.3)

> un homme **pauvre** (Il n'a pas d'argent.)
> un **pauvre** homme (Il n'a pas de chance.)

∷ 3. Possessive Adjectives

Possessive adjectives such as **mon, ton,** and **son** are always placed before the nouns they modify and before all other modifiers.

    mon pull   **mon** vieux pull

Remember that the choice of the possessive adjective reflects the possessor (**je,** → **mon, ma, mes**), but the adjective agrees in gender and number with the thing possessed. (1.4)

    Elle aime **son** vieux **pull;** *il* aime **sa** nouvelle **cravate.**
    Nous aimons **nos chaussures** neuves.

© PETER MENZEL/STOCK, BOSTON

Sont-ils BCBG?

■ *Maintenant à vous*

A. **Et elle?** Cette fois-ci, «elle et lui» se ressemblent en tous points. Sachant qu'il est grand, par exemple, nous pouvons en déduire qu'elle est grande aussi. Alors...

1. Il est assez beau. Et elle? 2. Il n'est pas gros, mais il n'est pas maigre non plus. 3. Il n'est ni blond ni brun; il est roux. 4. Il est intelligent et travailleur. 5. Il est sportif et très actif. 6. Il est gentil et affectueux. 7. Il est doux et pas du tout jaloux. 8. Il n'est pas menteur; il est franc.

B. **Mais lui seul** (*But only he*). Complétez les phrases suivantes en ajoutant les adjectifs entre parenthèses. Comme ce sont tous des adjectifs qui changent de sens selon leur place, analysez le sens de chaque phrase auparavant (*beforehand*).

1. (cher) Mais lui seul a des goûts (*tastes*).   2. (propre) Lui seul a sa voiture.   3. (ancien) Lui seul voit toujours ses camarades de lycée.   4. (dernier) Lui seul refuse de s'habiller à la mode.   5. (même) Et bien sûr, il est la gentillesse.

C. **Êtes-vous détective?** Plusieurs personnes ont disparu. En inspectant la garde-robe (*wardrobe*) des personnes disparues, pouvez-vous trouver des indices de leur identité? Faites l'inventaire selon le modèle. Il faudra vous rappeler le genre des noms utilisés et penser à l'accord aussi bien qu'à la place des adjectifs.

> MODÈLE: pantalon / beau / gris →
> Cette personne a un beau pantalon gris.

La garde-robe numéro 1:

1. chemisier / joli / rose
2. tailleur / petit / habillé
3. jupe / vert / et / pull / assorti
4. robe / beau / blanc / et / robes / autre / élégant
5. chaussures / gris / et / chaussures / bleu marine
6. imperméable / beau / neuf
7. vêtements / cher

La garde-robe numéro 2:

1. blue-jean / vieux / et / pull / gros / noir
2. chemise / vieux / à carreaux
3. baskets / blanc / et / bottes / gros / marron
4. blouson / kaki / avec / poches / grand
5. tee-shirt / et / short / rouge
6. vêtements / bon marché

L'identité. Maintenant que vous avez vu tous les vêtements, décrivez les deux personnes à qui ces garde-robes appartiennent (sexe, âge probable, occupation, personnalité).

D. **Et votre garde-robe à vous?** Tournez-vous vers un(e) camarade qui jouera le rôle de votre mère ou père. Essayez de le (la) convaincre que vous «n'avez rien à vous mettre.» Comme preuve, vous faites l'inventaire de votre «pauvre» garde-robe. Vous pouvez même suggérer quelques vêtements que vous aimeriez avoir. Soyez précis dans vos descriptions. Ensuite, renversez les rôles.

E. **A chacun ses goûts.** D'abord, lisez la description de chacune des personnes suivantes; puis évitez les répétitions maladroites en remplaçant les noms propres répétés par des adjectifs possessifs.

MODÈLE: Jean est gentil; la sœur **de Jean** est gentille aussi. →
Sa sœur est gentille aussi.

1. Jean aime la couleur bleue. Le pantalon de Jean est bleu. La chemise de Jean est bleue. Les chaussettes de Jean sont bleues. Même les chaussures de Jean sont bleu marine. Et le blouson de Jean est bleu marine aussi.
2. Jean a une sœur. La sœur de Jean s'appelle Béatrice. Quelle est la couleur préférée de Béatrice? Le short de Béatrice est jaune, le tee-shirt de Béatrice est jaune et blanc. La ceinture de Béatrice est jaune. Même les baskets de Béatrice sont jaunes! Est-ce que vous avez deviné la couleur préférée de Béatrice?
3. Jean a une amie, Viviane. L'amie de Jean n'aime pas le bleu. Les goûts de Viviane et de Jean sont d'ailleurs très différents. Mais la relation de Viviane et de Jean n'en souffre pas du tout!

F. **A vous!** En reprenant le plus possible des adjectifs présentés dans ce chapitre, décrivez les personnes suivantes. Faites particulièrement attention à la place et à l'accord des adjectifs.

1. un copain ou une copine à vous
2. votre camarade de chambre
3. le jeune homme idéal ou la jeune fille idéale (selon vous)
4. le père ou la mère typique (selon vous)
5. votre acteur / actrice préféré(e). Ne dites pas qui c'est—essayez de faire deviner à votre partenaire ou à la classe de qui il s'agit!

G. **Les différentes facettes de votre personnalité.** En groupes de deux, décrivez quel genre de personne vous êtes...

1. quand vous êtes en vacances
2. la veille d'un examen
3. quand vous sortez avec vos amis
4. quand vous vous réveillez!
5. ? *

H. **«L'habit ne fait pas le moine».** (*Literally, "Clothes don't make the monk." That is, "you can't judge a book by its cover."*) Est-ce vrai? Décrivez deux personnes que vous connaissez en comparant...

1. l'extérieur (description physique, vêtements favoris), et
2. l'intérieur (caractère et personnalité).

I. **Jeu de rôles.** Role-play the following situation with a classmate.

Student A: You work for a large advertising firm in France, and your boss has asked you to conduct a survey of current trends in men's and women's clothing styles. Introduce yourself to the person you are interviewing and find out what he/she does, what kinds of clothing styles he/she prefers, and

---

*Throughout **Ensuite,** a question mark at the end of an activity is used to encourage you to create a new item of your own.

what kinds of clothing (colors, designs, etc.) he/she chooses to wear to work (or school) and various other places. Be polite and tactful.

Student B: You may assume your own identity or a fictitious one; elaborate as much as possible to make your answers lively and interesting.

PAR ÉCRIT ■ :

■ *Avant d'écrire*

Simplification   You may be approaching the task of writing a short composition in French with unnecessary frustrations. You may find that most of your thoughts come to you in your native tongue; at this stage, that is normal. When you try to convert complicated ideas into French you may lack the vocabulary and structures you need. Remember that in every language there are many ways to say the same thing, including *simpler* ways. Learning to restate the same concept in simpler terms will help you write clearly in a foreign language. Think about the following English sentences and about the words and structures that you know in French (No dictionary, please!); rephrase the sentences in simpler English, and then convert them into French. Although your version may be less detailed, you will probably be able to convey your general idea clearly.

1. He is a good-looking, lithe young man of twenty-five with ebony eyes.
   Simpler English: _____
   French: _____
2. She has inherited her striking blond hair from her mother.
   Simpler English: _____
   French: _____

■ *Sujet de composition*

Vous cherchez un travail de mannequin (homme ou femme) à Paris. En un paragraphe, vous vous décrivez à un agent. (Vous pouvez exagérer un peu.) Les questions suivantes peuvent vous servir de guide pour développer vos pensées.

- Qui êtes-vous?
- Comment êtes-vous physiquement?
- Comment est votre personnalité?
- Quel look préférez-vous?
- Quel genre de vêtements aimez-vous?
- Quelles sont vos ambitions?

EN DÉTAIL

1.1. The Feminine of Adjectives

A. Exceptions with a Rule

ENDINGS	EXAMPLES
-el → -elle	spirituel → spirituelle
-eil → -eille	pareil → pareille
-il → -ille	gentil → gentille
-en → -enne	ancien → ancienne
-on → -onne	bon → bonne
	mignon → mignonne
-en → -enne	moyen → moyenne
-et → { -ète / -ette }	inquiet → inquiète; discret → discrète; net → nette; muet → muette
-ot → -otte	sot → sotte
-s → -sse	gros → grosse; épais → épaisse; bas → basse; gras → grasse
-x → { -sse (*in a few cases*) / -se (*in all others*) }	faux → fausse; roux → rousse / heureux → heureuse; jaloux → jalouse
-er → ère	léger → légère; dernier → dernière; premier → première
-f → -ve	naïf → naïve
-c → { -che / -que }	blanc → blanche; franc → franche; sec → sèche; / public → publique
-g → -gue	long → longue
-eur → { -euse / -rice / -eure (*comparative adjectives*) }	menteur → menteuse; travailleur → travailleuse; conservateur → conservatrice; protecteur → protectrice; inférieur → inférieure; supérieur → supérieure; antérieur → antérieure; meilleur → meilleure

B. Other Exceptions

doux → douce   frais → fraîche   favori → favorite

The following four adjectives have an irregular feminine form *and* an alternate masculine form used only with singular masculine nouns beginning with a vowel or a mute *h*.

beau (bel) → belle	un beau garçon	un bel homme	une belle ville
nouveau (nou-vel) → nouvelle	un nouveau jour	le nouvel an	une nouvelle jupe
vieux (vieil) → vieille	un vieux monsieur	un vieil ami	une vieille dame
fou (fol) → folle	le fou rire (*fixed expression*)	un fol amour	une idée folle

1.2. The Plural of Adjectives

A. Exceptions in *-al*

Rule: **-al** → **aux**   famili**al** → famili**aux**

There are five exceptions: banal → banals; fatal → fatals; final → finals; natal → natals; glacial → glacials.

B. Adjectives with No Plural Form

1. Colors derived from nouns: **or, argent, marron, cerise, citron, orange, kaki, turquoise.**
2. The words **chic** and **bon marché** (**meilleur marché**).

1.3. Placement of Adjectives

A. Adjectives That Precede the Noun

French adjectives generally follow the noun. The short and frequently used adjectives that usually precede the noun are grouped here by category.

Size: **grand, gros, petit, long**

une **grande** personne avec un **gros** nez, une **petite** bouche et de **longues** jambes

Beauty: **beau, joli**

> un **beau** garçon et une **jolie** fille

Goodness: **bon** ≠ **mauvais** / **gentil** ≠ **vilain**

> Un **gentil** garçon est un **bon** exemple; un **vilain** garçon est un **mauvais** exemple.

Age and order: **jeune, vieux, nouveau, premier, dernier**

> La **nouvelle** mode rappelle aux **vieilles** dames les styles de leur **jeune** âge: ce n'est pas la **première** fois qu'on porte des choses comme ça.

Resemblance: **même, autre**

> un **autre** contexte, mais les **mêmes** problèmes

In careful speech, when an adjective precedes the noun, the indefinite article **des** becomes **de.** This usage is now changing, except in the case of **autre.**

> des étudiants sérieux → **d'**autres étudiants

B. Adjectives That Change Meaning According to Position

ancien	mon **ancien** professeur l'histoire **ancienne**	my *former* teacher *ancient* history
cher	ma **chère** amie une robe **chère**	my *dear* friend an *expensive* dress
dernier	la semaine **dernière** la **dernière** semaine des vacances	*last* week (*most recent*) the *last* week (*in a series*)
même	le **même** look le look **même**	the *same* style the *very* style, the style *itself*
pauvre	une **pauvre** femme une **femme** pauvre	a *poor* (*unfortunate*) woman a *poor* woman (*penniless*)
propre	mes **propres** chaussettes des chaussettes **propres**	my *own* socks *clean* socks
seul	le **seul** homme un homme **seul**	the *only* man a *lonely* man, a man *alone*

1.4. Possessive Adjectives

POSSESSOR	POSSESSION

je
{ **mon** copain
ma copine / **mon*** amie
mes amis

tu
{ **ton** copain
ta copine / **ton*** ancienne amie
tes amis

il/elle
{ **son** copain
sa copine / **son*** autre copine
ses amis

nous   **notre** copain, **nos** amis

vous   **votre** copain, **vos** amis

ils/elles   **leur** copain, **leurs** amis

---

*Note that **mon, ton,** and **son** are the forms used directly in front of *feminine* nouns beginning with a vowel. **Mon, ton,** and **son** are also used with *most* feminine nouns beginning with **-h.** Exceptions to this rule, such as **ma hache,** are marked with an asterisk in the vocabulary at the end of the book and in many dictionaries.

CHAPITRE 2

Photos de famille

© MARK ANTMAN/THE IMAGEWORKS

PAROLES

Les photos

Une **photo** peut être **en noir et blanc** ou **en couleur; réussie** (*came out well*) ou **ratée** (*didn't come out*); **claire** (*clear*), **floue** (*blurry*) ou trop **sombre** (*dark*).

Avec un **appareil-photo** (*camera*), on peut aussi prendre des **diapositives** [f.] (*slides*). Avec une **caméra** (*movie film camera*), on filme.

Le **photographe prend** quelqu'un ou quelque chose **en photo.**

Beaucoup de gens mettent leurs photos dans un **album** ou dans leur **porte-feuille**[m.] (*wallet*).

L'apparence

On peut **avoir l'air souriant** ou **sérieux, sévère, gai** ou **triste, doux** (*gentle*) ou **dur** (*hard*), **espiègle** (*mischievious*), **fier** (*proud*), **jeune** ou **âgé**. On peut **ressembler à** quelqu'un (à son père, à sa mère, etc.).

Parfois, en photo, on **fait la grimace** (*makes a face*); on peut le faire **exprès** (*on purpose*) ou parce qu'on a le soleil dans les yeux.

La famille

Les **parents**: le **père**, la **mère**; le **mari**, la **femme**.
Les **enfants**: le **fils**, la **fille**; le **frère**, la **sœur**; le **demi-frère** (*half or stepbrother*), la **demi-sœur**; l'**aîné(e)** (*the oldest*), le/la **plus jeune**, l'enfant **unique**; les **jumeaux** ou les **jumelles** (*twins*).
Les **grands-parents**: le **grand-père**, la **grand-mère**.
Les **arrière-grands-parents** (*great grandparents*): l'**arrière-grand-père**, l'**arrière-grand-mère**.
Les **petits-enfants** (*grandchildren*): le **petit-fils**, la **petite-fille**.
Le **beau-père** (*father-in-law or stepfather*), la **belle-mère** (*mother-in-law or step-mother*).
Le **beau-frère** (*brother-in-law*), la **belle-sœur** (*sister-in-law*).
L'**oncle**, la **tante** (le **grand-oncle**, la **grand-tante**).
Le **neveu**, la **nièce**.
Le **cousin germain**, la **cousine germaine** (*first cousin*).
Les **parents éloignés** (*distant relatives*).

État civil

célibataire   divorcé(e)
marié(e)   veuf/veuve (dont la femme ou le mari est mort)
séparé(e)

■ *Parlons-en*

1. **Une photo de mariage.** La mariée, Joëlle, a une sœur un peu plus jeune qu'elle; le marié, Fernand, a un frère et une sœur, tous les deux plus âgés que lui. Les autres membres de la famille présents sur la photo sont les parents, des oncles, des tantes, des cousins, des neveux et des

nièces. Devinez (ou inventez!) la relation de chacun aux nouveaux mariés.

2. Certaines personnes sur cette photo sont à moitié ou complètement cachées. Supposez que vous êtes le photographe: comment allez-vous «placer» tout le monde pour que la photo soit plus réussie ou plus artistique?

3. Choisissez deux personnes sur la photo et décrivez-les en détail.

LECTURES ■ :

La Place (Paris: Gallimard, 1983) is the fourth novel of Annie Ernaux, born in Lillebonne in northwestern France. In this apparently autobiographical novel, the author looks back on the life of her father, who was first a farmworker, then a factory worker, and finally the proprietor of a small café. His struggle to support his family and to make his place in the world is central to Ernaux's memories. The novel brings to life the customs, values, and tastes of working class French society. The narrator expresses her growing sense of distance from her past, but also the love she shared with her father.

la classe ouvrière

▛ Lecture 1

▛ *Avant de lire*

Contextual guessing   You may have noticed that the readings in *Ensuite* are glossed in a variety of ways. These glosses are designed to help you develop your ability to guess what a word or phrase means based on its context, on what part of speech it is (noun, verb, adverb, and so on), and on other clues. You may recognize a part of a word you already know within a new word. In the sentence **L'amitié vaut autant que l'amour,** for example, you may recognize in **amitié** the familiar word **ami;** that, along with the contrast between **l'amitié** and **l'amour,** will probably be enough to help you guess that **amitié** means *friendship*. In context, the sound of a word will often lead you to associate it with an English word. For instance, if you saw the word **rotin** in isolation, you would probably not understand it, but if you saw it in the phrase **une chambre meublée en rotin, avec un énorme lit en acajou,** you might be able to guess, on the basis of the sound and the context, that **rotin** is the French equivalent of *rattan*. You could probably also guess that **acajou** is a kind of wood; it is *mahogany.*

Contextual guessing is an extremely important strategy for learning to read a foreign language and to understand it when it is spoken. It is virtually impossible to look up or ask about all the words you do not understand. Yet studies show that students of foreign languages can understand a great deal through guessing. You can grasp the sense of the whole without thoroughly mastering every one of the parts. In fact, you do this regularly in your native language as well; we all understand a portion of what we read or hear through contextual guessing.

Anticipating content   One approach to reading in a language not native to you is to discern what kind of text you are reading, that is, its genre or purpose. Is it an essay, an advertisement, a news article, a fictional narration, or a descriptive passage? You will then recognize familiar patterns of organization that will help you anticipate what the piece is about. You should use this technique before reading in French. For example, the following passage describes a photograph. Knowing that, read through it quickly to discover the following information.

1.   the relationship between the two people in the photo
2.   physical details about them
3.   what the author wants to emphasize about the photo

▛ *Étude de mots*

alentour	*around*
soucieux	*worried*

Annie Ernaux

craindre	*to fear*
appuyer	*to lean on, to place*
aucun(e)	*not one*

Activité.   Trouvez le mot de la liste ci-dessus qui correspond aux définitions suivantes.

1. avoir peur de
2. autour
3. préoccupé, inquiet
4. pas un(e)
5. mettre

La Place [extrait]

ANNIE ERNAUX

Alentour de la cinquantaine, encore la force de l'âge, la tête très droite, l'air soucieux, comme s'il craignait que la photo ne soit ratée, il porte un ensemble, pantalon foncé, veste claire sur une chemise et une cravate. Photo prise un dimanche, en° semaine, il était en bleus.° De toute façon, on prenait les photos le dimanche, plus de temps, et l'on était mieux habillé. Je figure à côté de lui, en robe à volants,° les deux bras tendus sur le guidon° de mon premier vélo, un pied à terre. Il a une main ballante,° l'autre à sa ceinture. En fond, la porte ouverte du café, les fleurs sur le bord de la fenêtre, au-dessus de celle-ci la plaque de licence des débits de boisson.° On se fait photographier avec ce qu'on est fier de posséder, le commerce, le vélo, plus tard la 4 CV,° sur le toit de laquelle il appuie une main, faisant par ce geste remonter exagérément son veston. Il ne rit sur aucune photo.

pendant la / vêtements des ouvriers (travailleurs)
à... with a flounce
partie qui guide la bicyclette / avec mouvement d'oscillation
plaque... permis de vendre des boissons alcoolisées
petite voiture

■ *Avez-vous compris?*

1. Qui sont les deux personnes sur la photo dont l'auteur parle?
2. Trouvez les adjectifs du texte qui décrivent l'homme.
3. Comment est-il habillé?
4. Quel jour est-ce?
5. Et elle? Comment sont ses vêtements?
6. Dans quel commerce la famille est-elle établie?

■ *Et vous?*

1. D'après l'écrivain, «on se fait photographier avec ce qu'on est fier de posséder...» Êtes-vous d'accord avec elle? Est-ce vrai pour tout le monde ou seulement pour ceux qui ont vécu pauvrement? Quels exemples Annie Ernaux donne-t-elle?

2. Vous souvenez-vous de votre première bicyclette ou d'un autre jouet favori? Tournez-vous vers un(e) camarade de classe et décrivez-lui cet objet. Donnez beaucoup de détails pour qu'il/elle puisse le «voir».

3. Apportez une photo de votre enfance, ou une photo d'enfance découpée dans un magazine, et décrivez-la à la classe. Commencez par donner votre âge («Sur cette photo, j'ai _____ ans.») et continuez votre description au présent, avec le plus d'adjectifs possible. Décrivez aussi les objets qui figurent sur la photo, et la signification qu'ils ont peut-être pour vous. Servez-vous de la description d'Annie Ernaux comme modèle.

⊞ Lecture 2

In the next passage, Annie Ernaux continues the description of her father. See if you begin to sense the dichotomy between the adult narrator, a middle class intellectual, and the child from provincial Normandy, growing up in a family of modest means.

■ *Avant de lire*

The structure of a sentence   One of the most common problems encountered by readers of foreign language texts is an initial sense of confusion about a passage. You may know the feeling. You look at a long sentence and don't know how to begin to understand it.

The simplest way to proceed is often to look for the subject and the verb. These are at the core of the message. Once you have found them, it is usually easy to figure out the role of the other words in the sentence, for they provide supporting details. Until this procedure becomes natural, you may want to underline the subject(s) and verb(s) in complicated sentences.

Another useful strategy is to look for repetition. Writers use repetition in order to emphasize something; noticing repeated structures or words will help you pick out important ideas, and will simplify your reading.

Before you read, scan the following text to discover what single word, a pronoun repeated many times, is central to the organization and meaning of the paragraphs.

■ *Étude de mots*

mettre les pieds dans	*to go into (fam.)*
raideur	*stiffness*
déjouer	*turn (something) away from*
bien en chair	*plump, in full beauty*
éprouver	*to feel*

Activité. Trouvez les mots ou expressions de la liste ci-dessus qui correspondent aux définitions suivantes.

1. une attitude très formelle
2. sentir
3. bien formé
4. éviter
5. entrer dans

La Place [extrait]

ANNIE ERNAUX

Devant les personnes qu'il jugeait importantes, il avait une raideur timide, ne posant jamais aucune question. Bref, se comportant avec intelligence. Celle-ci consistait à percevoir notre infériorité et à la refuser en la cachant° du mieux possible. — ≠ montrant

Obsession : «*Qu'est-ce qu'on va penser de nous?*» (les voisins, les clients, tout le monde). Règle : déjouer constamment le regard critique des autres, par la politesse, l'absence d'opinion, une attention minutieuse aux humeurs° qui risquent de vous atteindre. — changements de tempérament

Il n'a jamais mis les pieds dans un musée. Il s'arrêtait devant un beau jardin, des arbres en fleur, une ruche,° regardait les filles bien en chair. Il admirait les constructions immenses, les grands travaux modernes (le pont de Tancarville°). Il aimait la musique de cirque, les promenades en voiture dans la campagne, c'est-à-dire qu'en parcourant des yeux les champs, les hêtrées,° en écoutant l'orchestre de Bouglione,° il paraissait heureux. L'émotion qu'on éprouve en entendant un air, devant des paysages, n'était pas un sujet de conversation. Quand j'ai commencé à fréquenter la petite-bourgeoisie d'Y..., on me demandait d'abord mes goûts, le jazz ou la musique classique, Tati ou René Clair,° cela suffisait à me faire comprendre que j'étais passée dans un autre monde. — *beehive* / village normand / arbres / un cirque / Tati... metteurs en scène

■ *Avez-vous compris?*

1. Soulignez le mot **il** chaque fois qu'il apparaît dans le passage précédent. Sur une feuille de papier, préparez deux colonnes. Dans la première colonne, indiquez les caractéristiques et les actions du père de la narratrice. Dans la deuxième colonne, faites une liste de ce qu'il **n'**a **pas** fait, dit ou senti, selon elle. Ensuite, décrivez son caractère.

   MODÈLE:

CE QU'IL A FAIT	CE QU'IL N'A PAS FAIT
Devant personnes... importantes— raideur timide	ne pose aucune question

2. Quel est le sujet de la dernière phrase du texte? De qui s'agit-il? Après toutes les répétitions du mot **il,** quel effet le mot **je** a-t-il sur vous?
3. Pour le père de la narratrice, le monde semble divisé entre **lui** et **les autres.** De son point de vue, les autres sont «＿＿» et lui et sa famille sont «＿＿».
4. Devant ceux qu'il juge «importants», comment se comporte-t-il? Donnez un exemple.
5. Sa fille juge qu'il était obsédé par l'opinion des autres. Quelle phrase du père exprime ce point de vue?
6. Comment essaie-t-il de gagner le respect des autres?
7. Qu'est-ce que son père admirait ou aimait? Comment le savait-elle?
8. Quels aspects de la vie culturelle ne faisaient pas partie de sa vie?
9. A quel moment est-ce que la narratrice a découvert les différences entre la formation de ses amis et la sienne?
10. Quelle est l'attitude de la narratrice envers son père? distance? tendresse? dépit? sarcasme? un mélange d'émotions?

■ *Et vous?*

1. Est-ce que vous avez jamais senti une différence marquée entre vos amis et vous-même? Entre un membre de votre famille et vous-même? Expliquez en donnant quelques détails.
2. Aimez-vous parler de vos préférences en musique, en peinture, en littérature, ou êtes-vous plutôt réservé(e)? Pourquoi? De quoi est-ce que vous aimez discuter avec vos amis?
3. A votre avis, est-ce qu'admirer un tableau, une sculpture ou une composition musicale indique un plus haut niveau culturel qu'admirer la beauté d'une fleur?
4. Quelle est votre définition d'une personne cultivée? Connaissez-vous quelqu'un qui a une définition différente de la vôtre?

STRUCTURES 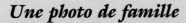 :

> ### *Une photo de famille*
>
> Voici une photo de ma famille: vous **voyez** mon petit frère, là, devant; il **fait** toujours la grimace sur les photos. Il **est** difficile à prendre en photo; il **court,** il **saute,** il **joue,** il **bouge** tout le temps. Ma sœur, par contre, **adore** se faire photographier. **Regardez** comme elle **sourit.** Parfois on **se moque** d'elle parce qu'elle **pose** sur toutes les photos. Mes parents **n'aiment pas** tellement se faire photographier; ils **essaient** de se cacher derrière leurs enfants et ils **mettent** toujours leurs mains sur nos épaules—je **ne sais pas** pourquoi. Est-ce que vous **avez** une photo de votre famille?

1. The Present Tense

The present tense is one of the most frequently used tenses. In order to express yourself in French, you must have a solid command of the present tense forms both in speaking and writing.

A. Regular Verbs

There are three groups of regular verbs: verbs in **-er** (such as parl**er,** étudi**er**), **-ir** (such as fin**ir,** obé**ir**) and **-re** (such as attend**re,** répond**re**). To form the present tense, drop the infinitive ending to find the stem and add the following endings to the stem.

Infinitive:	étudier	obéir	répondre
Stem:	étudi-	obé-	répond-
Present tense:	j'étudi**e**	j'obé**is**	je répond**s**
	tu étudi**es**	tu obé**is**	tu répond**s**
	il/elle/on étudi**e**	il/elle/on obé**it**	il/elle/on répon**d**
	nous étudi**ons**	nous obé**issons**	nous répond**ons**
	vous étudi**ez**	vous obé**issez**	vous répond**ez**
	ils/elles étudi**ent**	ils/elles obé**issent**	ils/elles répond**ent**

B. Irregular Verbs

Many verbs are irregular in the present tense. Here are a few of them:

> **aller, avoir, connaître, courir, croire, dire, écrire, être, faire, lire, mettre (permettre, promettre), ouvrir (offrir, souffrir), pouvoir, prendre (comprendre, apprendre), recevoir, rire (sourire), savoir,** verbs like **sortir (partir, servir, mentir, sentir, dormir), tenir, venir, voir,** and **vouloir.**

Complete conjugations of these and other irregular verbs are in the appendix at the end of *Ensuite.*

    Avoir and **faire** are especially important verbs; they are used in many idiomatic expressions. (2.1)

C. Pronominal Verbs

Pronominal verbs, such as **se coucher,** are conjugated just like other verbs, but they require an extra pronoun before the verb (je **me,** tu **te,** il/elle/on **se,** nous **nous,** vous **vous,** ils/elles **se**).

> Je **me** lève à 7h, et toi? A quelle heure est-ce que tu **te** lèves?

ULRIKE WELSCH

Attends, papa!

As illustrated in these two examples, pronominal verbs can indicate a reflexive action—an action the subject does to or for himself or herself. They can also indicate a reciprocal action—an action two or more subjects do to or for one another.

> Est-ce que vous **vous** connaissez depuis longtemps?
> —Oui, mais nous ne **nous** voyons pas souvent.

Some pronominal verbs, such as **se souvenir,** indicate neither reflexive nor reciprocal actions. They are idiomatic and their object pronoun does not translate literally. (2.2)

> Je **me** souviens bien de notre photo de famille.

■ *Maintenant à vous*

A. **Quand est-ce qu'on prend des photos?** Répondez selon le modèle en conjugant les verbes au présent.

> MODÈLE: Quand est-ce qu'on prend des photos? (on / aller en vacances) →
> Quand on va en vacances.

1. quelqu'un / fêter son anniversaire
2. quelqu'un / se marier
3. un enfant / apprendre à marcher
4. un enfant / recevoir son premier vélo
5. on / finir ses études
6. on / avoir un grand repas de famille
7. on / rendre visite à ses grands-parents
8. on / sortir avec des amis
9. quelqu'un / partir pour longtemps
10. quelqu'un / revenir après un long voyage
11. ?

B. **Et vous?** Quand est-ce que vous prenez des photos? Tournez-vous vers un(e) camarade et donnez au moins cinq situations où vous sortez votre appareil-photo.

C. **Le grand frère.** Qu'est-ce qui arrive quand le grand frère fait quelque chose? Les autres enfants l'imitent! Répondez selon le modèle.

> MODÈLE: Qu'est-ce qui arrive quand le grand frère désobéit? →
> Les autres enfants désobéissent aussi!

Qu'est-ce qui arrive quand le grand frère...

1. veut des bonbons?
2. va dehors? (*goes outside*)

3. joue à la balle?
4. choisit un autre jeu?
5. fait du vélo?
6. lit un livre?

7. dort par terre?
8. fait la grimace pour la photo?
9. ?

▦ 2. Adverbs

Here are some commonly used adverbs, grouped according to kind.

Time: aujourd'hui, demain, hier
d'abord, ensuite, enfin
maintenant
tôt ≠ tard

Frequency: déjà
encore
parfois, quelquefois
souvent
toujours (*always* or *still*)

Place: ici
là *ou* là-bas
quelque part (*somewhere*)

Quantity: assez
beaucoup
trop
un peu

Opinion: heureusement (*fortunately*)
malheureusement (*unfortunately*)
peut-être
sans doute, probablement

Manner: bien ≠ mal
vite ≠ lentement

In sentences whose verbs are in the present or other simple tenses, most adverbs
are placed after the verb. Adverbs of time and opinion, however, are often used
at the beginning of the sentence or clause. (2.3)

Il parle **bien; malheureusement,** il parle **trop vite.**

When **peut-être** and **sans doute** are used at the beginning of the sentence or
clause, they are followed by **que.** Compare the following:

Ils ont peut-être faim.
Ils sont sans doute fatigués.

Peut-être **qu**'ils ont faim.
Sans doute **qu**'ils sont fatigués.

(See 2.3 on the formation of adverbs.)

■ *Maintenant à vous*

D. **Deux sœurs qui se ressemblent peu.** Complétez les phrases suivantes avec
les adverbes qui correspondent aux adjectifs donnés.

1. L'aînée a de *mauvais* résultats à l'école; elle travaille _____.
2. Mais la plus jeune est *bonne* élève; elle travaille _____.

3. Elle étudie sur un rythme *rapide*; elle étudie _____.
4. L'aînée, au contraire, est très *lente* quand elle fait ses devoirs; elle travaille _____.
5. Ses parents pensent qu'elle s'amuse de façon excessive, c'est-à-dire qu'elle s'amuse _____.

Ressemblez-vous davantage à l'aînée ou à la plus jeune? Dans quel sens?

E. **Pour prendre une photo de famille.** Complétez les phrases suivantes de façon logique avec des adverbes de la liste ci-dessus.

D'abord
parfois
quelque part
vite

ensuite
là
encore
enfin

1. _____, il faut réunir tout le monde.
2. _____, c'est difficile parce que les adultes parlent et les enfants jouent.
3. Il faut aussi trouver un cadre agréable, _____ dans la maison ou dehors.
4. En général, les parents crient aux enfants: «_____, dépêchez-vous!» Alors, tout le monde arrive.
5. _____, il faut «placer» tout le monde.
6. Aux petits, on dit: «Mettez-vous _____, devant!»
7. On attend _____ un peu—avec le sourire!
8. _____, tout le monde est prêt, et la photo est prise.

▪ 3. Negative Forms

A. *Ne... pas*

Ne... pas is the basic negative form. **Ne** precedes the conjugated verb and **pas** follows it.

> J'adore prendre des photos! Je **n'**aime **pas** prendre **de** photos.

Note that in a negative statement, the indefinite articles **un, une,** and **des,** as well as the partitive articles **du, de la,** and **de l'** become **de.** There is one exception: in negative sentences with **être,** indefinite and partitive articles do not change.

> Ce n'est pas **une** belle photo.

B. *Ne... plus, ne... jamais,* and *ne... pas encore*

Other negative expressions correspond to some of the common adverbs given above. **Ne... plus** is the negative equivalent of **encore** and **toujours.**

> Vous prenez **encore/toujours** (*still*) des photos en noir et blanc?
> —Non, je **ne** prends **plus** de photos du tout.

Ne... jamais is the negative equivalent of **parfois** and **toujours.**

> Vous prenez **parfois/toujours** (*always*) des diapositives?
> —Non, je **ne** prends **jamais** de diapos parce que je n'ai pas de projecteur.

Pas encore is the negative equivalent of **déjà.**

> Vous prenez **déjà** des photos?
> —Non, il **ne** fait **pas encore** (*not yet*) assez clair.

C. *Rien* and *personne*

Rien is the negative equivalent of **quelque chose** (*something*) or **tout** (*everything*); **personne** is the negative of **quelqu'un** (*someone*). Since they are pronouns, they can be used as subjects as well as objects.

> Je vois **quelque chose.**   Je **ne** vois **rien.**
> Je vois **quelqu'un.**   Je **ne** vois **personne.**
> **Quelqu'un** sourit.   **Personne ne** sourit.
> **Tout** va bien.   **Rien ne** va.

D. *Aucun*

Aucun negates **quelques, plusieurs** or other expressions of quantity and means *not . . . any,* or *not a single one.* It is often simply an emphatic form of **pas de.** The feminine is **aucune.** Because of its meaning, it is always singular.

> Vous avez des photos de votre grand-père?
> —Je **n'**ai **pas de** photos de mon grand-père.
> *ou* —Je **n'**ai **aucune** photo de lui (*forme emphatique*).
> Vous avez plusieurs frères?
> —Je **n'**ai **aucun** frère.
> Quelques-uns de tes amis viennent ce soir?
> —Non, **aucun** de mes amis **ne** vient ce soir.

E. Multiple Negatives

In using multiple negatives, remember that **pas** *cannot* be combined with other negative expressions. When other negative expressions are used together, remember simply that **rien, personne,** or **aucun** always come last.

> Je **ne** comprends **plus jamais rien.**
> *ou* Je **ne** comprends **jamais plus rien.**

On **ne** voit **jamais personne.**
On **n'**a **plus aucun** ami.

F. *Ne... que*

Ne... que is not really a negative expression. Equivalent to **seulement** (*only*), it does not affect indefinite and partitive articles as negative expressions do.

Je **ne** prends **que** des photos en couleur.

[See (2.4) for additional information on recognizing other negative expressions, the use of negatives with infinitives, and **oui** vs. **si**.]

■ *Maintenant à vous*

F. **Devinez!** Votre ami(e) cache une photo dans sa main et veut que vous deviniez ce que la photo représente. Malheureusement, vous n'êtes pas sur la bonne piste et toutes les réponses sont négatives, sauf la dernière.

1. Est-ce que je connais déjà cette photo? (pas encore)
2. C'est une photo de ta famille? (pas)
3. Est-ce que je connais quelqu'un sur la photo? (personne)
4. Est-ce que quelqu'un sourit? (personne)
5. Est-ce que quelqu'un fait quelque chose sur la photo? (personne, rien)
6. Est-ce qu'il y a quelqu'un sur la photo?! (personne)
7. Est-ce qu'il y a des animaux sur la photo? (aucun)
8. Est-ce qu'il y a des maisons sur la photo? (aucune)
9. Alors, c'est un monument célèbre, n'est-ce pas? (La Tour Eiffel)

G. **Une interview négative.** On interroge l'auteur de *La Place* qui répond négativement à toutes les questions, selon le modèle. Jouez le rôle d'Annie Ernaux.

MODÈLE: Est-ce que votre père sourit parfois sur les photos? →
Non, il ne sourit jamais sur les photos.

1. Est-ce que vous ressemblez à votre père? 2. Est-ce qu'il a toujours sa CV? 3. Est-ce qu'il va souvent au musée? 4. Est-ce qu'il a plusieurs disques de musique classique? 5. Est-ce qu'il comprend quelque chose au jazz? 6. Est-ce qu'il connaît quelqu'un dans le milieu artistique? 7. Est-ce qu'il va parfois au cinéma? 8. Est-ce qu'il pose beaucoup de questions aux gens?

H. **La routine journalière.** Décrivez certaines personnes que vous connaissez. En combinant les éléments des colonnes ci-dessous, faites autant de phrases que possible, affirmatives et/ou négatives. N'hésitez pas à élaborer.

je	se réveiller	d'abord
un membre de ma famille	se dépêcher	tôt, tard
	travailler	souvent
	étudier	toujours
mon/ma camarade de chambre	s'amuser	jamais
	faire du sport	parfois
	se reposer	beaucoup
mon meilleur ami/ma meilleure	regarder la télé	pas beaucoup
amie	se coucher	encore
?	?	?

I. **Interview.** En groupes de deux, posez les questions suivantes à tour de rôle. Essayez d'utiliser plusieurs verbes différents pour chaque réponse.

1. Quand vous avez du temps libre, qu'est-ce que vous aimez faire?
2. Qu'est-ce que vous ne faites jamais pendant les vacances?
3. Qu'est-ce que vous ne faites pas souvent pendant l'année scolaire?
4. Qu'est-ce que vous faites parfois avec votre famille?
5. Maintenant, réfléchissez à votre famille et à vous-même et complétez chacune des phrases suivantes en élaborant le plus possible.

    a. Malheureusement,...   b. Heureusement,...   c. Peut-être que...

J. **Jeu de rôles.** Change partners and role-play the following situation in French.

You and your partner are well-known photographers and you have been asked by a French magazine to do a story in pictures about the American family. Discuss what you want to show in each picture. Why? Be ready to justify your choices to the editor of the magazine.

PAR ÉCRIT ■ :

■ *Avant d'écrire*

Description   Descriptive writing evokes images by using expressions and comparisons that appeal to the imagination and the senses. Such writing can be organized in several different ways.

1. From *outside* to *inside,* or from physical characteristics to personality traits. This can be done in two ways: you may begin with the external

description, then finish with the internal, or you can go back and forth to associate external characteristics with internal traits.

2. From *general* to *more specific,* or from an overall description of the person, both external and internal, to one or several specific traits, such as the eyes, the look of confidence or timidity, etc.

3. From *specific* to *more general,* or from one or more characteristics that are unique to the person, such as the way he or she laughs, to an overall description.

Pre-writing task: Look through *La Place* to see how the description is organized. Next, read the composition topic below and then decide on *two* different ways to approach the description. Make an outline for each, jotting down key words and showing clearly the progression from *outside* to *inside,* from *general* to *more specific,* or from *specific* to *more general.* Then choose *one* of your outlines and develop it into a paragraph. Turn in a copy of your two outlines along with your paragraph.

■ *Sujet de composition*

Sortez encore une fois la photo (réelle ou imaginaire) dont vous avez parlé au début du chapitre. Cette fois-ci, imaginez que *c'est une autre personne* (un membre de votre famille, un ami) *qui vous décrit* sur cette photo. Comment cette personne vous voit-elle? Commencez votre paragraphe de la façon suivante: «Sur cette photo, ma fille (mon fils, ma nièce, etc.) a _____ ans.... » En vous aidant des stratégies données ci-dessus, essayez de vous décrire *du point de vue d'une autre personne*.

■ EN DÉTAIL

2.1. Idiomatic Expressions with *avoir* and *faire*

A. Avoir

EXPRESSIONS	MEANINGS	EXAMPLES
avoir... ans	*to be . . . years old*	Je n'ai pas encore 21 ans.
avoir besoin de	*to need*	Nous avons besoin de faire des courses.
avoir envie de	*to feel like*	Tu as envie de partir?
avoir faim	*to be hungry*	Quand j'ai faim, je mange.
avoir soif	*to be thirsty*	Quand j'ai soif, je bois.
avoir mal à (+ *noun*)	*to ache, to hurt*	Oh là là, que j'ai mal à la tête!
avoir du mal à (+ *infinitive*)	*to have a hard time (doing something)*	J'ai du mal à comprendre.
avoir l'air (+ *adj.* / de + *inf.*)	*to seem, to look*	Elle a l'air fatiguée. Elle a l'air de comprendre.
avoir de la chance (+ *infinitive*)	*to be lucky*	Vous avez de la chance de pouvoir partir.
avoir l'habitude de	*to be used to*	On a l'habitude de manger tard.
avoir raison	*to be right*	C'est vrai, vous avez raison.
avoir tort	*to be wrong*	Personne n'aime avoir tort.
avoir peur de (+ *noun* or *inf.*)	*to be afraid*	Elle a peur des chiens. J'ai peur d'échouer.
avoir sommeil	*to be sleepy*	Il se fait tard et j'ai sommeil.

B. Faire

EXPRESSIONS	MEANINGS	EXAMPLES
faire attention (à)	*to pay attention*	On fait attention quand on traverse la rue.
faire beau, mauvais, froid, chaud, etc.	*(weather expressions)*	Il fait chaud en été.
faire la connaissance (de)	*to make the acquaintance of*	Enchanté de faire votre connaissance.
faire la cuisine	*to cook*	Il est temps de faire la cuisine.
faire la vaisselle	*to do the dishes*	Après le repas, on fait la vaisselle.
faire la lessive	*to do the laundry*	Quand les vêtements sont sales, on fait la lessive.

EXPRESSIONS	MEANINGS	EXAMPLES
faire le ménage	*to clean the house*	Pour avoir une maison propre, on fait le ménage.
fair les/ses courses (faire le marché)	*to go grocery shopping*	Elle fait ses courses au super-marché.
faire des courses	*to run errands*	J'ai des courses à faire.
faire une promenade, une balade	*to take a walk*	Il fait toujours une petite prome-nade le soir.
faire un voyage	*to take a trip*	Ils veulent faire un grand vo-yage.
faire du sport	*to play sports*	Elle fait beaucoup de sport.
faire semblant (de)	*to pretend*	L'enfant fait semblant de dormir.

2.2. Common Pronominal Verbs

A. Reflexive Actions

EXPRESSIONS	MEANINGS	EXAMPLES
s'appeler	*to be named*	Comment vous appelez-vous?
s'arrêter	*to stop*	Je m'arrête au feu rouge.
se coucher	*to go to bed*	Il se couche à 10h.
se couper	*to cut oneself*	Je me coupe souvent quand je fais la cuisine.
se demander	*to ask oneself, to wonder*	Je me demande si j'ai raison.
se dépêcher	*to hurry*	Il se dépêche de partir.
se fâcher	*to get mad*	Elle se fâche facilement.
s'habiller, se déshabiller	*to get dressed, undressed*	Elle s'habille avec élégance.
se laver	*to wash up*	On se lave les mains avant de manger.
se lever	*to get up*	Nous nous levons tôt.
se maquiller	*to put on makeup*	Elle se maquille bien.
se peigner	*to comb one's hair*	Il oublie de se peigner.
se rappeler*	*to remember*	Je ne me rappelle plus rien.
se raser	*to shave*	Il se rase le matin.
se réveiller	*to wake up*	Je me réveille tard.
se reposer	*to rest*	Je n'ai pas le temps de me re-poser.

---

*Se rappeler and se souvenir are synonymous, but note the difference in construction.

Je ne me rappelle plus rien. (*no preposition*)
Je ne me souviens de rien. (*preposition* de)

B. Reciprocal Actions

Many common verbs can be made reflexive to express a reciprocal action.

EXPRESSIONS	MEANINGS	EXAMPLES
aimer → s'aimer	*to love each other*	Quand on s'aime beaucoup, on essaie de se comprendre.
comprendre → se comprendre	*to understand one another*	Souvent, on s'embrasse quand on se quitte en France.
embrasser → s'embrasser	*to kiss each other*	
quitter → se quitter	*to part*	
voir → se voir	*to see each other*	⎰ Quand nous nous voyons,
sourire → se sourire	*to smile at each other*	nous nous sourions et nous
serrer la main → se serrer la main	*to shake hands*	⎱ nous serrons la main.

C. Idiomatic Pronominal Verbs

These are called *idiomatic* either because they exist only in pronominal form or because they have a totally different meaning in their pronominal form.

EXPRESSIONS	MEANINGS	EXAMPLES
s'amuser	*to have fun*	Nous savons nous amuser.
s'ennuyer	*to be bored*	Vous vous ennuyez?
s'entendre	*to get along*	Nous nous entendons bien.
s'habituer à*	*to get used to*	On s'habitue au climat.
se mettre (à)	*to begin*	Il se met à pleurer.
se servir (de)	*to use*	On se sert d'un couteau pour couper.
se souvenir†	*to remember*	Je ne me souviens de rien.
se tromper (de)	*to be mistaken*	Je me trompe souvent d'exercice.

2.3. From Adjectives to Adverbs

As your vocabulary grows, you may wish to use a greater variety of adverbs.
Most adjectives can be made into adverbs by adding **-ment** to the *feminine* form of the adjective:

final →	finale →	finalement
premier →	première →	premièrement

---

*This expression is not to be confused with **avoir l'habitude de** (*to be used to*), reviewed earlier.
†See footnote on page 43.

Exceptions:
a) If the masculine form of the adjective ends in a vowel, **-ment** is added to the
masculine form:

absolu →	absolument
vrai →	vraiment
poli →	poliment

b) Adjectives ending in **-ent** or **-ant:** the adverb ending is **-emment** or
-amment. Both are pronounced **-amment.**

récent →	récemment
constant →	constamment
évident →	évidemment

2.4. Negative Expressions

In addition to the expressions mentioned in this chapter, please note the following which are not as commonly used and which are presented here for recognition only.

AFFIRMATIVE	NEGATIVE
Vous voyez mon livre **quelque part**?	—Je **ne** vois votre livre **nulle part** (*nowhere*).
Vous aimez le rouge **et** le bleu?	—Je n'aime **ni** le rouge **ni** le bleu. (*neither . . . nor*)

Note also that most negative expressions precede the infinitive.

Je promets de **ne pas** pleurer, de **ne rien** dire.

Exceptions: **personne, aucun, ni... ni, nulle part,** and **ne... que.**

Je vous demande de **ne** voir **personne.**
Je vous recommande de **ne** prendre **aucun** risque.
Je décide de **ne** prendre **que** des diapositives.

To reply affirmatively to a negative question, use **si** instead of **oui.**

Tu ne comprends pas?   —Si! Je comprends.

Note that **n'est-ce pas** or **non** placed at the end of the question does *not* make
it a negative question.

Tu comprends, n'est-ce pas?   —Oui.
Tu comprends, non?   —Oui.

CHAPITRE 3

Les choses de la vie

L'Express, 6 décembre 1985, p. 34.

PAROLES ■■ ·····························

La maison

On peut habiter dans une **maison** ou dans un **appartement**, dans un **immeuble** (un bâtiment d'appartements).

Les **pièces** [f.]: le **salon** ou le **séjour**, la **salle à manger**, la **cuisine**, les **chambres**, la **salle de bains**, le **bureau** (*den*), le **couloir** (*hallway*), l'**escalier** (*stairs*), le **balcon**.

Les **étages** [m.] (*floors*): le **sous-sol** (*basement*), le **rez-de-chaussée** (*main floor*), le **premier étage**,* le **deuxième**, etc.; le **grenier** (*attic*).

L'ameublement (*furnishings*)

Les **meubles** [m.] (*furniture*): un **canapé** ou un **sofa**, un **fauteuil** (*armchair*), une **table**, des **chaises** [f.] en style moderne, ancien ou rustique, un **lit**, une **table de nuit**, une **commode** (*chest of drawers*), un **bureau** (*desk*), une **armoire**, un **placard** (*closet*), la **moquette** (*wall-to-wall carpet*), un **tapis** (*rug*).

Les appareils ménagers (*household appliances*)

La **cuisinière** électrique ou à gaz, le **four** (*oven*), le **four à micro-ondes**, le **réfrigérateur** (le **frigo**), le **congélateur** (*freezer*), le **lave-vaisselle** (*dishwasher*), la **machine à laver**, le **sèche-linge** (*clothes dryer*), le **séchoir** ([*generic term*] *dryer*), le **fer à repasser** (*iron*), l'**aspirateur** [m.] (*vacuum cleaner*).

Passer l'aspirateur (*to vacuum*).

Les autres choses de la vie

La **chaîne-stéréo**, les **disques** [m.], les **cassettes** [f.].

La **radio**, la **télé**, le **magnétoscope** pour regarder les **cassettes-vidéos**.

L'**ordinateur** (un Mac, par exemple).

Les **objets** [m.] de valeur: un **bijou** (*jewel*), un **tableau** (*painting*), un **objet d'art**.

La **piscine** (*swimming pool*).

Les **voitures**: une **voiture de sport**, une **caravane** (*camping trailer*), un **bateau** (*boat*).

Une **résidence** secondaire, une **villa** (*vacation home*).

Les vacances [f.]: une **croisière** (*cruise*), un **voyage organisé** (*tour*).

Les **loisirs** [m.] (*leisure*).

---

*Note that **premier étage** is usually equivalent to *second floor*.

normandie

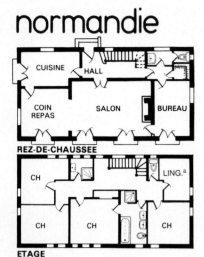

REZ-DE-CHAUSSEE

ETAGE

Le lys
Construction : traditionnelle sur vide sanitaire.
Surface habitable : 220 m2.
Couverture : petites tuiles normandes.
Murs : agglos de 0,25, briques creuses de 0,225. Enduit extérieur hydrofugé.
Chauffage : au fuel, radiateurs extra-plats. Gaz ou électrique en option.
Menuiseries : sipo ; petits bois ; volets en sapin ; porte d'entrée en chêne massif rustique.
Sanitaires : blanc ou couleur. Porcher.
Revêtements de sol : Grès de Saintonge, parquet.
Prix : 530.000 F. Sur sous-sol : 598.000 F.
A Noter : une maison traditionnelle dans son aspect, ses proportions, ses matériaux. Le plan intérieur réserve tout le rez-de-chaussée au jour, (cheminée à feu de bois), les chambres étant isolées à l'étage. Prestation d'un très bon niveau, finitions soignées.
Les Constructions Traditionnelles, Route Nationale 13 bis, Vironvay, 27.400 Louviers

[a] lingerie: *linen room*

Plaisir de la Maison, n° 149, juillet–août 1979, p. 57

■ *Parlons-en*

En groupes de trois, jouez la situation suivante.

Personne A: Vous êtes l'agent immobilier (*realtor*) qui essaye de vendre cette maison en Normandie. Posez quelques questions personnelles à vos clients pour vous assurer que cette maison convient à leurs besoins, puis, avec tout votre pouvoir de persuasion, mettez en valeur l'arrangement des pièces et tous les autres avantages de la maison. N'ayez pas peur d'exagérer.

Personnes B et C: Vous êtes le couple qui cherche à acheter une maison en Normandie. D'abord, avant de parler à l'agent immobilier, mettez-vous d'accord sur la taille et les besoins de votre famille. Puis, pendant la visite de la maison, faites des commentaires sur l'ameublement que vous imaginez pour chaque pièce. Posez à l'agent immobilier toutes les questions qui vous viennent à l'esprit. A la fin de la visite, discutez votre décision.

LECTURE ▪️∷

Georges Pérec, a novelist, essayist and poet, was intrigued with language as a mathematical and linguistic game. In his novel *Les Choses: une histoire des années soixante* (Paris: Julliard, 1965), each chapter is narrated in one predominant verb tense or mood, such as the conditional, the imperfect, the future, and so forth. During the fifteen years preceding his death in 1982, he belonged to a group of experimentalists (including the well-known writer Raymond Queneau) called *Ouvroir de Littérature Potentielle* (*Oulipo*), and he contributed pieces to their published collections. A basic assumption of the *Oulipo* writers was that the traditional rules for genres of literature tended to become fixed in a way that limited writers. The members of *Oulipo* hoped that focusing on new forms would help the writer create a truly new kind of work. Pérec, for example, wrote one novel without using the vowel *e*! He also wrote crossword puzzles for the weekly magazine *Le Point* from 1976 to 1982. In *Les Choses,* the young middle-class couple you will read about is on a quest for a seemingly inaccessible happiness based on material possessions.

▪️ *Avant de lire*

Making sense of details   When you begin reading a passage that contains a long series of details, there are several techniques you can use to help you understand it. First, find the main topic of each paragraph or section. In some cases it is not directly stated, but simply implied. (Keep the title of the text in mind as you read. In literary works especially, this may shed new light on the topic of the sections.) Next, try to group the details in each paragraph. Are they the same kinds of things, or are they contrasted? What do they have in common? Give names to the groups and ask yourself why they might be included under that topic. What does the writer accomplish by including so many details? How do the lists of details affect you?

Read the following excerpt from *Les Choses* once rapidly, and then give a title to each of the four sections. Next, group the details in each section. In some cases, there may be more than one group per section.

■ *Étude de mots*

la **retraite**	*retirement*
les **cadres** [*m.*]	*white-collar workers; management*
surgelés	*frozen*
le **matelas**	*mattress*
donner en location	*to rent*
le **linge**	*house linens; clothes*
la **lessive**	*laundry*
les **rideaux** [*m.*]	*curtains*

Activité. Soulignez le mot de chaque série qui ne va pas avec les autres.

1. la vieillesse, la retraite, la jeunesse
2. donner en location, vendre, louer
3. les cadres, les ouvriers, les directeurs
4. les vêtements, le linge, le lit
5. les rideaux, la moutarde, la soupe
6. le matelas, l'oreiller, le bureau
7. l'eau, le savon, la lessive
8. surgelé, humide, froid

Rappel: Don't forget to look for cognates and to try to guess their meaning in context before you look them up in the dictionary. As a general rule, the dictionary should be your last resort, after you have exhausted all other strategies for understanding a passage, because dictionary work can be time-consuming and tedious. The French expression for cognate is **mot apparenté;** the abbreviation **mot ap.** is used in the marginal glosses for the readings to remind you to guess the meaning of certain English cognates.

Les Choses, une histoire des années soixante [extrait]

GEORGES PÉREC

Jérôme avait vingt-quatre ans. Sylvie en avait vingt-deux. Ils étaient tous deux psychosociologues. Ce travail, qui n'était pas exactement un métier, ni même une profession, consistait à interviewer des gens, selon diverses techniques, sur des sujets variés.

© GENE HEIL/PHOTO RESEARCHERS, INC.

Et pendant quatre ans, peut-être plus, ils explorèrent,* interviewèrent, analysèrent. Pourquoi les aspirateurs-traîneaux[a] se vendent-ils si mal? Que pense-t-on, dans les milieux de modeste extraction, de la chicorée[b]? Aime-t-on la purée[c] toute faite,[d] et pourquoi? Parce qu'elle est légère? Parce qu'elle est onctueuse[e]? Parce qu'elle est si facile à faire : un geste et hop? Trouve-t-on vraiment que les voitures d'enfants[f] sont chères? N'est-on pas toujours prêt à faire un sacrifice pour le confort des petits? Comment votera la Française? Aime-t-on le fromage en tube? Est-on pour ou contre les transports en commun[g]? A quoi fait-on d'abord attention en mangeant un yaourt : à la couleur? à la consistance? au goût? au parfum naturel? Lisez-vous beaucoup, un peu, pas du tout? Allez-vous au restaurant? Aimeriez-vous, madame, donner en location votre chambre à un Noir? Que pense-t-on, franchement, de la retraite des vieux? Que pense la jeunesse? Que pensent les cadres? Que pense la femme de trente ans? Que pensez-vous des vacances? Où passez-vous vos vacances? Aimez-vous les plats surgelés? Combien pensez-vous que ça coûte un briquet[h] comme ça? Quelles qualités demandez-vous à votre matelas? Pouvez-vous me décrire un homme qui aime les pâtes[i]? Que pensez-vous de votre machine à laver?

[a] *canister vacuums*
[b] *mot ap.* (une plante dont on se sert pour faire comme du café)
[c] purée de pommes de terre
[d] toute... préparée à l'avance
[e] douce
[f] les... pour promener les bébés
[g] les... le métro, les autobus, etc.
[h] pour allumer les cigarettes
[i] les spaghetti, les nouilles, etc.

---

*On peut traduire le passé simple comme le passé composé. (3.1)

Est-ce que vous en êtes satisfaite? Est-ce qu'elle ne mousse° pas trop? Est-ce qu'elle lave bien? Est-ce qu'elle déchire° le linge? Est-ce qu'elle sèche le linge? Est-ce que vous préféreriez une machine à laver qui sécherait votre linge aussi?

°make suds
°met en morceaux

③   Il y eut la lessive, le linge qui sèche, le repassage.° Le gaz, l'électricité, le téléphone. Les enfants. Les vêtements et les sous-vêtements. La moutarde. Les soupes en sachets, les soupes en boîtes.° Les cheveux : comment les laver, comment les teindre,° comment les faire tenir, comment les faire briller. Les étudiants, les ongles,° les sirops pour la toux,° les machines à écrire, les engrais,° les tracteurs, les loisirs, les cadeaux, la papeterie,° le blanc, la politique, les autoroutes, les boissons alcoolisées, les eaux minérales, les fromages et les conserves, les lampes et les rideaux, les assurances,° le jardinage.

Rien de ce qui était humain ne leur fut étranger.°

°comparez: fer à repasser

°cans
°mot ap. (tint)
°fingernails / cough
°produit naturel ou chimique pour enrichir la terre / le papier à lettres
°insurance
°foreign

④   Pour la première fois, ils gagnèrent quelque argent. Leur travail ne leur plaisait pas : aurait-il pu leur plaire? Il ne les ennuyait pas trop non plus. Ils avaient l'impression de beaucoup y apprendre. D'année en année, il les transforma.

■ *Avez-vous compris?*

A. Complétez les phrases suivantes.

1. _____ était moins âgée que _____.
2. Leur travail comme _____ consistait à interviewer des gens.
3. Ils ont choisi ce travail parce que _____.
4. Un avantage de leur travail, selon eux, était _____.
5. Le narrateur suggère que le travail les a _____.

B. Répondez aux questions suivantes.

1. Sur quel genre de sujets Jérôme et Sylvie interviewent-ils des gens?
2. Que fait-on probablement des résultats des interviews?
3. Quel effet la longue liste de questions au milieu du passage a-t-elle sur vous?
4. D'après vous, que veut dire le narrateur par la phrase «D'année en année, il les transforma.»?

■ *Et vous?*

1. Aimeriez-vous faire le travail de Sylvie et de Jérôme? Pourquoi ou pourquoi pas?
2. Les interviews ici décrites et les sondages (*polls*) en général jouent un rôle important dans notre société de consommation et accentuent l'importance des «choses» dans notre vie. Que pensez-vous de ce genre de sondage? Est-ce qu'on vous a jamais envoyé un tel questionnaire ou interrogé(e) au téléphone? Quelle sorte de compagnie vous a interviewé(e)? Est-ce que vous avez consenti à l'interview? Sinon, qu'est-ce que vous avez dit pour refuser?
3. Choisissez cinq questions du passage et posez-les à une autre personne dans la classe. Puis, un étudiant (une étudiante) va faire une liste des résultats obtenus au tableau.
4. Certains philosophes suggèrent que nous serions plus heureux sans cette insistance sur les choses qui semble dominer notre monde. Discutez.

STRUCTURES :

L'interview des intervieweurs

D'habitude, ce sont Jérôme et Sylvie qui posent les questions. Cette fois-ci les rôles sont renversés:

—**Depuis combien de temps faites-vous** ce travail?
—Ça **fait** plus de 4 ans.
—**Est-ce que vous préférez** interroger les gens dans la rue ou chez eux?
—Ça dépend de la nature des questions.
—**Quelles** sont les questions qui **agacent** les gens?
—Les questions personnelles.
—**Pourquoi passez-vous** votre temps à interroger les gens?
—Parce que nous étudions la société de consommation.
—**Est-ce que** vous pouvez résumer la société de consommation en deux ou trois mots?
—Oh, c'est facile: **achète! achète! achète!**

1. More About the Present Tense: *-er* Verbs with Stem Changes

A number of **-er** verbs, conjugated with regular **-er** verb endings, have spelling irregularities in their stems. Since these verbs are often mispronounced or mis-spelled by students learning French, they deserve a closer look. A list of the more common **-er** verbs with stem changes is provided in the **En détail** section (3.2) at the end of this chapter. For complete conjugations of models of each type of verb, see the Appendix at the end of the book.

A. Verbs like *acheter*

Recognizable sign: silent or mute **e** in last syllable of stem
Spelling change: **e** → **è** in front of mute ending

j'achète   nous achetons
↓   ↓
(mute ending)   (sounded ending)

B. Verbs like *préférer*

Recognizable sign: **é** in last syllable of stem
Spelling change: **é** → **è** in front of mute ending

tu préfères   vous préferez

C. Verbs like *appeler, jeter,* and Their Derivatives (*s'appeler, se rappeler, rejeter*)

Spelling change: doubling of the consonant (**l** or **t**) in front of mute **e**

Comment vous appelez-vous?   Je m'appelle Astérix.

D. Verbs in *-yer**

Spelling change: **y** → **i** in front of mute **e**

Est-ce que vous vous ennuyez? (*Are you bored?*)
—Oui, je m'ennuie.

---

*For verbs in **-ayer**, like **essayer** or **payer,** the spelling change is optional: **il essaie** (pronounced *essè*) or **il essaye** (pronounced *esseille*); **ils paient** (pronounced *pè*) or **ils payent** (pronounced *peille*).

E. Verbs in *-cer*

Spelling change: **c** → **ç** in front of **a, o,** and **u,** in order to keep the *s* sound.

    je commence   nous commençons

F. Verbs in *-ger*

Spelling change: **g** → **ge** in front of **a, o,** and **u,** in order to keep the same consonant sound throughout the conjugation.

    je mange   nous mangeons

■ *Maintenant à vous*

A. **Des alternatives.** Qu'est-ce que vous faites... ? Choisissez un des verbes entre parenthèses pour répondre à ces questions.

1. ...quand vous vous ennuyez? (se promener, appeler des ami(e)s, manger quelque chose)
2. ...quand vos ami(e)s et vous avez un examen le lendemain? (commencer à étudier très tôt/très tard, essayer d'oublier l'examen)
3. ...quand vous avez une heure libre le soir? (envoyer des lettres à mes amis, préférer ne rien faire, nettoyer la maison)
4. ...quand vous et votre famille avez besoin de discuter une question importante? (manger ensemble, considérer les options calmement?)
5. ...quand vous retrouvez vingt dollars que vous aviez perdus? (acheter quelque chose de frivole, payer des dettes)

B. **Des listes révélatrices.** En groupes de deux, faites une liste de plusieurs choses...

1. ...que vous préférez mais que vous n'achetez pas quand vous faites des courses. (Indiquez pourquoi vous ne les achetez pas, et ce que vous achetez à la place.)
2. ...que vous espérez posséder un jour.
3. ...que vous employez tous les jours.
4. ...qui vous agacent (c'est-à-dire, qui vous irritent).

Après la discussion à deux, comparez vos listes avec celles des autres groupes et voyez ce que tous les étudiants ont en commun.

2. The Present Tense with *depuis* and Similar Expressions

To express an action that *has been going on* for a period of time, the tense used in French is the present (because the action continues in the present), and the time expression is **depuis** or the synonymous constructions **il y a... que** and **ça fait... que**. Note that **il y a** and **ça fait** always appear with **que** in this usage.

> Nous faisons ce travail **depuis** plus de 4 ans. ⎫
> **Il y a** plus de 4 ans **que** nous faisons ce travail. ⎬ We've been doing this work for over four years.
> **Ça fait** plus de 4 ans **que** nous faisons ce travail. ⎭

Depuis quand? (*Since when? How long?*) and **Depuis combien de temps** (*How long?*) are used in questions, also with the present tense.

> **Depuis combien de temps** faites-vous ce travail?

■ *Maintenant à vous*

C. Depuis combien de temps ces *choses* sont-elles dans votre vie? Depuis combien de temps...

1. ...habitez-vous dans votre maison/appartement actuel(le)?
2. ...vos parents ont-ils leur voiture actuelle?
3. ...avez-vous les vêtements que vous portez aujourd'hui?
4. ...vous servez-vous d'un magnétoscope?
5. ...savez-vous vous servir d'un ordinateur?

D. **Des choses précieuses.** En groupes de deux, faites une liste des choses précieuses dans votre vie (au moins cinq pour chaque personne) et dites depuis combien de temps vous possédez ces choses.

3. The Imperative

The imperative, used to give commands, has three forms: the familiar (**tu** form), the formal or plural (**vous** form), and the collective (**nous** form).

To form the imperative, use the present tense of the verb and drop the subject pronoun.

tu finis	→	finis!
vous finissez	→	finissez!
nous finissons	→	finissons!

Dans quelle pièce pourrait-on mettre ça?

If the **tu** form of the present ends in **-es** or **-as,** the s is dropped in the imperative.

Tu achètes.	→	Achète ce que tu veux.
Tu vas.	→	Va t'amuser.
Tu ouvres la porte.	→	Ouvre la porte!

There are three irregular verbs in the imperative.

AVOIR	ÊTRE	SAVOIR
aie	sois	sache
ayez	soyez	sachez
ayons	soyons	sachons

In an affirmative command with a pronominal verb, the reflexive pronoun is placed after the verb and connected to it with a hyphen. **Te** becomes **toi.**

Tu **te** dépêches.	→	Dépêche-**toi,** ou tu vas être en retard.
Vous **vous** souvenez.	→	Souvenez-**vous** de la dernière fois!
Nous **nous** amusons.	→	Amusons-**nous** le plus longtemps possible.

In a negative command, reflexive pronouns *precede* the verb.

Ne **te** dépêche pas, tu as le temps.   Ne **nous** fâchons plus.

■ *Maintenant à vous*

E. **Pauvre Cendrillon!** Vous êtes la méchante belle-mère de Cendrillon; dites-lui ce qu'elle doit faire, selon le modèle.

MODÈLE: se réveiller → Réveille-toi!

1. se lever tout de suite
2. ne pas rester au lit toute la journée
3. être plus énergique
4. se préparer vite
5. aller voir si ses demi-sœurs ont besoin de quelque chose
6. ne pas oublier de faire la lessive aujourd'hui
7. ?

F. **Des instructions.** En groupes de deux, faites une liste des instructions, ordres ou conseils que vous donneriez dans les situations suivantes. Utilisez l'impératif à la forme affirmative ou négative, selon le cas.

1. Votre enfant se comporte très mal à table: il parle avec la bouche pleine, il mange avec ses doigts, il se sert toujours le premier, il refuse de manger ses légumes, etc. Essayez de le corriger!
2. Avant de partir pour la journée, vous donnez des instructions à votre bonne (*your maid*) concernant le ménage, la cuisine, le soin des enfants, etc. Donnez beaucoup de détails.
3. Un étudiant français, qui vient d'arriver à votre université et qui ne connaît pas du tout votre ville, a besoin d'instructions pour aller au centre commercial le plus proche.
4. Un professeur que vous connaissez a un groupe d'étudiants très difficiles. Ils bavardent ou ils s'endorment en classe, ils ne font jamais leurs devoirs, rien ne semble les motiver.
5. Une adolescente que vous connaissez n'est pas heureuse; pourtant, elle a toutes les «choses de la vie». Avec toute votre sagesse, vous lui donnez des conseils pour trouver le bonheur.

■■ 4. Interrogative Forms

Asking questions is an important part of expressing yourself.

A. Yes/No Questions

If you want to ask a question for which the answer is *yes* or *no*, you have a choice of the following interrogative forms.

Intonation Change (The voice rises at the end of the sentence.)

> Vous aimez la purée toute faite?
> Les Français aiment la purée toute faite?

Est-ce-que (added to the beginning of the sentence)

> **Est-ce que** vous aimez la purée toute faite?
> **Est-ce que** les Français aiment la purée toute faite?

Inversion (The subject and the verb are inverted. [3.3])

> **Aimez-vous** la purée toute faite?
> **Les Français aiment-ils** la purée toute faite?

N'est-ce pas is used to elicit confirmation.

> Tu n'as pas le temps de faire la cuisine, **n'est-ce pas**?

B. Information Questions

If you want specific information beyond *yes* or *no,* use interrogative words with **est-ce que** or use inversion instead. (3.3)*

> **Où** passez-vous vos vacances?
> **Quand** est-ce que vous partez?
> **Comment** voyagez-vous?
> **Combien** coûte la croisière?
> **Pourquoi** est-ce que les croisières coûtent si cher?

Quel(le) (*which* or *what*) is an adjective and must therefore agree with the noun it modifies.

> **Quelle** heure est-il? **Quel** temps fait-il?
> **Quels** sont les avantages d'un voyage organisé?
> **Quelles** régions est-ce que vous préférez?

■ *Maintenant à vous*

G. **Comment?** Vous écoutez une dame qui parle de ses meubles, mais parce que vous êtes dans un autobus où il y a beaucoup de bruit et parce que vous avez du mal à entendre, vous posez des questions selon le modèle.

> MODÈLE: Je préfère les fauteuils *de style ancien*. →
> Comment? Quels fauteuils préférez-vous?
> J'ai plusieurs fauteuils de ce style *dans mon salon*. →
> Comment? Où sont vos fauteuils?

---

*More interrogative expressions will be reviewed in Chapter 6.

1. Mon mari aime les meubles *rustiques*.   2. Il préfère les meubles rustiques *parce qu'*ils ont plus de charme.   3. Nous avons *deux* armoires rustiques.   4. Nous allons acheter une salle à manger rustique *le mois prochain*. 5. La salle à manger que nous voulons coûte *très cher*.   6. Il y a des meubles modernes *dans la chambre des enfants*.   7. Les enfants préfèrent le style *scandinave*.   8. Le style scandinave est très populaire depuis *les années soixante*.

H. **Quelle sorte?** Voici des réponses obtenues par le couple psychosociologue, Jérôme et Sylvie. Imaginez et formulez les questions de leur sondage selon le modèle.

> MODÈLE: J'aime les yaourts aux fruits. →
> Quelle sorte de yaourts aimez-vous?

1. J'achète de la purée toute faite; c'est très pratique!   2. Je me sers d'un aspirateur-traîneau parce que ça nettoie bien les coins (*corners*).   3. Je lis surtout des livres policiers.   4. En général, je vais dans des restaurants à prix modérés.   5. Je préfère la moutarde de Dijon à la moutarde ordinaire.

I. **Un samedi typique.** Qu'est-ce que tu fais le samedi? Interviewez un(e) camarade, puis renversez les rôles.

> MODÈLE: se lever tôt le samedi →
> *Étudiant(e) A:* Est-ce que tu te lèves tôt le samedi?
> *Étudiant(e) B:* Oui/Non, je (ne) me lève (pas) tôt. Je me lève à...

1. nettoyer son appartement
2. faire ses devoirs
3. comment / passer la matinée
4. s'amuser avec ses amis
5. s'ennuyer quelquefois
6. comment / passer l'après-midi
7. où / aller le samedi soir
8. quand / se coucher le samedi soir
9. pourquoi / aimer le weekend
10. ?

Laquelle des habitudes de votre camarade vous a surpris(e) le plus?

J. **Un petit sondage.**

1. Imaginez que vous êtes psychosociologue. En groupes de deux, préparez une liste de vingt questions que vous aimeriez poser à d'autres étudiants de la classe sur leur vie à l'université. Préparez dix questions auxquelles on peut répondre par *oui* ou *non*, et dix questions d'information avec les expressions étudiées dans ce chapitre.
2. Circulez dans la classe et interviewez trois autres étudiant(e)s. Posez-leur vos questions et notez leurs réponses. Laissez-vous aussi inter-

viewer par d'autres étudiants. (*Let other students interview you as well.*)

3. Revenez à votre partenaire, comparez vos résultats et préparez un petit rapport pour la classe.

K. **Comment est ta chambre?** Changez de partenaire et posez toutes les questions nécessaires pour obtenir une description détaillée de sa chambre. Demandez d'abord s'il (si elle) est dans un dortoir, dans une résidence universitaire, dans une maison particulière ou dans un appartement. Demandez aussi pourquoi il/elle aime ou n'aime pas sa chambre. Ensuite, renversez les rôles. A la fin, décrivez à la classe la chambre de votre partenaire.

L. **Jeu de rôles.** Role-play the following situation in French with one of your classmates.

Student A: You are at a party with a good friend of yours, and someone whom you have never seen before enters. You would like to know more about this person, but you are too shy to begin a conversation. Your friend seems to know the newcomer, so you decide to ask some questions. Find out who the new person is (name), where he/she lives, what he/she is like, etc. Is he/she a student? Is he/she interested in sports, music, movies? What kind? Keep asking questions until your friend becomes very annoyed and asks you to stop!

Student B: Tease your friend by answering with as little information as you can, to keep your partner guessing.

PAR ÉCRIT ■ ....

■ *Avant d'écrire*

The Reader's Role   Every piece of writing is intended for a reader. That prospective reader affects what and how you write—what you choose to emphasize or omit, for example, and what language you use to present your topic. In an article about a trip to Florida written for a group of school children you would emphasize entirely different things than those you would emphasize in an article meant for an audience of retired people. And your writing style would change significantly as well.

As you prepare your essay on **La jeunesse américaine et le matérialisme,** think about who your readers might be:

—French students reading a French student newspaper?
—French-speaking tourists about to embark on their first trip to the U.S., reading a cultural brochure on American life today?

—American students in the French Club newsletter at your school?
—Others?

Pre-writing Task

1. With a partner in class, identify *two* possible audiences and decide what each audience would be interested in reading about. Design a set of questions in French based on those interests.
2. Now, choose the audience and the set of questions that interest you the more and, using those questions, interview two or three of your class-mates. Take detailed notes on their answers.

Sujet de composition

«La jeunesse américaine et le matérialisme.» Identifiez les lecteurs à qui vous vous adressez. Puis, avec les renseignements obtenus dans l'activité préparatoire, composez un petit article.

EN DÉTAIL

3.1. Preliminary Reference for Reading: Forms of the *passé simple*

The **passé simple** is used to refer to a completed action in the past. It is frequently used in literary works and journalistic prose instead of the **passé composé.** You do not need to use the **passé simple,** but you should learn to recognize it. Many of the forms are presented here. Pay particular attention to the highly irregular forms in Section C.

A. Regular Verbs

	-er	-ir	-re
	parler	*finir*	*attendre*
je	parlai	finis	attendis
tu	parlas	finis	attendis
il/elle/on	parla	finit	attendit
nous	parlâmes	finîmes	attendîmes
vous	parlâtes	finîtes	attendîtes
ils/elles	parlèrent	finirent	attendirent

Pendant quatre ans, ils **explorèrent, interviewèrent, analysèrent.**

B. Irregular Verbs That Follow a Pattern

Most irregular verbs follow a regular pattern in the **passé simple.** The past participle is used as the stem, and the following endings are added: **-s, -s, -t, -ˆmes, -ˆtes, -rent.**

INFINITIVE	PAST PARTICIPLE	PASSÉ SIMPLE
avoir	eu	j'eus
croire	cru	tu crus
lire	lu	il lut
prendre	pris	nous prîmes
sortir	sorti	vous sortîtes
vouloir	voulu	ils voulurent

Il y **eut** la lessive, le linge qui sèche, le repassage.

C. Other Irregular Verbs

A few irregular verbs are irregular in the **passé simple,** too. The endings are the same, but the stem is *not* found in their past participles. The third person singular forms of the more common of these verbs are listed below.

INFINITIVE	PASSÉ SIMPLE	INFINITIVE	PASSÉ SIMPLE
(se) battre	(se) battit	naître	naquit
conduire	conduisit	ouvrir	ouvrit
écrire	écrivit	tenir	tint
être	fut	venir	vint
faire	fit	vivre	vécut
mourir	mourut	voir	vit

3.2. *-er* Verbs with Stem Changes

Listed below are some of the more common **-er** verbs with stem changes.

TYPE OF VERB	INFINITIVE	FIRST PERSON (PRESENT INDICATIVE)
Verbs like **acheter**	(se) lever	Je me **lève** tôt
	amener/emmener (*to take, to bring*)	J'**amène** des amis au restaurant.
	se promener (*to go for a walk*)	Je me **promène** seul(e).
Verbs like **préférer**	espérer (*to hope*)	J'**espère** réussir à mes examens.
	exagérer (*to exaggerate*)	J'**exagère** souvent la vérité.
	considérer (*to consider*)	Je **considère** plusieurs possibilités pour mon avenir.
	posséder (*to possess*)	Je **possède** des choses de valeur.
	répéter (*to repeat*)	Je **répète** ma question au professeur.
	sécher (*to dry*)	Je **sèche** mon linge dans une machine.
	suggérer (*to suggest*)	Je **suggère** qu'on parte.
Verbs like **appeler** and **jeter**	se rappeler (*to remember*)	Je me **rappelle** vaguement quelque chose.
	épeler (*to spell*)	J'**épelle** le mot pour vérifier l'orthographe.
	rejeter (*to reject*)	Je **rejette** votre proposition.
Verbs in **-yer**	employer (*to use, to employ*)	J'**emploie** un ordinateur.
	s'ennuyer (*to be bored*)	Je m'**ennuie** à mort.
	envoyer (*to send*)	J'**envoie** une lettre à mes parents.
	essuyer (*to wipe, to dry*)	J'**essuie** la vaisselle.
	nettoyer (*to clean*)	Je **nettoie** la maison.

TYPE OF VERB	INFINITIVE	NOUS FORM
Verbs in **-cer** and **-ger**	agacer (*to irritate, to bother*)	Nous vous **agaçons**, n'est-ce pas?
	commencer (*to begin*)	Nous **commençons** à parler.
	s'exercer (*to practice*)	Nous nous **exerçons** à parler.
	renoncer (*to give up*)	Nous **renonçons** à comprendre.
	changer	Nous **changeons** d'avis.
	corriger	Nous **corrigeons** nos exercices.
	manger	Nous **mangeons** vite.
	nager (*to swim*)	Nous **nageons** bien.
	voyager	Nous **voyageons** beaucoup.

3.3. Interrogative Forms

A. Use of *est-ce que*

Do *not* change the word order of the sentence when you use **est-ce que**.

> **Est-ce que** vous vous ennuyez ici?
> **Est-ce que** Paul se souvient de moi?

Est-ce que and the intonation change are by far the most common interrogative forms used in conversation.

B. Use of Inversion

1. *Inversion* means *inverting* the pronoun subject and the verb.

   Il part en vacances   →   **Part-il** en vacances?

   > Note that a hyphen is used between the verb and the inverted pronoun.

2. When the verb form ends in a written vowel, a **-t-** is inserted before **il**, **elle**, and **on**.

Il étudie toujours.	Étudie-**t**-il toujours?
On va à la bibliothèque.	Va-**t**-on à la bibliothèque?

3. Inversion does not usually occur with **je** (**est-ce que** is used instead), except in a few fixed expressions that are usually formal: **ai-je?; suis-je?; puis-je?** (*may I?*).

4. If the subject is a noun, the pattern for inversion changes slightly. A pronoun is added after the verb. The noun and verb are *not* inverted, except in a few cases. See D.2 below.

   > Les Dupont font une croisière avec des amis.
   > Les Dupont font-**ils** une croisière avec des amis?

C. Negative Questions

Negative expressions remain in their usual place in questions.

> Tu **ne** t'ennuies **pas?**
> Est-ce que tu **ne** t'ennuies **pas?**
> **Ne** t'ennuies-tu **pas?**

D. Interrogative Adverbs: *où, quand, comment, combien, pourquoi*

1. Word order with **est-ce que**
   Interrogative adverb + **est-ce que** + subject + verb

   > **Quand** est-ce que vous partez?
   > **Pourquoi** est-ce que vous ne revenez pas?

2. Word order with inversion
   In short sentences introduced by **où, quand, comment,** or **combien,** a noun subject can be inverted directly (interrogative adverb + verb + subject).

   > Combien **coûte la croisière?**   Où **vont tes parents?**
   > Quand **part le bateau?**   Comment **va ton beau-père?**

   If the sentence is longer, regular inversion rules must be followed.

   > Quand **tes parents** partent-**ils** en vacances?

   With **pourquoi,** regular inversion rules must be followed whether the sentence is long or short.

   > Pourquoi **tes parents** partent-**ils?**

E. Interrogative Adjectives: *quel, quels, quelle, quelles*

Quel, which agrees in gender and number with the noun modified, directly precedes that noun or the verb **être.**

> **Quel** temps fait-il?
> **Quelle** est la date?

Quel may follow a preposition.

> A **quelle** heure partez-vous?
> De **quel** aéroport partez-vous?

Quel can be used with inversion (as seen above) or with **est-ce que.**

> A **quelle** heure **est-ce que** vous partez?

Hélène de Beauvoir

Hélène de Beauvoir: Artiste et féministe

Hélène de Beauvoir, née en 1910, est artiste et graveur.° Depuis 1936, beaucoup de galeries en Europe, au Japon et aux États-Unis exposent ses peintures et burins.° En 1967 «La Femme Rompue», la nouvelle (*short story*) de sa sœur, Simone de Beauvoir,* a paru, ilustrée de seize gravures au burin d'Hélène de Beauvoir. Depuis longtemps, elle s'intéresse aux questions féministes. On a interviewé Hélène de Beauvoir en septembre, 1985, dans sa maison à Goxwiller en Alsace.°

mot ap.

copper engravings

région en France près de
   l'Allemagne

As you read the following interview, you will have another opportunity to sharpen the skills you have been developing in **Thème I,** in particular describing in the present tense and asking questions. As you read, pay attention especially to the interviewer's tactics for obtaining information. You will be asked to conduct a similar interview at the end of the unit.

■

Nous aimerions d'abord faire votre connaissance. Pouvez-vous vous présenter à nous? Qui êtes-vous, c'est-à-dire, quelle sorte de personne êtes-vous? Où êtes-vous née? Où habitez-vous maintenant? Que faites-vous comme profession?

Je suis née à Paris au-dessus d'un café: c'était La Rotonde à Montparnasse. Donc petite fille, je regardais de mon balcon des gens qui me paraissaient beaucoup plus amusants que les gens très, très catholiques et très collet-monté° que fréquentaient° mes parents. Je rêvais, un jour, d'appartenir à° un groupe pareil... c'était les artistes de Montparnasse. Et j'ai vu là, les

prissy, stiff-necked / voy-
   aient
d'... faire partie de

---

*Simone de Beauvoir, la sœur d'Hélène de Beauvoir, était un écrivain existentialiste célèbre dont la vie et la pensée sont liées à celles du philosophe Jean-Paul Sartre.

Hélène de Beauvoir

premières femmes aux jupes courtes et cheveux coupés; c'était très amusant. Je pense que c'est un tout petit peu l'origine de ma vocation. Eh bien, maintenant, j'habite un petit village d'Alsace depuis près de 23 ans. Je suis peintre et graveur.

Quelle sorte de personne suis-je? C'est très difficile à dire. Je peux dire que je suis gaie, ça c'est certain, optimiste, j'adore la vie. Je crois être très obstinée et il faut avoir beaucoup d'obstination dans le travail. Et ça manque° quelquefois aux femmes. Vous savez, les femmes, elles ne sont pas éduquées dans ce sens, moi non plus du reste. C'est peut-être chez moi comme une révolte qui a fait que je me suis accrochée à° la peinture.

Votre sœur et vous avez choisi des carrières artistiques. Pouvez-vous retracer les raisons qui vous ont toutes deux poussées à suivre cette voie°?

Ça c'était certainement une réaction contre notre milieu et contre notre éducation parce que nous vivions par ma mère, nous vivions dans un milieu très catholique, très ennuyeux. Vous savez qu'à 17 ans, quand j'ai vu pour la première fois une étrangère, c'était une jeune fille au pair chez des amis. On ne voyait que des bons Français et encore il fallait qu'ils soient des bons catholiques et même, j'allais au Luxembourg parce que nous habitions à côté, mais nous n'avions pas le droit de jouer même avec des filles de notre classe si ma mère ne faisait pas des visites, n'était pas en relation de visites avec les mères. C'était une éducation absolument oppressante. Notre père n'était pas croyant,° alors ça faisait déjà poser des

is missing

je... j'ai continué avec

chemin; route

Considérez: croire

68

questions. Mon père se moquait un tout petit peu de la religion. Il se moquait de nos professeurs et puis lui, je vous ai dit, c'était le côté futile de la famille. Et très jeune, j'ai remarqué que les hommes jouent, les femmes ne jouent pas.

3 *Est-ce qu'il y a quelques anecdotes de votre jeunesse que vous pourriez nous raconter?*

Alors, écoutez, il y en a une qui est justement assez caractéristique de la condition du fond° artiste. C'est une histoire qui m'a blessée,° c'est une vieille histoire de la jeunesse. En 1937, il y a eu une grande exposition à Paris et un architecte m'a commandé° deux grands panneaux.° J'ai acheté le matériel, j'étais très pauvre, j'ai même payé des modèles et j'ai fait deux panneaux. Mon Dieu, qu'ils étaient beaux! Et quand il est venu, en principe prendre la livraison° des panneaux pour les exposer, il m'a posé certaines conditions que je vous laisse deviner.° Et j'ai répondu: «Monsieur, ma peinture est à vendre mais pas moi!» Et voilà comment ça s'est terminé. Et je pense que je ne suis pas sûrement la seule femme artiste à qui ça soit arrivé. Je crois, du reste, que c'est difficile de ne pas être féministe, parce que tous les hommes mufles° en profitent.

milieu / offensée
m'a... m'a demandé de faire / mot ap.

delivery
découvir la signification

cads

4 *Comment pouvez-vous décrire votre œuvre?*

J'ai essayé de faire à la fois une peinture figurative et abstraite, me servir des deux, parce que j'ai pensé que la figuration permettait une richesse de vocabulaire. Mais je crois que ma peinture, je ne sais si c'est un défaut ou une qualité, est très personnelle.

Y a-t-il des difficultés que vous avez dû° surmonter en tant que femme-artiste afin de poursuivre° votre carrière?

verbe: devoir
afin... pour continuer

Avant tout, des difficultés d'argent... Remarquez, j'ai connu de très grands artistes dans ma vie, comme Picasso et Léger. Eux, ils prennent les femmes au sérieux. Mais les tout petits artistes, ils sont les plus nombreux, ils n'encouragent pas et c'est dur.° Parce que pour créer, il faut une énorme confiance en soi, et moi, je me suis toujours étonnée° d'avoir eu cette confiance en moi. Mais enfin j'ai parié° sur moi et de toute façon je pense que sans aucun succès, j'aurais continué. C'était une passion.

difficile
surprise
bet

5 *Aux États-Unis, on s'intéresse beaucoup au féminisme et au mouvement pour la libération des femmes. Est-ce que vous vous considérez «féministe» et jusqu'à quel point vous sentez-vous solidaire du MLF* ou d'autres groupes féministes?*

Je vais vous dire tout de suite: pas le MLF actuel° parce que le MLF, «marque déposée»° comme on dit, c'est un groupe de femmes qui ont fait ce qui

d'aujourd'hui
marque... registered trademark

**Mouvement pour la libération des femmes.*

n'est pas pour moi le vrai féminisme. Le vrai féminisme commence par l'intérêt, la sympathie pour les autres femmes. Il y a aussi des femmes qui pensent que si elles se disent féministes, les hommes ne les aimeront pas parce qu'elles ont perdu leur féminité et il y a une légende qui veut que les féministes soient laides et hommasses.° Moi je connais des féministes ravissantes° et fines et puis surtout aussi féminines que les autres mais dans un autre sens du terme. Je suis résolument° féministe. L'histoire de France est faite par les hommes (Louis XIV, Napoléon) mais ça ne veut pas dire qu'ils étaient tellement supérieurs. Je me rappelle quand mes professeurs m'expliquaient gravement que les femmes étaient très inférieures aux hommes! J'ai essayé de résister, mais sottement° comme une enfant de 10 ans.

    Les hommes de ma famille: mon père travaillait peu, son frère pas du tout, un oncle que j'aimais beaucoup, qui vivait à la campagne, ne faisait que monter à cheval et faisait travailler ses paysans. Alors, au contraire, les femmes étaient très sérieuses avec des vies pas toujours amusantes, très sérieuses, elles travaillaient, elles se donnaient du mal et alors donc je n'ai pas eu de modèle masculin qui m'ait ébloui.°

On dit toujours que Paris est le centre intellectuel et artistique de la France. Est-ce qu'il est difficile pour vous de ne pas vivre à Paris?

Du point de vue travail, c'est excellent. Du point de vue carrière,° si je tenais plus à° ma carrière qu'à mon œuvre, je serais désespérée.° A Paris simplement, j'invitais les gens à venir voir ma peinture, et je faisais des visites d'ateliers.° Ici j'ai des amis qui viennent; mais des gens qui comptent, des critiques, des marchands de tableaux, rien. L'Alsace c'est un centre pour les musiciens; Strasbourg est une très belle ville pour le théâtre, mais pour les arts plastiques, c'est vraiment zéro. Les collectionneurs vont acheter à Paris. J'exporte beaucoup plus à l'étranger (au Japon, en Allemagne, au Danemark) qu'à Paris. Vous comprenez, moi, je trouve que ce n'est pas à moi de chercher des galeries. Mon métier, c'est de peindre. Je n'ai pas de temps à perdre.

Comment pouvez-vous vous situer dans le mouvement artistique contemporain?

Comme je n'ai jamais suivi aucune mode et que je refuse, que je n'aime aucune mode, je suis toujours un petit peu en dehors du mouvement.

---

masculines

très belles

avec détermination

sans intelligence

frappée, impressionnée

profession

si... si j'étais plus attachée à / *mot ap.*

lieux où travaillent des artistes

Avez-vous compris?

A. Complétez.

1. Hélène de Beauvoir est née à _Paris_.
2. Sa mère était _catholique_ et très religieuse.
3. Maintenant elle habite en _Alsace_.
4. Comme profession, elle est _peintre / artiste_ et _graveur_.
5. Elle dit que son style artistique est _figuratif_ et _abstrait, personnelle_ _de femmes_...
6. Hélène de Beauvoir explique que le MLF est un groupe _de femmes_.
7. Sa sœur, _Simone_, était femme de lettres.
8. Hélène de Beauvoir a créé des _gravures_ pour une nouvelle par sa sœur.

B. Décrivez l'atmosphère de la maison de l'enfant Hélène.

C. Décrivez ce qu'elle observait autour d'elle à Montparnasse.

D. Quelles étaient les différences en matière de croyance religieuse entre sa mère et son père? Quel effet est-ce que cela a eu sur elle?

E. Quelles différences voyait-elle entre les femmes et les hommes de sa famille?

F. Quelles difficultés a-t-elle éprouvées au commencement de sa carrière? Dans quelle mesure ces difficultés sont-elles typiques pour les femmes-artistes?

G. Comment se décrit-elle (caractère et œuvre artistique)?

H. Comment explique-t-elle son féminisme?

Et vous?

1. Dans quelle mesure l'enfance d'une personne est-elle importante dans son développement? Pourriez-vous préciser comment la personne que vous êtes maintenant trouve ses racines dans son enfance?
2. Est-ce que vos parents sont stricts? Quelles sont les conséquences d'une telle éducation?
3. Êtes-vous féministe? Comment définissez-vous ce mot?
4. Posez à un(e) camarade de classe la série de questions qu'on a posée à Hélène de Beauvoir au début de l'interview (Qui êtes-vous?, etc.). Faites ensuite une description de votre camarade devant la classe.
5. Chez vous, répondez à cette même série de questions, au sujet de vous-même. Ensuite, organisez vos réponses et préparez un essai d'une page, intitulé, «Qui suis-je?».

L'enfance

En bref

In **Thème II** you will continue learning to talk and write about yourself and your world in French. Now, you will focus on your past. The readings are about children and adolescents, both real and fictional.

Functions

- Describing in the past tenses
- Narrating in the past tenses
- Asking questions about people, things and ideas

Structures

- Verbs in the imperfect *(imparfait)*
- Verbs in the *passé composé*
- Interrogative pronouns

Avant de commencer

Activités

1. Sur la photo A, vous voyez une jeune mère et son enfant. Imaginez que vous êtes la mère. Montrez la photo à un(e) camarade et parlez de l'enfant. Donnez son âge au moment où la photo a été prise et dites

Madame Figaro, 12 octobre 1985, p. 136.

Madame Figaro, 12 octobre 1985, p. 137.

Le rêve...

'D'après vous, quel est le nombre idéal d'enfants pour constituer une famille ?'

	Ensemble	Couples avec enf.	Couples sans enf.
I enfant	4 %	3 %	5 %
2 enfants	50 %	46 %	60 %
3 enfants	36 %	40 %	24 %
4 enfants	6 %	7 %	5 %
5 enfants	2 %	2 %	4 %
+ de 5 enfants	2 %	2 %	2 %

...et la réalité

Nombre d'enfants de 0 à 16 ans (en milliers) :

Nombre de Familles	1968	1975	1982	% 1982
	12 054	13 177	14 119	100,0 %
0 enfant	5 813	6 367	7 130	50,5 %
I enfant	2 622	3 026	3 200	22,7 %
2 enfants	1 891	2 196	2 498	17,7 %
3 enfants	951	959	919	6,5 %
4 enfants	417	362	241	1,7 %
5 enf. ou +	360	266	130	0,9 %
Nombre total d'enfants	**13 044**	**13 287**	**12 647**	

Francoscopie, p. 96.

quel âge il a maintenant. Décrivez le jour de sa naissance—où il est né, ce qui s'est passé exactement ce jour-là, vos réactions émotives, ce que son père a dit quand il l'a vu pour la première fois, etc.

2. Imaginez que vous êtes un(e) des deux enfants sur les photos B et C. Parlez des vêtements que vous portez et dites ce que vous pensez de ces vêtements. (Qui les a achetés? Est-ce que votre mère vous a forcé(e) à les mettre ce jour-là? Sont-ils agréables à porter?) Quelles sortes de vêtements choisiriez-vous si vous aviez tout l'argent et toute la liberté imaginables? (Je choisirais…)

3. Le sondage du tableau D montre l'attitude des couples français envers le nombre idéal d'enfants dans une famille. Répondez aux questions suivantes, selon le sondage.

a. Quel pourcentage de couples voudrait avoir trois enfants ou plus? (une famille nombreuse)

b. En 1982 quel pourcentage de couples avait trois enfants ou plus?

c. Comment est-ce que vous expliquez cette différence?

d. Combien d'enfants est-ce que vos parents ont choisi d'avoir? Quels sont vos sentiments vis-à-vis de la taille de votre famille?

e. Et vous? Combien d'enfants considérez-vous comme le nombre idéal pour une famille? Combien voulez-vous en avoir? Expliquez votre réponse.

CHAPITRE 4

La kid génération

L'Express, 31 mai 1985, p. 27.

*Ce qu'ils adorent:
les hamburgers,
le bi-cross,
les copains.*

PAROLES

Le comportement

Un enfant peut être **bien élevé** (*well mannered*), **mal élevé, gâté** (*spoiled*), **poli, malpoli, obéissant, désobéissant, affectueux** (*affectionate*), **indépendant, précoce, mûr** (*mature*) pour son âge, **méchant** (*naughty*), **sage** (*good*).

Certains enfants aiment **se disputer** (*to argue*) ou **se battre** (*to fight*). On les **gronde** (*scolds*); on les **punit** (*punishes*). Ils **pleurent** (*cry*), puis ils **demandent pardon** (*apologize, ask for forgiveness*).

75

Activités et loisirs

Les petits jouent avec des **jouets** [m.], comme par exemple une **poupée** (*doll*), une **petite balle** ou un **gros ballon;** ils jouent aussi à **cache-cache** (*hide-and-seek*) ou à d'autres **jeux** [m.].

Les plus grands sortent avec leurs **copains** et **copines:** il vont **prendre un pot** (*to have a drink*) ensemble, ils **font des balades** [f.] (à pied, en vélo ou en voiture), ils vont au **cinéma**, au **bal** (*dance*), ou à une **boum** (*party*); ils écoutent des disques ou des cassettes; ils regardent la télé ou des **vidéos** [m.]; ils jouent aux **cartes** [f.], aux **échecs** [m.] (*chess*) ou à d'autres **jeux de société.**

Les jeunes font souvent du sport: **de l'athlétisme** [m.] (*track*), **du basket, du cyclisme** ou **du vélo, de la danse, de l'équitation, du foot** (*soccer*), **de la gymnastique, du jogging, de la musculation** (*weight lifting*), **de la natation** (*swimming*), **du patinage** (*skating*), **de la planche à voile** (*windsurfing*), **du ski, du ski nautique, du tennis, de la voile** (*sailing*), **du volley.**

■ *Parlons-en*

La kid génération...?   Ce vieux pêcheur breton (*fisherman from Brittany*) et sa femme ont été jeunes, eux aussi, n'est-ce pas? En groupes de deux, imaginez comment cet homme et cette femme étaient quand ils étaient enfants, puis quand ils étaient adolescents (leur caractère, leurs activités favorites, etc.). Comparez ensuite vos «caricatures» avec celles des autres groupes et déterminez par un vote général quel groupe a fait preuve du plus d'originalité.

LECTURE ::::::::::::::::::::::::::::::::

The following article, *La kid génération,* appeared in *L'Express,* a popular weekly newsmagazine similar to *Newsweek* or *Time.* In it the author presents his view of childhood and early adolescence in France, 1980s' style.

■ *Avant de lire*

Recognizing Cognates and False Cognates   As you know, French and English have many words in common. These cognates (**mots apparentés**) are easy to recognize in French when they are simply "borrowed words," such as **le blue-jean** or **le camping.** However, French also has many near-cognates with English words. Near-cognates are French words that are closely related to English words but are spelled slightly differently. Often the differences follow a pattern, as you will see in the list below.

-ier → -er	**fermier** → *farmer*	**portier** → *porter*
-eur → -er	**consommateur** → *consumer*	**programmateur** → *programmer*
ô → os (oas)*	**hôte** → *host*	**côte** → *coast*
ét → st	**étudiant** → *student*	**étable** → *stable (for horses)*
-ieux → ious	**curieux** → *curious*	**furieux** → *furious*

As you read more in French, you will learn to recognize these and other patterns that help you guess the meaning of words in context.

Not all French words that resemble English words, however, have the same meaning in the two languages. Occasionally you will find false cognates (**faux**

---

*The circumflex accent over a vowel in a French word often indicates that the English cognate contains an *s* in that syllable.

amis) that bear little relation to their apparent English equivalents. In the sentence **Il avait les pieds** (*feet*) **si sensibles qu'il mettait rarement des chaussures** (*shoes*), it is clear from the context that **sensible** does not mean *sensible* or *reasonable*. Its English equivalent is *sensitive*. You will usually be able to recognize false cognates because their English meaning does not make sense in context. When in doubt, be sure to check words that you suspect are false cognates in the dictionary.

Before you read *La kid génération,* scan it for cognates. List them in three columns. (You may not find examples for every column.)

1. Exact cognates   2. Near-cognates   3. False cognates

Based on your lists, make a preliminary hypothesis about the content of the reading.

■ *Étude de mots*

les **frais** [m.]	*costs*
la **santé**	*health*
l'**achat** [m.]	*purchase*
les **gosses** [m. *ou* f.]	*kids, children*
le **chômage**	*unemployment*

Activité. Trouvez l'antonyme des mots suivants dans la liste de vocabulaire ci-dessus.

1. les parents
2. la vente
3. l'emploi
4. la maladie
5. les gains

Ils ont de 9 à 13 ans,
ils sont 4 millions.
Ils inventent
des modes, fugaces
ou déroutantes.
Ce sont les enfants
de la crise
et du marketing.
Nos enfants...

L'Express, 31 mai 1985, p. 26.

La kid génération

(1) Il n'y a plus de jeunesse. On considère aujourd'hui qu'un enfant de 13 ans possède la maturité que ses parents avaient à 16 ans. Les 9-13 ans ont leurs passions, leurs idoles, leur language, leur look et leur morale. Ils lancent° les modes, les stars, touchent à tous les sports. Et quand nos managers ont découvert° que les moins de 15 ans influaient° sur près de 45 % du budget familial, soit environ 150 milliards° par an (sans compter les frais de santé, d'assurance, etc.), on a commencé à les prendre très très au sérieux. commencent
trouvé / les... enfants de
14, 13, 12... ans
avaient une influence
mille millions

(2) Maintenant, on crée pour eux, on fait de la pub° pour eux.   publicité

(3) Les enquêtes de marché° ont montré que leur avis° comptait beaucoup dans l'achat de la voiture familiale, de la maison ou de l'appartement, dans la décoration, l'ameublement,° le choix des vêtements, de la nourri-ture, des loisirs, des jeux, des ordinateurs, des disques et des cassettes, etc. Ils gagnent de l'argent, ils épargnent.°   les... *market surveys* / opinion / comparez: meubles / font des économies

(4) Dans cette époque de scepticisme généralisé, où les adultes deviennent plus ludiques,° les parents partagent les jeux et les sports des enfants. Et comme les gosses apprennent vite les techniques nouvelles, notamment à manier° un ordinateur, ils peuvent jouer un vrai rôle pédagogique et leader dans la famille.   amateurs de jeux / utiliser

(5) Ainsi sont les kids, purs produits des années 80. Agés de 9 à 13 ans, ils sont plus de 4 millions, enfants de la crise et du marketing.

(6) «Les parents, parfois par facilité, mais aussi par conviction éducative, les ont laissés libres beaucoup plus tôt, constate° Rose Vincent, auteur, dans les années 60, de plusieurs livres à succès sur l'éducation des enfants. Libres de choisir leurs vêtements, leurs distractions, leurs amis. Les enfants ne sont pas soumis,° comme ceux de la génération précédente, aux conseils° permanents des parents.»   remarque / forcés à accepter / sug-gestions

(7) Les kids ont saisi cette belle autonomie à bras-le-corps.° Ils jugent, aiment ou détestent. Ils ont inventé un style. Michael Jackson, entre autres chanteurs, leur doit tout. Steven Spielberg, sa «Guerre des étoiles» «Indiana Jones»: c'est eux.   complètement

(8) Mais attention, les kids ne sont pas seulement ludiques et consomma-teurs. «On en fait un groupe social, une clientèle consommatrice. Mais ces enfants sont aussi très en prise avec la réalité. Réalité du travail et d'un avenir qui n'est pas du tout idéalisé», constate Dominique Guyomard, membre du Centre de formation de recherches psychanalytiques et coau-teur du livre «La Crise d'adolescence».

(9) La crise économique, le chômage ont pénétré souvent leur manière d'être. Le chômage qui, selon° notre sondage,° est avant la maladie et la guerre leur principale angoisse. «On voit maintenant, remarque Rose Vin-cent, des enfants de 10 ans qui savent non seulement économiser, mais   d'après / détermination des opinions

aussi gérer° un budget, investir, emprunter. Ils ont une compétence pra-   administrer
tique en matière économique que les enfants d'autrefois n'avaient pas.»

(10) Ils sont durs° et tendres. Durs en affaires, durs quand ils jouent Sa   forts
Majesté des Mouches avec leur bande dans les cours des écoles ou dans la
rue. Mais dans leurs jeans (501 de Levis, de préférence), leurs baskets
(Adidas), leurs sweats (Benetton), Walkman sur les oreilles, Boy George à
plein tube,° ils vivent aussi de déchirantes° histoires d'amour avec leurs   très fort / dramatiques
copains et leurs copines d'école.

(11) «A cet âge-là, poursuit Dominique Guyomard, il est très important
d'être intégré dans une bande. Les parents, à eux seuls, ne peuvent remplir
la libido des 9–10 ans. C'est l'époque où surgissent° des histoires parfois   commencent
tendres, parfois très cruelles entre petites filles et petits garçons, avec
jalousie, possession, trio... »

(12) C'est l'époque aussi où, à défaut de bande, le kid apprend les coups
de cafard.° Les filles se tournent plutôt vers le journal intime. Les garçons,   tristesse, dépression
plus volontiers vers la vidéo et l'ordinateur, autre moyen de création per-
sonnel et «symbole d'un espace qui n'appartient à personne d'autre. Plaisir
d'en être le maître».

(13) Et c'est vrai, sans doute, que les kids ne sont plus comme les autres
avant eux. «Le temps n'est plus, ajoute Dominique Guyomard, où les enfants se projetaient dans des images adultes héroïques et conquérantes.
Leurs objectifs, aujourd'hui, sont plus restreints et plus lucides.» Mais ne
craignons rien, ce ne sont pas des mutants quand même. Il n'y a qu'à
voir: ils viennent de redécouvrir le bon vieux Yo-Yo, rebaptisé «Rollin»,
dans sa version 1985. Ça fait nettement plus kid.

JACQUES BUOB

- -

■ *Avez-vous compris?*

A. Trouvez un équivalent français des mots suivants dans l'article. (Les mots
que vous cherchez sont des mots apparentés et apparaissent dans l'article
dans le même ordre que ci-dessous.) (Les chiffres entre parenthèses désignent les paragraphes de la **Lecture.**)

1. styles (1)
2. records (3)
3. methods (4)
4. products (5)
5. crisis (5)

6. author (6)
7. they judge (7)
8. consumers (8)
9 research (8)
10. manner, way (9)

11. anguish (9)
12. to invest (9)
13. practical (9)
14. tender (10)
15. jealous (11)

B. Choisissez la meilleure réponse.

1. On considère aujourd'hui que l'enfant de treize ans a la maturité de ses parents à l'âge de _____.
2. Les enfants de moins de 15 ans influent sur _____% du budget familial.
3. L'opinion des enfants a une _____ influence sur la décision d'acheter des meubles, des voitures ou des vêtements.
4. Les enfants d'aujourd'hui peuvent jouer un rôle de leader dans la famille qui s'intéresse aux ordinateurs parce qu'ils _____.
5. Les parents ont placé _____ restrictions sur leurs enfants qu'auparavant.
6. La peur principale des enfants est _____.

C. Pour l'auteur, qu'est-ce qui suggère que les enfants d'aujourd'hui sont toujours des enfants, même si leur nature a subi certains changements?

■ *Et vous?*

1. A l'âge de seize ans, travailliez-vous? Combien d'argent dépensiez-vous chaque semaine? Que représentait l'argent pour vous quand vous étiez plus jeune? Est-ce que l'argent a plus ou moins d'importance pour vous maintenant? Pourquoi? Comment avez-vous changé?
2. Les jeunes Français des années 80 sont très conscients des difficultés économiques de leur pays, et spécifiquement du chômage. Le manque de travail les inquiète même plus que la menace de la maladie ou de la guerre. Avec un(e) camarade, dressez une liste de ce dont vous aviez peur à l'âge de huit et de seize ans. Et maintenant?
3. Les sondages indiquent que pendant les années 80 l'opinion de l'enfant comptait beaucoup dans l'achat de plusieurs choses: voiture, maison, meubles, vêtements, etc. Dans votre famille, dans quelle mesure votre opinion comptait-elle dans cette sorte d'achat? Est-ce qu'avant d'acheter une voiture vos parents vous demandaient votre opinion sur votre marque préférée? Pouviez-vous choisir vos propres vêtements? (Notez: Puisque vous parlez des habitudes et des actions répétées dans le passé, utilisez des verbes à l'imparfait. Consultez **En détail** de ce chapitre pour les formes oubliées.)
4. La tristesse ou le cafard peuvent frapper souvent à l'improviste (*without warning*) pendant l'enfance. L'article suggère que les garçons et les filles se lancent dans des activités très différentes pour lutter contre ces mauvais moments.

    a. Que font les filles, selon l'auteur? Et les garçons? Pensez-vous que l'auteur ait raison?
    b. Croyez-vous que ce soit le sexe de l'individu qui détermine sa façon de s'échapper? Quels autres facteurs jouent un rôle?

c. Le fait d'être seul—séparé de ses amis—peut créer la mauvaise humeur chez un adolescent. Est-ce que c'était le cas pour vous? Et chez les adultes, il y a ceux qui préfèrent leur solitude et ceux qui ne sont heureux que dans une foule (*crowd*). Où vous situez-vous?

STRUCTURES ·

Et de votre temps?

Questions pour l'«autre» génération   Est-ce qu'on **parlait** de la «kid génération», de votre temps? Est-ce que c'**étaient** les enfants qui **lançaient** les modes, **inventaient** les styles? Est-ce que les enfants **avaient** leur mot à dire dans les décisions familiales? Est-ce qu'ils **choisissaient** librement leurs distractions et leurs amis, ou est-ce qu'ils **devaient** se soumettre en toutes choses à leurs parents? Est-ce qu'ils **pensaient** déjà au chômage?

▪ The Imperfect (*L'imparfait*)

To talk about how things were or used to be, the imperfect tense (**l'imparfait**) is used in French.

A. Formation

To form **l'imparfait,** take the **nous** form of the present tense (**nous choisissons**), drop the **-ons** to find the stem (**choisiss-**), and add the imperfect endings.

je choisiss**ais**	nous choisiss**ions**
tu choisiss**ais**	vous choisiss**iez**
il/elle/on choisiss**ait**	ils/elles choisiss**aient**

All verbs follow this pattern, except **être.** (4.1)

B. Usage

The imperfect tense is used to *describe* the background or the circumstances of an action or a series of actions. In a narrative, it sets the stage for whatever actions occurred. The imperfect is usually used to describe

- the weather

    Il **faisait** beau et l'air du soir **était** tiède.

- the season or time of day

    C'était au mois de juillet; il **était** 8 ou 9h du soir; le soleil **se couchait** à l'horizon.

- outward appearance

    L'enfant **était** grand pour son âge; il **avait** les cheveux blonds; il **portait** un blue-jean.

- physical, mental or emotional states (4.2)

    Il **était** fatigué mais il ne **voulait** pas rentrer.

- conditions

    Il **était** trop occupé à jouer pour penser à manger.

- actions in progress that are interrupted

    Il **jouait** depuis des heures quand son père est venu le chercher.

The imperfect is used for relating habitual actions, things that one used to do.

    Il **mangeait** généralement assez tard.

The imperfect is used with **si** to express wishes or suggestions.

    Et si on allait au cinéma?   *How about going to the movies?*

The imperfect is used with the progressive form (**être en train de** + infinitive), the near future (**aller** + infinitive) and the recent past (**venir de** + infinitive). These constructions can be used in only two tenses: the present or the imperfect. If the rest of the sentence is in the past, you know automatically that you should use the imperfect tense with those constructions.

    J'**étais** en train d'étudier quand vous êtes arrivés.   *I was (in the process of) studying when you arrived.*
    J'**allais** sortir quand le téléphone a sonné.   *I was going to leave when the telephone rang.*
    Je **venais** de manger, alors je n'avais plus faim.   *I had just eaten, so I wasn't hungry any more.*

Use of the imperfect tense in contrast with the **passé composé** and the **plus-que-parfait** will be reviewed and practiced in **Thème IV.** The focus of this chapter is the imperfect itself, so that you will become adept at describing in the past, telling how things were or used to be, and setting the stage for narration in the past. (4.3: Adverbs used with the **imparfait**)

■ *Maintenant à vous*

A. **Je n'en reviens pas!** (*I can't believe it!*) Vous retrouvez à l'université un camarade que vous n'aviez pas vu depuis longtemps, et vous remarquez qu'il a beaucoup changé. Résumez vos impressions en terminant vos phrases par des caractéristiques contraires.

> MODÈLE: —Maintenant, il a beaucoup d'amis... →
> —**alors qu'avant** (*whereas before*), il n'avait pas beaucoup d'amis. (...il n'avait aucun ami.)

1. Maintenant il est plutôt mince...
2. Il dit qu'il se lève tôt...
3. Et il fait du sport tous les matins...
4. Il est devenu assez bavard...
5. Il sort souvent avec ses amis...
6. On voit qu'il prend même ses études au sérieux...
7. Il dit qu'il ne s'ennuie plus...
8. ?

En somme, a-t-il changé pour le pire ou pour le mieux?

B. **Avez-vous changé?** En groupes de deux, expliquez en quoi vous avez changé ou non selon le cas.

> MODÈLE: pleurer souvent →
> Quand j'étais petit(e), je pleurais souvent parce que j'étais très sensible; maintenant, je ne pleure plus jamais—en public!

1. être gâté
2. s'ennuyer facilement
3. faire du sport
4. avoir peur du noir
5. ?

Continuez de façon personnelle.
A la fin de l'activité, faites chacun(e) un rapport à la classe sur deux caractéristiques particulièrement intéressantes de votre partenaire. La classe votera ensuite sur le changement le plus original.

C. **Circonstances et impressions.** Joëlle est une étudiante française qui est venue passer un an dans une université américaine; elle se rappelle son premier jour à l'université. Mettez les phrases à l'imparfait, selon le modèle.

> MODÈLE: C'est au mois d'août. →
> C'était au mois d'août.

1. Je viens d'arriver.   2. J'ai peur parce que tout est nouveau.   3. Le campus semble énorme.   4. Je ne connais personne.   5. Je ne trouve pas les bâtiments qu'il faut.   6. Les gens sont gentils mais impersonnels.   7. Je partage ma chambre avec une fille qui s'appelle Caroline.   8. Elle est très sympathique mais elle parle tout le temps.   9. Je veux téléphoner à mes parents, mais je ne peux pas parce que je dois économiser mon argent. 10. Je me sens à la fois heureuse et triste.

Quelle impression générale Joëlle avait-elle de l'université ce jour-là?

D. **Et vous?** Est-ce que vous vous rappelez votre premier jour à l'université? En groupes de deux, comparez les circonstances et les impressions de ce premier jour: la date, le temps qu'il faisait, vos impressions du campus, de votre chambre, des gens (étudiants, administrateurs, professeurs), vos sentiments, etc. Faites une liste des choses que vous avez en commun, puis lisez cette liste à la classe.

E. **La minute de vérité.** Posez chacun(e) une question à votre professeur pour savoir où il/elle habitait à l'âge de dix ans, ce qu'il/elle aimait faire, etc. Exemples: Est-ce que vous aimiez l'école? Quels étaient vos jeux favoris?

F. **Autrefois.** Qu'est-ce que vous faisiez quand vous aviez dix ans? Où habitiez-vous? Comment était votre chambre? Comment étiez-vous à cet âge-là? Discutez en groupes de deux, puis rapportez chacun(e) à la classe un renseignement particulièrement intéressant sur votre partenaire.

G. **Quinze ans.** Changez de partenaire et posez le plus de questions possible pour savoir comment était votre camarade à l'âge de quinze ans: description physique, personnalité, maison, chambre, famille, amis, école, professeurs préférés, activités favorites après l'école et le week-end, programmes favoris à la télévision, acteurs et chanteurs préférés, etc. Ensuite, renversez les rôles. Choisissez chacun(e) une ou deux caractéristiques qui semblent uniques à votre partenaire et présentez-les à la classe.

H. **Et si... ?** Plusieurs de vos camarades, qui vont jouer les rôles indiqués ci-dessous, s'ennuient et ne savent pas quoi faire. Le reste de la classe, qui va aussi jouer les rôles indiqués, va donc faire des suggestions, à tour de rôle, jusqu'à ce que (*until*) la personne en question soit satisfaite. Exemples de suggestions: Et si tu lisais un livre? Et si on allait faire une balade? Exemples de réponses: Non, je n'ai pas envie. Bof...

CEUX QUI S'ENNUIENT	CEUX QUI SUGGÈRENT
1. Une petite fille de 8 ans, un jour de pluie.	le/la babysitter
2. Deux adolescent(e)s de 14–15 ans, un jour de vacances. On est en ville, et il fait très chaud.	des copains et des copines du même âge
3. Deux étudiant(e)s qui ont besoin de se changer les idées ce soir!	des copains et des copines dans le même situation

La fontaine Stravinsky à Paris:
que font les enfants?

I. **Un jeu.** En petits groupes ou en deux équipes, voyez si vos camarades de classe peuvent deviner quels personnages historiques célèbres vous décrivez. Ces personnages peuvent être réels ou imaginaires.

> MODÈLE: C'était un personnage imaginaire; il n'était pas beau; il ressem-blait à un monstre. Il vivait au moyen âge, dans les tours de la cathédrale de Notre Dame. Il aimait Esméralda. → Quasimodo

Choisissez parmi les noms suggérés ou pensez à d'autres personnages qui vous sont plus familiers. (Napoléon, Cléopatre, Jules César, Sherlock Holmes, Louis XIV, George Washington, Marie-Antoinette, Jeanne d'Arc, Charlie Chaplin, Henri VIII d'Angleterre, Marilyn Monroe, Le Petit Cha-peron Rouge, Scarlett O'Hara, ?)

J. **Jeu de rôles.** Role-play the following situation in French with one of your classmates.

Where were you when the lights went out? There was a power outage in the dorms last Saturday night, and during the outage some things were stolen. The campus police are investigating and before you're interrogated, you and your partner try to remember where you were and what you were doing at the time. Use your imagination to make up some exciting alibis. You may start like this: **Avant la panne d'électricité, moi, je... et toi?** Then: **Quand il y a eu la panne d'électricité...**

PAR ÉCRIT ▣ :

■ *Avant d'écrire*

Using a Dictionary   If you are looking up more than a few words when you write, you are probably translating your thoughts directly from English into French, which can lead to mistakes. Before you resort to the dictionary, always ask yourself if there is another, simpler way to express yourself. Can you convert your thought into French with words and structures that you already know? (See the writing strategy in Chapter 1.)

If you think it is absolutely necessary to use a dictionary, follow these guidelines.

- Determine the part of speech of the word you want for the context you have in mind. Is it a verb, a noun, etc.? For example, if you look up the French equivalent for *fan,* you will find several nouns (**éventail, ventilateur, fanatique**) and several verbs (**éventer, souffler, attiser**). If your context is "football *fan*" (a noun), you can reject the meanings listed as verbs.
- What if you find more than one French equivalent for the part of speech you need? Before you jump to conclusions and write **Je suis un ventilateur** (*electric fan*) **de football,** consider the following strategies. If your dictionary provides example phrases or sentences, look for a similar context to help you decide on the proper equivalent. If no examples are provided, write down the French equivalents and look them up in the French-English section of the dictionary to determine which is the closest to the meaning you want.

éventail	*fan, range*
ventilateur	*ventilator, electric fan*
fanatique	*enthusiastic admirer, supporter, fan*

Here, **fanatique** is of course the correct word. As you write the following essay, make a list of the words you look up and explain briefly next to each word how you decided on a particular meaning. Turn your list in with your composition.

Sujet de composition

Les traditions familiales. Écrivez deux paragraphes sur une ou deux traditions de votre famille quand vous étiez enfant. (Est-ce que vous alliez en vacances ensemble? Est-ce que vous aviez des traditions à "Thanksgiving," à Noël, ou un autre jour de fête?)

EN DÉTAIL

4.1. Forms of the *imparfait*

A. *Être:* The Only Irregular Verb in the Imperfect

j'étais	nous **étions**
tu étais	vous **étiez**
il/elle/on ét**ait**	ils/elles ét**aient**

B. Stem-changing Verbs and the Imperfect

Verbs in **-ger** and **-cer**: since four out of the six **imparfait** endings start with an **-a,** remember the spelling changes in the stems of verbs in **-ger** and **-cer.**

je mang**e**ais	nous mangions
tu mang**e**ais	vous mangiez
il/elle/on mang**e**ait	ils/elles mang**e**aient

je commen**ç**ais	nous commencions
tu commen**ç**ais	vous commenciez
il/elle/on commen**ç**ait	ils/elles commen**ç**aient

Other stem-changing verbs have no stem changes in the imperfect.

acheter	→	j'achetais
préférer	→	je préférais
appeler	→	j'appelais
jeter	→	je jetais
s'ennuyer	→	je m'ennuyais

C. Verbs Whose Stem Ends in *-i*

Remember that the **-i** is doubled in the **nous** and **vous** forms of the imperfect.

> Nous étud**ii**ons tous les soirs.
> Vous vous f**ii**ez à nous. (*You used to trust us.*)
> Nous r**ii**ons beaucoup.

This double **-i** is usually pronounced like a longer **-i.**

4.2. Verbs That Express Mental and Emotional States

Because these verbs are descriptive in nature, in a past context they are often used in the imperfect tense.

VERBS	EXAMPLES
aimer	J'aimais le bruit (*noise*) de la ville.
avoir	J'avais peur de la solitude.
croire	Je croyais que la solitude était mauvaise.
détester	Je détestais la solitude.
espérer	J'espérais devenir riche.
être	J'étais heureux (euse) quand j'étais avec mes amis.
penser	Je pensais qu'ils étaient formidables.
pouvoir	Je pouvais leur parler librement.
préférer	Je préférais les sorties en groupes.
savoir	Je savais qu'ils m'aimaient bien.
se sentir	Je me sentais bien avec eux.
vouloir	Je voulais m'amuser.

When used in the **passé composé**, these verbs take on a different meaning. They no longer describe a state or condition; they indicate a specific action or reaction. Compare these two sentences.

> Il **pensait** à sa famille. (*state of mind*)
> Quand il a vu la photo, il **a pensé** à sa famille. (*reaction*)

4.3. Adverbs

When the following adverbs and expressions are used in a past context, they are clues that the correct verb tense is the **imparfait.**

autrefois	(*formerly, in the past*)
chaque jour/semaine/mois/année	(*each day/week/month/year*)
d'habitude	(*usually*)
généralement, en général	(*generally*)
quelquefois, parfois	(*sometimes*)
souvent	(*often*)
toujours	(*always*)
tous les jours/mois/ans	(*every day/month/year*)
tout le temps	(*all the time*)
le + *day of the week*: le lundi.	(*on Mondays*)

CHAPITRE 5

Je me rappelle...

© BERYL GOLDBERG

PAROLES ◫

L'école

l'école maternelle (de 2 à 6 ans)
l'école primaire (5 années scolaires de 6 à 11 ans)
le **C.E.S.** (Collège d'Enseignement Secondaire—4 années scolaires de 11 à 15 ans)
le **lycée** (3 années scolaires de 15 à 18 ans)

un **instituteur**/une **institutrice** (école primaire) } *a teacher*
un **professeur** (CES, lycée, université)

un(e) **élève** (primaire, CES, lycée) } *a student*
un(e) **étudiant(e)** (université)
la **récréation** (*recess*)

Voici les **cours** [m.] qu'on **suit:**

SCIENCES HUMAINES

la **géographie**
l'**histoire** [f.]
les **langues étrangères**
la **littérature**
la **philosophie**
la **psychologie**
sciences po (sciences politiques
[f.])

SCIENCES

les **mathématiques** [f.]: l'algèbre
[f.], le calcul, la géométrie, etc.
les **sciences naturelles:** la biologie, la chimie, la physique, la
zoologie, etc.
les **sciences économiques**
la **technologie**
l'**informatique** [f.] (*computer science*)

AUTRES MATIÈRES

les **arts** [m.]: la **danse,** le **dessin,**
la **musique,** la **peinture**
l'**éducation physique**

Le monde de l'élève et de l'étudiant

faire ses devoirs [m.]
travailler dur (*hard*)
passer/réussir à/échouer à un examen (*to take, to pass, to fail an exam*)
tricher (*to cheat*)
sécher un cours (*to skip a class*), **faire l'école buissonnière** (*to play hookey*)
obtenir son diplôme (*to graduate*)
un **cartable** (*school bag*), une **serviette** (*briefcase*), un **sac à dos** (*backpack*)
Les **fournitures scolaires:** une **feuille de papier,** un **crayon** de couleur, un
taille-crayon (pour aiguiser les crayons), un **crayon-feutre** (*felt pen*), des
ciseaux [m.] (*scissors*), de la **colle** (*glue*), une **règle** (*ruler*)

Le monde de l'enfant

avoir hâte de (*to be eager to*)
grandir (*to grow up*)
passer son temps à (rêver, dessiner, jouer, etc.)
faire une bêtise (faire quelque chose de stupide)
mériter une fessée (*to deserve a spanking*), **une punition** (*a punishment*)
jouer un tour à quelqu'un (*to play a trick on someone*)
raconter une histoire, une blague (*a joke*)

Le petit Nicolas, Sempé-Goscinny, Éditions Denoël, 1960, p. 129.

■ *Parlons-en*

L'école buissonnière. En groupes de deux, essayez de reconstruire l'histoire de ces deux petits garçons. Pourquoi ont-ils décidé de faire l'école buissonnière? Quand se sont-ils «échappés»? Où sont-ils allés? Qu'ont-ils fait toute la journée? Comparez ensuite votre histoire avec celles des autres groupes et déterminez par un vote qui a fait preuve du plus d'originalité.

LECTURES : ·

■■ Lecture 1

You are about to read the dedication and the opening chapter of Antoine de Saint-Exupéry's *Le Petit Prince,* a classic for both children and adults. Saint-Exupéry was born in 1900. He took advantage of his two years of compulsory military service to obtain a pilot's license and then flew mail planes to Toulouse, Casablanca, and Dakar. The trips he made inspired several of his works (*Courrier Sud, Vol de Nuit, Terre des Hommes*).

When France was occupied by the Germans in 1940, the Resistance government sent Saint-Exupéry to New York to appeal for aid for the Free French. He wrote *Le Petit Prince* in New York in 1943. Later that year, he returned to combat and flew fighter missions in North Africa until his plane was shot down in 1944. He was presumed dead.

© Éditions du Club de l'Honnête Homme, Paris

■ *Avant de lire*

Before reading, think for a moment about dedications you have already read. To whom does an author generally dedicate a work? A friend? A relative? A teacher? Why does one write dedications? Out of gratitude? Love? Respect? How do you usually react to dedications, if you read them at all? Do you find them too sentimental, boring, or interesting? Do you ever wonder about the relationship between the author and the person mentioned? List a few elements that a dedication (**une dédicace**) is likely to include. Look for these as you scan the dedication in *Le Petit Prince*.

■ *Étude de mots*

bien	*really, very*
suffire	*to suffice*
autrefois	*before, once*
corriger	*to correct*

Activité.   Trouvez dans la liste de vocabulaire les antonymes des mots suivants.

1. maintenant
2. être insuffisant
3. pas vraiment, peu
4. commettre une erreur

A Léon Werth

Je demande pardon aux enfants d'avoir dédié° ce livre à une grande personne.° J'ai une excuse sérieuse: cette grande personne est le meilleur ami que j'ai au monde. J'ai une autre excuse: cette grande personne peut tout comprendre, même° les livres pour enfants. J'ai une troisième excuse: cette grande personne habite la France où elle a faim et froid. Elle a bien besoin d'être consolée. Si toutes ces excuses ne suffisent pas, je veux bien dédier ce livre à l'enfant qu'a été autrefois cette grande personne. Toutes les grandes personnes ont d'abord été des enfants. (Mais peu d'entre elles° s'en souviennent.) Je corrige donc ma dédicace:

comparez: dédicace
grande... adulte

even

peu... un nombre limité

A LÉON WERTH
QUAND IL ÉTAIT PETIT GARÇON

■ *Avez-vous compris?*

A. Complétez les phrases suivantes.

1. Cette dédicace est pour _____.
2. C'est une _____ qui est _____ de Saint-Exupéry.
3. L'auteur offre trois excuses aux enfants qui liront *Le Petit Prince* pour avoir dédié son livre à une grande personne. Nommez-les.

B. Remplacez les tirets par la forme convenable du passé composé ou de l'imparfait du verbe entre parenthèses.

1. D'abord, Antoine de Saint-Exupéry _____ (*dédier*: p.c.) son livre à une grande personne.
2. Puis il _____ (*demander*: p.c.) pardon aux enfants.
3. Dans sa dédicace, il _____ (*écrire*: p.c.) trois excuses pour avoir dédié *Le Petit Prince* à une grande personne.
4. Cette grande personne _____ (*être*: imp.) son meilleur ami.
5. Elle _____ (*pouvoir*: imp.) tout comprendre.
6. Elle _____ (*avoir*: imp.) besoin d'être consolée.
7. Mais toutes ces excuses _____ (ne... pas *suffire*: imp.).
8. Saint-Exupéry _____ (*vouloir*: imp.) changer sa dédicace.
9. Il _____ (*comprendre*: p.c.) qu'un changement était nécessaire.

C. **Collage.** Saint-Exupéry dit que Léon Werth, son ami, «a faim et froid» en France. Pensez à autant de faits que possible sur la vie en France pendant la période de 1939 à 1945. Par exemple: «C'était la période de la Deuxième Guerre mondiale.» Les suggestions offertes vont former une image possible de la France à cette époque-là. Une personne écrira les idées au tableau.

■ *Et vous?*

1. Comment réagissez-vous en lisant cette dédicace écrite pour les enfants? Vous donne-t-elle envie de lire le conte qui suit? Pourquoi ou pourquoi pas?
2. Les adultes aiment *Le Petit Prince* autant que les enfants. Y a-t-il d'autres livres pour enfants (écrits dans votre langue maternelle) que vous continuez à aimer maintenant que vous êtes une grande personne? Tournez-vous vers un(e) camarade et nommez-en deux ou trois si possible. Essayez de trouver ce qui continue à vous plaire dans ces livres.

:: Lecture 2

■ *Avant de lire*

Reading Strategy: The Organization of a Text   In Chapter 2, you learned that one way to deal with a confusing and complicated sentence in French is to break it down into its principal parts, that is, to identify the organizing principle of the sentence. In a similar way, an analysis of the structure of a text can help you understand what you are reading. If you learn to become aware of the shape of the text, you will be able to see what the author is doing more easily and quickly.

You can be on the alert for a writer's use of one of the following standard textual structures or a combination of them.

1. *General to particular.* A common pattern is to state the text's thesis or theses, which will be followed by supporting information and opinions.
2. *Particular to general.* The first pattern can be reversed; the presentation moves from specific examples to generalizations and main ideas.
3. *Comparison and contrast.* Certain ideas are presented in contrast to others. Distinguishing one idea from another is a common way to clarify what each one means. To say that a "scooter" is a kind of bicycle with a small motor is to define something by comparing it to something else.
4. *Chronology.* In this very common pattern, events are ordered according to some time sequence, sometimes from first to last or vice versa, or perhaps through flashbacks, moving back and forth between present and past.
5. *Question and answer.* The writer asks a question, explores answers in the course of writing, and finally proposes his or her answer.

There are many other ways to structure a piece of writing, and different readers will of course discover different structures within the same piece of writing. What is most important for you as you read is to find a shape that seems appropriate to what you are reading, and that leads you to useful ideas about what the author wants to say. The following tasks will help you practice identifying structure.

1. After you have read through the excerpt from *Le Petit Prince,* develop a chart to help you identify the chronology of the story. Focus on the narrator: age in each section, his activities, his attempts to communicate with adults, and his reaction to these attempts. The outlines of your chart might look like this:

AGE	ACTIVITY	REACTION FROM ADULTS	HIS REACTION
6			
Older			
Adult			

2. Next, go back to the passage and look for a pattern of contrast in it. What points of view are contrasted? Can you find other elements that the writer compares or contrasts?

Le Petit Prince [extrait]

Lorsque j'avais six ans j'ai vu, une fois, une magnifique image, dans un livre sur la Forêt Vierge qui s'appelait «Histoires Vécues».° Ça représentait un serpent boa qui avalait° un fauve.°

On disait dans le livre : «Les serpents boas avalent leur proie° tout entière, sans la mâcher.° Ensuite ils ne peuvent plus bouger et ils dorment pendant les six mois de leur digestion.»

J'ai alors beaucoup réfléchi sur les aventures de la jungle et, à mon tour, j'ai réussi, avec un crayon de couleur, à tracer mon premier dessin.° Mon dessin numéro 1. Il était comme ça :

vraies
mangeait / animal sauvage
victime
chew

drawing

*Le Petit Prince, p. 1.**

J'ai montré mon chef-d'œuvre° aux grandes personnes et je leur ai demandé si mon dessin leur faisait peur.

Elles m'ont répondu : «Pourquoi un chapeau ferait-il peur?»

Mon dessin ne représentait pas un chapeau. Il représentait un serpent boa qui digérait° un éléphant. J'ai alors dessiné l'intérieur du serpent boa,

meilleure œuvre

comparez: digestion

*Dessins réalisés par Antoine de Saint Exupéry

afin que° les grandes personnes puissent comprendre. Elles ont toujours besoin d'explications. Mon dessin numéro 2 était comme ça :

afin... pour que

Le Petit Prince, p. 2.

Les grandes personnes m'ont conseillé° de laisser de côté les dessins de serpents boas ouverts ou fermés, et de m'intéresser plutôt° à la géographie, à l'histoire, au calcul et à la grammaire. C'est ainsi que j'ai abandonné, à l'âge de six ans, une magnifique carrière de peintre. J'avais été découragé par l'insuccès de mon dessin numéro 1 et de mon dessin numéro 2. Les grandes personnes ne comprennent jamais rien toutes seules, et c'est fatigant, pour les enfants, de toujours et toujours leur donner des explications.

suggéré
de préférence

J'ai donc dû choisir un autre métier° et j'ai appris à piloter des avions. J'ai volé un peu partout dans le monde. Et la géographie, c'est exact, m'a beaucoup servi. Je savais reconnaître, du premier coup d'œil,° la Chine de l'Arizona. C'est très utile, si l'on est égaré° pendant la nuit.

profession

coup... regard bref
perdu

J'ai ainsi eu, au cours de ma vie, des tas de° contacts avec des tas de gens sérieux. J'ai beaucoup vécu chez les grandes personnes. Je les ai vues de très près. Ça n'a pas trop amélioré° mon opinion.

de... beaucoup de

changé en mieux

Quand j'en rencontrais une qui me paraissait un peu lucide, je faisais l'expérience sur elle de mon dessin n° 1 que j'ai toujours conservé. Je voulais savoir si elle était vraiment compréhensive.° Mais toujours elle me répondait : «C'est un chapeau.» Alors je ne lui parlais ni de serpents boas, ni de forêts vierges, ni d'étoiles.° Je me mettais à sa portée.° Je lui parlais de bridge, de golf, de politique et de cravates. Et la grande personne était bien contente de connaître un homme aussi raisonnable.

verbe: comprendre

points brillants dans le ciel, la nuit / à... accessible

■ *Avez-vous compris?*

A. Complétez chaque phrase selon les idées de la lecture. Mettez le verbe que vous choisissez au passé composé. *Possibilités:* **comprendre, demander, faire, montrer, tracer, voir.**

1. Le narrateur _____ une image d'un serpent boa qui avalait un fauve.
2. Après beaucoup de réflexion il _____ son premier dessin.
3. Il _____ son chef d'œuvre aux grandes personnes.
4. Il leur _____ si le dessin leur faisait peur.
5. Ils n'_____ son dessin.
6. Alors, il _____ son dessin numéro 2.

Possibilités: **améliorer, apprendre, avoir, devoir, vivre, voler.**

7. Enfin, il _____ choisir un autre métier que celui d'artiste.
8. Il _____ à piloter des avions.
9. Il _____ un peu partout dans le monde.
10. Il _____ des tas de contacts avec des gens sérieux.
11. Il _____ chez les grandes personnes.
12. Cela n'_____ son opinion des grandes personnes.

B. Trois dessins sont décrits dans ce passage. A votre tour de décrire chacun d'entre eux.

1. Dans le livre sur la Forêt Vierge...
2. Le dessin numéro 1 du narrateur...
3. Le dessin numéro 2 du narrateur...

C. Quelle est l'interprétation des grandes personnes de son premier dessin? Qu'est-ce que vous apprenez sur leur système de valeurs en entendant les suggestions qu'elles donnent à l'enfant?

D. Après ses déceptions en tant qu'artiste, le narrateur a changé de «métier». Quelle est cette deuxième carrière? Dans quelle mesure est-ce que ses études pratiques à l'école l'ont aidé?

E. Une fois adulte, à quels contemporains le narrateur montre-t-il son premier dessin? Quelle est leur réaction? Que fait-il alors?

F. Trouvez dans le texte plusieurs détails qui indiquent que le narrateur voit le monde à travers les yeux d'un enfant.

■ *Et vous?*

1. Réfléchissez un moment et essayez de vous souvenir d'un livre favori de votre enfance. Racontez à un(e) camarade votre partie favorite du livre et décrivez une illustration que vous aimez beaucoup. Votre professeur va vous demander après quelques instants de dire à la classe le nom du livre et de raconter les souvenirs de votre camarade.
2. Quand vous étiez enfant, est-ce que vous faisiez beaucoup de dessins? Sur quoi? Sinon, qu'est-ce que vous aimiez beaucoup faire?

3. Trop souvent, malheureusement, les adultes ne comprennent pas les idées, les craintes et les émotions des enfants. D'après vous, quelle en est la raison? Contemplez votre enfance pendant quelques instants. Pourriez-vous mentionner un incident où vos parents, votre instituteur (institutrice) ou un autre adulte a mal compris quelque chose que vous avez dit ou fait. Décrivez l'épisode brièvement.

4. Le narrateur dit que «Les grandes personnes ne comprennent jamais rien toutes seules, et c'est fatigant, pour les enfants, de toujours et toujours leur donner des explications.» C'est exactement ce que sentent quelquefois les adultes à l'égard des enfants. Ce sentiment suggère un fossé (*gap*) entre les générations dû à deux manières différentes d'envisager le monde. Tournez-vous vers un(e) camarade de classe. Un(e) de vous va jouer le rôle d'un enfant. L'autre sera l'adulte. Choisissez un sujet de controverse entre générations (par exemple, l'argent dépensé par l'enfant, l'heure de rentrer le samedi soir, la musique de rock, le style punk, etc.) et parlez-en pendant deux minutes. Essayez d'expliquer ce qui est évident, vu de votre perspective, et de résoudre vos différences d'opinion si possible.

5. Le narrateur suggère que certains sujets surtout intéressent les grandes personnes: le bridge, le golf, la politique et les cravates. Qu'est-ce qu'il semble impliquer avec cette liste? Par contre, qu'est-ce qui l'intéresse? Il «joue le jeu» attendu pour être accepté, pour avoir l'apparence d'un «homme raisonnable». Que pensez-vous de cela? Quelles sortes de jeux sociaux sont nécessaires dans votre vie, avec vos amis, avec vos parents, au travail et à l'université? Faites une liste de ces jeux sociaux et lisez-la à la classe.

6. Comment est-ce que le ton de ce passage, enfantin mais adulte à la fois, vous a frappé? Est-ce que vous avez ri en le relisant? Si oui, identifiez où et pourquoi.

STRUCTURES ■ ·

Le petit prince et le renard

Le petit prince était bien seul sur la terre—jusqu'au jour où il a fait la connaissance du renard. Le petit prince était couché dans l'herbe, triste, quand, soudain, il **a entendu** une voix. Il **a eu** peur. Il **s'est retourné** et il **a vu** un joli renard qui lui **a demandé** de devenir son ami. Mais comment devient-on un ami? Le petit prince **a posé** beaucoup de questions, et le renard **a expliqué** le secret de l'amitié. Ils **ont passé** beaucoup de temps ensemble.

Une fois, le petit prince **a oublié** de venir à l'heure prévue: il **est arrivé** à 3h au lieu de 4h, et le renard **n'a pas eu** le temps de «s'habiller le cœur.» Le petit prince **a donc appris** l'importance des rites. Il **a appris** beaucoup d'autres choses. Et surtout, il **a compris** qu'«on ne voit bien qu'avec le cœur.»

Le Petit Prince, p. 59.

▪▪ The *passé composé*

The **imparfait** answers the question **Comment étaient les choses?** (*How were things?*); the **passé composé** answers the question **Qu'est-ce qui est arrivé?** (*What happened?*). The **imparfait** sets the stage; the **passé composé** narrates the action of a story.

The **passé composé** can relate actions that are isolated or in a series.

> Il **a entendu** une voix. Il **s'est retourné** et il **a vu** un joli renard.

Actions related in the **passé composé** are often set at a *specified* point in time.

> **Une fois,** le petit prince **a oublié...**
> Il **est arrivé** à 3h...

The **passé composé** can also express a reaction to or a result of another action or situation.

> Quand il a entendu la voix du renard, il **a eu** peur.

The use of the **passé composé** in conjunction with the **imparfait** (and **plus-que-parfait**) will be reviewed and practiced in **Thème IV**. The focus of this chapter is the **passé composé** itself to help you learn to narrate a story in the past, to tell *what happened*.

A. Forms

To form the **passé composé,** combine the present tense of the auxiliary verb (**avoir** or **être**) and the past participle of the verb you are conjugating. The past participle of regular verbs is formed as follows:

INFINITIVE ENDING	EXAMPLE	PAST PARTICIPLE	EXAMPLE
-er	parler	**-é**	parlé
-ir	finir	**-i**	fini
-re	attendre	**-u**	attendu

[See (5.1) of **En détail** for irregular past participles.]

B. Verbs Conjugated with *avoir*

Most French verbs form their **passé composé** with **avoir.**

J'**ai** parlé	Nous **avons** parlé
Tu **as** fini	Vous **avez** fini
Il/elle/on **a** attendu	Ils/elles **ont** attendu

The past participle of a verb conjugated with **avoir** does not change form unless it has a preceding direct object. In that case, the past participle agrees with the preceding direct object in gender and number.

> Il a posé les questions.
> **Quelles questions** a-t-il posé**es**? **Lesquelles** a-t-il posé**es**?
> Il **les** a posé**es**.
> Ce sont les questions **qu**'il a posé**es**.

C. Verbs Conjugated with *être*

Some verbs, often referred to as "verbs of motion or change of state," use **être** as the auxiliary verb. The past participle of verbs conjugated with **être** must agree in gender and number with their subject.

Je **suis** allé(e)   Nous **sommes** allé(e)**s**
Tu **es** venu(e)   Vous **êtes** venu(e)(s)
Il **est** entré   Ils **sont** entrés
Elle **est** sortie   Elles **sont** sorties
On **est** parti

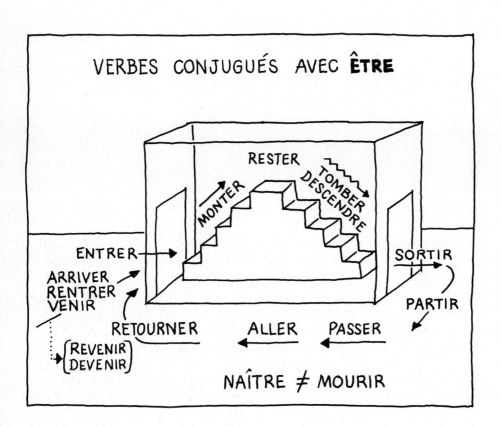

D. Verbs Conjugated with *avoir* or *être*

The verbs **monter, descendre, sortir, rentrer, retourner** and **passer** are usually conjugated with **être;** however, when used with a direct object, they are conjugated with **avoir.** Compare:

Elle **est** montée au 2ème étage.   Elle **a** monté l'escalier.
Elle **est** descendue.   Elle **a** descendu sa valise.
Elle **est** sortie seule.   Elle **a** sorti le chien.
Elle **est** rentrée à la maison.   Elle **a** rentré sa voiture au garage.
Elle **est** passée par là.   Elle **a** passé quinze jours en France.

E. Pronominal Verbs

All pronominal verbs are conjugated with **être**. The past participle usually agrees with the preceding pronoun, which acts as a preceding direct object.

Elles **se** sont lav**ées**.   Nous **nous** sommes rev**us**.

The exception to this rule is that there is *no* agreement of the past participle when the pronominal verb is followed by a direct object. Compare:

Elles se sont lav**ées**.   Elles se sont lav**é** les mains.

There is no agreement with verbs such as **se parler, se demander,** etc., that take only an indirect object. (5.3)

Elles se sont parl**é**.

Section 5.4 of **En détail** in this chapter concerns word order, negative and interrogative patterns, and placement of adverbs with the **passé composé**.

■ *Maintenant à vous*

A. «Hier c'était mercredi, et il n'y avait pas école, alors....» Mettez les phrases suivantes au **passé composé**. C'est Thierry, un enfant de six ans, qui nous fait ce récit.

Je (me lève)[1] assez tard; je (descends)[2] en pyjama et j'(appelle)[3] ma maman. Elle (répond)[4]: «Je suis dans la cuisine!» J'(entre)[5] dans la cuisine. Comme d'habitude, j'(embrasse)[6] ma maman. Elle me (demande)[7]: «Tu (dors?)[8] bien?» Elle (prépare)[9] mon petit déjeuner—un bol de chocolat et deux grosses tartines—et elle (met)[10] de la confiture de fraise sur une des tartines. Je (choisis)[11] la confiture d'abricot pour l'autre tartine. Après mon petit déjeuner, je (vais)[12] dans le salon. J'(allume)[13] la télé et je (regarde)[14] les dessins animés (*cartoons*) pendant une heure. Après ça, je (m'habille),[15] et juste après, mon copain Stéphane (arrive).[16] On (joue)[17] ensemble jusqu'à midi. On (s'amuse)[18] bien. A midi, mon copain (part)[19] pour aller manger. L'après-midi, maman et moi, on (rendre)[20] visite à ma grand-mère. Je (m'ennuie)[21] un peu là-bas, mais je (dessine)[22] en attendant, et puis, à 4h, on (a)[23] des gâteaux! En rentrant, on (s'arrête)[24] au centre commercial, et maman (m'achète)[25] une nouvelle boîte de crayons de couleur! Elle est chouette, ma maman!

B. Maintenant comparez le mercredi de Thierry avec le samedi d'un petit garçon américain du même âge. Appelons-le Dennis. Qu'est-ce qu'il a fait samedi dernier? Discutez-en en groupes de deux, puis faites un rapport à la classe sur les différences principales que vous voyez entre le mercredi d'un petit Français et le samedi d'un petit Américain.

C. **Un bilan assez négatif** (*A rather negative evaluation*). Au retour d'un petit voyage, un papa inquiet demande à son fils ce qu'il a fait la veille. Comme l'enfant est de mauvaise humeur, il répond presque toujours négativement, sur un ton obstiné. Questionnez, puis répondez selon le modèle.

> MODÈLE: passer une bonne journée / non   →
> ÉTUDIANT A (*le papa*):   Est-ce que tu as passé une bonne journée?
> ÉTUDIANT B (*l'enfant*):   Non, je n'ai pas passé une bonne journée.

1. travailler bien à l'école / non
2. rentrer tout de suite après l'école / non
3. rester jouer avec tes copains / oui
4. ranger ta chambre / non
5. descendre la poubelle / non
6. faire tes devoirs / non
7. prendre ton bain / oui
8. se brosser les dents / non
9. être sage / ???

Résumez la journée de cet enfant.

D. **Et vous?** En groupes de deux, faites le bilan (*evaluate*) de la journée d'hier. Qu'est-ce que vous avez fait? Qu'est-ce que vous n'avez pas fait? Notez trois choses que vous avez faites mais que votre partenaire n'a pas faites.

E. **Un sondage.** Avec la liste des trois choses notées dans l'exercice précédent, circulez dans la classe, interrogez les autres étudiants et voyez combien de vos camarades ont fait une, deux, ou trois de ces mêmes activités. Faites un rapport à la classe sur ce que vous avez trouvé, ou résumez les réponses au tableau.

F. **Les grandes personnes sont-elles bizarres?** Voici une petite scène vue par les yeux d'un enfant. Mettez les verbes au passé composé. Il y avait un monsieur et une dame dans un parc, et...

1. Quand ils se voient, ils se sourient.   2. Ils se serrent la main.   3. Ils se regardent longtemps.   4. Mais ils ne se disent rien.   5. Ils ne se parlent pas!   6. Finalement, ils s'embrassent.   7. Et puis ils se quittent.   8. Ils se retournent plusieurs fois pour se regarder.

Expliquez pourquoi un enfant trouverait cette scène bizarre.

G. **En effet, les grandes personnes sont parfois bizarres.** En groupes de deux, racontez à tour de rôle deux ou trois incidents que vous avez observés et qui vous ont fait penser que les grandes personnes étaient parfois bizarres. Si vous n'avez pas d'expériences personnelles à raconter, inventez ensemble une histoire sur des grandes personnes vues par les yeux d'un enfant. Soyez prêts à présenter une de vos histoires à la classe après la discussion en groupes.

H. **Quelques souvenirs d'enfance.** Changez de partenaire et racontez à tour de rôle quelques souvenirs de votre enfance. Est-ce que vous vous rappelez...

1. votre premier jour à l'école primaire?   2. votre premier jour à l'école secondaire?   3. une expérience embarrassante à l'école?   4. un anniversaire particulier?   5. un voyage en famille?   6. un autre souvenir d'enfance?

I. **Jeu de rôles.** Role-play the following situation in French with one of your classmates.

You are twelve years old, and you are three hours late coming home. Your father demands an explanation (Where have you been all this time?). Your excuse can be that you had to stay after school to retake a test; then you stopped at your friend's house, you did some homework together, you even helped him or her with some chores, and then on the way home, you saw an accident, and of course you had to stay to give your report to the police, etc. Try to convince your father, who is very skeptical, that you are telling the truth. Then reverse the roles, using a different alibi.

PAR ÉCRIT ■ :

■ *Avant d'écrire*

General Organization   In the **Lecture** section of this chapter, you learned to recognize the structure of a reading passage and to analyze how the structure works. You can apply the same kind of analysis to your own writing; good writers usually have a clear sense of the structure of their work before they begin writing.

As you plan your essay on the following topic, focus especially on chronology. You'll be writing about past events. What is the most interesting way to present them? In a linear way, beginning with the earliest and finishing with the latest? Through flashbacks? Beginning in the middle of a sequence of events? These are all common patterns, and any one of them might be appropriate in your essay.

After you have established the order of presentation, think about the kinds of connecting words you will use as you write your essay. Words such as **auparavant** (*before that*), **d'abord, ensuite, puis, après, alors, ainsi** (*thus*), **donc** (*therefore*), and **finalement** give your reader clues about the relationship among events.

Begin your essay with a brief introduction that sets the stage (**Quand j'avais** _____ **ans...**). Include enough detail to make the story come alive, but avoid extraneous material that might distract or bore your reader. Conclude with something that you think is especially memorable or striking. Introductions and conclusions are especially important parts of the essay; with them you have the opportunity to capture and keep the reader's attention. They need to make a more lasting impression than the middle sections of the essay.

Pre-writing tasks

1. Review the second excerpt from *Le Petit Prince* presented in this chapter, from **Lorsque j'avais 6 ans...** to **Ça n'a pas trop amélioré mon opinion.** Identify the various moments of that story and tell in what order the events are narrated.
2. Prepare an outline of the sequence of events in the composition you will write. Check the organization. Is it logical? Are all the points relevant to the story?

Sujet de composition

Reconstituez une page de votre journal intime en racontant en détail une journée particulièrement mémorable de votre enfance. Si votre mémoire vous fait défaut, vous pouvez toujours faire appel à votre imagination—c'est peut-être l'occasion rêvée de réinventer votre enfance!

A-t-elle hâte de devenir une grande personne?

EN DÉTAIL

5.1. Past Participles of Most Common Irregular Verbs

A. Past Participle in *-u*

INFINITIVE	PAST PARTICIPLE	EXAMPLE
apercevoir (*to notice, to catch sight of*)	aperçu	Je vous ai **aperçu** dans la rue, l'autre jour.
boire	bu	Il a trop **bu.**
connaître	connu	Je les ai **connus** au lycée.
courir	couru	J'ai **couru** de toutes mes forces.
devoir	dû	On a **dû** partir.
falloir	fallu	Il a **fallu** partir.
lire	lu	Avez-vous **lu** le journal?
paraître (*to appear*)	paru	Dans l'article qui a **paru** hier, il y a...
plaire (*to please*)	plu	...quelque chose qui ne m'a pas **plu.**
pleuvoir	plu	Il a **plu** toute la journée.
pouvoir	pu	Les enfants n'ont pas **pu** jouer dehors.
recevoir	reçu	J'ai **reçu** une bonne note, parce que j'ai...
savoir	su	...**su** toutes les réponses.
tenir	tenu	J'ai **obtenu** mon diplôme.
venir	venu	Il est **venu** chez nous.
vivre (*to live*)	vécu	Nous avons **vécu** un peu partout.
voir	vu	Quand il nous a **vus,**...
vouloir	voulu	...il a **voulu** nous parler.

B. Past Participle in *-is*

mettre	mis	J'ai **mis** deux heures à faire mes devoirs.

Conjugated like **mettre** are **permettre, promettre, remettre,** etc.

prendre	pris	J'ai **pris** mon temps.

Conjugated like **prendre** are **apprendre, comprendre,** etc.

C. Past Participle in *-it*

conduire	conduit	Il a **conduit** comme un fou, c'est...
dire	dit	...ce qu'on m'a **dit,** en tout cas.
écrire	écrit	Avez-vous **écrit** à vos parents?

D. Past Participle in *-int*

atteindre (*to reach*)	atteint	Nous avons **atteint** la limite.
craindre (*to fear*)	craint	J'ai **craint** de vous déranger.
éteindre (*to turn off*)	éteint	J'ai **éteint** la lumière.
peindre (*to paint*)	peint	Il a **peint** un chef-d'œuvre.

E. Past Participle in *-ert*

découvrir (*to discover*)	découvert	J'ai **découvert** ma vocation.
offrir (*to offer*)	offert	Il m'a **offert** un dessin.
ouvrir (*to open*)	ouvert	J'ai **ouvert** la fenêtre.
souffrir (*to suffer*)	souffert	Nous avons beaucoup **souffert.**

F. Other Irregular Past Participles

avoir	eu	On a **eu** peur.
être	été	On a **été** surpris.
faire	fait	Il a **fait** semblant...
mourir	mort	...d'être **mort.**
naître	né	Où êtes-vous **né(e)?**
rire	ri	Elle a **ri** de ma faute!
suivre	suivi	J'ai **suivi** plusieurs cours de maths.

5.2. Pronominal Verbs Without Agreement in the *passé composé*

The following list includes the most common pronominal (reflexive or recipro-cal) verbs for which the past participle does *not* agree with the pronoun. (The reflexive or reciprocal pronoun is *not* a direct object.)

se demander	Elle **s'est demandé** pourquoi vous pleuriez.
se dire	Qu'est-ce qu'ils **se sont dit?**
s'écrire	Ils **se sont écrit** plusieurs fois.
se parler	Ils **se sont parlé** hier soir.
se rendre compte	Ils **se sont rendu compte** de leur erreur.
se sourire	Ils **se sont souri.**
se téléphoner	Ils **se sont téléphoné.**

Included in this category are all pronominal verbs followed by a direct object.

>Elle s'est acheté **une voiture;** ils se sont offer**t des cadeaux.**

5.3. Word Order with the *passé composé*

A. Negative Patterns

With **ne... pas, ne... plus, ne... jamais,** and **ne... rien, ne** comes before the auxiliary verb, and the other part of the negative expression is placed *between* the auxiliary and the past participle.

>Je **n'**ai **pas** compris.   Elle **n'**a **jamais** vu ça.   Ils **n'**ont **rien** fait.

With **ne... personne, ne... aucun, ne... ni... ni, ne... que** and **ne... nulle part, ne** comes before the auxiliary verb, and the other part of the negative expression is placed *after* the past participle.

>Je **n'**ai vu **personne.**   Nous **n'**avons acheté **que** des fruits.

B. Interrogative Patterns

Questions are formed as in the present tense, except in the inverted forms. Note that only the auxiliary verb and subject pronoun are inverted.

>**Est-ce qu'**il a vu le renard?   Le petit prince **a-t-il vu** le renard?
>**Est-ce que** le petit prince a vu le renard?   **Est-ce qu'**il **n'**a **pas** vu le renard?
>**A-t-il vu** le renard?   **N'a-t-il pas vu** le renard?

C. Placement of Adverbs

Short adverbs are generally placed *between* the auxiliary and the past participle.

J'ai **beaucoup** appris.	Tu as **bien** dormi?	Ils ne sont pas **encore** partis.
On a **déjà** fini.	Il a **assez** souffert.	Elle n'a **peut-être** pas reçu ma lettre.*

Long adverbs (i.e., adverbs that end in **-ment**) are generally placed *after* the past participle.

>Il a parlé **lentement.**

For emphasis, some long adverbs are placed between the auxiliary and the past participle.

>J'ai **complètement** oublié de faire mes devoirs!
>Vous avez **probablement** laissé votre livre à la maison.

---

*Or: **Peut-être qu'**elle n'a pas reçu ma lettre.

Adverbs of time and place are generally used at the end of the sentence.

>Il est arrivé **hier.** Il est rentré **ici.** Il n'est pas resté **longtemps.**

Note that in negative sentences, **pas** usually precedes the adverb, except with **peut-être, sans doute** and **probablement.**

>Je n'ai **pas complètement** oublié de faire mes devoirs.
>Vous n'avez **probablement pas** laissé votre livre à la maison.

Toujours takes on a different meaning when **pas** follows it. **Pas toujours** means *not always,* whereas **toujours pas** means *still not.*

>Je n'ai **pas toujours** envie de travailler.
>Je n'ai **toujours pas** compris votre explication.

Le travail

PAROLES

Le premier job

un **poste à pourvoir** (*a job opening*)
faire une demande d'emploi, postuler (*to apply for a job*)
remplir un formulaire (*to fill out a form*)
envoyer son curriculum vitae (*to send a resumé*)
les **qualifications** [f.]
être embauché/engagé (*to be hired*)
le **salaire** (*salary*)

un **métier** (*trade*) une **carrière** (*career*)
un travail **à plein temps** (*full-time*) ou **à mi-temps** (*part-time*)
les **heures de travail** (*work hours*)
gagner (une certaine somme) **de** l'heure (*per hour*) ou **par** mois (*per month*)
faire des heures supplémentaires (*to work overtime*)
le **patron**, la **patronne** (*the boss*)
une **bonne** (*a maid*) ou une **femme de ménage** (*a cleaning lady*)
un **caissier**, une **caissière** (*a cashier*)
un **chauffeur**
un **cuisinier**/une **cuisinière** (*a cook*)
un **employé** (une **employée**) **de bureau** (*office*), **de banque** (*bank*), **de poste**
    (*post office employee*); **un(e) secrétaire**
un **serveur**, une **serveuse** (dans un restaurant ou un café)
un(e) garde d'enfants/un(e) **baby-sitter**
un **mécanicien**, un **pompiste** dans un **garage** ou dans une **station-service** (*a
    mechanic/service station attendant*)
un **ouvrier**/une **ouvrière** dans une **usine** ou dans un **atelier** (*worker in a factory
    or workshop*)
un **vendeur**/une **vendeuse** (*salesperson*) dans un magasin, au **rayon des vête-
    ments** (*clothing department*), par exemple
un **représentant** (un vendeur qui voyage)
être **surmené** (*to be overworked*) ≠ **se la couler douce** (*to take it easy*)
les **congés** [m.] (*vacation; days off*)
être **licencié/mis à la porte** (*to be fired*)
donner sa démission (*to quit*)
demander une augmentation de salaire (*to ask for a raise*)

■ *Parlons-en*

Les petites annonces. Vous cherchez du travail en France. En consultant le
journal, vous avez trouvé quelques petites annonces qui semblent intéressantes.

1. Avec un(e) camarade de classe, discutez chaque petite annonce; dites
   pourquoi ces postes vous intéressent ou non. Comparez-les avec des
   emplois que vous avez déjà eus.
2. Allô? Choisissez une petite annonce qui vous intéresse et téléphonez
   pour avoir plus de renseignements. Votre partenaire jouera le rôle
   de l'employeur. Posez chacun(e) les questions appropriées; s'il le faut,
   inventez vos qualifications et les renseignements voulus sur le poste en
   question. Ensuite, renversez les rôles avec une autre annonce. Voici
   quelques expressions pour vous aider à commencer: Allô? C'est bien le
   48-87-91-68? J'ai vu votre annonce dans le journal, et je suis très inté-
   ressé(e)...

●●●●●●●●●●●●●●

SOCIETE A BOULOGNE

recherche

SECRETAIRE

sténographe

— Expérience 3 à 5 ans.
— Sténo.°
— Très bonne dactylo.
— Habitude téléphone.
— Sens des responsabilités.
— Très disponible.

Libre de suite

Tél. pour RV, Sté CLARETON
48.25.44.14

●●●●●●●●●●●●●●

●●●●●●●●●●●●●

GOLDWELL

Sté internationale
cosmétiques capillaires

recherche

REPRÉSENTANTS

J.H. 25/33 ans environ,
ambitieux, dynamiques.

Secteurs : région parisienne
Oise et Eure.

Salaire fixe + commission
+ frais, etc.

Tél. ce jour pour r.-v.
M. MULLER de 9 h à 18 h.
(1) 45.33.74.63.

●●●●●●●●●●●●●

TON SUR TON recherche
pour ouverture 15 mars 1987
« place des Innocents »,
d'un nouveau point de ve
VENDEURS(SES)
QUALIFIÉS(EES)
Langues étrangères souhaitées,
look junior.
Tél. au 48.87.91.68,
pour entretien.

HOTESSE D'ACCUEIL
PARIS-LA DÉFENSE.
Durée indéterminée. URGENT.
Tél. pour r.-v., 47.88.60.64.

Clinique, 9, rue de Turin
cherche STANDARDISTE-°
RÉCEPTIONNISTE,
qualifiée. Se prés. de 8 à 17 h.

qui répond au
téléphone

STÉ DE RESTAURATION
COLLECTIVE
recherche
CUISINIER-
PATISSIER
LIBRE AU 1er MARS
POUR RÉGION ÉVRY (91)
Références exigées.
Age 25-30 ans.
Tél. 47.27.23.23.

Hôtel ★★★ recherche, urgent.
Réceptionnaire femme.
Anglais. Tél 42.27.49.52.

Aides familiales

Rech. J.F. pour ménage
et garde d'enfant (18 mois),
logée, nourrie, références,
plein temps ou mi-temps,
Paris-12e.
Tél. (1) 43.55.79.91

Poste stable à pourvoir
de suite
JEUNE AIDE-
COMPTABLE-
DACTYLO°
pour service administratif,
expér. minimum 2 ans.
Se présenter STÉ PAVIE,
25, bd Arago, 75013 PARIS.
M° GOBELINS.

qui tape à la
machine

LECTURES ▦ :

▦ Lecture 1

The work of J.M.G. Le Clézio, a well-known contemporary French novelist, combines a realistic style with a troubling vision of urban life. His first novel, *Le Procès Verbal* (1963), won a literary prize, **le prix Renaudot.** He has written more than a dozen books since then. The following excerpt is from a short story, **La Grande Vie** (*Living It Up*), which appears in *La Ronde et autres faits divers*. Each of the stories of this volume is based on a real or imaginary newspaper article. Behind the banality of the event itself, each story seems to depict a search for freedom and for love in a painful world. A sense of strangeness and alienation pervades the stories.

The story excerpted here concerns two orphaned young women who are close friends. Pouce and Poussy are bored and oppressed by their jobs sewing in a clothing factory, and they cope in an unusual way.

■ *Avant de lire*

Anticipating Content   Studies of the reading process suggest that readers' expectations have a great deal to do with how they make sense of what they read. When we begin reading a text, we make assumptions about what it will contain. These assumptions may be based on what we associate with the topic or on what we already know about it, as well as on the preliminary clues provided by the title, photographs, drawings, and other surrounding material. As we read, we are constantly creating expectations that we confirm or alter according to what we find in the text.

What do you already know about the passage you are about to read? You know from the preceding comments that it is about two young women who work at a tedious job in a clothing factory. You may also suspect from its title, **La Grande Vie** (*Living It Up*), that their tedious life is going to change at some point. (Of course, it is also possible that the title is merely an ironic comment on the tedium of their lives.) Whatever your assumptions, however, you begin anticipating what will happen from the moment you open to the passage. Good readers are active questioners.

Before you begin reading **La Grande Vie,** try to identify some of your other assumptions about it. List at least five.

Now, read the first paragraph. Considering what it contains, what do you think the author's attitude toward Pouce and Poussy is? Is it one of approval or disapproval? What do you expect to happen next?

Read the rest of the first **Lecture.** Be attentive to which of your assumptions are confirmed and which are not. Try to notice all the ways in which you form assumptions as you read.

■ *Étude de mots*

un petit deux pièces	*two-room apartment*
mécontente	*dissatisfied*
une bêtise	*foolishness, silly action*
une farce	*trick, joke*
le proviseur	*headmaster, principal*
la couture	*sewing, dressmaking*
la toile	*fabric*
la pagaille	*disorder, mess*
la confection	*manufacturing (of clothes)*
une amende	*fine*

Activité. Trouvez le mot qui ne va pas avec les autres de la série.

1. malheureux, mécontent, triste, joyeux
2. une bêtise, une amende, une farce, une pagaille
3. la confection, la couture, la cuisine, la toile
4. le proviseur, le professeur, le travailleur, l'instituteur
5. un atelier, un petit deux pièces, un appartement, un immeuble

La Grande Vie [extrait]

J.M.G. LE CLÉZIO

A l'époque, Pouce et Poussy habitaient un petit deux pièces avec celle qu'elles appelaient maman Janine, mais qui était en réalité leur mère adoptive. A la mort de sa mère, Janine avait recueilli° Pouce chez elle, et peu de temps après, elle avait pris aussi Poussy, qui était à l'Assistance.° Elle s'était occupée des deux fillettes parce qu'elles n'avaient personne d'autre au monde, et qu'elle-même n'était pas mariée et n'avait pas d'enfants. Elle travaillait comme caissière dans une Superette Cali et n'était pas mécontente de son sort. Son seul problème, c'étaient ces filles qui étaient unies comme deux sœurs, celles que dans tout l'immeuble, et même dans le quartier, on appelait les deux «terribles». Pendant les cinq ou six années

° accepté
° agence publique pour les enfants

qu'avait duré leur enfance, il ne s'était pas passé de jour qu'elles ne soient ensemble, et c'était la plupart du temps pour faire quelque bêtise, quelque farce. Elles sonnaient à toutes les portes, changeaient de place les noms sur les boîtes aux lettres, dessinaient à la craie sur les murs, fabriquaient de faux cafards° en papier qu'elles glissaient° sous les portes, ou dégon-flaient° les pneus des bicyclettes. Quand elles avaient eu seize ans, elles avaient été renvoyées de l'école, ensemble, parce qu'elles avaient jeté un œuf du haut de la galerie° sur la tête du proviseur, et qu'elles avaient été prises, en plein conseil de classe, de leur fameux fou rire en forme de grelots,° ce jour-là particulièrement inextinguible. Alors, maman Janine les avait placées dans une école de couture, où elles avaient, on se demandait comment, obtenu ensemble leur C.A.P. de mécaniciennes.° Depuis, elles entraient régulièrement dans les ateliers, pour en sortir un mois ou deux plus tard, après avoir semé° la pagaille et manqué faire brûler la baraque.°

cockroaches / mettaient
deflated

balcon

small bells

diplôme technique

spread / établissement

Elles travaillaient toutes les deux dans un atelier de confection, où elles cousaient des poches et des boutonnières pour des pantalons qui portaient la marque Ohio, U.S.A. sur la poche arrière droite. Elles faisaient cela huit heures par jour et cinq jours par semaine, de neuf à cinq avec une inter-ruption de vingt minutes pour manger debout devant leur machine.

Celles qui parlaient, qui arrivaient en retard, ou qui se déplaçaient sans autorisation devaient payer une amende au patron, vingt francs, quelque-fois trente, ou même cinquante. Il ne fallait pas qu'il y ait de temps mort. Les ouvrières s'arrêtaient à cinq heures de l'après-midi exactement, mais alors il fallait qu'elles rangent° les outils,° qu'elles nettoient les machines, et qu'elles apportent au fond de l'atelier toutes les chutes° de toile ou les bouts de fil° usés, pour les jeter à la poubelle.° Alors, en fait, le travail ne finissait pas avant cinq heures et demie.

mettent à leur place /
tools
clippings
bouts... *bits of thread* /
wastebasket

Le patron, c'était un petit homme d'une quarantaine d'années, avec des cheveux gris, la taille épaisse et la chemise ouverte sur une poitrine velue.° Il se croyait beau. «Tu vas voir, il te fera sûrement du gringue°», avait dit Olga à chacune des jeunes filles. Et une autre fille avait ricané.° «C'est un coureur° ce type-là, c'est un salopard.°» Pouce s'en fichait.° Quand il était venu, la première fois, pendant le travail, les mains dans les poches, cambré° dans son complet-veston d'acrylique beige, et qu'il s'était ap-proché d'elles, les deux amies ne l'avaient même pas regardé. Et quand il leur avait parlé, au lieu de lui répondre, elles avaient ri de leur rire de grelots, toutes les deux ensemble, si fort que toutes les filles s'étaient arrêtées de travailler pour regarder ce qui se passait. Lui, avait rougi très fort, de colère° ou de dépit,° et il était parti si vite que les deux sœurs riaient encore après qu'il avait refermé la porte de l'atelier.

hairy / fera.. *will make a
pass* / *sneered*
chasseur (de femmes) /
rotten person / s'en...
didn't care
arched

irritation / déception

Le patron, à partir de là, avait évité d'approcher° trop près d'elles. Elles avaient un rire vraiment un peu dévastateur.

avait... ne s'était pas ap-proché

■ *Avez-vous compris?*

A. **Vrai ou faux?**

1. Pouce et Poussey étaient orphelines.   2. Maman Janine avait d'autres enfants.   3. Maman Janine aimait son travail.   4. Les filles étaient faciles à élever.   5. A l'école elles avaient fait des bêtises.   6. Toutes les deux ont obtenu leur C.A.P. de mécaniciennes.   7. Le travail dans l'atelier était dur. 8. Pouce et Poussy pouvaient sortir de l'atelier à cinq heures.   9. Le patron a essayé de flirter avec les deux filles.

B. Complétez les phrases suivantes selon le sens du passage. Mettez le verbe que vous choisissez à l'imparfait. Possibilités: **appeler, avoir, changer, dessiner, dégonfler, faire, habiter, sonner, travailler.**

1. Pouce et Poussy _____ un petit deux pièces.
2. Elles _____ leur mère adoptive maman Janine.
3. Elles n'_____ personne d'autre au monde.
4. Maman Janine _____ comme caissière dans une Superette Cali.
5. Comme enfants, les deux filles _____ beaucoup de bêtises: elles _____ à toutes les portes, elles _____ de place les noms sur les boîtes aux lettres, elles _____ à la craie sur les murs et elles _____ les pneus des bicyclettes.

   Possibilités: **arriver, coudre** (cous_____), **devoir, être, faire, parler, porter, rire, travailler.**

6. A l'école c'_____ pareil: elles _____ beaucoup et _____ beaucoup de bêtises.
7. Maintenant, elles _____ dans un atelier de confection où elles _____ des poches et des boutonnières pour des pantalons qui _____ la marque Ohio, U.S.A. sur la poche arrière droite.
8. Elles _____ cela huit heures par jour.
9. Celles qui _____, ou qui _____ en retard _____ payer une amende.

■ *Et vous?*

A. Discutez avec un(e) camarade de classe selon les suggestions suivantes. Essayez de varier vos questions. (Voir **Structures.**)

1. Votre partenaire vient de lire le passage sur l'enfance de Pouce et de Poussy. Vous avez oublié beaucoup de détails de votre lecture. Posez-lui donc cinq questions pour obtenir une description des deux filles (leur situation, leur famille, leurs activités comme enfants chez elles, et comme adolescentes à l'école).
2. Celui (Celle) qui a répondu à vos questions va maintenant vous poser cinq questions pour obtenir une description du travail dans l'atelier.

B. Pouce et Poussy travaillaient dans des conditions qui laissaient à désirer. C'est très souvent le cas quand les jeunes trouvent leur premier emploi. Est-ce que vous avez déjà eu un emploi avant ou pendant l'année scolaire? Discutez avec quelqu'un de la classe le type de travail que vous avez fait, quand vous l'avez fait, les conditions de travail, les avantages et les inconvénients, etc. Après quelques minutes de discussion, certains membres de la classe vont rapporter ce qu'ils ont appris.

C. Le patron de l'atelier était un coureur. Comment est-ce que les deux filles ont rejeté ses avances? Croyez-vous que les avances sexuelles soient très courantes au bureau ou à l'usine? A votre avis, comment devrait-on y réagir?

:: Lecture 2

After work Pouce and Poussy often went to a local café to drink beer. They rarely talked about what had happened during the day. Instead, they had the habit of telling each other a story; they would make up parts of this story in all sorts of odd places and at strange times, picking up the thread of it whenever they had the chance. Before you skim the next passage, think about what kind of story you expect Pouce and Poussy to tell. Then scan for information about the kind of story it is.

■ *Étude de mots*

raconter	*to tell a story*
une étiquette	*label*
à travers	*through*
les mœurs [f.]	*mores*
les habitants [m.]	*inhabitants*

Activité.   Choisissez le mot de la liste précédente qui complète le mieux la phrase. Mettez le verbe à la forme convenable.

1. Pouce et Poussy parlaient d'un voyage _____ le monde.
2. Pouce avait beaucoup lu et elle savait tout sur _____ les _____ de divers pays.
3. Les jeans que les filles cousaient avaient _____ Ohio Made in U.S.A.
4. Pouce et Poussy _____ toujours la même histoire.

La Grande Vie [suite]

J.M.G. LE CLÉZIO

Elles racontaient toujours la même histoire, une histoire sans fin qui les entraînait° loin de l'Atelier, avec le bruit assourdissant° de toutes les machines en train de coudre inlassablement° les mêmes poches, les mêmes boutonnières, les mêmes étiquettes Ohio Made in U.S.A. Elles s'en allaient déjà, elles partaient pour la grande aventure, à travers le monde, dans les pays qu'on voit au cinéma : l'Inde, Bali, la Californie, les îles Fidji, l'Amazonie, Casablanca. Ou bien dans les grandes villes où il y a des monuments magiques, des hôtels fabuleux avec des jardins sur le toit, des jets d'eau, et même des piscines avec des vagues, comme sur la mer : New York, Rome, Munich, Mexico, Marrakech, Rio de Janeiro. C'était Pouce qui racontait le mieux l'histoire sans fin, parce qu'elle avait lu tout cela dans des livres et dans des journaux. Elle savait tout sur ces villes, sur ces pays : la température en hiver et en été, la saison des pluies, les spécialités de la cuisine, les curiosités, les mœurs des habitants. Ce qu'elle ne savait pas, elle l'inventait, et c'était encore plus extraordinaire.

Poussy l'écoutait, et elle ajoutait des détails, ou bien elle faisait des objections, comme si elle corrigeait des souvenirs, rectifiait des inexactitudes, ou bien ramenait au réel des faits exagérés. Elles racontaient l'histoire sans fin partout, n'importe quand,° à midi au moment de la pause,° ou bien le matin de bonne heure, en attendant l'autobus qui les menait à l'atelier. Quelquefois les gens écoutaient, un peu étonnés, et ils haussaient les épaules.°

C'est comme cela qu'elles ont commencé à parler de la grande vie. Au début,° elles en ont parlé, sans y prendre garde,° comme elles avaient parlé des autres voyages qu'elles feraient, en Equateur, ou bien sur le Nil. C'était un jeu, simplement, pour rêver, pour oublier le bagne° de l'atelier et toutes les histoires, avec les autres filles, et avec le patron Rossi. Et puis, peu à peu, ça a pris corps,° et elles ont commencé à parler pour de vrai, comme si c'était quelque chose de sûr. Il fallait qu'elles partent, elles n'en pouvaient plus.° Pouce et Poussy ne pensaient plus à rien d'autre. Si elles attendaient, elles deviendraient comme les autres, vieilles et tout aigries,° et de toute façon,° elles n'auraient jamais d'argent.

Alors, un jour, elles sont parties.

emmenait / très fort
sans fin

n'importe... *anytime* /
mot ap.

haussaient... *shrugged*
their shoulders

mot ap. / sans... sans
faire attention
la servitude

forme

n'en... *could not stand it*
anymore
embittered, soured
de... *anyhow, in any case*

■ *Avez-vous compris?*

A. **Vrai ou faux?**

1. L'histoire qu'elles racontaient était différente chaque jour.   2. Leur voyage imaginaire se déroule en France.   3. Elles voulaient partir pour échapper à leur travail.   4. L'histoire était sans fin.   5. Les gens qui écoutaient étaient passionnés par cette histoire.   6. L'histoire, leur jeu, était pour rêver et pour oublier.   7. Mais en réalité rien n'a jamais changé dans leur vie.

B. L'histoire de Pouce et Poussy avait pour but de les entraîner loin de l'atelier. Le Clézio exprime-t-il leur fatigue et leur ennui vis-à-vis de leur travail? Quels adjectifs et quel adverbe emploie-t-il au commencement du passage pour communiquer cette fatigue au lecteur? Comment est-ce que le style du passage accentue la monotonie de leur vie?

C. Dans quelles parties du monde vont-elles dans leur voyage imaginaire?

D. Peu à peu, l'histoire sans fin est devenue plus importante pour les filles. Ce qui avait commencé comme une façon de s'amuser est devenu presque essentiel. Expliquez ce que le voyage a fini par représenter pour les filles.

■ *Et vous?*

1. Quelquefois pour gagner leur vie les jeunes sont obligés d'accepter des emplois qu'ils n'aiment pas du tout. Est-ce que vous avez eu une telle expérience? Parlez d'un travail que vous avez fait. Détaillez vos responsabilités et dites quelle a été votre réaction vis-à-vis de ce travail.

2. Quand vous avez un travail à faire (des devoirs, des tâches ménagères, des lettres ou une composition à écrire) et que vous hésitez à le commencer, est-ce que vous avez un rêve favori dans lequel vous entrez pour vous évader? Sinon, essayez d'en inventer un! Décrivez ce rêve à un(e) camarade de classe.

3. Pouce et Poussy ont l'air de craindre l'avenir. Pourquoi? Quand vous pensez à votre avenir, quelles sortes de sentiments éprouvez-vous? (la peur? l'espoir? la tristesse? le bonheur?) Pourquoi?

4. Pour les deux filles, partir en voyage semblait être le salut, le seul moyen d'échapper à une vie aigre et triste. Enfin elles sont parties, sans argent et sans travail. Avec des camarades de classe, imaginez la fin de leur histoire. Chaque personne ajoutera une phrase à l'histoire.

STRUCTURES ▦ :. . . . .

Pouce et Poussy

Qui étaient Pouce et Poussy? **Qui est-ce qui** les a élevées?
Pourquoi les appelait-on les deux «terribles»?
Qu'est-ce qu'elles faisaient pour mériter ce nom?
Quel emploi ont-elles fini par accepter?
Comment combattaient-elles l'ennui? **A quoi** rêvaient-elles?
Qu'est-ce qui leur est arrivé en fin de compte?

▦ Interrogative Pronouns

To find out specific information, you will sometimes need interrogative expressions other than **où, quand, comment, combien, pourquoi, quel, quelle,** etc.

Who?

To ask questions about people, the following interrogative pronouns are used. Note that the long forms that function as subject and direct object are different; the first ends with **qui,** the second with **que.** (6.1; 6.3)

A. Subject

   Long form: **Qui est-ce qui** a élevé Pouce et Poussy?
   Short form: **Qui** a élevé Pouce et Poussy?

B. Direct object

   Long form: **Qui est-ce que** maman Janine a adopté?
   Short form: **Qui** maman Janine a-t-elle adopté?

C. With a preposition

   Long form: **De qui est-ce que** les filles se sont moquées? **A qui est-ce**
                qu'elles racontaient leur histoire?
   Short form: **De qui** les filles se sont-elles moquées? **A qui** racontaient-elles
                leur histoire?

What?

To ask questions about things, the following pronouns are used. (6.1)

A. Subject

Long form: **Qu'est-ce qui** est arrivé en fin de compte?
No short form

B. Direct object

Long form: **Qu'est-ce qu'**elles faisaient?
Short form: **Que** faisaient-elles?

C. With a preposition

Long form: **De quoi est-ce qu'**il s'agissait? **A quoi est-ce qu'**elles
rêvaient?
Short form: **De quoi** s'agissait-il? **A quoi** rêvaient-elles?

D. **Qu'est-ce que c'est que** (short form: **Qu'est-ce que**) is used to ask for a
definition. (6.2)

Qu'est-ce que c'est qu'un C.A.P.?   *What is a "C.A.P."?*
Qu'est-ce que «la grande vie»?   *What's "the great life"?*
Qu'est-ce que c'est que ça?   *What's that?*

Which One?

To ask for clarification about either persons or things, the interrogative pronoun
is **lequel.** This pronoun must agree in gender and number with the noun it
represents. (6.4; 6.5)

A. Subject

Pouce et Poussy racontaient toujours la même histoire. **Laquelle** (des
deux filles) racontait le mieux «l'histoire sans fin»?

B. Direct Object

Pouce et Poussy voulaient visiter plusieurs pays. **Lesquels** est-ce qu'elles
voulaient visiter? (**Lesquels** voulaient-elles visiter?)

C. With a preposition

Note that **lequel** contracts with **à** and **de.**

Les filles pensaient à plusieurs pays.
Auxquels est-ce qu'elles pensaient? (**Auxquels** pensaient-elles?)
Desquels est-ce qu'elles parlaient? (**Desquels** parlaient-elles?)

■ *Maintenant à vous*

A. **Comment?** Parce que vous n'avez pas bien entendu, vous posez des questions selon le modèle. Donnez d'abord la forme longue puis, quand c'est possible, donnez la forme courte.

> MODÈLE: *Pouce et Poussy* habitaient un petit appartement. →
> Qui est-ce qui habitait un petit appartement? (Qui habitait un petit appartement?)

1. Elles habitaient avec *maman Janine.*   2. *Maman Janine* était leur mère adoptive.   3. Les deux filles faisaient *des bêtises.*   4. Elles fabriquaient *des cafards en papier.*   5. Elles dessinaient sur les murs avec *de la craie.*   6. *Leur fameux fou rire* irritait les professeurs.   7. Elles ont quand même obtenu *leur C.A.P. de mécaniciennes.*   8. Elles cousaient *des poches.*   9. Elles cousaient des poches sur *des pantalons.*   10. *Les pantalons* portaient l'étiquette «Ohio Made in U.S.A.».

Ensuite, posez d'autres questions pour mieux comprendre l'histoire.

B. **La grande vie.** Complétez les questions suivantes en fonction des réponses anticipées (Utilisez **qu'est-ce que c'est que, quel** ou **qu'est-ce qui?**)

> MODÈLE: _____ un C.A.P.? (un Certificat d'Aptitude Professionnelle) →
> Qu'est-ce que c'est qu'un C.A.P.?

1. _____ est arrivé quand le patron a essayé de faire des avances aux deux filles? (Elles ont ri!)
2. _____ a été la réaction du patron? (Il a rougi.)

Est-ce son premier job?

3. _____ était si dévastateur dans le rire des deux filles? (C'était un rire très fort.)

4. _____ un grelot? (une sorte de cloche)

5. _____ est la différence entre rire et ricaner? (Ricaner, c'est rire de façon moqueuse.)

C. **Clarifications.** Demandez des clarifications sur «la grande vie» selon le modèle. Attention aux contractions.

> MODÈLE: Pouce et Poussy ont encore raconté leur histoire. →
> Laquelle? (*ou* Laquelle est-ce qu'elles ont racontée?)

1. Elles ont mentionné plusieurs pays.   2. Elles ont parlé de monuments magiques.   3. Elles ont décrit un hôtel fabuleux.   4. Elles ont même parlé d'une piscine.   5. Elles pensaient à des villes exotiques.   6. Une des employées de l'atelier aimait les écouter.

D. **Êtes-vous détective?** Pouce et Poussy ont disparu—elles sont parties sans rien dire à personne. Créez toutes les questions possibles et imaginables que vous allez poser aux employées de l'atelier pour essayer de savoir où les deux filles sont parties. (Utilisez non seulement des pronoms mais aussi des adjectifs et des adverbes interrogatifs.)

E. **Des jobs pour l'été.** Quelqu'un que vous connaissez à peine vous parle de ses trois amis, Gabrielle, Marie-France et Alain qui cherchent du travail pour l'été. Comme votre interlocuteur parle très vite et que vous avez du mal à suivre ce qu'il dit, vous l'interrompez constamment pour demander des clarifications. Posez des questions logiques en utilisant des adjectifs, des pronoms et des adverbes interrogatifs.

> MODÈLE: Gabrielle a fait une demande d'emploi dans un magasin. →
> Qui a fait une demande d'emploi? Où est-ce qu'elle a fait sa demande d'emploi?

1. Gabrielle espère gagner 30 F de l'heure. Elle veut un travail à plein temps parce qu'elle a vraiment besoin d'argent. Il paraît qu'il y a un poste de vendeuse dans le rayon vêtements et aussi un poste de caissière. Elle va avoir son interview avec le patron demain à 10h.

2. Marie-France préfère travailler dans un bureau. Elle a déjà été secrétaire dans une banque, il y a un an. Elle a envoyé son curriculum vitae à plusieurs personnes. Elle préfère un travail à mi-temps parce qu'elle veut aussi avoir le temps de s'amuser.

3. Alain a déjà été chauffeur et jardinier pour une famille très riche sur la Côte d'Azur. Il n'aimait pas ce travail parce qu'il n'avait pas beaucoup de liberté. Cet été il voudrait trouver un poste de serveur dans un grand café à Cannes. Il aime voir les gens célèbres; il aime aussi la vie nocturne.

F. **Un sondage.** «Les jeunes et le monde du travail»

1. En groupes de deux, préparez une liste de huit à dix questions que vous aimeriez poser à d'autres étudiants de la classe sur «les jeunes et le monde du travail». Vous pouvez poser des questions sur le genre de travail qu'ils ont déjà fait, le nombre de jobs, les conditions de travail, les avantages, les désavantages, ce qu'ils considèrent comme le job idéal, etc.

2. Circulez dans la classe et interviewez trois autres étudiant(e)s. Posez-leur vos questions et notez leurs réponses. Laissez-vous aussi interviewer par d'autres étudiants.

3. Revenez à votre partenaire, comparez vos résultats et préparez un petit rapport pour la classe ou résumez les résultats au tableau.

G. **Jeu de rôles.** Role-play the following situation in French with one of your classmates. Role-play it a second time, reversing the roles and using a different job. These jobs can be real or imaginary.

You've been offered the same summer job that a friend of yours had last summer. Before you accept, ask your friend what that job entailed (Be specific: ask about responsibilities, salary, schedule, etc.), what the boss was like, what was nice about the job and what wasn't, etc. Finally, ask why your friend didn't want to work there again.

H. **Préparation à la composition «La grande vie?»**
A l'exemple de M. Le Clézio, vous voulez écrire une mini-biographie. Choisissez un(e) de vos camarades de classe (changez de partenaire si possible) et posez-lui des questions pour avoir quelques détails (réels ou imaginaires) sur son enfance, sa famille, son éducation, son expérience dans le monde du travail, ses rêves d'autrefois et d'aujourd'hui, et d'autres aspects de sa vie. Prenez des notes sur les réponses, car vous allez les utiliser pour votre composition.

PAR ÉCRIT ■ :

■ *Avant d'écrire*

Organizing Details   The notes you took while interviewing your classmate in preparation for your mini-biography were probably in fragments. They may also have been half in English, half in French. Before you can use the information you collected, it needs to be organized. Do not include every detail; pick only those details that will help create the effect you want.

1. Underline in your notes the highlights, as you see them, of your class-mate's life. In the story **La Grande Vie** (the first excerpt), such high-lights could have been **orphelines, adoptées par femme seule, tou-jours ensemble, les deux terribles, renvoyées de l'école, placées à 16 ans dans une école de couture, diplôme de mécaniciennes,** etc.
2. Analyze all remaining information. Keep details that relate to the high-lights and omit the others.
3. Organize the highlights and supporting details into an outline that re-flects the progression you want to follow (chronological order or other). Turn this outline in with your composition.
4. Transform your outline into sentences by adding the necessary parts of speech. Be particularly careful with verbs (use correct tenses and auxili-aries) and check for agreement between subject and verb, between ad-jective and noun, and between past participles and their subjects or pre-ceding direct objects, when relevant.

Sujet de composition

La grande vie?   Écrivez la mini-biographie, réelle ou imaginaire, d'un(e) de vos camarades, selon les renseignements que vous avez recueillis en classe.

EN DÉTAIL

6.1. Interrogative Pronouns

A. Overview

The following charts summarize the interrogative forms. The first shows the pronouns used to ask about people, and the second shows the pronouns used to ask about things.

PEOPLE

	Long form	*Short form*
SUBJECT	**Qui** est-ce qui Qui est-ce qui est venu?	**Qui** Qui est venu?
DIRECT OBJECT	**Qui** est-ce que Qui est-ce que tu as vu?	**Qui** Qui as-tu vu?
OBJECT OF PREPOSITION	Preposition + **qui** est-ce que A qui est-ce que tu as parlé?	Preposition + **qui** A qui as-tu parlé?

THINGS

	Long form	*Short form*
SUBJECT	**Qu'**est-ce qui Qu'est-ce qui est arrivé?	No short form*
DIRECT OBJECT	**Qu'**est-ce que Qu'est-ce que tu as fait?	**Que** Qu'as-tu fait?
OBJECT OF PREPOSITION	Preposition + **quoi** est-ce que De quoi est-ce que tu as parlé?	Preposition + **quoi** De quoi as-tu parlé?

NOTE: ■ = *subject* of question; ■ = object of question.

When using the long interrogative forms, remember that if you are asking about people, the question always starts with **qui;** if you are asking about things, it always starts with **que/qu'**. If the interrogative expression is the subject, it always ends with **qui;** if it's the direct object, it always ends with **que/qu'**.

B. Use of Inversion When the Subject Is a Noun

With **qui** and **quoi,** the inversion pattern is regular.

> **Qui** Jean a-t-il vu?
> A **qui** Jean a-t-il parlé?
> De **quoi** Jean a-t-il besoin?

---

*The fixed expression **Que s'est-il passé?** (*What happened?*) is the only commonly used exception.

With **que,** the noun subject must be inverted directly.

> **Que** veut Jean?   **Que** font les autres?

However, if the sentence contains more than a subject and verb, or if the verb is in a compound tense, the short form is not used.

> **Qu'est-ce que** les autres ont fait?
> **Qu'est-ce que** Jean veut faire après ses études?

C. Use of *qui* and *quoi* Alone

Qui and **quoi** may be used alone.

> Quelqu'un m'a dit ça. —**Qui?**

Quoi is often used as an exclamation.

> Quoi? Tu n'as pas encore fait ton lit?

To ask someone to repeat a statement (*What?*), use **Comment? Quoi** is considered very familiar.

> Quoi? Qu'est-ce que tu as dit? (*familiar*)
> **Comment?** Qu'est-ce que vous avez dit? (*standard*)

The following fixed expressions with **quoi** are very common.

> **Quoi** de neuf?   *What's new?*
> **Quoi** d'autre?   *What else?*

D. Verb Agreement with *qui* (*est-ce qui*) and *qu'est-ce qui*

Interrogative pronouns are usually masculine singular.

> Les motos **font** du bruit. Qu'est-ce qui **fait** du bruit?
> Les enfants **sont** arrivés. Qui (est-ce qui) **est** arrivé?

Exception: when **qui** is followed by a conjugated form of **être,** the verb agrees with the noun or nouns that follow it.

> Qui étai**ent** Pouce et Poussy?

6.2. *Qu'est-ce que c'est que* or *quel est?*

Both expressions are equivalent to *What is.* . . **Qu'est-ce que c'est que** is used to elicit a definition. **Quel** elicits specific information.

> **Qu'est-ce que c'est que** le camembert?   *What's "camembert"?* (definition)
> **Quelle** est votre adresse?   *What's your address?* (specific information)
> **Quel** est le problème?   *What's the problem?* (specific information)

6.3. *Qu'est-ce qui est* or *quel est?*

Similarly, **qu'est-ce qui** and **quel** followed by a conjugated form of **être** both express *What is. . .* If **être** is followed by a noun, use **quel**.

> **Quelle** est la **spécialité** régionale?

If **être** is followed by anything other than a noun, use **qu'est-ce qui.**

> **Qu'est-ce qui** est bon?

6.4. Forms of *lequel*

Lequel is a pronoun that replaces the adjective **quel** and the noun it modifies. It expresses *which one?*

	ADJECTIVE		PRONOUN	
	Singular	*Plural*	*Singular*	*Plural*
MASCULINE	**Quel** livre lis-tu?	**Quels** livres lis-tu?	**Lequel** lis-tu?	**Lesquels** lis-tu?
FEMININE	**Quelle** page as-tu lue?	**Quelles** pages as-tu lues?	**Laquelle** as-tu lue?	**Lesquelles** as-tu lues?

Lequel contracts with **à** and **de** in the plural and in the masculine singular forms.

	SINGULAR		PLURAL	
MASCULINE	à ⟩ → **auquel**		à ⟩ → **auxquels**	
	+ lequel		+ lesquels	
	de ⟩ ↘ **duquel**		de ⟩ ↘ **desquels**	
FEMININE	à ⟩ → **à laquelle**		à ⟩ → **auxquelles**	
	+ laquelle		+ lesquelles	
	de ⟩ ↘ **de laquelle**		de ⟩ ↘ **desquelles**	

6.5. *Quel* or *lequel?*

Use **quel** before a noun or a conjugated form of **être;** otherwise, use **lequel** or one of its contracted forms.

> Quels **disques** as-tu apportés?
> De quels **disques** parles-tu?
> Desquels a-t-on **besoin?**

> Quelles **sont** tes chansons préférées?
> Lesquelles **préfères**-tu?
> Auxquelles est-ce que **tu t'intéresses?**

© BETTE HIRSCH

Xavier Stelly

Xavier Stelly: Jeune Français

Xavier Stelly is a French teenager who had the opportunity, a few years ago, to spend a year in California with his family. He describes life in the United States from a foreigner's perspective. Before you read the interview, list a half dozen questions you might want to ask if you met a French student who had lived and studied in your country. How might French life differ from American life? Jot down your questions before you read, and compare your list with those of your classmates. See if your expectations are confirmed by Xavier's experience.

As you read the interview, focus on the skills and structures you have practiced in **Thème II:** ways of describing in the past (**imparfait**), of telling what happened (**passé composé**), and of getting information.

Xavier Stelly

Nous voudrions bien te connaître, Xavier. Pourrais-tu te décrire?

J'ai quatorze ans et je vis avec mes parents. J'ai deux frères: Luc, le grand, et Guillaume, le petit. J'habite à Palaiseau, dans la banlieue parisienne. Mon père est ingénieur en métallurgie au CEA (Centre d'Énergie Atomique), et ma mère est biochimiste à la Faculté d'Orsay, c'est la Faculté des Sciences.

133

Un déjeuner avec des amis.

Xavier, tu as eu l'occasion de passer une année dans une école élémentaire aux États-Unis. Comment as-tu trouvé l'école aux États-Unis?

Ce n'était pas du tout le même système. Les États-Unis, c'est plus moderne. Ça se sent dans la façon de vivre. Par exemple on commençait à huit heures et demie aux États-Unis et on finissait à trois heures moins dix. Par contre en France on commence à huit heures et demie et on finit à quatre heures et demie; mais on a quand même des récréations un peu plus longues, surtout à midi, quand on mange doucement. On mange à l'école, on a une cantine ou les élèves peuvent rentrer chez eux s'ils habitent assez près. Mais aux États-Unis, on payait. Au début de la semaine on achetait des tickets. A chaque repas on donnait un ticket, sinon on payait une certaine somme.

    Je me rappelle qu'aux États-Unis il y avait le professeur, plus une aide tandis° qu'en France on a le professeur, c'est tout. Dans la salle de classe, il y avait les tables pour travailler. On travaillait par petits groupes, et après, on avait des coins où on pouvait jouer. Tandis qu'en France, les tables sont en rang° et toujours on travaille assis. On ne bouge pas du tout, tandis que là-bas on circulait souvent. Ce n'est pas du tout la même ambiance.

while

en... in rows

Lequel des deux systèmes préfères-tu?

Bof! Je trouve que des deux, bon ben... le système américain est plus pratique. Nous, on a des cartables. D'ailleurs, les livres sont très lourds et on n'a rien pour les ranger à l'école. Aux États-Unis on avait des casiers° et des cadenas.° Là on pouvait les ranger. Ça peut peser jusqu'à dix kilos, un cartable! Alors, vraiment, c'est trop lourd!

    Les devoirs, je n'en avais pas aux États-Unis. Par contre, je suivais des cours par correspondance. Alors là, c'était très dur. Chaque mois, on m'envoyait des cahiers et c'était impossible à faire. On avait des bouquins, des bouquins entiers à faire. On ne pouvait jamais tout faire; et c'était très strict. Ce n'était pas facile, mais ça m'a permis de continuer le rythme français. Et puis, comme on finissait tôt, je pouvais travailler à peu près une heure ou deux par soirée.

Avant ton année en Californie, est-ce que tu avais étudié l'anglais?

Avant de passer aux États-Unis, j'ai jamais appris l'anglais, pas un mot. «Yes» et «thank you», c'était tout. C'était dur au début parce qu'il fallait se mettre dans l'ambiance. On était arrivé fin septembre, on s'était installés et à Noël, moi, j'ai commencé à parler. Je me suis tout de suite mis à comprendre l'anglais. On comprend très facilement. Et après pour parler c'est pareil. Au bout d'un moment ça sort et à la fin de l'année, moi, je parlais couramment.

C'était dur au commencement?

Les Américains sont très accueillants° toujours. Moi, c'est ce que je vois des Américains. Pendant certains cours, il y avait une dame qui venait pour m'aider, qui parlait très bien le français et l'anglais. Avec elle on apprenait assez bien.

Parlons maintenant de l'amitié. Avec tes amis ici en France est-ce une relation différente qu'aux États-Unis?

Aux États-Unis, on ne sortait pas ensemble avec les copains, on n'allait pas au cinéma. Je crois qu'ils ne sortent pas tellement le soir. Tandis qu'en France, on est très groupé; les copains, on fait une famille, un groupe. On va à la piscine, au cinéma ensemble, et c'est un groupe qui se soude° à mon âge.

Actuellement, est-ce que vous parlez anglais quelquefois à la maison?

Non. Souvent quand on parle, on parle le «verlan». C'est une mode surtout pour les jeunes, pour les adolescents. Tout est à l'envers.° Par exemple, pour «le métro» on dit «le trome». Et aussi on met des mots américains: par exemple, «Tu go avec moi?»

Glossaire (marges):

endroit à l'école où on met ses
  livres
fermetures à clef

accessibles, sympathiques

se... ≠ diviser, se séparer

mot ap.

Est-ce que ta vie de famille a changé après ce séjour aux États-Unis?

Surtout les horaires pour manger le soir. Les Français mangent très très tard, vers huit heures trente, des fois. Alors maintenant nous, on mange plus tôt, entre six heures trente, sept heures, des fois sept heures et demie quand vraiment on est en retard. Je ne peux pas dire qu'ils aient vraiment changé leur routine, non.

L'occasion de voyager dans un autre pays, de parler deux langues couramment, qu'est-ce que ça fait pour un jeune étudiant français?

Ça a des avantages pour la scolarité déjà parce que ça me donne de la facilité en anglais et je peux travailler dans les autres matières. Puis, j'ai pu voir d'autres pays, c'est toujours pratique. Si un jour dans mon métier, j'ai besoin de voyager, on peut connaître des gens toujours, et puis même le plaisir de voyager. Quand on a voyagé une fois, on veut voyager autant qu'on peut; on voudrait chaque année changer de pays.

Est-ce qu'il y a d'autres choses que tu veux dire aux étudiants américains au sujet de ton expérience?

C'est vraiment bien, une expérience comme ça. S'ils ont la chance de voyager, il faut le faire!

■ *Avez-vous compris?*

A. Complétez.

1. Au moment de l'interview, Xavier Stelly avait _____ ans.
2. Il habite _____ près de _____.
3. Son frère aîné s'appelle _____, et l'autre _____.
4. Son père travaille comme _____ et sa mère est _____.
5. D'après Xavier, aux États-Unis l'école commençait à _____ et finissait à _____ chaque jour.
6. En France l'école finit à _____.
7. En France il n'y a ni _____ ni _____ et les étudiants portent des _____ qui sont très lourds.
8. Xavier trouve les Américains très _____.
9. Le _____ est une mode pour les jeunes un peu comme le «pig latin» aux États-Unis.
10. Il va souvent _____ ou _____ avec ses copains.

B. Décrivez Xavier et sa famille en quatre ou cinq phrases à un(e) camarade de classe.

C. Décrivez les différences que Xavier a notées quant à la journée scolaire (les heures, le déjeuner, les adultes en classe, l'organisation de la salle de classe, la récréation, etc.) en France et aux États-Unis. Utilisez le passé composé et l'imparfait.

D. De quoi Xavier se plaint-il au sujet des cartables?

E. Expliquez le sens du mot «verlan».

F. Comment est-ce que Xavier a appris à parler couramment l'anglais?

■ *Et vous?*

1. Xavier emploie l'adjectif «plus moderne» pour décrire le style d'enseignement et de vie aux États-Unis. Deux exemples de cette différence pour lui sont le nombre d'heures à l'école et la manière d'arranger les chaises et les tables dans la salle de classe pour permettre le travail en groupes. Quels sont les avantages et les inconvénients de ces deux pratiques?

2. En parlant de l'heure du déjeuner, Xavier suggère qu'en France on a plus de temps pour manger. Comment était l'heure du déjeuner dans votre lycée? Parlez de sa longueur, de ce qu'on vendait à la cafétéria et d'où vous alliez pour déjeuner. Puis, racontez ce que vous avez fait hier à l'heure du déjeuner avec les mêmes détails.

3. Xavier parle de l'époque où il apprenait à parler anglais. En relisant ce passage, notez les étapes (*stages*) de cet apprentissage. Est-ce une séquence qui vous semble raisonnable? Comparez sa description à votre expérience dans votre cours de français.

4. D'après son expérience, Xavier pense que les jeunes Américains ne sortent pas souvent en groupes le soir. Êtes-vous d'accord? Sinon, imaginez pourquoi il a eu une telle impression?

5. Xavier dit «Quand on a voyagé une fois on veut voyager autant qu'on peut». Avec un(e) camarade de classe, faites une liste de dix avantages et de dix inconvénients des voyages. La classe comparera ses listes au bout de cinq minutes.

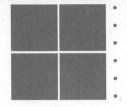

La France moderne

▪▪ En bref

Thème III looks at contemporary society and the changes brought about by technology, medicine, and the redefinition of social roles. Through readings on these topics you will have the chance to talk and write about their impact on your life today, as well as on the future of Western society.

Functions

- Describing in the future
- Asking questions
- Expressing feelings

Structures

- Use of infinitives
- Verbs in the future tenses
- Verbs in the subjunctive mood

▪▪ Avant de commencer

Although France is well-known throughout the world as a center for culture and style, its preeminence in nuclear and space technology is often ignored. The conquest of space is a much debated topic in France, however, just as it is in the United States. The following charts show the results of a survey of public opinion about the space program. Before you read them, you may want to cover up the numbers and answer the questions in the poll yourself.

Quoi ?

Quand vous entendez parler de conquête de l'espace, à quoi pensez-vous ?*

A la possibilité de découvrir d'autres formes de vie . . . . **50 %**

Aux satellites d'observation météorologique, de télévision, etc. **48**

A l'exploration de notre système solaire **46**

A la guerre transportée dans l'espace **29**

A rien de tout cela (réponses spontanées) **9**

Sans opinion **18**

* Total supérieur à 100 : deux réponses possibles.

L'Express, 6 décembre 1985, p. 34.

Comment ?

Pensez-vous que la France doive participer à la conquête de l'espace ?

Oui . . . . **85 %**

Non **11**

Sans opinion **4**

Si «oui » : dans quelles conditions*

Seule **5**

Avec ses partenaires européens **67**

Avec les Etats-Unis. **19**

Avec le Japon **6**

Avec l'U.R.S.S **5**

Sans opinion **3**

* Total supérieur à 85 % : plusieurs réponses possibles.

L'Express, 6 décembre 1985, p. 35.

Qui ?

Différents acteurs interviennent° dans la conquête de l'espace. Qui est le plus impliqué° actuellement,° à votre avis,° les industriels, les militaires ou les scientifiques ?

Les scientifiques. . . . . . . **57 %**

Les militaires. **26**

Les industriels **10**

Sans opinion **7**

prennent part à

engagé dans / maintenant

opinion

Sondage réalisé° par Gallup-Faits et opinions pour L'Express et l'Association des anciens élèves de l'Ecole nationale d'administration, du 9 au 12 octobre 1985, auprès d'un échantillonnage° représentatif de 986 personnes âgées de 18 ans et plus. Méthode des quotas.

fait

sampling

Et vous ?

Si...si on vous en offrait la possibi- lité, seriez-vous ou non volontaire pour aller dans l'espace ?

Oui . . . . **40 %**

Non **59**

Sans opinion **1**

■ *Activités*

A. Complétez.

1. La conquête de l'espace fait penser à...

   a.

   b.

   c.

   d.

2. Les spécialistes qui font partie de cette aventure sont...

   a.

   b.

   c.

B. Vrai ou faux?

   a. Dans ce sondage, 50% des gens pensent à la possibilité de découvrir d'autres formes de vie dans l'espace.
   b. Ils considèrent que plus de militaires que de scientifiques font partie de la conquête de l'espace.
   c. La grande majorité considère que la France doit participer à la conquête de l'espace.
   d. Comme partenaires les Français préfèrent les États-Unis.
   e. Plus de 50% accepteraient d'être volontaires pour aller dans l'espace.

■ *Et vous?*

1. La conquête de l'espace et les projets d'exploration ont apporté plusieurs nouveautés à notre vie actuelle. Avec un(e) camarade de classe, établissez une liste de cinq ou six changements dans votre vie que vous pouvez attribuer à cette conquête. (Considérez la météorologie, la télévision, les planètes, la lune, etc.) Ensuite, lisez vos listes à la classe.
2. Que pensez-vous de la possibilité de découvrir d'autres formes de vie dans l'espace?
3. Considérez-vous que la guerre transportée dans l'espace pose un vrai danger?

CHAPITRE 7

Technologie et communication

A2

20.35

LES DOSSIERS DE l'ÉCRAN
D'ARMAND JAMMOT.
Avec la collaboration d'Anne-Marie Lamory et Laure Baudoin.
PRÉSENTÉ PAR ALAIN JÉRÔME.
Réalisation de Jean-Luc Léridon.

CINÉMA : FILM BIOGRAPHIQUE ROMANCÉ ANGLO-FRANÇAIS, EN COULEUR.

CHANEL SOLITAIRE

DE GEORGE KACZENDER (1981).
Scénario de Julian More, d'après le roman de Claude Delay.
Musique de Jean Musy. Chanson interprétée par Mireille Mathieu.
(Durée initiale : 1 h 58).
VERSION FRANÇAISE.

Boy Capel (Timothy Dalton), Coco Chanel (Marie-France Pisier) et Adrienne (Brigitte Fossey).

Télé Star

L'HISTOIRE

La vie de Coco Chanel et son amour pour Boy Capel.

Lors d'un défilé de mode, **Coco Chanel** (Marie-France Pisier) se souvient... A la mort de sa mère, **Gabrielle Chanel** (Leïla Fréchet) n'a que dix ans. **Son père** (Philippe Nicaud), parce qu'il ne veut pas s'encombrer d'elle, la place dans une institution religieuse, en compagnie de sa petite sœur. Elle va y vivre jusqu'à ses dix-huit ans. Sa sœur, elle, mourra sans jamais avoir revu son père.

Gabrielle est ensuite recueillie par sa jeune tante, **Adrienne** (Brigitte Fossey), et devient sa meilleure amie. Toutes deux travaillent pour un couturier, mais Gabrielle s'ennuie. Elle rencontre alors **Etienne Balsan** (Rutger Hauer), un « gentleman farmer » séduisant, mondain et généreux, qui l'installe dans son château de Compiègne. Elle mène, dès lors, une vie oisive. Jusqu'au moment où il lui présente **Boy Capel** (Timothy Dalton), un ami millionnaire dont elle tombe follement amoureuse...

NOTRE AVIS

S'il n'y avait le talent éclatant de Marie-France Pisier, tour à tour drôle, coupante et tendre, le film de George Kaczender serait à peu près raté. La mise en scène est pesante et abuse d'images vaporeuses, le scénario ne s'intéresse qu'aux dessous féminins, jamais à la personnalité de Coco Chanel, et tourne trop souvent au roman-photos.

COTE TÉLÉ STAR : adultes.

PAROLES ▪▪ :

La télévision

le **poste de télévision** (le téléviseur)
brancher (*to plug in*) la télé
allumer (*to turn on*), **éteindre** (*to turn off*)
régler le son (*to adjust the sound*) ou **l'image** (*picture*)
changer de chaîne [f.] (*to change channels*)
l'antenne (*antenna*)
une **émission** (un programme)
le **journal télévisé**, les **informations** (*news program*)
un **dessin animé** (*cartoon*)
un **documentaire** (*documentary*)
un **feuilleton** (*TV series or soap opera*)
un **film**; un film **étranger, doublé** (*dubbed*) ou **sous-titré** (*with subtitles*), V.O.
    (version originale), V.D. (version doublée)
la **publicité**, la **pub** (*commercials*)
un **spectacle de variétés** (*variety show*)
un **téléspectateur**/une **téléspectatrice** (*viewer*)

Les autres médias

la **radio**
les **journaux quotidiens** (*daily newspapers*)
les **revues** [f.] **hebdomadaires** (*weekly*) ou **mensuelles** (*monthly*)
un **article**
un(e) **journaliste**, un **reporter**
à la «une» (à la première page du journal)
un **gros titre** (*headline*)
les **petites annonces** (*classified ads*)
les **réclames** [m.] (*advertisements*)
feuilleter (*to leaf through*) une revue, un magazine

▪ *Parlons-en*

A. Qu'est-ce qu'il y a ce soir à la télé? Avant de décider, jetez un coup d'œil sur
    le programme. (Voir aussi la page 143.) En groupes de deux, vérifiez si
    vous avez bien compris l'idée générale de chaque film en complétant les
    phrases suivantes.

FR3

LES ACTUALITÉS DE L'ÉPOQUE

20.45

CINEMA : FILM HISTORIQUE AMÉRICAIN, EN COULEUR.

SALOMÉ

DE WILLIAM DIETERLE (1953).
Scénario d'Harry Kleiner, d'après une histoire
de Harry Kleiner et de Jesse L. Lasky.
Musique de George Duning et Danièle Amfitheatrof
(pour les numéros dansés).
(Durée initiale : 1 h 45).
Titre original : **Salome.**
VERSION FRANÇAISE.

Avec **Rita Hayworth** *(voir notre article page 42) : la princesse
Salomé* ● **Stewart Granger** : *Claudius* ● **Charles Laughton** : *le roi
Hérode* ● **Judith Anderson** : *la reine Hérodiade* ● **Sir Cedric
Hardwicke** : *l'empereur Tibère* ● **Alan Babel** : *Jean-Baptiste* ●
Basil Sidney : *Ponce Pilate* ● **Maurice Schwartz** : *Ezra* ● **Rex
Reason** : *Marcellus Fabius* ● **Arnold Moss** : *Micha.*

Claudius (Stewart Granger) et Salomé (Rita Hayworth).

L'an 30, à Rome. **Salomé** (Rita Hayworth), une belle princesse
juive, séduit un Romain, **Marcellus Fabius** (Rex Reason). L'empereur **Tibère** (Sir Cedric Hardwicke), scandalisé par cette liaison,
la bannit. Son amant, loin de la défendre, fait amende honorable
auprès de l'empereur. Salomé, furieuse, maudit alors tous les
Romains. Mais, à bord de la trirème qui l'emporte, elle se trouve
face à face avec **Ponce Pilate** (Basil Sidney) et son second,
Claudius (Stewart Granger)...

NOTRE AVIS

Malgré la présence de la somptueuse Rita Hayworth et une
extraordinaire scène de séduction, le film de William Dieterle, à
mi-chemin du péplum et du film à grand spectacle, façon Cecil B.
de Mille, n'est pas vraiment réussi.

COTE TÉLÉ STAR : adultes et adolescents.

Télé Star

21.25 KOJAK

Série policière américaine.
Réalisé par Richard Donner.
Avec **Telly Savalas** : *Kojak*
● **Dan Frazer** : *McNeil* ●
Kevin Dobson : *Crocker* ●
Roger Robinson : *Gil Wea-
ver* ● **Art Metrano** : *Mike.*
Quinzième histoire : *Un
client pour la morgue.*
Un homme de main vient
d'être assassiné. La police
reçoit de nombreux coups
de téléphone anonymes qui
lui permettent d'arrêter à
coup sûr le chef d'une
bande de gangsters. L'ins-
tinct de Kojak le pousse
pourtant à approfondir l'enquête...

Télé Star

*21.25 ● Kojak
(Telly Savalas).*

20.35

CINEMA : COMÉDIE POLICIÈRE FRANÇAISE, EN CO

LE COW-BOY

DE GEORGES LAUTNER (1984).
Scénario de Georges Wolinski. Musique de Philip|
(Durée initiale : 1 h 40).

César (Aldo Maccione).

Avec **Aldo Maccione** : *César Capucino* ● **Renée Saint-Cyr** : *la
mère de César* ● **Michel Beaune** : *le commissaire* ● **Michel
Peyrelon** : *Solitzer* ● **Corinne Lorain** : *Olga* ● **Henri Guybet** : *le
brigadier.*
Inspecteur à la brigade des stupéfiants de Nice, **César Capucino** (Aldo Maccione) est rappelé à Paris pour une mission
spéciale : démanteler le trafic de drogue dans le quartier asiatique de la capitale. Éternel malchanceux, César a beaucoup de
mal à effectuer son enquête...
Notre avis : une suite de gags plus ou moins drôles. En héros
de bande dessinée, Aldo Maccione trouve un rôle sur mesure.
(Cote TS : adultes et adolescents). Proch. diff. : jeudi, 8.30

Télé Star

1. A2: «Chanel Solitaire», c'est l'histoire de Coco Chanel, qui s'appelait en fait _____ Chanel. C'est par l'intermédiaire de _____ qu'elle est entrée dans le monde de la couture, et par l'intermédiaire de deux hommes, _____ et _____, qu'elle a accédé à la richesse—et à l'intrigue.
2. FR3: «Salomé», c'est l'histoire d'une princesse _____ et de ses aventures avec plusieurs hommes de nationalité _____. C'est un film américain qui date de _____.
3. LA CINQ: Cet épisode de Kojak s'intitule _____. Kojak ne croit pas que le chef de/d' _____ soit le vrai suspect de l'affaire.
4. CANAL +: «Le Cowboy» est l'histoire d'un inspecteur de police qui travaille à _____ mais qui est appelé à _____ pour une mission spéciale. C'est une comédie parce que l'inspecteur est un éternel _____ qui fait constamment des bêtises.

B. Maintenant que vous savez ce qu'il y a au programme, discutez quelle chaîne vous allez choisir (ou ne pas choisir), et pourquoi. Si vous n'en aimez aucune, exprimez vos souhaits («Si seulement il y avait un match de foot, ou...»)

C. Que faites-vous pour vous détendre le soir quand vous n'avez pas envie de regarder la télévision?

LECTURE ■ :

Technology may be what many of us find most intriguing about life in the future. What kind of machines will exist? How will these new machines and systems change our lives? What are their dangers? Chapter 7 asks you to think about how you envision your future.

One recent technological development involves using satellites for communication and defense. In the interview you are about to read, **La vraie guerre des étoiles,** Thierry Breton, a writer and the owner of a software company, puts forth a surprising view of the satellite's political role. Before you read, think about the article's title and lead lines, and consider what they might mean. Then think about how you expect Thierry Breton to argue these ideas. Think about what Star Wars, also known as the Space Defense Initiative (SDI), implies. For example, what is its relation to television by satellite?

AVANT DE LIRE

Summarizing If you stopped for a moment to think about the way you read in English, you would probably realize that what you do depends on why you are reading. You *skim* to find out whether a text is interesting or useful for you. You *scan* when you are in a hurry and are looking for specific information. When you are reading purely for pleasure, in many cases, your reaction to what you are reading is primarily emotional. Or you may read only "to find out what happens next."

Often, however, you need to read more slowly and carefully, for example, to *interpret* a text, to *analyze* an argument, or to *evaluate* the writer's conclusions. An essential first step in all of these processes is a **summary** of what the reading says. This is a step you may very well take unconsciously when you read in your native language, but when you read in French, it is a good idea to focus specifically on summarizing. Otherwise, your interpretation, analysis, or evaluation may be faulty.

Almost all writing contains both facts and opinions. This is especially true of an informative piece such as **La vraie guerre des étoiles.** To summarize accurately, you must first try to distinguish between them. To help you practice summarizing, scan **La vraie guerre des étoiles** to decide which predominates— fact or opinion. Next, briefly list the major facts presented, and then look for the author's opinions in the article, listing them as well. How did you distinguish between facts and opinions? List the words and phrases that helped you recognize an opinion; you may want to use them in your own writing. Which makes up a greater part of the article—fact or opinion?

■ *Étude de mots*

l'écran [m.]	*television or movie screen*	les canaux [m.]	*channels*
le but	*goal*	tant pis	*too bad*
comporter	*to involve, include*	le moyen	*means*
efficace	*effective*	le pouvoir	*power*
diffuser	*to broadcast*	à plein	*fully*

Activité.   Indiquez les synonymes.

A   tant pis   _____ ce qui sert pour arriver à une fin
B   le moyen   _____ la force, la puissance
C   les canaux   _____ qui fonctionne bien
D   l'écran   _____ la fin, l'objectif qu'on essaie d'atteindre
E   le pouvoir   _____ le téléviseur
F   efficace   _____ complètement
G   le but   _____ la distribution, la propagation
H   à plein   _____ contenir, inclure
I   la diffusion   _____ c'est dommage
J   comporter   _____ les chaînes

LA VRAIE GUERRE DES ÉTOILES

Document Paris Match, 17 janvier 1986, p. 9.

Thierry Breton, patron d'une société d'informatique, est aussi écrivain d'anticipation.

C'est une thèse impressionnante : la nation qui dominera le monde en l'an 2000 sera celle qui occupera les écrans de télévision. Mettre en condition les milliards° de cerveaux° humains, tel sera le but des conquérants de demain. Cette guerre-là se déroulera° dans le ciel, à coups de satellites, comme la guerre des étoiles de Reagan. Mais la différence, c'est que la première est déjà commencée! Thierry Breton, qui soutient cette thèse, est un jeune et brillant chef d'entreprise. Il explique comment va se livrer° dans le ciel la bataille pour le contrôle des grands satellites de télévision directe.

    mille millions / têtes, esprits

    se passera

    avoir lieu

    Paris Match. Votre thèse est que la guerre des étoiles est déjà commencée, mais ce n'est pas celle dont tout le monde parle aujourd'hui.

    Thierry Breton. Oui, elle est déjà commencée, mais ce n'est pas la même. En réalité, il y a deux guerres des étoiles. Celle dont on parle beaucoup, parce qu'elle frappe° davantage les imaginations, est la guerre «hard», ou dure. Elle a pour objectif de mettre sur orbite des satellites tueurs° qui, à coups de faisceaux laser,° *seraient capables de détruire les missiles ennemis aussitôt après leur décollage.° Cette guerre-là verra peut-être le jour dans un proche avenir.*

    touche

    qui tuent, qui assassinent / laser beams
    takeoff

    Mais il y a une autre guerre des étoiles. Je veux parler de la guerre des télévisions, et plus particulièrement de celle qui s'est déjà engagée pour le contrôle des fameux satellites de télévision directe, placés sur orbite géostationnaire.° C'est une guerre «soft», ou douce, qui ne comporte ni destruction matérielle ni mort d'hommes, mais qui en fin de compte risque d'être beaucoup plus efficace pour qui voudrait s'assurer la domination sur le monde. Pour des raisons d'interférences, il n'existe sur l'orbite géostationnaire, que vingt emplacements possibles, avec sur chaque emplacement une grappe° de satellites diffusant des programmes sur quarante canaux différents. Autrement dit, l'orbite géostationnaire permet la diffusion, pour le monde entier, de 20 × 40, soit 800 programmes, et c'est tout. D'où un combat acharné° pour s'en assurer le contrôle.

    qui ne bouge pas

    groupe

    féroce

    Et encore ce calcul est-il tout théorique, car il y a une autre difficulté. La télévision, c'est surtout la nuit que les gens la regardent. Le satellite de télévision, lui, c'est surtout le jour qu'il peut fonctionner, car il a besoin de la lumière du soleil pour alimenter° ses batteries électriques. Alors, il faut trouver pour chaque satellite une place sur l'orbite qui sera légèrement décalée° par rapport à la région du monde qu'il doit arroser,° de façon à ce qu'il ait° encore du soleil alors que ses téléspectateurs sont déjà plongés dans la nuit.

    ici: charger

    déplacée / ici: cover, broadcast over /
    de façon... (subjonctif)
    so that it has

    P.M. On peut donc supposer que les pays les plus avancés se sont déjà emparés, ou vont bientôt s'emparer,° des meilleures places sur l'orbite... et

    prendre

tant pis pour ceux qui n'ont pas encore les moyens de se payer des satellites de télévision !

T.B. Il y a en effet un grand danger d'une colonisation, par les pays les plus avancés, de l'espace télévisuel. Pour moi, il a été passionnant de fouiller° cette idée et d'en imaginer les conséquences possibles.

P.M. Donc le vrai pouvoir va bientôt appartenir à ceux qui contrôleront les satellites.

T.B. Exactement. Et, à l'inverse, ceux qui n'auront pas une bonne position sur l'orbite et les moyens de faire fonctionner un satellite se verront déposséder de leur propre espace informationnel: ils devront consommer l'information distribuée par les autres et se trouveront rapidement colonisés, du moins culturellement. Il est de plus en plus évident que la puissance° appartiendra véritablement, non pas aux états les plus vastes, ni même aux etats les plus riches en ressources agricoles, minières ou énergétiques, mais aux etats les plus avancés technologiquement: ils seront les premiers à pouvoir utiliser à plein les nouveaux espaces informationnels.

P.M. Mais comment se fait-il qu'ici, en France, l'opinion soit si peu attentive à ces nouveaux enjeux°?

T.B. Avec leur télévision contrôlée par l'etat, les Français vivent dans un espace hyper-protégé : ils n'ont aucune idée de ce qui bientôt va leur tomber sur la tête. Ils ont leurs trois chaînes de télévision, quatre s'ils sont abonnés à Canal Plus, et la plupart sont satisfaits. Ils ne se rendent même plus compte que leur espace informationnel est strictement limité à l'Hexagone.° Ils sont habitués à ce que l'on choisisse pour eux.

Demain, pourtant, l'espace informationnel des Français s'ouvrira brutalement aux dimensions du monde. Ce sont cinquante, cent programmes qui leur seront offerts, des programmes venant aussi bien des Etats-Unis que d'Union soviétique, d'Italie ou de France.

rechercher

pouvoir

risques

la France

■ *Avez-vous compris?*

A. Complétez les phrases suivantes d'après l'article.

1. La nation qui dominera le monde en l'an 2000 sera celle qui _____.
2. _____ sera le but des conquérants de demain.
3. D'après Thierry Breton, la guerre des étoiles dont il parle _____ commencée.
4. C'est une guerre «soft» ou _____.
5. Il n'existe sur l'orbite géostationnaire que _____ emplacements possibles, avec sur chaque emplacement une _____ diffusant des programmes sur _____ canaux différents.

6. Autrement dit, l'orbite géostationnaire permet la diffusion, pour le monde entier, de _____ programmes.

7. Une autre difficulté: les gens regardent la télévision surtout _____, mais le satellite de télévision peut fonctionner surtout _____ car il a besoin de la lumière du _____ pour alimenter ses batteries.

8. Thierry Breton voit un grand danger de «colonisation» de _____ par les pays plus avancés.

9. Il considère que le vrai pouvoir va bientôt appartenir à ceux qui _____ les satellites.

10. Si on ne contrôle pas son propre espace informationnel, on devra consommer _____ distribuée par les autres.

11. Il constate que les Français vivent dans un espace _____ et n'ont aucune idée de ce qui va bientôt leur tomber sur la tête.

B. Expliquez à un(e) camarade la signification de chacune des phrases suivantes. Quand c'est possible, essayez d'employer le nouveau vocabulaire et des verbes au futur. Trouvez autant de détails que possible dans le texte.

1. Il y a deux guerres des étoiles. 2. La quantité de programmes diffusés par les satellites sera limitée. 3. Il y a un grand danger de «colonisation» culturelle. 4. Le vrai pouvoir dans le monde va appartenir à ceux qui contrôleront les satellites. 5. Quant à leurs programmes de télévision, les Français sont hyper-protégés.

■ *Et vous?*

1. Breton souligne l'importance de la télévision dans le monde actuel. Et vous, combien d'heures par semaine regardez-vous le «petit écran»? Quelle est votre émission favorite? Pourquoi? La dernière fois que vous l'avez regardée, qu'est-ce qui s'est passé? Donnez une description détaillée à un(e) camarade de classe. (Utilisez le passé composé et l'imparfait.) Ce soir, quelles émissions regarderez-vous? Pendant le weekend? La semaine qui vient?

2. Pourquoi regardez-vous la télévision? Un étudiant commencera une chaîne de réponses en disant, «Je regarde la télé parce que...» Chaque personne à son tour ajoutera une raison différente, ou au moins, de nouveaux mots. Vous pouvez être logique et raisonnable dans vos réponses ou très bizarre et fantaisiste! Tous les étudiants essaieront d'offrir le plus grand nombre de réponses possible sans se répéter.

3. Dans l'interview, il s'agit surtout du contrôle des programmes de télévision. Avez-vous jamais pensé à ce sujet? Actuellement, quelle influence les programmes ont-ils sur vous et sur vos amis? Essayez d'imaginer que d'ici quinze ans la majorité des programmes de télévision viendront des

satellites et seront réalisés dans des pays étrangers. Quelle conséquence ce changement d'origine aura-t-il dans votre vie? Quels en seront les avantages et les inconvénients?

4. Thierry Breton constate que les Français sont très «protégés» par leur système de télévision. Aux États-Unis, dans quelle mesure est-ce que le gouvernement contrôle le genre de programme que nous regardons? Que pensez-vous de ces contrôles?

STRUCTURES ■ :

Le monologue du vendredi

Qu'est-ce que je **vais faire** ce week-end? J'ai **besoin de me reposer.** Je crois que je **vais rester** à la maison ce soir—je **vais regarder** la télé, bien tranquillement, et puis je **vais me coucher** tôt. Mais je ne **tiens** quand même pas **à passer** tout le week-end en ermite.... Demain je **peux jouer** au tennis avec des amis—oui, c'est ça: **après avoir fini** mes recherches à la bibliothèque (je **compte** y **passer** deux ou trois heures) je **vais téléphoner** aux copains.... Oh, je n'**ai** pas du tout **envie de faire** ces recherches, mais je **suis** bien **obligé de** les **faire** si je **veux avoir** une bonne note dans mon cours d'histoire.... Bof, ça ne **va** pas **être** si terrible que ça....

■ Infinitives

As illustrated above, infinitives combined with certain conjugated verbs can be used to express the future. Introduced by various verbs and prepositions, infinitive forms can be used in many other contexts.

A. Expressing the Future Through Infinitives

There are various ways to talk about the future without using the future tense. Sometimes the present tense takes on future meaning.

> Demain, je **peux** jouer au tennis avec des amis.

But more commonly, the following forms are used.

Aller + Infinitive (*futur proche*)

The combination of **aller,** conjugated in the present, and an infinitive expresses the **futur proche** or *near future*. It corresponds to the English *to be going to* + infinitive. (7.1)

> Ce soir je **vais regarder** la télé.
> Demain je **vais téléphoner** aux copains.

In daily speech, the **futur proche** is often synonymous with the **futur simple.**

> Je **vais terminer** mes études dans deux ans. = Je **terminerai** mes
> études dans deux ans.

Other Verbs and Expressions that Convey Future Meaning

avoir l'intention de (*to intend to*)		J'ai **l'intention** d'aller à la bibliothèque.
compter (*to plan to*)		Je **compte** y passer 2 ou 3 heures.
espérer	+ infinitive	J'**espère** avoir le temps de tout faire.
tenir à (*to be set on*)		Je **tiens** à finir mes recherches.
vouloir		Je **veux** avoir une bonne note.

The conditional form of **vouloir, je voudrais,** and its equivalent, **j'aimerais,** are more polite than the blunt **je veux** and are recommended in more formal situations to express future meaning as well as to make polite requests.

> Je **voudrais** (**J'aimerais**) devenir célèbre.

Après + Past Infinitive

The preposition **après** followed by a past infinitive is often used to express the first in a sequence of actions in a future context. To form the past infinitive, use the infinitive of the auxiliary verb (**avoir** or **être**) and the past participle of the main verb. (7.2; 7.3)

> Après **avoir fini** mes recherches, je vais téléphoner aux copains.
> Après **être allé** à la bibliothèque, je vais rentrer chez moi.

■ *Maintenant à vous*

A. **Le monologue du vendredi.** Envisagez ce que vous allez faire vendredi soir, selon le modèle. Donnez votre réaction après chaque possibilité.

> MODÈLE: je / étudier → Peut-être que je vais étudier vendredi soir.
> (Oh, non! Il faut être fou pour étudier le vendredi soir.)

1. je / sortir avec des amis
2. on / aller voir un film de science fiction
3. je / rester chez moi à me tourner les pouces (*twiddle my thumbs*)
4. mes amis / venir regarder la télé avec moi
5. ?

Est-ce que ce sera un vendredi soir typique?

B. **Les ambitions futures.** Comparez vos ambitions avec celles de deux personnes que vous connaissez bien, et la plupart des (*most*) gens en général. Formez autant de phrases que possible, affirmatives ou négatives, avec les éléments suivants.

je	avoir l'intention	devenir riche
		trouver un travail intéressant
mon ami(e)	compter	devenir célèbre
		mener une vie ordinaire
quelqu'un d'autre que je connais	espérer	se marier
		avoir ____ enfants
	tenir à	rester célibataire
		habiter à ____
la plupart des gens	vouloir	voyager
		être en bonne santé
		vivre vieux
		?

Qui est le plus ambitieux (la plus ambitieuse) de la classe? Qui est le (la) plus raisonnable? Le plus original (la plus originale)?

C. **Une chose à la fois!** Votre cousin Alphonse, un maniaque de l'ordre et de la propreté, fait un plan mental de son samedi matin, selon le modèle.

MODÈLE: prendre ma douche / me raser → Après avoir pris ma douche, je vais me raser.

1. m'habiller / promener le chien
2. promener le chien / me désinfecter les mains
3. me désinfecter les mains / prendre mon petit déjeuner
4. prendre mon petit déjeuner / faire la vaisselle et passer l'aspirateur
5. passer l'aspirateur / aller au supermarché
6. revenir du supermarché / mettre des étiquettes avec la date d'achat sur tous les produits
7. mettre les étiquettes / ?

Qu'est-ce qui est spécialement étonnant dans la matinée d'Alphonse?
Qu'est-ce qu'il fait que vous ne faites jamais?

B. Use of Infinitives

When a conjugated verb is followed by another verb in French, the second verb is always an infinitive.

> Qu'est-ce que je **vais faire** ce week-end?
> Je ne **tiens** pas à **passer** tout le week-end en hermite.
> Mais je **suis obligé** de les **faire** si je **veux avoir** une bonne note.

The infinitive may follow the conjugated verb directly, or it may be preceded by the preposition **à** or **de.** The *governing* verb, or conjugated verb, determines whether or not a preposition is required. Why **tenir** *à* but **être obligé** *de*? Just as in English (*to prevent from, to engage in*), the only rule is usage, and each verb must be learned individually. You will find in **En détail** at the end of this chapter a list of common French verbs and how they govern infinitives. Check this list before you do the activities. (7.4)

■ *Maintenant à vous*

D. **La conquête de l'espace.** Posez des questions à vos camarades de classe en employant les éléments donnés et répondez-y de façon originale.

> MODÈLE: tu / aimer / lire des livres de science fiction →
> *Étudiant A:* Est-ce que tu aimes lire des livres de science fiction?
> *Étudiant B:* Quelquefois. Par exemple, j'aime _____ (*titre*).

1. tu / tenir / aller dans l'espace
2. tu / avoir peur / quitter la Terre
3. tu / rêver / découvrir d'autres formes de vie
4. tu / hésiter / croire à d'autres formes de vie
5. tu / avoir envie / explorer d'autres planètes
6. les Américains / avoir raison / dépenser tant d'argent pour l'exploration spatiale
7. la guerre des étoiles / risquer / détruire la Terre
8. on / pouvoir / réussir / conquérir l'espace
9. il / valoir mieux / renoncer / coloniser la lune

Lesquelles des opinions de votre camarade vous ont surpris(e) le plus?

E. **La conquête d'une langue.** Jean-Pierre, un étudiant français qui est venu passer quelques mois dans une université américaine, donne ses premières impressions. Reconstituez-les en formant des phrases complètes au présent avec les éléments donnés.

1. Je / venir / arriver
2. Alors je / ne... pas / oser / trop parler

3. Je / avoir peur / dire des bêtises
4. Mais je / devoir / s'habituer / parler anglais
5. Je / réussir / comprendre presque tout
6. Je / s'exercer / prendre l'accent
7. Mais je / renoncer / faire le **r** américain.
8. Je / ne... pas / arriver / prononcer ce son!
9. Je / demander / souvent / mon camarade de chambre / expliquer des mots
10. Il / me / aider / faire des progrès

Faites un résumé de l'expérience de Jean-Pierre.

F. **Et vous?** Que pensez-vous de la «conquête du français»? Donnez vos réactions—ironiques ou authentiques—selon le modèle.

> MODÈLE: oublier / faire les liaisons → J'oublie toujours (quelquefois) de faire les liaisons. (Je n'oublie jamais de faire les liaisons!)

1. aimer / passer des examens
2. éviter / faire des fautes
3. hésiter / lever la main quand je sais la réponse
4. être obligé(e) / répéter trente-six fois la même chose
5. détester / ?
6. essayer / ?
7. adorer / ?

G. **Vous et vos études.** Faites des phrases originales en combinant, en adaptant ou en complétant les éléments ci-dessous. Ajoutez les prépositions nécessaires.

Tout d'abord	j'ai choisi	venir à cette université parce que
Au début	j'ai failli	aller ailleurs
Mais	je voulais	me spécialiser en...
Et puis	j'avais peur	suivre des cours de...
Après ça	j'ai décidé	...
Cette année	je pense	ne pas avoir fait...
Maintenant	je regrette	savoir ce que je vais faire
Plus tard	je commence	finir mes études
...	je me dépêche	...
...	j'espère	...
?	?	?

H. **Vous et l'avenir.** En groupes de deux, complétez les phrases suivantes.

Ce week-end...

1. Après / sortir de mon dernier cours / je / avoir l'intention...
2. Après / s'amuser / je / aller...

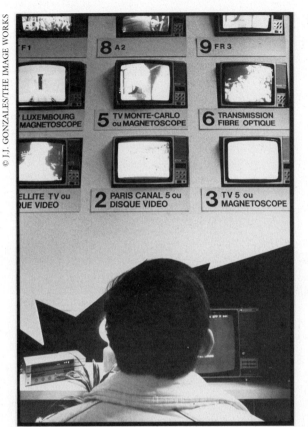

Quelle chaîne choisir?

© J.J. GONZALES/THE IMAGE WORKS

L'été prochain...

1. Après / rentrer chez moi / je / espérer...
2. Après / travailler (voyager) / je / compter...

Plus tard...

1. Après / finir mes études / je compter...
2. Après / gagner assez d'argent / je / vouloir...

I. **Situation.** Role-play the following situation in French with one of your classmates.

You and your friend are trying to decide what to do tomorrow night. In favor of watching TV, you mention what's going to be on. (Use the sample program given in the vocabulary section, or make up your own.) Your friend, however, thinks that the shows you are proposing aren't good and gives specific objections. Try to agree on something that you will both enjoy doing.

PAR ÉCRIT ▪▪ : ·

AVANT D'ÉCRIRE

The Introduction   The opening sentence(s) of a piece of writing ought to tell the reader how you are approaching the topic. Otherwise, you cannot expect your reader to follow your *line of thought*. If your *topic* is **les feuilletons,** for example, what you make of this subject is your line of thought, the common thread you weave from sentence to sentence, or from paragraph to paragraph. In this case, your line of thought might be **l'influence *négative* des feuilletons.** The element needed to strengthen your line of thought is a specific *situation* or context, such as **l'influence négative des feuilletons *sur les adolescents.***

To introduce such a topic and to present your line of thought clearly, you might begin by writing: «**Les feuilletons semblent avoir une influence particulièrement dangereuse sur les adolescents.**» This sentence, though simple, is effective because it introduces the topic, the line of thought, and the situation. It prepares the reader for what is to follow.

With a partner in class, write an opening sentence for each of the following topics which will indicate the line of thought you have chosen and the situation you will be using as a context.

1.   les dessins animés
2.   la publicité
3.   les médias

Sujet de composition

Une occasion rêvée. Avec l'aide d'un ami millionaire, vous allez pouvoir créer votre propre chaîne de télévision! C'est l'occasion rêvée de présenter au public ce que vous concevez comme la chaîne idéale. Comme votre ami a quand même besoin d'être convaincu que son argent va être mis à bon usage, vous écrivez pour lui une description détaillée (au présent et au futur proche) de ce que vous envisagez de faire. Faites particulièrement attention à la phrase d'ouverture de chaque paragraphe.

EN DÉTAIL

7.1. *Le futur proche*

In addition to the uses we have already presented in this chapter, the **futur proche** (**aller** + infinitive) can also be used in the **imparfait** to describe something that *was going to happen* in the past (an unfulfilled plan).

J'allais regarder la télé quand vous êtes arrivé.   *I was going to watch TV when you arrived.*

7.2. *Après* + **Past Infinitive**

Even though this structure is most commonly used in future contexts, it can also be used with the present, for general statements.

En général, **après avoir fini** ses études, on cherche du travail.

Or it can be used in past contexts.

Après avoir fini ses études, il est parti travailler à Paris.

Après + past infinitive can be used **only** if the subject of both verbs is the same. With two or more different subjects, the conjunction **après que** (+ a conjugated verb in the indicative) must be used instead.

Après que tu auras fini tes études, nous partirons.
Après qu'il s'était installé, je lui avais montré le quartier.

The past participle of a past infinitive agrees with the subject of the sentence.

Après être rentrés, nous allons regarder la télé.

7.3. **Infinitive Forms of Pronominal Verbs**

Reflexive pronouns used with infinitives are variable: they must agree with the subject.

Je vais **me** lever tôt. **Tu** vas **te** lever tôt aussi? Après **nous** être levés, **nous** allons faire du jogging.

7.4. Use of Infinitives

A. These verbs are followed directly (with no intervening preposition) by an infinitive.

aimer	J'aime regarder la télé.
aller	Je vais regarder la télé.
compter	Je compte regarder la télé.
désirer	Je désire voir un film.
détester	Je déteste regarder la publicité.
devoir	Je dois éteindre la télé.
espérer	J'espère tout comprendre.
faillir	J'ai failli (*nearly*) m'endormir.
faire	On nous fait trop travailler.
falloir	Il faut se reposer un peu.
laisser	Laissez-moi vous aider.
oser	Je n'ai osé (*dared*) rien dire.
penser	Je pense rester ici.
pouvoir	Je peux regarder cette émission?
préférer	Je préfère regarder un documentaire.
savoir	Tu sais régler l'image?
souhaiter	On souhaite voir quelque chose de bien.
valoir mieux	Il vaut mieux changer de chaîne.
vouloir	Je voudrais voir ce film.

In addition to these, *verbs of movement* such as **courir, descendre, entrer, monter, partir, venir,** and *verbs of perception* such as **écouter, entendre, regarder** and **voir** are followed directly by an infinitive.

Je **descends manger.**	Je vous **écoute parler.**
Elle est **montée se coucher.**	J'ai **entendu dire*** que ce film était formidable.
Il est **venu nous voir.**	Il nous **ont vus venir.**

B. The following verbs require the preposition **à** before an infinitive.

aider à	Il m'a aidé à installer l'antenne.
s'amuser à	Il s'amuse à regarder des dessins animés.
apprendre à	On apprend à ignorer la publicité.
arriver à	Tu arrives à tout faire?
avoir à	J'ai des courses à faire ce soir.
commencer à	J'ai commencé à lire un article.

---

*Note the difference of meaning and usage between **entendre dire que...** (*to hear that*) and **entendre parler de...** (*to hear about*). Both expressions are very common.

continuer à	Je continue à le lire.
enseigner à	Est-ce que la télé nous enseigne à être passifs?
s'exercer à	Je m'exerce (*practice*) à jouer du piano.
s'habituer à	On s'habitue à regarder la télé.
hésiter à	J'hésite à vous le dire.
inviter à	Je les ai invités à venir.
obliger à*	Il nous a obligés à éteindre la télé.
renoncer à	Je renonce à comprendre.
réussir à	J'ai réussi à tout faire.
tenir à	Je tiens à voir ce film.

C. The following verbs require the preposition **de** before an infinitive.

accepter de	Il a accepté de venir.
(s')arrêter de	Arrête de parler!
avoir envie de	J'ai envie d'écouter la radio.
avoir honte de	J'ai honte d'avoir fait ça.†
avoir l'intention de	Il a l'intention de rester ici.
avoir peur de	Tu as peur de partir?
avoir raison de	Vous avez raison de vous taire.
avoir tort de	Il a eu tort (*was wrong*) de se plaindre.
choisir de	J'ai choisi de rester.
craindre de	Je craignais de vous déranger.
décider de	Qu'est-ce que tu as décidé de faire?
défendre de	Je te défends (*forbid*) d'allumer la télé!
demander de	Elle demande aux enfants d'obéir.
se dépêcher de	Je me dépêche de lire le journal.
dire de	Je vous dis de vous taire.
empêcher de	Tu m'empêches de lire.
essayer de	J'essayais de lire.
être heureux de†	Nous sommes heureux de vous annoncer...
être obligé de	On est obligé de travailler.
éviter de	Évitez de parler trop fort.
s'excuser de	Je m'excuse de vous avoir dérangé.†
finir de	J'ai fini de lire le journal.
interdire de	Je vous interdis (*forbid*) d'allumer la téle.
menacer de	Elle menace (*threaten*) de tout dire.

---

*Not to be confused with the passive form **être obligé de** (*to be forced to*).

†Verbs or expressions such as **avoir honte de, s'excuser de, remercier de, regretter de** and **se souvenir de** are often followed by a past infinitive, which indicates an action anterior to that of the main verb.

oublier de	Tu as oublié d'acheter le journal?
permettre de	Permettez-moi de vous présenter...
promettre de	Je promets d'être sage.
refuser de	Il refuse de partir.
regretter de	Je regrette de ne pas pouvoir rester.
remercier de	Je vous remercie d'être venus.*
rêver de	Elle rêve de devenir actrice.
risquer de	Je risque de me tromper.
se souvenir de	Je me souviens d'avoir vu ce film.
venir de	Nous venons de voir un beau film.

---

*Être + an adjective expressing feelings or emotions is always followed by **de** (**être content de, être fâché de, être fatigué de, être triste de,** etc.).

L'avenir

NASA

PAROLES ■■ ....

L'avenir

L'avenir, c'est **tout à l'heure** (*in a little while*), **demain, d'ici demain** (*by tomorrow*), **après-demain** (*the day after tomorrow*), **la semaine prochaine, le mois prochain, l'année prochaine, dans deux ans, plus tard** (*later*), **en l'an 2000,** etc.

L'exploration spatiale

un **astronaute**   une **fusée** (*a rocket*)   le **lancement** (*launching*)

une **navette spatiale** (*space shuttle*)   un **satellite**

un **robot**   une **soucoupe volante** (*flying saucer*)

L'âge nucléaire

la **guerre**

l'**armée**   l'**armée de l'air** (*air force*)   la **marine** (*navy*)

une **bombe** (atomique)   un **missile**

la **course aux armements** (*arms race*)

l'**énergie** [f.] **nucléaire**   une **centrale nucléaire** (*nuclear power plant*)

les **déchets** [m.] **nucléaires** (*nuclear waste*)   la **pollution**

Les problèmes économiques et sociaux

l'**inflation**   le **chômage** (*unemployment*)

le **racisme**   la **ségrégation**   l'**immigration**

la **pauvreté**   un **ghetto**   un **préjugé** (*prejudice*)

Les classes sociales: les **privilégiés** [m.], la **classe moyenne**, les **pauvres** [m.]

les **pays en voie de développement**, le **tiers monde** (*third world countries*)

L'âge mûr (Le troisième âge)

vieillir (*to grow old*)   la **vieillesse** (*old age*)

prendre sa retraite (*to retire*)

tomber malade ≠ **être en bonne santé**

Le rêve

faire fortune   **voyager**   **s'échapper** (*to escape*)

réussir sa vie   **atteindre ses buts** [m.] (*goals*)

réaliser (*to achieve*) **ses aspirations** personnelles, professionnelles, etc.

Maison Française, numéro 408, juillet-août 1987, p. 127.

Illustration Rosy

■ *Parlons-en*

Grâce à une technologie ultra-secrète, nous avons réussi à obtenir cette image qui représente quelqu'un de votre classe (et sa famille) en l'an 2000!

1. En groupes de deux, devinez de qui il s'agit. Pourquoi dites-vous cela? Comparez votre réponse et ses justifications avec celles des autres membres de la classe.

2. Et vous? Où serez-vous en janvier de l'an 2000? Que ferez-vous? Qu'est-ce que vous verrez quand vous regarderez par la fenêtre de votre salon? De quoi parleront les journaux? Quels seront les sujets d'actualité?

Après la discussion à deux, soyez prêt(e) à résumer pour la classe les prédictions de votre partenaire sur sa vie, ou la vie en général, en l'an 2000.

LECTURE

Jules Verne (1828–1905) was a prolific writer, who is best known for his eighty novels, although he also wrote plays. He followed the scientific developments of the nineteenth century with great interest; his novels reflect this interest and also suggest Verne's fascination with the idea of space travel a century before the launching of the first spaceship. Like Saint-Exupéry, Verne wrote novels that appealed to adults and children alike. You may know the English versions of *Voyage au centre de la Terre* (1864), *Vingt mille lieues sous les mers* (1869), et *Le Tour du monde en quatre-vingts jours* (1873). The selections you will read here are from *Autour de la Lune* (1869).

Autour de la Lune describes the adventures of a space crew as they approach the moon and then attempt to direct their **boulet-wagon** (*spaceship*) back to earth. On board are Barbicane, president of the American Gun Club that has arranged the launching of the craft, Captain Nicholl, his fellow club member, and a French adventurer, Michel Ardan.

Jules Verne

■ *Avant de lire*

Expectations About Genre   You have been learning to pay attention to the genre of a piece of writing, that is, to identify it as an essay, a fictional piece, an advertisement, a news article, and so forth. These broad categories have subcategories as well. Once you have decided that a reading is fictional, you might then look for clues that tell you the kind of fictional piece it is. Is it a romance, a science fiction piece, a historical novel or story, a detective story, a tragedy, a comedy? These genres have similar characteristics in most Western languages, which will help you understand what you are reading in French because you will expect to find certain elements before you begin reading. This is another instance of how readers form and revise expectations to make sense of what they read.

You know that the following passage is excerpted from a science fiction novel by Jules Verne. What do you expect to find in science fiction?

- present-day, past, or future setting?
- a setting similar to your world or dramatically different?
- characters similar or dissimilar to the people you know?
- primary focus on people, places, or things?

What is the chief function of most science fiction? To entertain? To inform? To support the contemporary social order, or to question it? Does science fiction tend to glorify technological change, or question its value? Most texts have more than a single aim. You may have included several purposes in your answer.

What kinds of details do science fiction texts seem to include? What is the tone of most science fiction—humorous, serious, or satiric? Is the plot usually complicated or simple? Does it focus on adventure or on the routines of every-day life? There are no right answers to these questions, but defining what you expect to find before you begin this excerpt from *Autour de la lune* will make reading it easier.

List a few of the elements you expect to find in science fiction. Now read the passage to find out which of your expectations are fulfilled. Revise your list, adding the new elements you find and crossing out those that do not appear.

■ *Étude de mots*

atteindre	*to reach, to achieve*
la planète natale	*native planet*
la Terre	*Earth*
un astre	*heavenly body*
s'ennuyer	*to be bored*
louable	*praiseworthy*
lorsque	*when*
nos semblables	*fellow (similar) beings*

Activité. **Complétez.**

1. Votre planète natale s'appelle la Terre
2. La lune est un astre vers lequel les trois aventuriers se dirigent.
3. lorsqu' ils atteindront la lune, dans quatre jours, ils trouveront peut-être des êtres vivants, leurs semblables
4. Pour ne pas s'enn., les voyageurs apportent des jeux.
5. Les trois aventuriers ont des buts louables

objectifs

. . . .

Autour de la lune (extrait)

JULES VERNE

—La Terre, dit Barbicane, la voilà.

—Quoi! fit Ardan, ce mince filet,° ce croissant argenté?   *thin streak of light*

—Sans doute, Michel. Dans quatre jours, lorsque la Lune sera pleine,°   *complète*
au moment même où nous l'atteindrons, la Terre sera nouvelle. Elle ne
nous apparaîtra plus que sous la forme d'un croissant délié° qui ne tardera   *comparez: lier (to bind)*

pas à disparaître, et alors elle sera noyée° pour quelques jours dans une ombre° impénétrable.

à l'intérieur de
≠ lumière

—Ça! la Terre!» répétait Michel Ardan, regardant de tous ses yeux cette mince tranche de sa planète natale....

—Vous avez raison, Barbicane, répondit le capitaine Nicholl, et d'ailleurs quand nous aurons atteint la Lune, nous aurons le temps, pendant les longues nuits lunaires, de considérer à loisir ce globe où fourmillent° nos semblables!

s'agiter en grand nombre

—Nos semblables! s'écria Michel Ardan. Mais maintenant, ils ne sont pas plus nos semblables que les Sélénites°! Nous habitons un monde nouveau, peuplé de nous seuls, le projectile! Je suis le semblable de Barbicane, et Barbicane est le semblable de Nicholl. Au-delà de° nous, en dehors de nous, l'humanité finit, et nous sommes les seules populations de ce microcosme jusqu'au moment où nous deviendrons de simples Sélénites!

ceux qui habitent la Lune
beyond

—Dans quatre-vingt-huit heures environ, répliqua le capitaine.

—Ce qui veut dire?... demanda Michel Ardan.

—Qu'il est huit heures et demie, répondit Nicholl.

—Eh bien, repartit Michel, il m'est impossible de trouver même l'apparence d'une raison pour laquelle nous ne déjeunerions pas....

En effet, les habitants du nouvel astre ne pouvaient y vivre sans manger, et leur estomac subissait° alors les impérieuses lois° de la faim. Michel Ardan, en sa qualité de Français, se déclara cuisinier en chef, importante fonction qui ne lui suscita° pas de concurrents. Le gaz donna les quelques degrés de chaleur suffisants pour les apprêts culinaires, et le coffre aux provisions° fournit les éléments de ce premier festin.

souffrait / *laws*

ne lui a pas fait
coffre... meuble pour les réserves de nourriture

Le déjeuner débuta° par trois tasses d'un bouillon excellent, dû à la liquéfaction dans l'eau chaude de ces précieuses tablettes Liebig,° préparées avec les meilleurs morceaux des ruminants des Pampas. Au bouillon de bœuf succédèrent quelques tranches de beefsteak comprimés° à la presse hydraulique, aussi tendres, aussi succulents que s'ils fussent sortis des cuisines du Café Anglais. Michel, homme d'imagination, soutint° même qu'ils étaient «saignants».°

a commencé
cubes pour bouillon

diminués de volume par pression (*pressure*)
a dit
rare (meat)

Des légumes conservés° «et plus frais que nature», dit aussi l'aimable Michel, succédèrent au plat de viande, et furent suivis de quelques tasses de thé avec tartines° beurrées à l'américaine.

préparés et mis en boîtes (*cans*)
tranches de pain

Enfin, pour couronner° ce repas, Ardan dénicha° une fine bouteille de Nuits,° qui se trouvait «par hasard» dans le compartiment des provisions. Les trois amis la burent à l'union de la Terre et de son satellite.

compléter / a trouvé
marque de vin

«Pourquoi ne réussirions-nous pas? répétait Michel Ardan. Pourquoi n'arriverions-nous pas? Nous sommes lancés. Pas d'obstacles devant nous. Pas de pierres° sur notre chemin. La route est libre, plus libre que celle du navire° qui se débat contre la mer, plus libre que celle du ballon° qui lutte

rocs, rochers
bateau / *mot ap.*

contre le vent! Or, si un navire arrive où il veut, si un ballon monte où il lui plaît, pourquoi notre projectile n'atteindrait-il pas le but qu'il a visé°? établi

—Il l'atteindra, dit Barbicane. Maintenant que nous n'avons plus d'inquiétude, qu'allons-nous devenir? Nous allons nous ennuyer royalement!»

—Mais j'ai prévu° le cas, mes amis, reprit Michel Ardan. Vous n'avez qu'à parler. J'ai à votre disposition, échecs, dames,° cartes, dominos! anticipé / échecs... *chess, checkers*

—Quoi! demanda Barbicane, tu as emporté de pareils bibelots°? *trinkets*

—Sans doute, répondit Michel, et non seulement pour nous distraire, mais aussi dans l'intention louable d'en doter° les estaminets° sélénites. donner aux / cafés

—Mon ami, dit Barbicane, si la Lune est habitée, ses habitants ont apparu quelques milliers d'années avant ceux de la Terre, car on ne peut douter que cet astre ne soit plus vieux que le nôtre. Si donc les Sélénites existent depuis des centaines de mille ans, si leur cerveau° est organisé comme le cerveau humain, ils ont inventé tout ce que nous avons inventé déjà, et même ce que nous inventerons dans la suite des siècles. Ils n'auront rien à apprendre de nous et nous aurons tout à apprendre d'eux. esprit, tête

—Quoi! répondit Michel, tu penses qu'ils ont eu des artistes comme Michel-Ange ou Raphaël?

—Oui.

—Des poètes comme Homère, Virgile, Milton, Lamartine, Hugo?

—J'en suis sûr.

—Des philosophes comme Platon, Aristote, Descartes, Kant?

—Je n'en doute pas.

—Des savants comme Archimède, Euclide, Pascal, Newton?

—Je le jurerais.

—Alors, ami Barbicane, s'ils sont aussi forts que nous, et même plus forts, ces Sélénites, pourquoi n'ont-ils pas tenté° de communiquer avec la Terre? Pourquoi n'ont-ils pas lancé° un projectile lunaire jusqu'aux régions terrestres? essayé / envoyé

—Qui te dit qu'ils ne l'ont pas fait? répondit sérieusement Barbicane.

—Quand?

—Il y a des milliers d'années, avant l'apparition de l'homme sur la Terre.

—Et le boulet°? Où est le boulet? Je demande à voir le boulet! projectile lunaire

—Mon ami, répondit Barbicane, la mer couvre les cinq sixièmes° de notre globe. De là, cinq bonnes raisons pour supposer que le projectile lunaire, s'il a été lancé, est maintenant immergé au fond de l'Atlantique ou du Pacifique. A moins qu'il ne soit enfoui° dans quelque crevasse, à l'époque où l'écorce° terrestre n'était pas encore suffisamment formée. les... *five-sixths* / A... *unless it's buried* / *crust*

—Mon vieux Barbicane, répondit Michel, tu as réponse à tout et je m'incline devant ta sagesse.° *wisdom*

■ *Avez-vous compris?*

A. Choisissez la meilleure réponse.

1. Il y a (*deux, trois, quatre*) hommes dans le boulet.
2. Au commencement du passage ils se dirigent vers (*la Terre, la lune, le soleil*).
3. La planète natale de Michel Ardan est (*la Terre, la lune, le soleil*).
4. Les Sélénites habitent (*la Terre, la lune, le soleil*).
5. Ils seront près de la lune dans (*vingt-quatre heures, quarante-huit heures, quatre-vingt-~~seize~~ heures*).
6. (*Michel Ardan, Barbicane, Nicholl*) leur sert de cuisinier en chef.
7. Avec leur déjeuner ils ont bu (*du thé, du vin, du vin et du thé*).
8. Pour éviter l'ennui, Michel a emporté (*des livres, des jeux, des bibles*).
9. Barbicane croit que (*la lune est habitée, les Sélénites existent* ou *s'ils existent, les Sélénites seront très avancés*).
10. Michel questionne Barbicane au sujet de l'existence (*d'un projectile lunaire, de la mer, de l'écorce terrestre*).

B. Dans la discussion au sujet des habitants lunaires, Barbicane affirme sa croyance en leur intelligence en disant «oui» de quatre façons différentes. Nommez-les.

C. Michel Ardan est optimiste. Expliquez la comparaison qu'il fait entre leur voyage et ceux d'un navire et d'un ballon. Que pensez-vous de cette comparaison?

D. Imaginez que vous êtes rédacteur/trice (*editor*) d'une anthologie littéraire. Vous devez diviser ce texte de Jules Verne en trois ou quatre parties. Aussi, vous devez choisir un titre pour chaque partie. Tournez-vous vers un(e) camarade de classe et discutez vos choix. Après, vous en discuterez avec le reste de la classe.

E. Relisez le passage pour trouver quelques caractéristiques de la personnalité de Barbicane et de Michel Ardan. Soyez prêt(e) à en nommer trois ou quatre pour chacun.

F. **Le déjeuner dans l'espace.** Vous préparez les repas pour le voyage à la lune. Expliquez à Michel (à l'aide de verbes au futur) ce qu'il y aura à manger et comment il préparera les repas. Basez votre discussion sur les indications du texte.

■ *Et vous?*

1. La question de ce que les explorateurs trouveront sur la lune une fois arrivés, les fascine. Avec un autre étudiant (une autre étudiante), discu-

tez de ce sujet. Utilisez beaucoup de verbes au futur. Employez les phrases du texte comme modèles. Y aura-t-il des habitants sur la lune? Est-ce qu'ils nous ressembleront? Quel sera leur niveau de culture?

2. Un grand nombre de détails scientifiques et technologiques caractérise souvent le roman de science-fiction. Trouvez trois ou quatre exemples de ce genre de détails dans le passage. Qui offre ces détails? Quel en est l'effet sur les autres explorateurs? Et sur vous? Pourquoi, d'après vous, Verne offre-t-il tant de détails?

3. On vous a offert la possibilité d'aller dans l'espace. Qu'est-ce que vous allez faire? (*Je vais accepter... Je vais refuser... Je ne sais pas ce que je vais faire...*). Expliquez vos hésitations et vos peurs, ainsi que votre joie et vos sentiments d'anticipation.

4. Quand nous nous éloignons de notre maison, notre ville natale ou notre pays, notre opinion sur ces endroits change. Parlez avec un(e) camarade de classe d'une expérience personnelle de ce genre, par exemple, de votre première visite à vos parents après le commencement de vos études universitaires, ou de votre retour après un voyage à l'étranger.

5. Ce qui est science-fiction au moment de sa création devient moins fantastique avec le passage du temps. Est-ce qu'il y a des détails dans le texte qui ne sont plus si fantaisistes à notre époque? Prenez quelques phrases du texte et expliquez ce qu'on pourrait faire pour moderniser le récit ou du moins pour le rendre moins fantaisiste.

6. Il y a des gens qui adorent ce genre de fiction et d'autres qui le détestent. A quelle catégorie appartenez-vous? Pourquoi? Quels films de science-fiction avez-vous vus récemment? Qu'est-ce qu'il y a dans ces films qui les rend semblables au texte de Verne?

STRUCTURES ■ :

«*Nous allons nous ennuyer royalement!*»

Qu'est-ce que nous **ferons** quand nous **serons arrivés** sur la lune? Nous n'**aurons** rien à faire! Si les Sélénites existent, comment **communique-rons**-nous avec eux? Et s'ils n'existent pas, avec qui **parlerons**-nous? Ce **sera** mortel.... Il **faudra** manger, mais est-ce que nous **devrons** nous contenter des boîtes que nous **aurons apportées?** C'est bien beau, l'aventure, mais je crois que nous allons nous ennuyer royalement!

⠿ 1. The Future Tense

A. Formation

To form the future tense of almost all French verbs, use the infinitive as the stem (for **-re** verbs, drop the **e**). The last letter of the future stem will always be an **r.** Then add the endings **-ai, -as, -a, -ons, -ez, -ont.** (8.2)

	PARLER	FINIR	RÉPONDRE
je	parlerai	finirai	répondrai
tu	parleras	finiras	répondras
il/elle/on	parlera	finira	répondra
nous	parlerons	finirons	répondrons
vous	parlerez	finirez	répondrez
ils/elles	parleront	finiront	répondront

> Avec qui **parlerons**-nous? Comment **communiquerons**-nous?

While future endings are regular for all verbs, certain verbs, such as **avoir** and **être,** have an irregular future stem. (8.1)

> Nous n'**aurons** rien à faire; ce **sera** mortel.

B. Usage

In general, the future tense in French is used in the same way as in English.

> Nous **verrons** des Sélénites.   Si les Sélénites existent, nous les **verrons.**

There is one important difference. In a sentence expressing a future event, after the words **quand, lorsque** (*when*), **dès que, aussitôt que** (*as soon as*), **tant que** (*as long as*), French speakers use the *future tense*. In English, the present is used.

> **Quand** nous **arriverons** sur la Lune, nous ver- *When we arrive on the moon, we will see lunar*
> rons des Sélénites.   *people.*
> Faites-nous signe **dès que** vous **verrez** quelqu'un. *Signal to us as soon as you see someone.*
> **Tant que** nous **serons** dans le «boulet-wagon», *As long as we are in the **boulet-wagon,** we will be*
> nous serons en sécurité.   *safe.*

■ *Maintenant à vous*

A. **Si tu viens...** L'équipage du boulet-wagon essaie de vous convaincre de les accompagner dans leur voyage autour de la Lune. Complétez selon le modèle.

> MODÈLE: s'amuser → Tu t'amuseras.

1. ne pas s'ennuyer   2. être un pionnier (une pionnière) de l'espace   3. voir des choses fantastiques   4. faire des choses extraordinaires   5. ne pas avoir peur   6. ne pas mourir   7. savoir ce que c'est qu'être libre   8. découvrir les Sélénites   9. obtenir des connaissances infinies   10. ne plus vouloir retourner sur la Terre!

Laquelle des raisons vous semble la plus convaincante?

B. **«Oui, mais...»** Avant de vous laisser convaincre, vous avez quelques questions à poser (des généralités qui soudain deviennent des problèmes spécifiques!)

> MODÈLE: Quand on est dans le «boulet-wagon», comment est-ce qu'on respire? → Quand on *sera* dans le «boulet-wagon», comment est-ce qu'on *respirera*?

1. Quand on part, qu'est-ce qu'on peut emporter?   2. Quand on a faim, qu'est-ce qu'on mange?   3. Quand on a soif, qu'est-ce qu'on boit?   4. Lorsqu'on est fatigué, où est-ce qu'on dort?   5. Quand on s'ennuie, qu'est-ce qu'on fait?   6. Quand on arrive, comment est-ce qu'on envoie un message à la Terre?   7. Lorsque nous voulons revenir, qu'est-ce que nous faisons?

C. **«Eh bien...»** Imaginez les réponses de Michel Ardan aux questions de l'exercice B. N'ayez pas peur d'être fantaisiste!

> MODÈLE: Quand on sera dans le «boulet-wagon», on respirera l'oxygène de la cabine.

■ 2. The *futur antérieur*

A. Formation

The **futur antérieur** (*future perfect*) is formed with the future of the auxiliary **avoir** or **être** and the past participle of the main verb.

> Est-ce que nous devrons nous contenter des boîtes que nous **aurons apportées?**

B. Usage

The **futur antérieur** expresses an action that *will have taken* place before another
future action. It is used more often than the future perfect in English, most
commonly after the conjunctions **quand, lorsque, dès que, aussitôt que, tant
que,** and **après que.** (8.3)

Qu'est-ce que nous ferons **quand** nous **serons arrivés** sur la Lune?

*What will we do when we (will) have arrived on the
moon?*

Après que les hommes **auront exploré** la Lune,
ils essaieront d'autres planètes.

*Once men (will) have explored the moon, they will
try other planets.*

■ *Maintenant à vous*

D. **Quand?** L'équipage du «boulet-wagon» veut savoir quand vous allez sortir
de votre routine et faire place à l'aventure. Un étudiant (Une étudiante)
jouera le rôle du chef de l'équipage et posera des questions. L'étudiant(e) *B*
répondra. Ensuite, renversez les rôles.

MODÈLE: prendre une décision/réfléchir →
   Étudiant A: Quand est-ce que vous prendrez une décision?
   Étudiant B: Quand j'aurai réfléchi.

1. savoir ce que vous voulez faire dans la vie / essayer plusieurs choses
2. être prêt(e) à explorer l'univers / découvrir la Terre d'abord
3. découvrir la Terre / gagner assez d'argent pour voyager
4. gagner assez d'argent pour voyager / trouver un bon travail

La voiture de l'avenir?

© PETER MENZEL

5. trouver un bon travail / finir mes études
6. finir vos études / arrêter de rêver!

E. **Ah bon?** En jouant le rôle d'un des membres de l'équipage, avec un petit air ironique peut-être, vous reprenez certaines choses que vous avez cru entendre, selon le modèle.

> MODÈLE: finir vos études/pouvoir rêver → Ah bon? Tant que vous n'aurez pas fini vos études, vous ne pourrez pas rêver?

1. découvrir la Terre / explorer l'univers
2. voir votre petit coin du monde / avoir envie d'aller ailleurs
3. faire les choses «raisonnables» / goûter l'aventure
4. gagner assez d'argent / sortir de votre routine

F. **Et vous?** Est-ce qu'il y a des choses que vous ne pourrez pas faire si vous n'avez pas fait autre chose avant? Discutez en groupes de deux certaines actions prévues pour (1) aujourd'hui, (2) demain, (3) cette semaine, (4) ce mois-ci, (5) d'ici la fin de l'année scolaire, (6) votre vie en général. Commencez vos phrases par **Tant que...** (*As long as . . .*).

> MODÈLE: Tant que je n'aurai pas fait mes devoirs, je ne pourrai pas sortir.

L'avenir en face

Pour toi, réussir dans la vie, c'est...

Avoir un métier intéressant	64%
Aider les autres	44
Etre sûr(e) de ne jamais être au chômage	34
Faire ce qu'on a envie	31
Savoir se servir d'un ordinateur	27
Gagner beaucoup d'argent	27
Travailler dans les métiers d'avenir	27
Commander les autres	4

Dans une dizaine d'années, quand tu auras à peu près 20 ans, la vie sera...

Mieux que maintenant	49%
Pareille que maintenant	31
Moins bien que maintenant	20

Parmi ces mauvaises choses, quelles sont celles qui, à ton avis, arriveront quand tu auras à peu près 20 ans?

Il n'y aura pas de travail	34%
Il y aura la guerre	22
Il y aura beaucoup de maladies	20
Il n'y aura presque plus d'animaux	18
Il fera beaucoup plus froid	16
Il n'y aura presque plus à manger	6
Sans réponse	18

Et parmi ces bonnes choses?

L'ordinateur aura changé la vie	38%
Il y aura des robots partout	33
Il n'y aura plus d'enfants qui ont faim	33
Tu pourras voyager dans l'espace	31
On vivra beaucoup plus longtemps	27
On travaillera moins	26
Tous les pays vivront en paix	25
Il y aura du travail pour tout le monde	21

L'EXPRESS, 1985.

G. **L'avenir en face**

Analysez les résultats de l'enquête intitulée «L'avenir en face» et résumez oralement pourquoi certains enfants pensent que dans dix ans la vie sera (*a*) mieux que maintenant et (*b*) moins bien que maintenant.

Et vous? En groupes de deux, discutez les questions suivantes. Qu'est-ce que «la réussite» veut dire pour vous? (Nommez un minimum de cinq choses que vous ferez pour «réussir» dans la vie.) A votre avis, qu'est-ce qui aura changé dans dix ans? Qu'est-ce qui sera mieux? Qu'est-ce qui sera moins bien? Qu'est-ce qui ne changera jamais? Utilisez le vocabulaire du chapitre et préparez-vous à partager vos conclusions avec la classe. (8.4)

H. **Des hypothèses.** Qu'est-ce que vous ferez si les conditions suivantes se présentent? Discutez en groupes de deux.

1. Si vous apprenez qu'il n'y a plus aucun débouché (*job opportunity*) dans votre domaine de spécialisation (*major*)...
2. Si ça ne vous intéresse plus de faire des études universitaires...
3. Si vous héritez d'un million de dollars...
4. Si on vous propose un voyage sur la prochaine navette spatiale...
5. Si ça devient possible d'acheter du terrain sur la Lune...
6. Si la Troisième Guerre mondiale éclate...

I. **Jeu de rôles.** Role-play the following situation in French with two of your classmates who will act as your parents.

You are thinking of quitting school and going into the Peace Corps. You point out all the things you will be able to do (travel, learn languages, possibly use your French, discover other cultures, help people, and so forth). Your parents, however, point out the disadvantages—you won't make any money, you will be far away in some developing country, and, worst of all, what will happen when you come back? Won't it be hard to go back to school? What will you do about a career? Try to convince one another.

PAR ÉCRIT ■ : : : : : : : : : : : : : : : : : :

■ *Avant d'écrire*

Defining Your Audience In conversation, there are instant reminders—for instance, in the form of a puzzled frown—that listeners need more information to understand what you want to say. When you write, since there are no such reminders, you think in advance about your readers and their needs. If you are writing an autobiography, for example, a reader who is not acquainted with you will require more background information than someone who knows you. Before you start writing about the following topic, do the pre-writing activities described below.

1. Identify two possible readers: one who knows you well, and one who doesn't know you (or who knows you only superficially).
2. For each reader, make a list of the information you need to include to paint a clear picture of your life twenty years from now. Organize the information in two columns. Notice the differences between the lists.
3. Write *two* opening sentences, one for each reader. Be prepared to turn these in on a separate sheet of paper as part of your writing assignment.

Now, decide which reader you prefer to address and develop your essay accordingly. When you have finished your rough draft, do the following things.

1. Edit for content. Have you kept your audience in mind throughout? Does your choice of information reflect this? Is the information clearly organized?
2. Proofread for grammar. Is your use of **futur** or **futur antérieur** appropriate, especially with **quand** and other conjunctions? Check for agreement of verbs with subjects, adjectives with nouns, etc.
3. Proofread for spelling and accents. Use a dictionary if necessary.

■ *Sujet de composition*

Ma vie dans 20 ans. Comment serez-vous dans vingt ans—physiquement et du point de vue personnalité? Aurez-vous changé? Où habiterez-vous? Serez-vous marié(e)? Aurez-vous des enfants? Comment sera votre maison ou votre appartement? Quel genre de travail ferez-vous? Quels diplômes aurez-vous obtenus? Quels voyages aurez-vous faits? Quels seront vos meilleurs souvenirs? Quelles seront vos aspirations? Donnez libre cours à votre imagination.

◪ EN DÉTAIL

8.1. Verbs with Irregular Future Stems

INFINITIVE	STEM	EXAMPLE	INFINITIVE	STEM	EXAMPLE
aller	**ir-**	j'irai	pleuvoir	**pleuvr-**	il pleuvra
avoir	**aur-**	j'aurai	pouvoir	**pourr-**	je pourrai
courir	**courr-**	je courrai	recevoir	**recevr-**	je recevrai
devoir	**devr-**	je devrai	savoir	**saur-**	je saurai
envoyer	**enverr-**	j'enverrai	tenir	**tiendr-**	je tiendrai
être	**ser-**	je serai	valoir	**vaudr-**	il vaudra
faire	**fer-**	je ferai	venir	**viendr-**	je viendrai
falloir	**faudr-**	il faudra	voir	**verr-**	je verrai
mourir	**mourr-**	je mourrai	vouloir	**voudr-**	je voudrai

8.2. Future Forms of Stem-changing *-er* Verbs

A. Verbs like *acheter* (e + consonant + *er*)

The **e** of the stem becomes **è** in all forms.

j'achèterai	nous achèterons
tu achèteras	vous achèterez
il/elle/on achètera	ils/elles achèteront

B. Verbs like *préférer* (é + consonant + *er*)

The **é** of the stem remains an **é** in all forms.

je préférerai	nous préférerons
tu préféreras	vous préférerez
il/elle/on préférera	ils/elles préféreront

C. Verbs like *appeler* and *jeter*

Double the consonant (**l** or **t**) in all forms.

<table>
<tr><td>j'appellerai</td><td>nous jetterons</td></tr>
<tr><td>tu appelleras</td><td>vous jetterez</td></tr>
<tr><td>il/elle/on appellera</td><td>ils/elles jetteront</td></tr>
</table>

D. Verbs in *-yer*

The **y** becomes **i** in all forms.

<table>
<tr><td>je m'ennuierai</td><td>nous nous ennuierons</td></tr>
<tr><td>tu t'ennuieras</td><td>vous vous ennuierez</td></tr>
<tr><td>il/elle/on s'ennuiera</td><td>ils/elles s'ennuieront</td></tr>
</table>

Note: For verbs in **-ayer,** such as **essayer** and **payer,** this spelling change is optional, but in the future tense, the change is usually made: **j'essaierai, nous paierons.**

8.3. Future or Future Perfect?

It is often difficult to decide whether to use the **futur simple** or the **futur antérieur** in subordinate clauses introduced by **quand, lorsque, dès que, aussi-tôt que,** and **tant que.** The following rules may help you decide.

If the actions of both clauses will take place in the same time frame, use the **futur simple.**

Tant que vous **serez** malade, vous resterez au lit.
Quand on **aura** faim, on mangera.

If the action of the subordinate clause *must be completed* before the main action can take place, use the **futur antérieur.**

Dès que le docteur **sera passé,** vous pourrez vous lever.
Tant que tu n'**auras** pas **fini** de manger, tu ne quitteras pas la table.

If the distinction is so fine that it doesn't really matter, use either tense.

Nous mangerons dès qu'il **arrivera.**
Nous mangerons dès qu'il **sera arrivé.**

With **après que,** always use the **futur antérieur;** this conjunction automatically implies that the subordinate action must precede the main action.

Après que tu **auras fini** de manger, tu pourras quitter la table.

8.4. *Dans* or *en*

Both of these prepositions used with an expression of time mean *in*, but they
are not synonymous.

> Je finirai ce travail **dans** huit jours.   *I will finish this work in a week (from now).*
> Je finirai ce travail **en** huit jours.   *I will finish this work in (within) a week.*

Dans, therefore, is used in contexts with future meaning only. **En** can be used
in any context.

> J'ai fini ce travail en huit jours.

La société d'aujourd'hui et de demain

PAROLES ▪▪

La formation professionnelle

L'enseignement secondaire: Après le Collège d'Enseignement Secondaire, les jeunes Français de quatorze à quinze ans ont deux options.

- Le **cycle secondaire court** (un à deux ans) dans les Collèges d'**Enseignement Technique** pour préparer des **brevets professionnels** et entrer dans la vie active (**employés** et **ouvriers**). La scolarité est obligatoire jusqu'à l'âge de seize ans.

- Le **cycle secondaire long** (trois ans) dans les **lycées** [m.], pour préparer le **baccalauréat,** ou le **bac,** un examen national de fin d'**études secondaires,** nécessaire pour entrer à l'université ou dans les **grandes écoles.**

L'enseignement supérieur: Voici les options de l'enseignement public.

- Les Instituts Universitaires de Technologie (deux ans) [5–8% des étudiants].
- L'université [85% des étudiants]: Les **diplômes** [m.] sont la **licence** (trois ans) [*equivalent to a bachelor's degree*], la **maîtrise** (un an) [*master's degree*] et le **doctorat** (trois à quatre ans).
- Les **grandes écoles** (quatre à cinq ans) [9–10% des étudiants]: L'admission par **concours** [m.] (*competitive entrance exam*) est réservée à l'élite. L'École Nationale d'Administration (**l'E.N.A.**), l'École des Hautes Études Commerciales (**H.E.C.**), l'**École Polytechnique** (pour les **ingénieurs**) et l'**École Normale Supérieure** (pour la formation pédagogique) sont des grandes écoles.

Branches d'études supérieures: On peut **se spécialiser en sciences** [f.] **économiques, gestion** (*business management*), **sciences, sciences humaines** (*social sciences*), **lettres** (*humanities*) **et arts, droit** [m.] (*law*), **médecine** [f.] (études dans un Centre Hospitalier Universitaire—**durée** [f.] minimum: sept ans), **pharmacie** (cinq ans), ou **dentaire** (cinq ans).

Débouchés (*Job opportunities*) et carrières

Professions libérales: **médecin, chirurgien(ne)** (*surgeon*), **dentiste, avocat(e)** (*lawyer*), **architecte.**

Cadres supérieurs (*Top management positions*):   **ingénieur, administrateur/administratrice, gestionnaire** (*management expert*), Président Directeur Général (**P.D.G.**), professeur d'enseignement supérieur, **chercheur** (*researcher*).

Cadres moyens (*Middle management*):   **technicien(ne), personnel administratif,** instituteur/institutrice, **infirmier/infirmière** (*nurse*).

■ *Parlons-en*

A. **Les postes d'aujourd'hui et de demain.** Étudiez d'abord ce tableau publié dans *l'Express* du 2 mai 1986, d'après un sondage réalisé auprès d'une centaine de firmes. Sachant que les chiffres de gauche représentent le nombre de postes dans chaque secteur d'activités en 1985, et que les chiffres de droite donnent une approximation du nombre de postes en 1991, examinez les questions suivantes.

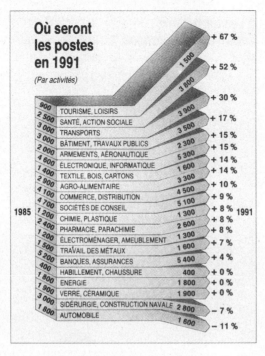

L'Express, 2 mai 1986, p. 40.

1. Quels sont les trois secteurs d'activités avec le plus de postes en 1985? Et en 1991?
2. Trouvez les trois secteurs avec le moins de postes, en 1985, puis en 1991.
3. A quoi attribuez-vous la croissance (*growth*) de 67% dans le domaine du tourisme et des loisirs? Pouvez-vous expliquer le déclin ou la croissance de certains autres secteurs?
4. Quels sont les secteurs d'activités qui recherchent des ingénieurs? des gestionnaires?

B. En groupes de deux, jouez le rôle d'un conseiller ou d'une conseillère dans un lycée français, et un(e) élève de quinze ans qui veut des renseignements «efficaces et utiles» pour son avenir (études et carrières).

SITUATION 1: L'élève aime les gens et l'argent, réussit assez bien à l'école, mais au prix de beaucoup d'efforts, et ne veut pas faire des études trop longues ou trop difficiles.

SITUATION 2: (Renversez les rôles si vous le désirez.) L'élève est très bon(ne) en maths; la longueur et la difficulté des études ne lui font pas peur; il/elle veut une carrière qui apporte le prestige aussi bien que la sécurité financière.

LECTURE ▪▪ ·

Scientific and technological developments of the kind you have been discussing in **Thème III** create significant social changes as well. It is people, of course, who bring about technological advances, and, in the twentieth century, scientists and engineers have a growing influence in the world as well as in the lab. They contribute in intangible but important ways to our way of thinking and especially to our sense of what is valuable and useful in society.

Because of the growing influence of technology, journalists and social commentators often raise questions about the role of women in science and engineering. The reading in Chapter 9, **Femmes: les longs chemins de l'ambition** (excerpted from a longer article, **Ingénieurs: les aventuriers de l'avenir**), is an example of this kind of analysis. Taken from *L'Express* (24 janvier, 1986), it looks at the current status of women engineers in France and at the challenges and hurdles they face in a field dominated by men. It reports on their progress as a group, analyzes briefly why women have not advanced as much as they might have in the field, and suggests why that may soon change.

▪ *Avant de lire*

Distinguishing Fact from Opinion   As you saw in Chapter 7, readings often contain certain words and phrases that signal to you that an opinion is being expressed. When a writer uses these expressions liberally, distinguishing fact from opinion in an article is easy.

However, many writers choose to **suggest** their point of view rather than to state it directly. They may, for example, want readers to feel as if they were drawing the conclusions themselves. **Femmes: les longs chemins de l'ambition** is an example of an article in which the author's attitude is expressed subtly. You must try to understand not only the information presented, but also the attitude of the writer toward that information.

After you understand the general idea of the article, go back and scan it for phrases that signal the author's point of view on the position of women in the engineering profession. Look at each sentence for signs of its purpose. Does it provide information, express an opinion, or draw a conclusion? You are accustomed to looking for expressions of opinion such as **à mon avis, je pense que...,** and so forth. Here, it is important to notice the kinds of adjectives the writer uses and their connotations or associations. What is their effect on you? Consider whom the writer has decided to quote and the impact of the quotations. Writers who prefer to be unobtrusive will often express their opinions through the people they quote. Look also at the contrasts the author draws. What are their implications? What conclusion do you think Marie-Anne Les-

courret wants her readers to draw after reading her article? Find at least five
specific phrases that lead you to your conclusion.

■ *Étude de mots*

éloigner	*to separate*
l'école mixte	*coeducational school*
débuter	*to begin, to enter*
en outre	*in addition, besides*
ainsi	*thus*
jusqu'à	*until*
parmi	*among*
alors	*then*
épargner à quelqu'un	*to spare someone*
l'âge moyen	*the average age*
sensible (à)	*sensitive to, concerned with*

Activité. Complétez en choisissant dans la liste de vocabulaire les mots qui conviennent. (Faites les accords nécessaires.)

(*l'âge moyen, ainsi, débuter, l'école mixte, jusqu'à, alors, parmi*)

1. Avant la prépondérance actuelle des _e.m._, beaucoup d'écoles étaient unisexes et _ainsi_ les filles ne pouvaient pas fréquenter certaines institutions.
2. De nos jours, les femmes _déb._ dans le monde du travail avec des chances égales à celles des hommes.
3. Elles ont le même salaire _jusq_ au moment des promotions, mais _alors_ les hommes passent devant.
4. _Parmi_ les ingénieurs qui ont réussi à arriver à des postes de direction il y a seulement une petite minorité de femmes.
5. _l'a.m_ des femmes-ingénieurs est de vingt-neuf ans.

(*épargner, en outre, sensible, éloigner*)

6. Les femmes semblent très _sensible_ à l'importance de leur travail.
7. En choisissant des hommes pour les meilleurs postes, les recruteurs affirment qu'ils _éparg_ aux femmes les choix difficiles de la vie, par exemple entre la famille et le travail. Ils ne veulent pas _éloigner_ la femme de ses enfants!
8. Les lois changent et _en outre_ l'industrie moderne a besoin de beaucoup d'ingénieurs. Tout ceci présente de grandes possibilités aux femmes.

Femmes: les longs chemins de l'ambition

MARIE-ANNE LESCOURRET

Inaptitude féminine—réelle ou supposée—aux mathématiques et à la «technique», rigidité des mentalités de l'environnement familial ou professionnel, le parcours° est rude pour les femmes: elles ne représentent que 6,6%° des ingénieurs français.

    Il est vrai qu'elles n'ont pu que tardivement° briguer° ce titre prestigieux. La première école mixte date de 1908, et il a fallu attendre soixante-quatre ans pour que toutes les autres institutions lui emboîtent le pas.° L'X,° dernier bastion masculin, est tombée en 1972.

    Elles choisissent les formations techniques générales—ainsi celle de l'Ecole polytechnique féminine (E.p.f.)—mais aussi les écoles très spécialisées: agriculture et industries alimentaires,° physique et chimie, électronique et télécommunications. Une fois diplômées, souvent mariées, les «ingénieures» débutent dans la vie active au même salaire que leurs conjoints° ou condisciples.°

    Tout va bien pendant cinq ans: jusqu'aux promotions. Alors, les hommes passent devant. Parmi les 29% d'ingénieurs ayant accédé° aux postes de direction, 4% seulement sont des femmes. Moins combatives, moins carriéristes, plus jeunes (l'âge moyen des femmes ingénieurs est de 29 ans, contre 39 pour les hommes), plus sensibles à l'intérêt de leur travail qu'à la hiérarchie, plus préoccupées aussi par leur famille, elles calent.° «C'est à l'épouse qu'incombent° les maladies des enfants, le remplacement des baby-sitters défaillantes°...», reconnaît Françoise, mère de deux garçons. Véronique Fayein, E.p.f., chef d'une entreprise de bureautique, confirme: «Si je n'avais pas privilégié ma vie familiale, ma boîte° aurait connu un tout autre développement.»

    Mais les recruteurs épargnent spontanément aux femmes un «choix déchirant» entre le travail et la maison: trop absorbante, une fonction hiérarchique les éloignerait de leurs enfants. Ils affirment respecter la «nature profonde de la femme, faite plus de compréhension que d'autorité», comme l'explique, plein de délicatesse, ce recruteur nantais.° Bref: une femme ne saurait être un meneur d'hommes.

    Aux femmes la recherche, l'enseignement (21%), les bureaux d'étude (16%). Aux hommes la fabrication, les chantiers,° les secteurs lourds de la métallurgie et de l'énergie, les postes de commandement.

    Et sans doute les mêmes préventions jouent-elles dans les familles. Comme le révèle une enquête, les parents «poussent» plus volontiers leurs

Marginal glosses:
chemin
6.6%
comparez: tard / chercher
emboîtent... suivent
L'École Polytechnique (prestigieuse école d'ingénieurs)
de nourriture
maris / ingénieurs diplômés avec elles
pénétré
stabilisent
retombent
pas responsables
mon lieu de travail, entreprise
de Nantes
site de construction

fils que leurs filles vers les matières scientifiques. Ce qui explique, en partie, que 17% seulement des nouveaux ingénieurs sont des filles, alors qu'elles représentent 38% des détenteurs° d'un bac °C.

gens qui ont / baccalau-réat

«C'est un problème de génération», s'indigne Nicole du Vignaux, E.p.f. Le militantisme féministe n'est pourtant pas de mise° chez les femmes ingénieurs. «On ne change pas les mentalités par décret», répètent-elles. «Quand je me trouvais seule dans une assemblée masculine, c'est à moi que l'on confiait° systématiquement les tâches de dactylo»,° rappelle Colette Mathieu, ingénieur.

de... convenable

donnait / celle qui tape à la machine

Aujourd'hui, l'industrie réclamant° de plus en plus d'ingénieurs, les hommes ne peuvent suffire à la demande. En outre, le développement des techniques nouvelles nécessitera moins d'autorité et plus de matière grise.° La grande chance des femmes.

ayant besoin de

matière... intelligence

Avez-vous compris?

A. Vrai ou Faux?

F 1. Les femmes représentent 4% des ingénieurs français. 2.V La période de 1908 à 1972 marque l'ouverture aux femmes des institutions qui forment les ingénieurs. 3.V L'E.P.F. offre une éducation technique générale. 4.F Au début de leur carrière d'ingénieurs les hommes gagnent plus d'argent que les femmes. 5.V Les hommes sont plus souvent promus à des postes de direction. 6.F En général, les familles encouragent leurs filles à devenir ingénieurs. 7.V Actuellement, l'industrie a besoin de plus d'ingénieurs.

B. On offre trois raisons pour expliquer le fait qu'il y a si peu de femmes-ingénieurs: (1) l'influence familiale, (2) les recruteurs et (3) les talents des femmes elles-mêmes. Expliquez chaque catégorie. Ensuite, donnez votre opinion sur chacune d'elles, et offrez-en d'autres, si vous le pouvez.

Et vous?

A. L'éducation familiale exerce sur les enfants une influence quelquefois aussi profonde que celle des écoles. Avec un(e) autre étudiant(e), parlez de votre famille. Quelle était l'attitude de vos parents envers l'éducation en général et envers certains cours en particulier? Encourageaient-ils leur(s) fils et leur(s) fille(s) de la même manière? Est-ce qu'ils poussaient leurs enfants vers une profession ou un métier spécifique? En quoi est-ce que vous vous spécialisez à l'université? Est-ce un résultat des valeurs de votre famille? Une révolte contre ces valeurs? Une affirmation de vous-même et de vos talents? Au bout de cinq minutes, quelques membres de la classe présenteront l'information recueillie.

B. **Une chaîne.** A tour de rôle, dites à la classe ce que vous ferez (ne ferez pas) avec vos propres enfants dans le futur. Une phrase suffira. Essayez d'employer un verbe différent au futur dans chaque phrase.

     MODÈLE: J'encouragerai mes filles à étudier la physique.

C. L'idée d'un salaire égal pour un travail égal semble être généralement acceptée en France pour l'ingénieur qui débute. Mais la promotion après quelques années est une question beaucoup plus subtile et plus difficile à contrôler par des lois. Expliquez la situation des femmes-ingénieurs en France d'après cet article.

D. Une des femmes interviewées dans l'article constate que la femme qui travaille a de lourdes responsabilités. «C'est à l'épouse qu'incombent les maladies des enfants, le remplacement des baby-sitters défaillantes.... Si je n'avais pas privilégié ma vie familiale, ma boîte aurait connu un tout autre développement.» Que pensez-vous de ces affirmations? Sont-elles vraies? Voyez-vous d'autres possibilités pour la femme qui travaille, ou plus spécifiquement pour vous-même comme membre d'un couple qui travaillera? Discutez-en.

E. Une autre femme affirme dans l'article que les attitudes changent plus lentement que les lois. Quel exemple donne-t-elle? Racontez une expérience similaire (réelle ou imaginaire) où on vous a donné un rôle à jouer ou un travail à faire non pas à cause de vos talents ou de votre formation, mais parce que vous êtes homme ou femme.

F. Beaucoup de mots français qui dénotent une profession ont un genre masculin (le médecin, l'ingénieur, le professeur). Actuellement, vu que les femmes représentent un pourcentage important dans ces professions, le débat continue au niveau de la langue. Comment va-t-on désigner une femme qui est ingénieur? Quelles possibilités trouvez-vous dans l'article? Découvrez l'attitude d'un(e) camarade de classe sur cette question.

STRUCTURES ▦ : . : . : . : . : . : . : . : . : . : . : . : . : .

Dialogue entre un machiste et une femme émancipée*

—J'ai **bien peur que** les femmes **soient** toujours désavantagées dans le monde du travail.

—Mais les lois, madame, garantissent un salaire égal pour un travail égal. Que voulez-vous de plus?

—**Pour qu**'il y **ait** égalité, **il faut que** les attitudes **changent! Il se peut que** les salaires **soient** égaux au début, **jusqu'à ce que** les promotions **arrivent,** et puis l'inégalité recommence.

—On **préfère que** la femme **ait** moins de responsabilités professionnelles, **pour qu**'elle **puisse** accorder plus de temps à sa famille.

—C'est plutôt que les hommes **ne veulent pas qu**'une femme **devienne** leur supérieure! **Il est temps que** les hommes **comprennent** que le mérite n'a rien à voir avec le sexe, mais que c'est une question de performance professionnelle.

---

* Un machiste: quelqu'un qui croit que les hommes sont supérieurs aux femmes.

▦ The Subjunctive

The tenses you have studied so far—present, past, and future—belong to the *indicative* mood or mode of expression. They were *indicative* of an objective reality. Compare the following statements.

> Les femmes **sont** désavantagées. (*statement of fact*)
> J'ai bien peur que les femmes **soient** désavantagées. (*opinion*)

The second sentence is a *subjective* statement of opinion expressed in a mood called the *subjunctive*. The subjunctive is used frequently in French to express emotions and opinions. **Le présent du subjonctif** is particularly useful to convey present and future meaning. This chapter presents only a few of the most common uses of the subjunctive.

A. Formation

To form the present tense of the subjunctive, follow these easy steps. Take the **ils** form of the present indicative; this is also the **ils** form of the present subjunctive.

ils finissent	ils doivent	ils prennent

For **je, tu, il/elle,** first drop the **-ent.**

finiss-	doiv-	prenn-

Then add the endings **-e, -es, -e.**

je	finisse	doive	prenne
tu	finisses	doives	prennes
il/elle/on	finisse	doive	prenne

For **nous** and **vous,** use the **imparfait** forms.

nous	finissions	devions	prenions
vous	finissiez	deviez	preniez

There are only ten exceptions to this pattern: the verbs **aller, avoir, être, faire, falloir, pleuvoir, pouvoir, savoir, valoir,** and **vouloir.** (9.1)

B. Usage

The subjunctive is used in subordinate or dependent clauses introduced by **que** when the main clause expresses personal views, opinions, or feelings, and when the subject of the subordinate clause is different from that of the main clause.

> **On** *veut que* **les femmes** *aient* des salaires égaux.
> *J'ai bien peur qu'*elles *soient* toujours désavantagées.

If the subject is the same in both clauses, the main verb is followed by an infinitive.

> Les femmes veulent **avoir** des salaires égaux.
> Elles ont bien peur d'**être** toujours désavantagées.

Common verbs and verbal expressions that express opinions and feelings:

- doubt and opinion (**douter que,*** and **penser / croire que** in negative or interrogative forms only)

***Douter** is followed by **que** and a subjunctive clause whether there is a change of subject or not. **Je** doute que **tu** puisses venir. **Je** doute que **je** puisse venir.

Les chemins de l'ambition

On doute que l'égalité **soit** réelle.
Croyez-vous que les attitudes **soient** déterminées par les lois?
Je ne crois pas que les attitudes **soient** déterminées par les lois.
But: Je crois que les attitudes **sont** déterminées par les lois.

- will and emotions (**vouloir que, avoir peur que, regretter que, être content / triste / déçu** [*disappointed*] / **surpris / désolé** [etc.] **que,** and **préférer** [**aimer mieux**] **que**)

Je voudrais que vous **compreniez** la situation.
J'ai peur que vous ne **puissiez** pas comprendre.
Je regrette (*am sorry*) que ce ne **soit** pas clair.
Je ne suis pas surpris(e) que vous **ayez** des questions.
On préfère qu'il y **ait** des différences d'opinion.

- possibility, necessity, and judgment (**il se peut / il est possible que, il faut que, il vaut mieux que,** and **il est temps que**)

> Il se peut que les salaires **soient** égaux au début.
> Il faut que les attitudes **changent.**
> Il vaut mieux (*It is better*) qu'on le **fasse** maintenant.
> Il est temps que les hommes **comprennent.**

Common conjunctions followed by the subjunctive:

Certain conjunctions (**avant que, pour que**) are followed by the subjunctive if the subject of the subordinate clause is different from that of the main clause. If there is no change of subject, these conjunctions are replaced by prepositions with an infinitive. The first and third examples below involve a change of subject; the second and fourth do not. (9.2)

> **Avant que** (*before*) les femmes **puissent** accéder aux postes de direction, il faut que les préjugés disparaissent.
> **Avant de** (*before*) **pouvoir** accéder aux postes de direction, les femmes doivent faire leurs preuves.
> On préfère que la femme ait moins de responsabilités professionnelles, **pour qu'** (*so that*) elle **puisse** accorder plus de temps à sa famille.
> La femme préfère avoir moins de responsabilités professionnelles, **pour** (*in order to*) **pouvoir** accorder plus de temps à sa famille.

Other conjunctions (**jusqu'à ce que, bien que**) are followed by the subjunctive whether there is a change of subject or not.

> Elles vont protester **jusqu'à ce qu'** (*until*) elles **obtiennent** des résultats.
> **Bien que** (*even though*) les femmes **soient** considérées comme «égales,» elles restent souvent désavantagées.

■ *Maintenant à vous*

A. **Une nature douteuse.** Transformez les phrases selon le modèle, en assumant l'identité d'un machiste sceptique.

> MODÈLE: Les femmes sont capables d'être chefs d'entreprises. →
> Je doute (je ne pense pas) que les femmes *soient* vraiment capables d'être chefs d'entreprises.

1. Les femmes ont de bonnes raisons de se plaindre.   2. Les femmes peuvent avoir une carrière *et* des enfants.   3. Les femmes savent exercer assez d'autorité.   4. Les femmes font de bonnes dirigeantes (*leaders*).   5. Les femmes réussiront à changer la mentalité des hommes.

Lequel des doutes vous semble le plus convaincant?

B. **Après tout, pourquoi pas?** Le machiste fléchit (*wavers*) devant la détermination et répond directement à un groupe de femmes, selon le modèle.

> MODÈLE: Nous aurons l'égalité! (*Il se peut...*) →
> Il se peut que vous ayez l'égalité.

1. Ça prendra du temps. (*J'ai bien peur...*)
2. Nous irons jusqu'au bout! (*Il vaut mieux...*)
3. Nous prouverons nos mérites! (*Il faut...*)
4. Nous obtiendrons les mêmes privilèges que les hommes! (*Il est temps...*)
5. Les préjugés disparaîtront un jour. (*Il est possible...*)

Résumez brièvement ce que veulent les femmes qui donnent leur opinion.

C. **Une question d'opinion.** A tour de rôle, posez des questions à un(e) camarade qui répondra selon ses opinions.

> MODÈLE: Il y a un problème d'inégalité entre les hommes et
> les femmes. →
> *Étudiant A:* Crois-tu qu'il y ait un problème d'inégalité?
> *Étudiant B:* Oui, je crois qu'il y a... / Non, je ne crois pas
> qu'il y ait un problème d'inégalité.

1. Les femmes sont traitées en inférieures.   2. Les rôles traditionnels limitent les choix des hommes aussi.   3. Un homme très occupé à son travail ne connaît pas bien ses enfants.   4. Deux salaires sont une nécessité pour la famille moderne.   5. ?

D. **La querelle des anciens et des modernes.** Les «modernes» sont les hommes qui favorisent l'émancipation de la femme; les «anciens» sont pour «la femme au foyer». En groupes de deux, reconstituez les opinions des modernes et des anciens.

Il vaut mieux que		(ne pas) comprendre son rôle avoir une carrière
Il faut que		(ne pas) pouvoir réaliser son potentiel
On doute que		s'occuper de ses enfants
On préfère que	la femme	(ne pas) négliger sa famille
On regrette que		(ne pas) vouloir rester au foyer
On (ne) veut (pas) que		(ne pas) être heureuse
On a peur que		(ne pas) avoir les mêmes privilèges que les hommes
Il est temps que		(ne pas) essayer de vivre une double vie
?		?

E. **Les études.** En France, l'orientation professionnelle commence à l'école secondaire. A quinze ans, il faut déjà savoir ce qu'on veut faire dans la vie.
Est-ce raisonnable? Reconstituez les commentaires de parents français sur
l'éducation de leur fille, selon le modèle.

> MODÈLE: Le système la force à prendre des décisions avant que... elle /
> être prête. → Le système la force à prendre des décisions
> avant qu'elle soit prête.

Le système la force à prendre des décisions avant qu'...

1. elle / savoir ce qu'elle veut faire.
2. elle / connaître sa vocation.
3. elle / comprendre les implications de ses choix.

Mais nous l'encourageons à suivre le cycle long pour qu'...

4. elle / avoir plus de flexibilité.
5. elle / pouvoir faire des études supérieures.
6. elle / devenir ingénieur peut-être.
7. elle / ne pas se trouver dans une impasse (*a dead-end street*) plus tard.

Nous aimerions qu'elle se prépare pour les grandes écoles, bien que...

8. l'entrée / être très difficile.
9. il / y avoir beaucoup de compétition.
10. il / ne pas y avoir beaucoup de filles.

Et pourquoi y a-t-il si peu de femmes-ingénieurs dans des positions d'autorité? La situation ne va guère (*hardly*) s'améliorer, jusqu'à ce que...

11. les entreprises / faire des efforts pour aider les mères de famille.
12. les hommes / prendre plus de responsabilités à la maison.
13. les parents / encouragent leurs filles à faire des études scientifiques.

Résumez brièvement le point de vue des parents.

F. **Qu'en pensez-vous?** Actuellement, seulement 30% des jeunes Français de
dix-huit ans se présentent au baccalauréat (avec la possibilité, donc, de faire
des études supérieures). Indiquez vos réactions à l'aide des expressions
données.

1. Je suis surpris(e) que...   2. Il se peut que...   3. Je crois que...   4. Je
ne pense pas que...   5. Il vaut mieux que...   6. ?

G. «Mon avenir (professionnel et personnel) vu par les yeux de mes parents ou
de quelqu'un qui me connaît bien.» En groupes de deux, faites des suppositions (réelles ou fantaisistes) en utilisant les expressions suivantes.

1. Ils croient que...   2. Ils doutent que...   3. Ils sont contents que...
4. Ils ont peur que...   5. ?

H. **Jeu de rôles (Une décision difficile).** Your husband is an engineer for an international firm. He has a chance to be promoted, but that would mean moving to Africa! You, on the other hand, are a lawyer, just starting to be successful in a local firm. If your husband accepts his promotion, you will have to quit your job and sacrifice your own career, for awhile at least. Even though this promotion is extremely important for your husband's career, is it worth the sacrifice? Your husband suggests that it may be the perfect time to start a family. You may be able to resume your career later, but you will have to wait until your husband gets transferred. Discuss this situation with a friend, who asks questions and offers advice. Report your conclusions to the class after you have reached a decision.

PAR ÉCRIT ■ : . . . .

■ *Avant d'écrire*

Business Letters   French business letters differ in format from American business letters in the following ways.

1. *Date:* The city where the letter is mailed is mentioned with the date. **(Paris, le 18 fevrier, 1989)**
2. *Name and address:* The name and address of the sender are placed on the left. The name and address of the recipient are on the right.
3. *Salutation:* If you do not know the recipient's name, use **Madame, Monsieur** (together). If you know his or her name, use **Monsieur, Madame,** or **Mademoiselle,** as appropriate. Never include the person's name. In an informal letter to someone you know, you may write **Cher Monsieur, Chère Madame,** or **Chère Mademoiselle.**
4. *The body of the letter:* Here is an example of a first paragraph, which should include the purpose of the letter.

   > J'ai l'intention de passer six mois en France pour perfectionner mon français, et je vous serais très reconnaissant(e) de bien vouloir m'envoyer des renseignements sur vos cours de langue française pour étudiants étrangers.

   The other paragraphs give or request supplementary information, with a different paragraph for each category of information. Here are some examples.

   > J'ai vingt ans, et je suis étudiant(e) à l'Université de _____ où je me spécialise en...

Je voudrais donc recevoir au plus vite tous les renseignements nécessaires sur votre programme: description des cours, conditions d'admission, frais d'inscription, possibilités de logement, etc.

5. *Conclusion:* Instead of a closing phrase such as *Sincerely yours,* the French have a conventional concluding sentence. It is the last paragraph, and begins on the left. This concluding sentence uses the same form of address as the salutation.

Recevez, Monsieur, Madame, mes salutations distinguées.

Other options include:

Croyez, Chère Madame, à l'assurance de ma considération distinguée.

Veuillez agréer, Monsieur, l'expression de mes sentiments les meilleurs.

■ *Sujet de composition*

Vous cherchez un emploi dans une compagnie française. Écrivez une lettre au chef du personnel, expliquant le genre de travail que vous cherchez, vos qualifications (études, diplômes, expérience, etc.).

Essayez de prévoir les objections possibles de l'employeur (en utilisant l'expression **bien que**) et de le rassurer. Indiquez aussi vos buts à long terme et l'importance de cet emploi dans vos plans professionnels.

Présentez votre lettre sous forme dactylographiée (*typed*), et selon les règles de la correspondance française.

EN DÉTAIL

9.1. The Ten Irregular Verbs in the *présent du subjonctif*

Avoir and **être** are the only two verbs that have irregular stems *and* irregular endings.

	AVOIR			ÊTRE	
que j'aie		que nous ayons	que je sois		que nous soyons
que tu aies		que vous ayez	que tu sois		que vous soyez
qu'il ait		qu'ils aient	qu'il soit		qu'ils soient

Faire, pouvoir, and **savoir** are the only irregular verbs with regular endings and whose **nous** and **vous** forms are not identical to the **imparfait** forms.

FAIRE	POUVOIR	SAVOIR
que je fasse	que je puisse	que je sache
que tu fasses	que tu puisses	que tu saches
qu'il fasse	qu'il puisse	qu'il sache
que nous **fassions**	que nous **puissions**	que nous **sachions**
que vous **fassiez**	que vous **puissiez**	que vous **sachiez**
qu'ils fassent	qu'ils puissent	qu'ils sachent

Aller, vouloir, and **valoir** are the only irregular verbs with regular endings and whose **nous** and **vous** forms are identical to the **imparfait** forms.

ALLER	VOULOIR	VALOIR
que j'aille	que je veuille	que je vaille
que tu ailles	que tu veuilles	que tu vailles
qu'il aille	qu'il veuille	qu'il vaille
que nous **allions**	que nous **voulions**	que nous **valions**
que vous **alliez**	que vous **vouliez**	que vous **valiez**
qu'ils aillent	qu'ils veuillent	qu'ils vaillent

Falloir and **pleuvoir** have no third person plural form from which to derive a subjunctive stem. The subjunctive forms of these verbs must be learned as special cases.

> **falloir** (il faut) → qu'il **faille**
> **pleuvoir** (il pleut) → qu'il **pleuve**

9.2. *Ne* with the Subjunctive (for recognition only)

In reading, you may see a subjunctive verb preceded by **ne.**

Il faut que je lui parle avant qu'il **ne** parte.
J'ai peur qu'il **ne** soit fâché.

Be aware that this **ne,** whose only function is stylistic, has no negative value
unless it is accompanied by **pas** or another negative expression.

La récolte des choux

Joseph Garreau

Joseph Garreau: Professeur et fils de paysan

Né le fils d'un paysan, Joseph Garreau est devenu professeur de français et de culture occidentale à l'Université de Lowell dans le Massachusetts. Sa famille continue à cultiver la terre en France, et chaque été il retourne à son pays natal pour vivre en pleine campagne et pour aider aux travaux de la ferme. Dans l'interview qui suit, il nous parle de la vie du paysan en France, autrefois et de nos jours. Il décrit ce que la modernisation veut dire pour le cultivateur. Il discute aussi l'avenir de ceux qui cultivent la terre.

Before you read the interview with Joseph Garreau, think about the situation of owners of small farms in the United States today. What are their major problems? What is the outlook for their children who might want to stay on the farm to work? Why do families still choose to live on farms? As you read, keep your answers in mind, and look for ways in which the point of view of a French **cultivateur** resembles and differs from your own.

■

1. Voudriez-vous nous parler un peu de votre famille en France, où ils habitent, ce qu'ils font comme travail, et depuis quand?

Je suis né au village de Latrie, commune de Saint-Marsault,° dans le nord des Deux-Sèvres, au bord de la Sèvre Nantaise. Je suis fils de cultivateurs. Mes deux grands-pères étaient paysans et sans doute fils de paysans. De ma famille en France, j'ai gardé ma mère qui a soixante-dix ans et un frère qui a trente-sept ans. Mon frère a pris la relève° de mon père qui est mort en 1973, dans une ferme de huit hectares quatre-vingts.° Ma sœur a épousé, je ne dirais pas un gros paysan, mais quelqu'un qui a passé d'une

au sud-est de Nantes

la succession
huit... approximativement 20 "acres"

197

Quel est l'avenir du petit paysan?

petite ferme à une grande ferme de cinquante hectares, où il fait ce qu'on appelle de la viande, par opposition à mon frère qui fait le lait.

2. *«Faire de la viande», qu'est-ce que cela veut dire?*

Faire de la viande veut dire qu'on se spécialise dans l'élevage° des bêtes à viande. Nous sommes dans cette région du nord des Deux-Sèvres qui est connue pour son sol ingrat° qui est essentiellement propice° à l'élevage. Le gouvernement dit qu'il y a beaucoup trop de lait, d'où un surplus extraordinaire de stock de beurre. On nous encourage donc à abandonner le lait, et à faire de l'élevage.° Mon beau-frère se spécialise dans l'élevage des bêtes blanches dites vaches de races blanches qui produisent très peu de lait mais de très bons veaux° qui sont vendus aux abattoirs° pour faire de la viande.

comparez: élever (*to raise*)

comparez: ingratitude / favorable

élevage des animaux

les petits de la vache / *slaugh-
terhouses*

3. *Votre famille en France fait partie de ce qu'on appelle «la petite paysannerie». Qu'est-ce que ça veut dire exactement?*

C'est très important que nous précisions dès le départ que la France reste un pays de petites exploitations. Il y a une différence énorme entre ma

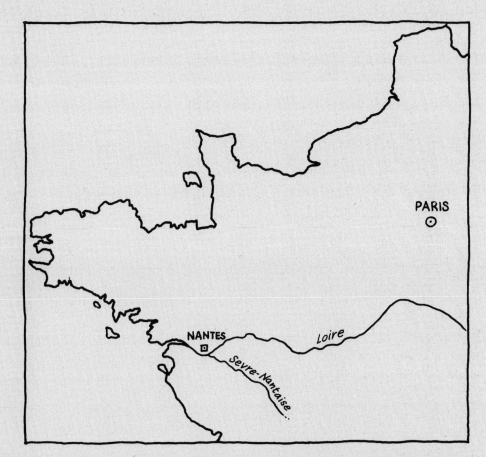

PARIS

NANTES

Loire

Sèvre-Nantaise

La Bretagne

famille et les gros exploitants agricoles comme les grands céréaliers de la Beauce qui ont des centaines et des centaines d'hectares. La moyenne française des exploitations agricoles est de vingt à vingt-cinq hectares. Et il y a une différence énorme entre la façon de vivre des petits fermiers de cette petite paysannerie dont nous parlions, et de ces gros exploitants agricoles. Mon frère se considère donc comme un paysan, petit cultivateur, alors que les gros exploitants, eux, se considèrent agriculteurs.

4. Pour vous le terme paysan n'est pas péjoratif,° et c'est même quelque chose de très spécial. Pourriez-vous en parler un petit peu plus?

négatif

Oui, je crois que le terme paysan recouvre trois choses.

Premièrement, le paysan c'est essentiellement ce qu'était mon grand-père, quelqu'un qui vit de la terre.

Deuxièmement, «paysan» inclut aussi ce «savoir faire» paysan qui veut dire qu'on connaît presque tous les secrets de la terre et des saisons. Dans cette deuxième catégorie il y a les paysans ouvriers, ou paysans à temps partiel, qui deviennent de plus en plus nombreux. Et que je vous donne ici l'exemple de mon voisin en France: lui aussi a une petite ferme, et il laisse le soin de la ferme, des vaches, des chèvres,° et des moutons à sa femme et à ses enfants. Lui il fait ses trente-neuf heures à une boyauderie° où on fait des saucisses. C'est son travail qui lui permet donc d'avoir sa ferme et un salaire d'appoint.°

goats
meat processing plant

supplémentaire

Enfin, «paysan» recouvre un certain idéal de l'homme et de la femme qui sont riches de leur liberté, qui peuvent faire ce qu'ils veulent avec leur temps, et c'est le terme qu'on emploie. Ces jeunes, qu'ils soient issus de la terre ou pas, se considèrent des paysans, de «l'or éternel des champs», pour employer une formule poétique. Un peu comme on dirait à Paris «nous les intellectuels», eux, c'est «nous les paysans». Ce nouveau paysan a fui° le bruit de la ville, il a fui la pollution, il a fui la course à° l'argent, il veut vivre autrement.

échappé à / la... poursuite de

5. A la ferme de votre frère par exemple, comment se déroule une journée typique?

Puisque je suis maintenant «hybride», vivant ici aux États-Unis, mais ayant ma famille en France, où je retourne fidèlement chaque année, je travaille encore à la ferme dès que j'y retourne. J'aide dès le matin à traire° les vaches à la trayeuse électrique. Mon frère a dix vaches laitières. C'est un travail rituel, qu'il faut faire chaque matin pratiquement à la même heure, vers sept heures du matin, et à six heures du soir. Il faut que les machines soient absolument propres. Souvent mon travail consiste à nettoyer les pis° des vaches, et à verser le lait dans le tank. La laiterie vient tous les deux jours ramasser° ce lait. Puis mon frère déjeune et mon rôle à moi, c'est d'aller conduire ses vaches au pré.° Je prends mon bâton. On fait attention aux voitures. Il faut traverser deux routes. Le pré se trouve peut-être à un kilomètre. Cela a presque toujours été le travail des gosses:° on mène les vaches aux champs et on va les rechercher le soir. C'est mon rôle en vacances.

prendre le lait des

udders

prendre
champ

enfants (familier)

Pour quelqu'un qui fait du lait, son revenu premier, 90% de son revenu, c'est le lait. Et il m'a dit que le mois dernier, c'était sept cent mille anciens francs.° En plus, il y a des veaux qui naissent de ses vaches, qui sont vendus à trois ou quatre semaines. Ça, c'est pratiquement tout son revenu.

sept... 7 000 nouveaux francs

6. Pour votre frère, est-ce que le style de vie a changé depuis la guerre de 39–45?

Oui. La mécanisation le soulage° énormément. Ce binage° que mon grand-père faisait à la main, maintenant il le fait avec une bineuse. En 1960 mon père a acheté un tracteur. Maintenant mon frère a deux tracteurs. Le tracteur est vraiment l'instrument essentiel pour aller chercher la pâture° du bétail.° On a mécanisé mais on est prudent: mon frère a encore une «deux chevaux» Citroen° qui date de 1960 et un tracteur de 1957. «Il ne faut pas faire de frais°», comme il dit.

aide / hoeing

nourriture
du... des animaux
petite voiture
dépenses

7. *La femme à la ferme: est-ce qu'elle est obligée d'être «paysanne», une femme qui travaille sur la terre et avec les animaux? Est-ce qu'il existe maintenant des couples où le mari, lui, cultive la terre ou élève les animaux, et elle travaille en ville?*

Je ne connais aucune femme dont le mari travaille à la terre et qui ait, elle, une position sociale. Bien sûr cela doit exister, mais je voudrais insister sur l'unité du couple paysan. Souvent les choses se font en commun entre mari et femme. La femme a son autonomie parce que, fréquemment, il y a deux voitures dans les fermes. La femme n'a eu son statut de coexploitante* que depuis 1981, mais elle fait vraiment partie intégrante de la vie paysanne. Je crois qu'il faut dire très fort qu'elle veut sa machine à laver et son carnet de chèques. Elle est beaucoup plus libre que vous ne le croyez. Souvent c'est la femme, qui est plus douée pour la comptabilité,° qui tient les comptes, et qui tient «les cordons de la bourse».° Pour toute opération, ça m'a frappé de voir le soutien, le travail d'équipe.° Les temps ont changé. Ma mère disait avant «demande au patron». Ceci, je ne crois pas qu'on le trouverait dans la jeune génération. C'est vraiment à part égale.

comparez: compter
les... le contrôle du budget
team

8. *Et pour ceux qui habitent les villes, quelle est l'image du paysan d'après ce qu'ils voient à la télévision et dans les films?*

Je dirais qu'il y a une triple image du paysan dans les médias et dans les magazines. Il y a l'image un peu folklorique du paysan qui vend les bons produits. Ensuite, si vous regardez la presse, il y a les paysans mécontents, comme le Breton qui jette ses choux-fleurs. Et ensuite il reste l'image du gros paysan qui manie les syndicats, et des leaders qui veulent améliorer la condition paysanne. Ces trois images touchent assez peu les petits paysans.

9. *En général, comment envisagez-vous l'avenir de la petite paysannerie que vous venez de nous décrire? Est-ce que le paysan va disparaître avec les grandes fermes mécanisées?*

---

*loi qui assure le droit de la femme de posséder sa terre

J'aimerais répondre en normand «pt'êt ben qu'oui, pt'êt ben qu'non». La réponse des experts est que la moyenne° des petites exploitations aura passé de dix ou douze hectares à vingt ou vingt-cinq hectares pour rejoindre° la moyenne nationale. Je crois qu'on ne parlera plus de petits paysans, mais d'exploitants agricoles ou d'entrepreneurs. Je crois que ceux qui survivront seront ceux qui ont su «humaniser» la tradition paternelle parce que ceux qui ont pu survivre ont toujours été ceux qui allaient de l'avant, sans aller trop vite, ceux qui restent paysans dans l'âme,° qui aiment leur métier, mais qui ont su s'adapter aux conditions.

average

mot ap.

soul

■ *Avez-vous compris?*

1. Qui sont les membres de la famille de Joseph Garreau?
2. Il nous explique le sens des termes «faire de la viande» et «faire du lait». Définissez les deux.
3. Précisez la différence entre «la petite paysannerie» et «les gros exploitants agricoles».
4. Définissez: paysan; agriculteur; ouvrier agricole; propriétaire.
5. Quel est le travail des enfants à la ferme? Qui fait ce travail pendant les grandes vacances à la ferme de la famille Garreau?
6. Qu'implique l'expression «l'or éternel des champs»?
7. Décrivez une journée typique à la ferme, basée sur l'interview.
8. Comment est-ce que la vie a changé à la ferme depuis la Deuxième Guerre mondiale?
9. Joseph Garreau insiste sur l'unité du couple paysan. Expliquez.
10. Quelle est «la triple image» d'un paysan d'aujourd'hui dans les médias?
11. Comment M. Garreau voit-il l'avenir du paysan?

■ *Et vous?*

1. Joseph Garreau décrit d'une façon détaillée la vie d'un petit cultivateur. Que pensez-vous de cette vie? Est-ce que les avantages sont plus nombreux que les inconvénients?
2. Imaginez que c'est l'année 2000. Vous avez choisi, après vos cours à l'université, de devenir paysan(ne) en France. Comment sera votre vie? Décrivez en détail une journée typique. (A six heures ma journée commencera par un petit déjeuner composé de....

Essayez de convaincre un ami (une amie) de vous rejoindre sur vos terres. Parlez-lui des avantages de la vie à la ferme et de ce que vous espérez y faire. Votre ami(e) à son tour vous présente les inconvénients qu'il/elle envisage.

3. Garreau parle du rôle de la femme du fermier. Dans plusieurs professions, on s'attend à ce que la femme soit là comme extension et aide de son mari (par exemple, la femme du président des États-Unis, d'un sénateur ou d'un président d'université). Qu'en pensez-vous? Quelle sera votre position si jamais vous vous trouvez dans cette situation?

4. De nos jours, la femme qui travaille n'est pas rare. Comment la société va-t-elle pouvoir faciliter la vie de la femme qui essaie de combiner une carrière et son rôle d'épouse et de mère? Quels changements sociaux pouvez-vous imaginer?

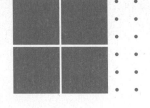

THÈME IV

Transports et vacances

▦ En bref

Learning a foreign language means learning about everyday life in a foreign country as well. **Thème IV** focuses especially on traveling and vacationing in France, and will introduce you to much of what you will need to know if you should ever have the opportunity to travel there yourself.

Functions

- **Describing and narrating in the past**
- **Coping with everyday situations**
- **Avoiding repetition**

Structures

- Using the *passé composé, imparfait,* and *plus-que-parfait* together.
- Strategies to accomplish everyday tasks
- Direct and indirect object pronouns

▦ Avant de commencer

The French government created a plan called **RÉAGIR (Réagir par des Enquêtes sur les Accidents Graves et par des Initiatives pour y Remédier)** in

QUELQUES AFFICHES DES CAMPAGNES

PUBLICITAIRES POUR LA SÉCURITÉ

1981 in an attempt to decrease the number of highway accidents and fatalities in France. Local police, road engineers, firemen, and doctors studied every fatal accident to understand its causes. Their findings were published in June 1986. Before you read them, make your own list of the ten most probable causes of serious automobile accidents.

■ *Activités*

A. Consultez la liste que vous avez préparée avant de lire les tableaux. Ajoutez les facteurs que vous voyez maintenant, cette fois en français.

B. Vrai ou faux, d'après l'enquête?

1. La vitesse excessive est la cause la plus fréquente des accidents.
2. L'alcool est moins souvent un facteur que les conditions météo.   3. La conduite dangereuse ou un mauvais comportement face à une situation d'urgence sont en jeu dans 31% des cas.   4. Les facteurs liés au véhicule sont impliqués dans 36% des accidents.

C. Pourquoi est-ce que les Français meurent sur les routes? Expliquez à un(e) camarade de classe les résultats de l'enquête **RÉAGIR.** Notez les cinq causes principales des accidents dans leur ordre d'importance.

Autopsie de 5 000 accidents

Facteurs liés au conducteur	
État°psychologique ou sociologique	11,5 %
État physique	11 %
Inattention	17 %
Fatigue.	18 %
Alcool	30 %
Inaptitude	15,5 %
Total	**101,5 %**

mot ap. (et = s)

Facteurs liés à la conception et à l'entretien° de l'infrastructure°	
Tracé de la chaussée°.	28,5 %
Abords°.	14,5 %
Entretien	9 %
Signalisation	14 %
Divers (éclairage, rails, etc)	12 %
Total	**78 %**

condition

système des routes

tracé... nature de la route

approches

Facteurs liés° au comportement de l'usager°	
Infraction importante .	13 %
Vitesse°.	48,5 %
Conduite dangereuse .	17 %
Mauvaise attitude en situation d'urgence.	14 %
Non respect de la sécurité individuelle . .	25,5 %
Total	**118 %**

attachés

conducteur

rapidité

Facteurs liés au véhicule	
Conception	15 %
État et entretien	21 %
Total	**36 %**
Autres facteurs	
Comportement des témoins°de l'accident	4,5 %
Premiers secours	4 %
Conditions météo	16,5 %
Total	**25 %**

ceux qui voient (un accident)

D. **Et vous?** Dans plusieurs états des États-Unis, la loi exige que chaque passager porte une ceinture de sécurité. Comment réagissez-vous à cette loi? Est-ce une bonne idée? une mauvaise idée? Expliquez. Portez-vous toujours votre ceinture de sécurité? Pourquoi (ou pourquoi pas)?

E. Le conducteur lui-même est souvent la cause de l'accident: sa vitesse excessive, son abus de l'alcool, etc. Le gouvernement essaie de changer les habitudes dangereuses du public par des affiches et des spots publicitaires à la télévision. Que pensez-vous de ces efforts? Vont-ils réussir? Pourquoi ou pourquoi pas?

F. Parlez d'un moment où vous vous êtes senti(e) en danger sur la route, par exemple, à cause de la neige ou du brouillard. Comment avez-vous réagi?

G. Demandez à un(e) camarade de classe de suggérer cinq façons de diminuer le nombre d'accidents sur les routes chaque année. Vous allez présenter votre liste à la classe.

CHAPITRE 10

En voiture

© OWEN FRANKEN/STOCK, BOSTON

PAROLES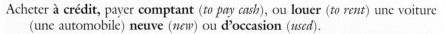

Acheter **à crédit,** payer **comptant** (*to pay cash*), ou **louer** (*to rent*) une voiture
(une automobile) **neuve** (*new*) ou **d'occasion** (*used*).

La **marque** (par exemple, une Renault, une Citroën, une Mercédès).

Une **berline** (*sedan*), un **break** (*station wagon*), une **camionnette** (*pick-up truck*),
un **camion** (*truck*), un **minibus** (*van*).

Les parties de la voiture

Le **moteur** (*engine*), la **carrosserie** (*body*), le **capot** (*hood*), le **coffre** (*trunk*), le **toit** (*roof*), la **portière** (*door*), la **poignée** (*door handle*), la **roue** (*wheel*), le **parebrise** (*windshield*).

L'intérieur: le **siège avant** (*front seat*), le **siège arrière** (*back seat*), la **ceinture de sûreté** (*seat belt*), le **volant** (*steering wheel*), le **rétroviseur** (*rearview mirror*), une **pédale** (*pedal*), l'**embrayage** (*clutch*), l'**accélérateur** (*gas pedal*), le **frein** (*brake*).

Conduire (*to drive*)

Démarrer (*to start the engine*), **faire marche arrière** (*to back up*), **freiner** (*to apply the brakes*), **accélérer, changer de vitesse** (*to change gears*), passer en seconde, en troisième, **rouler** (vite, lentement), **mettre le clignotant** (*to put on the turn signal*), **tourner à gauche / à droite, faire demi-tour** (*to make a U-turn*), **doubler** (*to pass*), **ralentir** (*to slow down*), **s'arrêter** (*to stop*), **se garer** (*to park*), **faire un créneau** (*to parallel park*), **trouver une place** dans un parking, **fermer** la voiture **à clé** (*to lock the car*).

Avoir des ennuis de voiture (*to have car trouble*)

PROBLÈME	SOLUTION
tomber en panne (*to break down*)	**faire réparer** (le moteur, etc.)
être en panne d'essence (*out of gas*)	**prendre de l'essence, faire le plein**
un pneu crevé (*a flat tire*)	**mettre la roue de secours** (*the spare*)

Le permis de conduire

Prendre des leçons d'**auto-école** (*driver's education*), **passer son permis** (**échouer, repasser, réussir**), **avoir son permis**.

La route

Une route **à deux voies** (*two-lane highway*), une **autoroute** (*freeway*), un **virage** (*curve*), une **rue passante** (*busy street*), la **chaussée** (*pavement*), le **trottoir** (*sidewalk*), un **piéton** (*pedestrian*), le **passage-piétons** (*crosswalk*), un **panneau de signalisation** (*road sign*), la **limite de vitesse** (*speed limit*), un **stop**, un **feu** (rouge, vert, orange).

La circulation (*traffic*)

Un **embouteillage,** un bouchon (*traffic jam*), les **heures de pointe** (*rush hours*), un **agent de police** (en ville), un **gendarme** (sur les routes), un **carrefour** / une intersection, la **priorité à droite** (*right-of-way on the right*), une **rue à sens unique** (*one-way street*), **attraper une contravention** (*to get a ticket*), une **amende** (*a fine*).

Les accidents

Rentrer dans (*to collide with*) un mur / une autre voiture, une **collision** frontale (*head-on collision*), un(e) **blessé(e)** (*injured person*), les **dégâts** (*damages*).

L'Express international, numéro 1913, 11 mars 1988, p. 57.

LOCATION DE VOITURES

TOUT EST CLAIR SIMPLE, TOUT EST COMPRIS

KEY services international

Tout est clair :
Des forfaits de location de voitures pour des durées de 3, 7, 14, 21, 30, 45 et 60 jours. Plus de 40 modèles de véhicules différents : berlines, automatiques, coupés, berlines de luxe, cabriolets, familiales et minibus...

Tout est simple :
En France, Europe, Afrique, USA, aux îles des Caraïbes et de l'Océan Indien, KEY SERVICES INTERNATIONAL vous propose ses tarifs spéciaux. En contactant notre bureau le plus proche ou sur simple appel à notre centrale de réservations au (1) 46 51 51 70 ou par télex 615501 TTAS, vous pourrez réserver une voiture dans le pays de votre choix (35 destinations dans le monde).

Tout est compris :
Les jours, le kilométrage illimité, l'assurance du véhicule, le rachat de la franchise, l'assurance du conducteur et des passagers ainsi que les taxes locales.

■ *Parlons-en*

Quelle coïncidence! En regardant la réclame de ce service de location de voitures, que vous lisez avec un(e) camarade de classe, vous mentionnez que vous avez loué une voiture quand vous étiez en France l'été dernier. Comme par hasard, votre camarade a aussi passé l'été en Europe, et a aussi loué une voiture! Comparez vos expériences, en faisant appel à votre imagination. Supposons que l'un(e) de vous voyageait seul(e), et l'autre avec un groupe d'amis.

1. **La location de la voiture.** Quel genre de voiture était-ce? Donnez une description détaillée. Pour combien de temps avez-vous loué la voiture? Était-ce vraiment une «facture sans surprise»?

2. **En voiture.** Racontez des expériences que vous avez eues avec votre voiture, comme le jour où vous avez essayé de traverser une grande ville à une heure de pointe; ou le jour où vous vous êtes trouvé(e) dans une rue à sens unique—dans le mauvais sens! Ou bien le jour où vous avez fermé votre voiture à clé—avec la clé *dans* la voiture. Imaginez d'autres «aventures». Pour chaque situation, décrivez les circonstances et racontez ce qui s'est passé, avec le plus de détails possible. Après la discussion en groupes, choisissez l'histoire la plus originale, et préparez-vous à la répéter à la classe.

LECTURE ■■ ∶∶∶∶∶∶∶∶∶∶∶∶∶∶∶∶∶∶∶∶∶∶∶∶∶

In the following passage from Christiane Rochefort's novel, *Les stances à Sophie,* Philippe and Céline, husband and wife, are driving to the seashore for a vacation. The way they behave with one another in this passage typifies their entire relationship as Rochefort presents it in the novel. Philippe wishes to transform Céline into a "suitable wife" for a young executive; Céline, the Bohemian painter, slowly loses her identity as a result of her marriage. As this episode begins, however, Céline is happy. She sits next to her husband, silently making fun of his obsession with his new car.

In analyzing her own work, Rochefort has stated that one of her principal aims was to capture the quality of everyday speech, which she calls **écrire l'oralité.** Her interest in approximating in fiction the ways people really talk and think, as opposed to rendering everyday life in a very literary form, reflects the main thrust of all her work: to look behind the conventional behavior of her characters at their real impulses and motives.

■ *Avant de lire*

Colloquial Writing   Writing that mimics everyday speech is likely to present special challenges to readers of foreign languages. Spoken language omits many of the clues to meaning that written texts usually provide. Knowing how to read between the lines and how to recognize clues is even more important with this kind of writing than with more "formal" texts. Here are a few suggestions to help you read colloquial prose.

1. Look for clues about who is speaking. Indications such as **il dit...** are usually left out, partly to create in the reader's mind the effect of over-hearing a real conversation. If you have trouble deciding who is speaking, go back and mark the initials of each speaker next to his or her words. You will need to look for evidence about which character is speaking in what he or she says, or in the alternation between the voices. Often you must proceed by elimination. If you know, for example, that one of the characters is an athlete and the other a medieval historian, you will be able to guess who is talking on the basis of the kinds of language each one uses. After you skim the following passage for the gist, go through and mark *P* in front of Philippe's words and *C* in front of Céline's. Also mark the paragraphs where Céline is talking to herself.

2. A second characteristic of oral discourse is the lack of clues about the relationships among ideas and events. Words such as *because, although,* and so forth, are often missing. Sometimes the chronological order of events is not made clear either. Punctuation, another way to show relationships, is sparse. Again, these tendencies reflect patterns of speech. You must fill in some of these information gaps as you read. Find a passage in *Les stances à Sophie* that is especially difficult for you. Mark the chronological order of events and put in any missing punctuation. Think about what has been omitted, and replace it in order to understand the passage more thoroughly. Try using this technique whenever you read colloquial language.

■ *Étude de mots*

laisser essayer	*to allow to try*
mentir	*to lie*
confondre	*to confuse*
doué(e)	*gifted, talented*
la veine (familier)	*luck*
n'en pouvoir plus	*to be unable to stand something any longer*
Ce n'est pas la peine	*It's not worth it*
Ça suffit	*That's enough*

Activités

A. Trouvez l'expression convenable.

1. Les gens _____ trouvent souvent les meilleurs jobs.
2. «Arrête! _____» dit la mère à son enfant qui la tourmente.
3. «J'en ai assez! Je _____» dit le mari après trois heures de shopping.
4. Tu as de _____ d'avoir une belle bicyclette comme ça!
5. Quelquefois on a l'idée frustrante que _____ de continuer la discussion.
6. Certaines personnes méticuleuses ne laissent pas leurs amis _____ leur voiture.
7. Quelquefois ils n'osent pas avouer la vraie raison; ils _____ pour expliquer leur refus.
8. On critique ces gens en disant qu'ils _____ la valeur des amis avec celle d'une voiture.

B. After you have skimmed the passage for the general meaning, underline the following words as they appear in order, and guess their meaning in context: **touché, croisé, à toute pompe, lance, crispé, doubler, le stop.**

Les stances à Sophie [extrait]

CHRISTIANE ROCHEFORT

Je pars, pleine de feu et d'entrain.° Un peu de manque mais je me sens   enthousiasme
vivre. Je chante. Depuis quand je n'ai pas chanté. Philippe me regarde,
surpris: il ne m'a jamais entendue, il paraît que j'ai une voix. Il fait beau.
Philippe aussi est content, pour d'autres raisons, il a touché sa nouvelle
508 over roof tant attendue depuis le Salon,* tous les avantages d'une
voiture de sport sans les inconvénients, quatre places sièges transformables
on peut dormir dedans pas besoin de remorque° (dieu soit loué) arrosage°   *trailer / windshield washer*
automatique quatre tiroirs air conditionné respiration artificielle boîte à   sortie... pour sortir en
gants à musique sortie de secours° ascenseur est-ce que je sais plein de   cas de danger
nickels et en plus elle roule. C'est qu'il n'y en a pas beaucoup° qui l'ont   (de gens)
encore celle-là, on en a croisé une en cinq cents bornes° il a fait un peu la kilomètres
gueule.° Prise d'audace, ou peut-être contaminée à force de l'entendre   une grimace
louanger° depuis le départ sans arrêt, on n'est pas de bois, je lui demande   glorifier (la voiture)
de me la laisser essayer.

---

*Salon de l'Automobile—exposition annuelle de nouveaux modèles de voitures.

Il y a longtemps que je n'ai émis° pareille prétention. exprimé

P —Non. Tu vas me l'esquinter.° Une voiture neuve. abîmer

Deuxième reprise:

P —Elle est en rodage.° *break-in period*

Il ment, il l'a rodée à toute pompe sur l'autoroute avant de partir.

C —Quinze cents,° quoi, ça lui suffit. quinze... 1 500 kilomètres

P —Pas une voiture comme ça.

C —Mais je sais roder, ce n'est pas sorcier.° magique

P —Il faut sentir le moteur. Tu n'as pas l'habitude.

C —C'est pas comme ça que je la° prendrai. (l'habitude)

P —Je ne tiens pas à ce que tu la prennes sur la mienne.° Merci bien. la... ma voiture
Quinze cents. Dix-sept cents. Elle est de plus en plus rodée.

C —Alors, paye m'en une.° paye... achète-moi une
voiture

P —Je croyais que tu méprisais° les voitures? *despised*

Il confond avec les hommes qui en parlent. Exprès° bien sûr il confond. avec intention
Dix-huit cents. Il gratte, il gratte.° pousse

C —J'irai pas vite.

P —Pour nous faire perdre du temps?

C —Mais on en a!

P —Ce n'est pas une raison.

Deux mille. Si encore c'était une usine nucléaire, je comprendrais qu'il
ne veuille pas que j'y touche. Mais une simple bagnole.° En mettant les voiture (*fam.*)
choses au pire ça se répare.° c'est facile à faire réparer

C —Tu dis tellement qu'elle est solide: elle va me résister.

P —Qu'est-ce que tu as Céline en ce moment? Jamais je ne t'ai vue
capricieuse comme ça!

C —Capricieuse, pour une fois que j'ai envie de quelque chose. Ça n'arrive
pas tellement souvent.

Deux mille cent, deux cents, deux cinquante.

C —Laisse-moi conduire, Philippe.

P —Tu es têtue.

C —Têtue, elle est bonne:° j'ai envie de conduire et je ne le fais pas, elle... c'est une bonne
comment voudrais-tu que ça me passe! Je te préviens, ça ne va pas me plaisanterie
passer.

P —Hhha! Là là!

Il semble un peu à bout° d'arguments. Je me mets à grogner.° à... à la fin / protester

C —Avant je conduisais. J'ai pas conduit depuis mon mariage. Je finirai
par ne plus savoir. C'est tout de même idiot.

P —Mais tu as emporté ton permis?

C —Bien sûr.

P —Ah, tu l'as pris.

Il est franchement déçu.° désappointé

c —Des fois que tu te serais cassé° quelque chose. On ne sait jamais, hein? Ça peut arriver, non? Ça t'aurait bien arrangé, là. D'abord j'ai l'habitude de conduire la nuit je vois très bien et toi tu n'aimes pas ça. Suppose qu'on soit obligés de conduire la nuit? Si tu es fatigué? Ou si tu es malade. Ou si...

    Il cède. Il n'en peut plus. Il voit qu'il va m'avoir comme ça tout le voyage. Et il m'aurait eue. On va voir ce que tu sais faire! dit-il, en me laissant la place avec un regret cuisant° et des airs de me faire passer le permis. Le diable l'emporte. Je me lance. Ah, c'est agréable. Il fait beau. J'aimais bien conduire. J'avais oublié ça aussi.

    —Han!

    C'est lui, à côté. Il est assis tout raide,° crispé, la main droite agrippée à la portière, la gauche prête à voler sur le volant. Je le sens.

P —Tu vas trop vite—Attention—Regarde à ta gauche.

C —Quoi?

P —Ce type qui va te doubler.

C —Je le vois bien. Qu'il double.

P —Alors n'accélère pas!

C —Je n'accélère pas.

P —Si, tu accélères. Céline, tu ne vas pas droit. Regarde devant toi—Mais ne regarde pas ton capot!

C —Je ne regarde pas le capot.

P —Si, tu regardes le capot!—Troisième. Troisième je te dis, passe en Troisième!—Mais roule donc à droite tu es au milieu de la chaussée! Oh! Oh! Oh non, Céline, ce cycliste! Tu lui as rasé les fesses!°

C —Quel cycliste?

P —Mon Dieu!... —Céline. Tu vas nous tuer. Céline tu vas nous tuer! Le camion! Le camion Céline! Oh! Céline arrête! Arrête je ne peux plus! Arrête. Mais pas là! On ne s'arrête pas au milieu de la route! Va plus loin mais au pas° je t'en prie, au pas. Mets ta flèche.° Passe en seconde. En seconde.

(C) Où elle est la seconde? Merde, je ne sais plus rien. Merde merde merde merde!

P —Là. Monte maintenant. Mais fais attention, pas dans l'herbe. Là. Le frein. Ouf.

    Il s'effondre,° il est blême,° il tremble.

P —Sors, dépêche-toi.

    Je sors. Je ne sais pas si je vais remonter. Vraiment j'hésite.

P —Eh bien, qu'est-ce que tu attends? Monte! Qu'est-ce que tu attends?

    Que faire au milieu d'une route? Et puis reprendre la valise, et après qu'est-ce que je fous° avec une valise, pour le stop. J'ai horreur d'avoir les mains encombrées. Et puis j'ai envie d'aller au soleil. A tant que de faire

---

Glossary (right margin):

Des... *in case something happens to you.*

très fort

rigide

rasé (*fam.*)... *just missed him*

au... lentement / clignotant

collapses / pâle

(*fam.*) fais

du stop, en voilà un là qui me dit de monter et la valise est déjà chargée.
Je monte; pour raisons pratiques. Mollement.° Il démarre en flèche. Ça y   sans énergie
est, il la tient, il l'a eue, il l'a récupérée, il est content. Rassuré. Je l'entends
qui pousse un grand soupir.°   pousse... *sighs*

 P —Ma pauvre fille, tu n'es pas douée.

 C —Ça va n'en remets pas° c'est pas la peine c'est fait.   n'en... ne recommence
                            pas

 P —Garde ton jouet. Tâche seulement de ne pas me tuer je tiens à ma   *(ici)* vie
peau.° C'est tout ce que je te demande. Parce qu'entre nous, je ne te l'ai
jamais dit mais comme chauffeur j'en ai vu de meilleurs que toi.

 C —Ah ah. Le coup de pied de l'âne.°   Le... *"sour grapes"*

 P —Regarde donc devant toi.

   Je pourrais lui faire aussi le coup, mais ça m'emmerde vraiment trop.
Et comme j'ai dit je tiens à ma peau et ce genre de plaisanterie est fatal.
On ne peut pas conduire avec son mari à côté c'est une règle absolue.
D'ailleurs la loi devrait l'interdire; c'est dangereux.

   Il n'y a personne qui vous méprise autant, qui vous fasse aussi peu
confiance, qu'un mari. Celui-là s'y est repris à deux fois avec moi mais il a
fini par m'avoir, j'oserai plus toucher à un volant. Ces zigzags que je faisais
à la fin, et je ne savais plus où étaient les pédales, c'était horrible à voir.
Un danger public. Et dire que j'étais spécialiste de la conduite de nuit et
des dix heures d'affilée.°   d'... de suite

   Enfin, tandis qu'il se besogne° on approche du soleil, et avec un peu   travaille
de veine on y arrivera. Je me carre° dans mon coin. Je m'occupe du paysage   reste immobile
puisque j'ai le temps de m'en occuper; enfin de ce qui se laisse voir. De
temps en temps je pousse un petit cri d'effroi,° ou je m'agrippe, pour le   peur
principe de ne pas le laisser jouir° tout à fait tranquillement.   *enjoy*

■ *Avez-vous compris?*

 A. Complétez la phrase selon le passage.

  1. Quand Céline voudrait conduire, Philippe résiste, disant que sa femme
    est _____ et _____.

  2. Il demande si elle a emporté _____.

  3. Enfin, il _____.

  4. Pendant les moments où elle conduit, il reste tout _____, une main _____
    à la portière.

  5. Il rend sa femme très _____, et ensuite elle _____, et elle _____.

  6. Elle considère faire _____ au lieu de remonter. Mais enfin elle monte.

  7. Il dit qu'elle n'est pas _____. Elle dit que comme chauffeur _____.

8. Elle se dit qu'on ne peut pas conduire avec _____ à côté, et même que la loi devrait _____.

B. Répondez selon le passage.

1. Décrivez la voiture de Philippe. Quelles sont ses qualités?   2. Dressez une liste des arguments que Philippe présente pour ne pas laisser conduire Céline.   3. Quelles raisons offre-t-elle pour conduire?   4. Qu'est-ce qu'il lui reproche quand enfin elle conduit?   5. Quelles sont les pensées de Céline pendant qu'elle considère faire de l'auto-stop?   6. Pendant le reste du trajet, qu'est-ce qu'elle a fait pour gâter un peu la bonne humeur de Philippe?   7. Faites une liste des mots du passage qui désignent les parties de l'automobile.   8. A quels moments sentez-vous le sarcasme de Rochefort?

■ *Et vous?*

1. Imaginez que vous êtes Céline. Avec un(e) camarade de classe parlez de ce qui s'est passé «hier» avec votre mari dans la voiture. Votre camarade est très curieux(se) et va vous interrompre plusieurs fois avec des questions pour mieux comprendre. (Quelle sorte de voiture? Où étais-tu? Qu'est-ce qu'il a dit? Qu'est-ce que tu as fait? etc.)
2. Imaginez maintenant que vous êtes Philippe. Avec un(e) autre camarade de classe, répétez cette activité. Votre camarade va sympathiser avec vous.
3. Examinez et décrivez les émotions de Céline à des moments différents du passage: (a) au commencement de la journée (b) quand elle essaie de convaincre Philippe (c) quand elle conduit (d) après avoir redonné le volant à son mari.
4. Très souvent on prend «les femmes au volant» comme sujet de blague (*joke*). Quelle est l'origine de telles blagues? Qu'en pensez-vous?
5. On peut analyser le rapport entre Philippe et Céline en termes psychologiques. A votre avis, lequel des deux a le plus de pouvoir? Comment exerce-t-elle/il son pouvoir? Quels jeux psychologiques (agression, passivité, intimidation, etc.) pouvez-vous identifier dans le rapport entre le mari et la femme? Élaborez.
6. Parlez de vos expériences comme apprenti-chauffeur. Qui vous a appris à conduire? Où? Quels ont été vos sentiments la première fois que vous avez conduit seul(e)?
7. Oublions les voitures pour un moment. Racontez les détails d'un incident (réel ou imaginaire) pendant lequel quelqu'un a voulu emprunter (ou utiliser) une de vos possessions favorites (votre chaîne stéréo, votre appareil-photo, un nouveau pullover, vos skis, etc.). Avec un autre étudiant (une autre étudiante) créez un dialogue que vous allez jouer devant la classe.

STRUCTURES ■ :

> ### *La complainte de Céline*
>
> Mais pourquoi ne **voulait**-il pas que je conduise? Son excuse **était** que la voiture **était** en rodage, mais ça ne l'**empêchait** pas de faire de la vitesse, lui/ D'ailleurs, avec l'autre voiture, il ne me **laissait** pas conduire non plus. Je **n'ai pas conduit** depuis mon mariage! Alors cette fois-ci, j'**ai insisté**/ Je lui **ai demandé** plusieurs fois si je **pouvais** conduire. Finalement, il m'a **laissée** prendre le volant, mais pendant que je **conduisais**, il **n'a pas arrêté** de me faire des remarques/ j'**allais** trop vite, je ne **roulais** pas droit, j'**étais** trop à gauche, j'**étais** trop à droite/ enfin bref, ça ne **pouvait** pas durer comme ça, alors il **a gagné**: j'**ai dû** lui redonner le volant... le précieux volant de sa précieuse voiture... plus précieuse que sa propre femme.

When talking about what happened in the past, French speakers mix the descriptive mode, expressed by the **imparfait,** and the narrative mode, expressed by the **passé composé.** Knowing how to choose between these two tenses, therefore, is crucial to story telling in French. (10.1)

You reviewed both the **imparfait** and the **passé composé** in **Thème II.** Keep in mind what you learned there as you talk and write about past experiences.

■ 1. The Descriptive Mode or *L'imparfait*

As you learned in Chapter 4, the **imparfait** is used to **describe . . .**

- **the background and the circumstances** (weather, season, time, outward appearance, and physical, mental or emotional states or conditions)

    La voiture **était** en rodage.
    J'**allais** trop vite, je ne **roulais** pas droit.
    Ça ne **pouvait** pas durer comme ça.

- **ongoing actions**

    Pendant que je **conduisais**...

- **habitual actions** (actions that were repeated an unspecified number of times)

    C'était toujours lui qui **conduisait**.

> *Rappel.* When the progressive form (**être en train de** + infinitive), the near future (**aller** + infinitive), and the recent past (**venir de** + infinitive) are used in a past context, they are *always* conjugated in the **imparfait**. (10.3)
>
> | | |
> |---|---|
> | J'**étais** en train de me demander si j'**allais** ignorer ses insultes, car je **venais** d'être insultée. | *I was in the middle of asking myself if I was going to ignore his (her) insults, for I had just been insulted.* |

In summary, the **imparfait** tells how things were or used to be; it sets the stage for past narration.

▦ 2. The Narrative Mode or *Le passé composé*

As you learned in Chapter 5, the **passé composé** is used to tell **what happened** . . .

- **once**

    Cette fois-ci, j'**ai insisté.**

- **a specified number of times or during a specified period of time** (10.4)

    Je lui **ai parlé** deux ou trois fois.
    Pendant que je conduisais, il n'a pas **arrêté** de me faire des remarques.

- **as a result or consequence of another action**

    Alors il a gagné: j'**ai dû** lui redonner le volant.
    Quand il a crié, j'**ai eu** peur.

Verbs such as **vouloir, savoir,** and **pouvoir** are often used in the **imparfait** to describe a physical or emotional state.

    Il ne **voulait** pas que je conduise.   *He didn't want me to drive.*

When used in the **passé composé,** they take on a different meaning. (10.2)

    Cette fois-ci, j'**ai voulu** conduire.   *This time, I decided to drive.*

■ *Maintenant à vous*

    A. **Le départ en vacances de Philippe et de Céline.** Mettez les phrases suivantes au passé composé ou à l'imparfait selon le cas.

1. Il fait beau. 2. Céline est tout heureuse de partir. 3. Elle chante constamment. 4. Philippe regarde sa femme deux ou trois fois d'un œil bizarre... 5. ...parce qu'il est surpris de l'entendre chanter comme ça. 6. Il ne sait même pas que sa femme peut chanter. 7. Philippe lui-même veut partir le plus vite possible... 8. ...parce qu'il va essayer sa nouvelle voiture sur l'autoroute. 9. Enfin, ils mettent leurs bagages dans le coffre,... 10. ...ils montent en voiture, et ils partent!

Maintenant, résumez l'attitude de Philippe envers sa femme.

B. **La déception de Céline.** Passé composé ou imparfait? Mettez les verbes en italique au temps convenable.

1. Elle *pense* qu'elle *va* conduire un petit peu. 2. Elle *attend* qu'ils soient sortis de la ville pour lui demander. 3. Elle *est* surprise de sa réaction, mais elle *insiste*. 4. Finalement, elle *peut* conduire—mais pas pour longtemps. 5. Énervée par les remarques de son mari, elle *arrête* la voiture. 6. Quand elle *sort*, elle *se demande* si elle *veut* remonter. 7. Puis, parce qu'elle *a* quand même envie d'aller au soleil... 8. ...et parce qu'elle n'*aime* pas particulièrement faire de l'auto-stop,... 9. ...elle *reprend* sa place dans le jouet sacré.

Pourquoi Céline est-elle remontée dans la voiture?

C. **Le point de vue de Philippe.** Transformez ses pensées du moment en réflexions au passé, faites après l'incident.

1. Pourquoi est-ce qu'elle décide de conduire, tout d'un coup? 2. Elle ne veut jamais conduire! 3. Je ne la vois jamais capricieuse comme ça. 4. Elle oublie comment conduire. 5. Elle nous tue presque. 6. Elle ne sait même plus passer en seconde! 7. Et puis après, elle a l'audace d'être fâchée. 8. Heureusement qu'elle s'arrête à temps.

Résumez le point de vue de Philippe.

D. **Et vous?** Est-ce que vous avez jamais essayé de conduire «un jouet sacré», c'est-à-dire, la voiture très précieuse de quelqu'un? Était-ce la voiture de vos parents quand vous appreniez à conduire? Ou la voiture d'un ami ou d'une amie? Faites un sondage auprès de trois ou quatre de vos camarades. Avec chacun(e), discutez les aspects (réels, exagérés ou même imaginaires) suivants de l'expérience.

1. les circonstances (où? quand? avec qui?)
2. la voiture (description)
3. l'expérience même (ce qui s'est passé—en détail)
4. vos sentiments avant, pendant et après l'expérience

Laissez-vous interviewer aussi. Après les sondages, rapportez à la classe les résultats que vous avez obtenus.

RÉPUBLIQUE FRANÇAISE

TAXE PAYÉE SUR ÉTAT :

PERMIS DE CONDUIRE

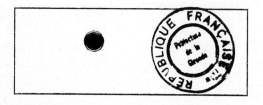

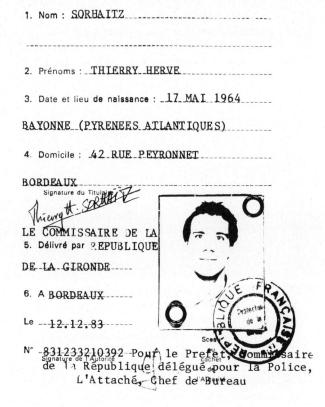

1. Nom : SORHAITZ _____

_____

2. Prénoms : THIERRY HERVE _____

3. Date et lieu de naissance : 17 MAI 1964 _____

BAYONNE (PYRENEES ATLANTIQUES) _____

4. Domicile : 42 RUE PEYRONNET _____

BORDEAUX _____
    Signature du Titulaire

LE COMMISSAIRE DE LA
5. Délivré par REPUBLIQUE

DE LA GIRONDE _____

6. A BORDEAUX _____

Le 12.12.83 _____

N° 831233210392 Pour le Préfet, Commissaire
    Signature de l'Autorité   Cachet
    de la République délégué pour la Police,
        L'Attaché, Chef de Bureau

E. **Le permis de conduire.** Thierry, un jeune Français de Bordeaux, nous explique comment il a préparé, puis passé son permis. Reconstituez son histoire.

1. Je / avoir / 19 ans; je / être / étudiant à l'université de Bordeaux à l'époque.
2. D'abord / il / y avoir / 8 ou 10 leçons de code.
3. Ces leçons / avoir lieu / à l'auto-école, en petits groupes.
4. Puis / je / prendre / 20 leçons de conduite.
5. Ce / être / des leçons individuelles d'une heure, deux fois par semaine.
6. Le jour du permis / je / être / assez nerveux,...
7. ...mais l'examinateur / me / mettre à l'aise.
8. Il / commencer / parler de son week-end à la chasse.
9. Mon moniteur d'auto-école / être assis derrière.
10. Il / ne pas avoir / le droit d'intervenir / mais / sa présence / être / rassurante.
11. L'examinateur / me / dire / rouler.

12. Ce / être / en pleine ville; il / y avoir / beaucoup de circulation.
13. Je / devoir / faire un créneau et faire demi-tour.
14. En tout, / ça / ne pas durer / plus d'un quart d'heure.
15. Tout / bien se passer; je / avoir / de la chance!

Résumez l'histoire du permis de conduire de Thierry.

F. **Et vous?** Expliquez à un(e) camarade comment vous avez préparé, puis passé votre permis de conduire.

1. les circonstances (où? quand? avec qui?)
2. les leçons de conduite (activités habituelles, activités uniques)
3. le jour du permis (ce qui s'est passé; vos sentiments avant, pendant et après)

Faites une liste des points communs et des différences que vous trouvez dans vos histoires, et résumez-les pour la classe.

G. **Un accident.** Thierry, toujours ce jeune Français de Bordeaux, nous raconte maintenant un accident qu'il a eu—le seul! Reconstituez son histoire.

1. Ce jour-là / il / pleuvoir, et je / sortir / d'un virage,...
2. ...quand tout d'un coup, je / voir / une dame qui / venir / d'en face,...
3. ...et qui / faire / demi-tour au milieu de la route, juste devant moi.
4. Je / freiner, bien-sûr, mais comme / la route / être glissante,...
5. ...ma voiture / déraper (*to skid*), et je / rentrer / dans une autre voiture.
6. Heureusement que / je / ne pas rouler / très vite.
7. Personne / être blessé, mais il / y avoir / pas mal de dégâts matériels.

Qu'est-ce qui a provoqué l'accident de Thierry?

H. **Et vous?** Est-ce que vous avez eu, ou vu, un accident? Si non, vous connaissez certainement quelqu'un qui a eu un accident de voiture. Était-ce un accident grave? pas grave? Racontez à un(e) camarade comment ça s'est passé, avec le plus de détails possible. Ensuite, faites un compte au tableau du nombre d'accidents que les membres de la classe ont eus.

I. **Depuis combien de temps?** Interviewez un(e) ou deux camarades selon le modèle.

MODÈLE: Tu / conduire / quand / avoir un accident. →
Depuis combien de temps est-ce que tu conduisais quand tu as eu un accident?
—Je conduisais depuis (6 mois? 2 ans?) quand j'ai eu mon premier accident.

1. Tu / prendre des leçons de conduite / quand / passer ton permis.   2. Tu / avoir ton permis / quand / conduire seul(e) pour la première fois.   3. Tu /

conduire / quand / attraper une contravention.   4. Tes parents / avoir leur ancienne voiture / quand / acheter leur voiture actuelle.

J. **Jeu de rôles:** «Un délai regrettable». You were supposed to go home for the weekend to attend the wedding reception of one of your friends on Friday night. But you had car trouble: first, your car wouldn't start; you had to call a mechanic (**un mécanicien**) who worked on the engine for two hours before it would start. Then, on the road, you ran out of gas! You had to wait for someone to take you into town; you bought a can of gas (**un bidon d'essence**), waited for another person to take you back to your car, etc. All this took another hour or so. When you finally made it to your destination, the reception was over. Your partner is your friend's father or mother. Apologize to him or her, explain what happened, and tell how much you wanted to be there. Your friend's parent describes what you missed (what happened, description of the clothes, the food, etc.).

PAR ÉCRIT ■ ::::::::::::::::::::::::::::::::

■ *Avant d'écrire*

Narration and Description   In this chapter, you have focused especially on the interweaving of the **passé composé** and the **imparfait** in narrating past events. Because these two verbal modes reflect ways of conceiving events that are completely different from those used by English speakers, it is a good idea to pay special attention to them when you write about the past.

Before you begin your composition, make a chart using two columns, one entitled "Narration" and the second "Description." In the first column, list all elements that advance the action in your story—that is, those that answer the question, "What happened?" In the second column, list those elements that provide background information: circumstances, descriptions of the scene (including ongoing actions—that is, what people were in the process of doing), etc. Try to achieve a balance between the columns, then write your composition, interweaving the use of the **passé composé** with the **imparfait.**

MODÈLE:

NARRATION	DESCRIPTION
Je suis allé à la plage.	Il faisait frais.
Je me suis assis par terre.	Des enfants jouaient au ballon.

Vaut-il mieux ralentir?

■ *Sujet de composition*

Racontez un voyage mémorable que vous avez fait en voiture. N'oubliez pas d'inclure les circonstances (où? quand? avec qui? pourquoi?); ce que vous avez fait, vu, et visité; le récit d'un incident ou d'une journée particulièrement mémorable pendant ce voyage; et vos sentiments avant, pendant et après le voyage.

■ EN DÉTAIL

10.1. *Passé composé* ou *imparfait?*

To decide whether the **imparfait** or the **passé composé** would be used in French, it may be helpful to visualize the two modes on the following time line. The horizontal line represents the **imparfait** (ongoing action or state); the vertical arrows represent the **passé composé** (actions or changes of state at a specific point in time.)

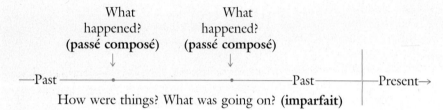

There are times when either tense can be used, depending on the perspective of the speaker.

> Ce soir-là, il a plu. (mere statement of fact; no stage setting)
> Ce soir-là, il pleuvait. (stage setting; something more significant happened; the fact that it was raining is background information.)

Activité   Decide whether each verb is descriptive or narrative, and then check your answers.

> It (1) *was* Friday morning. I (2) *was* late for work; I (3) *was hurrying;* somehow, my life (4) *seemed* to be a total disaster that morning. First, when I (5) *got* into my car, I (6) *realized* that I (7) *didn't have* my car keys with me. I (8) *had to* go back into the house and hunt for the keys. It (9) *took* several minutes. I (10) *was* finally *able* to leave. It (11) *was raining,* the roads (12) *were* slippery, and so I (13) *had* to drive slowly. Of course, I (14) *had to stop* at every red light in town. And of course, I (15) *couldn't* find a place to park. What a day!*

*Answers: 1–4: background, descriptive; 5–6: what happened? narrative; 7: circumstance, descriptive; 8–10: actions, narrative; 11–12: background, descriptive; 13: consequence, narrative; 14–15: what happened? narrative.

10.2. Verbs with Meaning Changes

IMPARFAIT	PASSÉ COMPOSÉ
devoir: je devais = *I was supposed to*	j'ai dû = (1) *I must have (probability)* (2) *I had to (obligation)*
pouvoir: je pouvais = *I was capable*	j'ai pu = *I succeeded*
savoir: je savais = *I knew*	j'ai su = *I found out*
vouloir: je voulais = *I wanted to*	j'ai voulu = *I tried, I decided*

Il **devait** me laisser conduire.	*He was supposed to let me drive.*
Il **a dû** oublier.	*He must have forgotten.*
J'**ai dû** le laisser conduire.	*I had to let him drive.*
Je **pouvais** à peine parler, tellement j'étais furieuse.	*I was so upset that I was barely capable of speaking.*
Il **a pu** reprendre son précieux volant.	*He succeeded in taking over his precious steering wheel.*
Je ne **savais** pas quoi faire.	*I didn't know what to do.*
J'**ai su** qu'il était maniaque.	*I found out he was a maniac.*
Je **voulais** conduire.	*I wanted to drive.*
Il **a voulu** m'en empêcher.	*He tried (decided) to stop me.*

Other verbs traditionally used in the **imparfait** to express mental or emotional states (such as **aimer, croire, penser,** etc.) also take on a different meaning when used in the **passé composé.** They usually indicate a reaction to a specific event.

> Il aimait les voitures de sport. (*mental state*)
> Il n'a pas aimé ma voiture neuve. (*reaction to a specific event*)

10.3. Use of *depuis* and Other Time Expressions in Past Contexts

A. *Depuis* with the present tense

As you know, **depuis** is used with the present tense to express an action that has been going on (started in the past but is continuing in the present).

> J'**ai** mon permis de conduire depuis longtemps.   *I have had my driver's license for a long time.*

B. *Depuis* with the *imparfait* and the *passé composé*

Depuis is used with the imperfect to express an action that had been going on when something else (expressed in the **passé composé**) happened.

> Nous **conduisions** depuis deux heures quand j'**ai proposé** de prendre le volant.
>
> *We had been driving for two hours when I volunteered to drive.*

Depuis is generally used with the **passé composé** to express an action that you have not done for some time—in other words, the sentence must be negative to justify the use of the **passé composé** with **depuis.**

> Je **n'ai pas conduit** depuis mon mariage!
>
> *I haven't driven since I've been married!*

C. *Depuis que*

The conjunction **depuis que** can be followed by the present or any of the past tenses, according to meaning.

> Depuis qu'on **a** cette voiture, on ne se parle plus.
>
> *Since we've had this car, we don't talk to each other any more.*

> Depuis qu'il **a acheté** cette voiture, il ne pense plus à rien d'autre.
>
> *Since he bought this car, he doesn't think of anything else.*

> Depuis qu'il **était** tout petit, il aimait les voitures.
>
> *Ever since he was really young, he loved cars.*

D. *Il y a... que* and *ça fait... que*

Il y a...que and **ça fait... que** are used with the same tenses as **depuis.**

> Ça fait longtemps que j'ai mon permis de conduire.
>
> *I have had my driver's license for a long time.*

> Il y a plusieurs années que je n'ai pas conduit.
>
> *I haven't driven for several years.*

Note that these expressions become **il y avait... que** and **ça faisait... que** when the context is in the **imparfait.**

> Ça **faisait** deux heures que nous **conduisions** quand j'ai proposé de prendre le volant.
>
> *We had been driving for two hours when I volunteered to drive.*

10.4. *Pendant* and *il y a* with Time Expressions

Pendant (*During*) and **il y a** (*ago*) followed by expressions of time are generally used with the **passé composé** if the action is considered completed. If the action lasted for a period of time, the preposition used is **pendant.**

> Elle a conduit **pendant** quelques minutes.
>
> *She drove for a few minutes.*

> Elle a renoncé à conduire **il y a** plusieurs années.
>
> *She gave up driving several years ago.*

Loisirs et vacances

PAROLES

La chasse

Un **chasseur** (*hunter*); un **chien de chasse**; un **fusil** (*gun*); un **arc** (*bow*).

La pêche

Un **pêcheur** (*fisherman*); **attraper** du poisson (*to catch fish*); une **canne à pêche**
(*fishing pole*).

La mer

La **plage** (*beach*); le **sable** (*sand*); les **rochers** [m.] (*rocks*); l'**océan**; les **vagues** [f.] (*waves*); les **coquillages** [m.] (*shells*); se **baigner** (*to go for a swim*); **nager** (*to swim*); **plonger** (*to dive*); **prendre un bain de soleil** (*to sunbathe*); être **bronzé(e)** (*to be tanned*); avoir **un coup de soleil** (*to be sunburnt*); **faire de la voile** (*to go sailing*); un **bateau à moteur**; un **yacht**; **faire de la planche à voile** (*to go windsurfing*); avoir le **mal de mer** (*to be seasick*); une **tempête** (*storm*).

La montagne

L'**alpinisme** (*hiking*); **grimper** (*to climb*).

Le ski: une **station de ski** (*ski resort*); les **skis**; les **bâtons** (*poles*); prendre le **téléski** (*ski lift*) pour **remonter la piste** (*slope*); faire du **ski de fond** (*cross-country skiing*).

La campagne

Un **champ** (*field*); un **lac** (*lake*); une **rivière** / un **fleuve** (*river*); une **forêt** (*forest*); le **cyclisme** (*bicycling*); l'**équitation**; le **golf**.

Le tennis

Un **court de tennis**; une **raquette**; une **balle**; le **filet** (*net*); **perdre** / **gagner un match**; le **score**; les **joueurs** (le/la **partenaire**; l'**adversaire**).

Les passe-temps (*hobbies*)

Bricoler (*to putter around*); un **outil** (*tool*); un **marteau** (*hammer*); un **tournevis** (*screwdriver*); **coudre** (*to sew*), la **couture** (*sewing*); **peindre** (*to paint*); **collectionner les timbres** [m.] (*stamps*).

La vie nocturne

Un **casino**; une **boîte de nuit** (*nightclub*); une **discothèque**; aller à l'**opéra**, au **théâtre**, au **concert**, au **cinéma**.

Le logement des vacances

Louer une **villa,** un **chalet,** un **gîte rural** (petite maison de ferme aménagée pour vacanciers).

Faire du camping: un **terrain de camping** (*campground*); une **caravane** (*camping trailer*); une **tente.**

Une **auberge de jeunesse** (*youth hostel*).

L'hôtel: **réserver/prendre une chambre** (pour deux personnes); la **réception** (*front desk*); la **clé** (*key*); une chambre située au rez-de-chaussée, au premier étage, etc.; un **ascenseur** (*elevator*); la **femme de chambre** (*maid*); **payer la note** (*to pay the bill*); un **pourboire** (*tip*).

1850 m
FRANCE
Val-d'Isère

SPECIAL

21 pistes

Découvrez notre nouvelle formule : le ski à la carte. Pour profiter en toute liberté d'un domaine illimité. Des meilleures pistes d'Europe. D'une neige de rêve. Le rendez-vous des fans du grand ski.

22

UNE FORMULE NOUVELLE QUI COMPREND :
CHAMBRE
+ PETITS DÉJEUNERS
+ REMONTÉES MÉCANIQUES

A proximité de l'hôtel, de sympathiques restaurants où vous pourrez déguster raclettes, fondues et autres spécialités locales. Dans la station, vous trouverez aussi cinémas, piscine, sauna, patinoire, etc.

VOTRE HÔTEL
Au cœur de la station, un petit hôtel montagnard. Chambres à 2 lits avec lavabo. Quelques-unes de trois pour les célibataires. Douches et toilettes aux étages. Bibliothèque.

25 pistes	12 pistes	6 pistes	3300 m
			1850 m

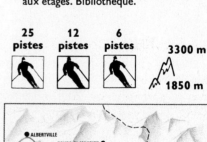

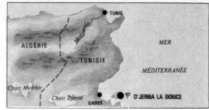

Djerba la Douce

28 courts de tennis. Du tir à l'arc. Deux piscines. Sur un autre rythme : micro-informatique, peinture sur soie, bridge et scrabble. Détente et douceur de vivre sur l'île des palmiers et des oliviers.

VOTRE VILLAGE

Au sud de la Tunisie, dans le golfe de Gabès, de confortables bungalows de style tunisien à 2 lits. Salle d'eau. Patio intérieur ou extérieur. Egalement un hôtel avec chambres individuelles ou à 2 lits. Voltage : 220.

SPORTS

28 courts de tennis : 20 au village dont 16 en terre battue (5 éclairés) et 4 en dur et 8 courts en terre battue à 10 minutes. Voile. Deux piscines. Natation. Tir à l'arc jusqu'à 30 m. Aérobic. Football. Ping-pong. Volley-ball. Pétanque.

STAGE

Tennis : voir "Le guide de vos vacances".

ET AUSSI...

Atelier d'arts appliqués. Atelier de micro-informatique équipé "Olivetti". Restaurant typique.

EXCURSIONS

En 1/2 journée
Tour de l'île : la douceur de vivre de l'île des Lotophages et ses souks colorés.
En 1 journée
Gabès/Matmata : Gabès, l'une des rares oasis maritimes du monde et la très vieille cité troglodytique de Matmata.
La barbaresque : une randonnée dans un désert de pierre, le marché de Tataouine et la vieille ville berbère de Chenini.
En 2 jours
Le grand Sud : le paysage fascinant des grandes dunes, les oasis de Nouil et de Douz.
En 3 jours
La saharienne : une vue panoramique du Sud tunisien coupé par le désert de sel du Chott el Jerid. Prix communiqués sur place.

Club Med, numéro 137, hiver 87–88, pp. 74–75.

230

■ *Parlons-en*

Un choix difficile. Cet hiver, un parent riche vous propose de vous payer une semaine de vacances avec le Club Med. Vous avez le choix entre Val-d'Isère et la Tunisie.

1. En groupes de deux, étudiez les deux possibilités.

   Val-d'Isère. En quoi consiste cette «nouvelle formule»? Où se trouve l'hôtel? Qu'est-ce qui vous dit que ce n'est pas un hôtel de grand luxe? En dehors du ski, qu'est-ce qu'on peut faire à Val-d'Isère?

   Djerba la Douce. Quelles sont les particularités géographiques de Djerba la Douce (situation, végétation, climat)? Quelles sont les deux options de logement? Laquelle préférez-vous? Parmi les activités mentionnées, lesquelles vous intéressent? Lesquelles vous surprennent?

2. **Jeu de rôles.** Votre partenaire joue maintenant le rôle de votre parent riche que vous remerciez chaleureusement et à qui vous annoncez votre choix, en expliquant vos raisons. Ensuite, renversez les rôles.

3. **En parlant d'hôtels.** Changez de partenaire, et racontez chacun(e) un souvenir personnel d'un séjour dans un hôtel. Où était-ce? Quelle était la raison de ce séjour? Comment était l'hôtel? Quel genre de chambre aviez-vous? Combien de temps êtes-vous resté(e)? Est-ce un souvenir agréable ou désagréable? Pourquoi?

LECTURE ■ :

Guy de Rothschild

The Rothschild family is well-known for the riches they have amassed in the banking and wine industries. Two of their Bordeaux wines, Château Lafitte Rothschild and Château Mouton Rothschild, are rated among the finest in the world. Guy de Rothschild, in his autobiography *Contre bonne fortune* published in 1983 (Paris: Belfond), describes several generations of his family and evokes the style and opulence of their city and country life. In the following excerpt, Rothschild recalls the hunting season at the family's country estate in Ferrières.

These weekend hunts stand out in his memory as very special times. The way the hunt was carried out may not be exactly as you would have imagined. Everyone stood in a line. Servants called "beaters" flushed the game from the woods, and the hunters then fired in unison at an enormous amount of wildlife. The actual hunt was very brief.

From *Contre Bonne Fortune*, by Guy de Rothschild, Editions Belfond and Random House

La chasse: Étienne de Monpezat   *La chasse à Ferrières*

■ *Avant de lire*

Identifying the Structure of a Sentence   You have probably become very adept at recognizing the subject and verb in a sentence of average length. Once you have recognized them, the other parts of the sentence generally fall clearly into place. Some kinds of writing, however, require a more sophisticated kind of sentence analysis. Literary works from earlier periods and complex academic prose, for example, are often characterized by complicated sentences with many different segments. However, these sentences often seem more intimidating than they really are. You need only learn to break them down into their simpler parts.

   After you understand the general story line in *Contre bonne fortune,* look more closely at the following sentence.

   C'était pour nous un tel mélange de sensations, d'attente, d'excitation, l'occasion de voir tant de monde, de vivre une telle atmosphère de fête, de participer à tout un rituel à la fois rigide et coloré, qu'il me semble encore que la semaine entière n'était qu'une longue préparation à ces heures où il se passait tant de choses.

Like most long sentences, this one is made up of clauses. A clause is a segment of a sentence with its own subject and conjugated verb. The first step in understanding such a complex sentence is to break it into its clauses. Stop for a moment and underline the main clause—the clause that could stand alone as a grammatically complete sentence, not depending on any other clause to make sense. Now look for the other conjugated verbs in the sentence, and circle them. (There are three.) Once you have found the verbs, put brackets around each of the three dependent clauses. Dependent clauses usually begin with a relative pronoun such as **que, où,** or **qui,** or with a conjunction such as **parce que, quoique, que,** etc.*

You will not encounter many sentences as long and complicated as this one in your reading. But when you do, analyzing the structure may be the only way to make sense of them. Now analyze the last sentence in paragraph number 14 (**Mon père... volé.**) for its clauses.

One other syntactical feature of written French is worth remembering when you read longer sentences. Sometimes the subject follows rather than precedes the verb. This is the case in the following sentences from paragraphs numbered 8 and 13.

> **Partait** d'abord **une espèce de char à bancs** trainé par des chevaux....

> On s'arrêtait pour souffler un peu; plutôt pour avaler quelque boisson, un consommé chaud, un verre de vin, ou pour prendre un casse-croûte qu'**avait apporté un petit attelage** (*team of horses and carriage*).

This syntactical construction occurs less often in contemporary French.

■ *Étude de mots*

One way to guess the meaning of an unfamiliar word is to identify a familiar word within it. In the phrase **la sonnerie du téléphone,** you may recognize the word **son** or **sonner.** Then you can guess that **sonnerie** is the ringing of the phone. It also helps to decide whether the unknown word is a noun, an adjective, a verb, etc. (**Sonnerie** is a noun.)

---

*When you have finished, the sentence will look something like this:

C'était pour nous un tel mélange de sensations, d'attente, d'excitation, l'occasion de voir tant de monde, de vivre une telle atmosphère de fête, de participer à tout un rituel à la fois rigide et coloré, [qu'il me semble encore] [que la semaine entière n' était qu'une longue préparation à ces heures] [où il se passait tant de choses.]

Activité 1   Cover up the right-hand column below and think of words you know that are related to the words (taken from this reading) in the left-hand column. Then uncover the right-hand column to see if you were correct.

l'attente	attendre
déposaient	poser
les bavardages	bavarder
ingrat	la gratitude
le chargeur (-eur = personne qui)	charger (*to load*)
entassaient	le tas (*pile*)
un cocher	le coche (*coach*)
le ramassage	ramasser (*to gather*)
ramenait	mener (*to lead*)

Activité 2

avoir lieu	*to take place*
un tel, une telle, de tel(le)s	*such (a) . . .*
le gibier	*game birds*
tirer (sur)	*to shoot (at)*

Trouvez les mots de la liste qui peuvent remplacer logiquement les mots entre parenthèses.

1. (Les oiseaux) _____ battai(en)t des ailes.
2. (se passaient) Les chasses _____ entre novembre et janvier.
3. (employait un 28 ou un 24) A l'âge de douze ans, le narrateur _____ aux côtés de son père.
4. (Un week-end *semblable*) _____ week-end amusait beaucoup les amis des Rothschild.

. . . .

Contre bonne fortune [extrait]

GUY DE ROTHSCHILD

1.   Entre novembre et janvier s'étendait la saison des chasses. Et la vie de Ferrières semblait tout entière tourner autour de cette seule activité. En réalité, les chasses n'avaient lieu qu'un jour par semaine, le dimanche, mais tous les dimanches pratiquement sans exception.

2. C'était pour nous un tel mélange° de sensations, d'attente, d'excitation, l'occasion de voir tant de monde, de vivre une telle atmosphère de fête, de participer à tout un rituel à la fois rigide et coloré, qu'il me semble encore que la semaine entière n'était qu'une longue préparation à ces heures où il se passait tant de choses. — *mixture*

3. Dès° le samedi soir, j'entrais dans le merveilleux. Blotti° derrière une fenêtre du premier étage, je guettais° l'arrivée des invités. A partir de cinq heures, de magnifiques voitures hétéroclites° déposaient° les maîtres, qu'accompagnaient en général leur femme de chambre et leur valet de chambre-chargeur, lequel, pour les moins fortunés, pouvait être le chauffeur. — déjà / *huddled*; attendais; diverses / laissaient

4. Tous les invités étaient en smoking° pour le grand dîner, que prolongeait une soirée de cartes ou de bavardages° mondains, pas trop tardive° en raison du lendemain qui attendait les chasseurs! — en... costume de cérémonie; conversations / considérez: tard

5. La journée commençait par un petit déjeuner classique, servi dans les chambres. Les pâtissiers et la *still-room maid* s'étaient mis en quatre° pour imaginer toutes sortes de croissants, brioches et gâteaux divers, mais ce copieux petit déjeuner n'était pourtant qu'un en-cas°! — s'étaient... avaient beaucoup travaillé; petit repas

6. A dix heures et demie, les chasseurs se retrouvaient dans les salons pour un déjeuner! Pas un simple «casse-croûte»,° mais un véritable repas, avec son lot d'entrées, de viandes chaudes et froides, et toute la profusion habituelle. — repas léger

7. Ainsi lesté,° on descendait s'équiper dans la «salle des chasseurs»—on rivalisait d'élégance!—pendant que les chargeurs allaient et venaient, remontant les fusils, aidant leurs maîtres, vérifiant une dernière fois leur provision de cartouches.° — rempli, chargé; munitions

8. L'instant du départ était venu. Partait d'abord une espèce de char à bancs° traîné° par des chevaux, sorte de grande remorque couverte où s'entassaient° les chargeurs et les gardes personnels affectés aux invités. Une demi-heure plus tard environ, les chasseurs (les «fusils») montaient à leur tour dans ce que l'on appelait la «diligence»,° grande patache° ou peut-être vieil omnibus que tiraient trois magnifiques «postiers»° conduits par un cocher° en grande tenue. — char... wagon / tiré; considérez: le tas; coche / char; chevaux; considérez: coche

9. La voiture s'ébranlait,° les chevaux prenaient le trot en direction de la forêt sombre et l'on gagnait ainsi le lieu de rendez-vous, parfois très éloigné du château. — démarrait

10. Mon père plaçait ses invités avant d'aller se mettre en bout de° ligne, poste ingrat° car on a affaire aux «fuyards», ce gibier expérimenté et plus malin° qui prend les traverses et qui est beaucoup plus difficile à tirer. A mes débuts, mon père me prenait à ses côtés; plus tard il me confia° le verrouillage° de l'autre extrémité de la ligne. — en... à la fin de; mauvais; rusé; me... m'a donné; position (*ici*)

11. Chacun étant en place, avec derrière lui son chargeur ou un garde tenant ses deux fusils, mon père faisait signe au garde-chef qui sonnait la trompe;° l'écho répondait, la chasse commençait. Premiers cris, premiers battements d'ailes,° et les premiers oiseaux arrivaient bientôt sur la ligne qu'ils tentaient de franchir.° Au bout d'une demi-heure environ, les rabatteurs° se rapprochant, la chasse atteignait son apogée. Des centaines de faisans° déboulaient° à tire-d'aile° en escadrilles serrées,° dans un bruit de volière;° les chasseurs ne savaient plus où donner du fusil, les chargeurs n'avaient pas le temps de recharger assez vite, les canons des armes brûlaient les doigts, les oiseaux foudroyés° semblaient exploser en gerbes° de plumes, décrivaient d'étranges trajectoires avant de tomber tout autour des chasseurs avec des bruits° sourds. L'air semblait résonner et trembler comme un tonnerre de guerre, avec ses barrages d'explosions qui remplissaient le ciel. L'excitation était à son comble.° On entendait bientôt les cris des gardes et des rabatteurs tout proches qui traquaient° les derniers oiseaux cachés, c'était fini. Il me fallait de longues minutes encore avant d'arriver à calmer les battements de mon cœur.

mot ap.
wings
passer
beaters
mot ap. / *bolted* / vite / en... ensemble
oiseaux
tués / bouquets

sons

à... à son maximum
mot ap.

12. Entrait alors en scène «l'homme-chien», un Écossais° qu'on avait fait venir de son pays natal pour vivre à Ferrières avec sa famille, car c'était un spécialiste des labradors et des «retrievers»—ces chiens noirs un peu plus grands. Il partait avec sa meute° et tous les gardes à la recherche du gibier tué. Un étrange silence, presque inquiétant soudain après la fusillade, présidait au ramassage et à la disposition du gibier aligné en longues files°—de deux cents à trois cents pièces.

un homme d'Écosse

sa... ses chiens

colonnes

13. On s'arrêtait pour souffler° un peu; plutôt pour avaler quelque boisson, un consommé chaud, un verre de vin, ou pour prendre un casse-croûte qu'avait apporté un petit attelage.° C'était l'heure où arrivaient généralement les dames pour suivre la fin de la chasse, chacune choisissant son «héros» dont elle vanterait° naturellement la merveilleuse adresse°! C'est avec ma mère que, vers sept ou huit ans, j'arrivais moi aussi, ayant revêtu ma tenue de chasse: culottes de tweed qui s'arrêtaient aux genoux, serrées sur des bas, et qu'on appelait, en raison de leur origine anglaise, des *plus-four* (le bouffant de ce pantalon mesurait précisément quatre inches). Vers l'âge de dix ans, j'eus le droit d'accompagner la chasse dès le matin, puis vers douze ans je pus enfin tirer avec un 28 ou un 24, aux côtés de mon père qui me surveillait et essayait de calmer l'émotion qui me rendait si maladroit.°

respirer

groupe de chevaux et un wagon
exagérait les mérites / dextérité

≠ adroit (*mot ap.*)

14. La chasse terminée, chacun pouvait, en observant mon père durant le trajet qui ramenait au château, apprécier si la journée avait été bonne ou non. Mon père considérait la chasse comme un moment sacré, et il était furieux—mais d'une fureur rentrée°—s'il estimait que tout n'avait pas été

contenue

parfait, si les oiseaux avaient été trop peu nombreux ou s'ils avaient mal
volé.

15. De retour au château, on se changeait pour aller goûter—encore un
amoncellement° de victuailles, de viandes diverses, de fromages, de pâtis-   une montagne
series de toutes sortes, de chocolat chaud... Avant de recommencer une
dernière fois avec un dîner plus léger, servi vers neuf heures. Comment
pouvait-on avaler tant de choses en une seule journée, ce mystère reste
encore entier pour moi.

16. Entre-temps, tous étaient allés jeter un coup d'œil de vainqueur sur le
tableau de chasse dressé° sur la pelouse, éclairé par des torches que te-   mis
naient à bout de bras les quatre gardes-chefs, tandis que sonnaient les
trompes.

17. Après le dîner, les invités s'en allaient les uns après les autres, leur lot°   portion
de gibier dans leurs bourriches,° quelques-uns restaient dormir au châ-   paniers
teau...

■ *Avez-vous compris?*

A. Complétez les phrases.

1. La saison des chasses s'étendait entre _____ et _____.
2. Les invités arrivaient _____ soir, avant le grand dîner.
3. Pour le petit déjeuner servi dans les chambres, il y avait des _____, des _____, et des _____.
4. Le lieu de rendez-vous pour la chasse était dans _____.
5. Quand Rothschild était jeune, son père et lui se mettaient _____, un poste ingrat, pour laisser les meilleures places aux invités.
6. Pendant la chasse, l'air semblait résonner et trembler comme _____.
7. On avait fait venir d'Écosse «l'homme-chien», parce qu'il était un spécialiste des _____ et des _____.
8. Le père de Rothschild considérait la chasse comme _____.
9. Au château, après la chasse, on _____ encore!
10. Après le dîner, les invités quittaient Ferrières avec _____ dans leurs paniers.

B. Décrivez les sensations de Guy de Rothschild en attendant la chasse.

C. Les efforts de plusieurs serviteurs contribuaient à la réussite de la chasse.
Identifiez la fonction de chacun(e). Devinez, si elle n'est pas expliquée dans
le passage.

1. la femme de chambre
2. le valet de chambre
3. le chargeur
4. le chauffeur
5. le pâtissier

6. la «still-room maid»
7. le garde
8. le garde-chef
9. l'homme-chien

D. Décrivez les vêtements de chasse que portait Guy de Rothschild quand il avait sept ou huit ans, avec autant de détails que possible.

E. Les repas du week-end constituaient un élément important des festivités. Qu'est-ce qu'on mangeait et buvait? Quand? Où? Décrivez les repas suivants.

1. le grand dîner
2. le petit déjeuner
3. le déjeuner

4. le casse-croûte
5. le goûter
6. le dîner

F. La chasse elle-même est divisée en cinq ou six parties. Donnez quelques exemples des activités de chaque moment.

1. les préparatifs dans la salle des chasseurs
2. le départ
3. le placement
4. le son de la trompe et l'arrivée des oiseaux
5. l'arrivée de «l'homme-chien»
6. le retour au château

■ *Et vous?*

1. Guy de Rothschild raconte un moment de son enfance où il était «blotti derrière une fenêtre du premier étage» guettant l'arrivée des invités. Il nous arrive quelquefois d'être l'observateur (-trice), éloigné(e) mais attentif (-ive), d'un événement. Pensez à un tel moment dans votre vie. Qui avez-vous vu? Qu'est-ce qui se passait? Quels étaient vos sentiments? Donnez plusieurs détails pour créer une image précise.
2. Quelquefois l'attente est aussi importante que l'événement. Imaginez que c'est dimanche soir. Vous parlez au téléphone avec un ami (une amie) qui habite dans une autre ville. Vous allez lui décrire en détail une soirée mémorable (activités, émotions, personnes). Mentionnez l'anticipation (réelle ou imaginaire) que vous avez éprouvée.
3. La vie quotidienne à Ferrières était pleine de formalité et de luxe, et à certains moments elle ressemblait à un conte de fée ou à un roman historique. Est-ce qu'une telle existence serait possible aujourd'hui? Est-ce une existence idéale, d'après vous? Expliquez votre réponse.
4. La chasse est aujourd'hui un sujet de controverse. Pourquoi? Avec un(e) camarade de classe, prenez position, pour ou contre la chasse. Faites

une liste de vos raisons et préparez un débat. Quelques-uns de ces débats seront présentés à la classe.

5. L'autobiographie de Guy de Rothschild offre une série de tableaux de sa vie: des personnes, des endroits, des maisons, des activités. Imaginez que vous êtes en train d'écrire votre autobiographie. Faites une liste de six ou sept sujets que vous traiterez. Soyez prêt(e) à discuter un de ces sujets.

STRUCTURES ▦ ::::::::::::::::::::::::::::::::

Les bavardages mondains

J'ai entendu dire que les Darribet **avaient loué** une villa à Cannes pour la semaine du Festival et puis, quand ils sont arrivés, la villa était déjà occupée. Vous imaginez un peu? Ils **avaient** tout **arrangé** plusieurs mois à l'avance, par l'intermédiaire d'une agence; ils **avaient** même **payé** un acompte.*/En attendant de pouvoir se plaindre à l'agence, parce qu'ils **étaient arrivés** en soirée, après la fermeture des bureaux, ils ont dû chercher un hôtel. Tous les hôtels étaient complets, bien sûr./Finalement, ils ont pu avoir une chambre que quelqu'un **avait décommandée** à la dernière minute, au Carlton. Mais ça leur a coûté les yeux de la tête†, évidemment. Si seulement ils **avaient su**...

---

* *a down payment*
† coûter très très cher

▦ 1. The *plus-que-parfait*

A. Usage

The **plus-que-parfait** expresses actions that had been completed before other past actions took place. (11.1; 11.2)

> Ils **avaient** tout **arrangé** plusieurs mois à l'avance.
> Ils **avaient** même **payé** un acompte.
> Ils ont pu avoir une chambre que quelqu'un **avait décommandée** à la dernière minute.

B. Formation

The **plus-que-parfait** is a compound tense formed with (1) the imperfect tense of the auxiliary verb **avoir** or **être,** and (2) the past participle of the main verb.

	PAYER	ARRIVER	SE BAIGNER
je/j'	avais payé	étais arrivé(e)	m'étais baigné(e)
tu	avais payé	étais arrivé(e)	t'étais baigné(e)
il/elle/on	avait payé	était arrivé(e)	s'était baigné(e)
nous	avions payé	étions arrivé(e)s	nous étions baigné(e)s
vous	aviez payé	étiez arrivé(e)(s)	vous étiez baigné(e)(s)
ils/elles	avaient payé	étaient arrivé(e)s	s'étaient baigné(e)s

■ *Maintenant à vous*

A. **Le couple malchanceux.** Pour indiquer ce que les Darribet avaient fait avant de partir pour Cannes, avant le terrible malentendu, mettez les phrases suivantes au plus-que-parfait.

1. Ils / annoncer / à tout le monde...
2. ...qu'ils / louer / une villa à Cannes.
3. Ils / même / inviter / des amis à venir les voir.
4. Ils / donner / l'adresse de la villa à plusieurs personnes.
5. Ils / s'habituer / à l'idée de vivre dans cette villa.

B. **Et vous?** Est-ce que vous avez jamais eu une expérience semblable? Indiquez les préparatifs que vous aviez faits pour quelque chose qui devait arriver mais qui, à la dernière minute, n'a pas eu lieu (par exemple, un voyage ou un week-end qui ne s'est pas réalisé ou des plans qu'il a fallu changer).

C. **Déjà / pas encore.** Complétez les phrases suivantes de façon personnelle, d'abord affirmativement, puis négativement, en utilisant le plus-que-parfait, et le plus de verbes possible.

> MODÈLE: Quand je suis allé(e) en France, →
> Quand je suis allé(e) en France, j'avais **déjà** eu trois ans de français, etc. (*ou*)
> Quand je suis allé(e) en France, je n'avais **pas encore** voyagé seul(e), etc.

1. Quand j'ai commencé mes études ici,...   2. Quand je suis rentré(e) chez moi, hier,...   3. Quand je suis sorti(e) de chez moi, ce matin,...   4. Quand je me suis inscrit(e) pour ce cours de français,...   5. Quand le week-end dernier s'est terminé,...   6. A la fin de l'été dernier,...

▪▪ 2. Indirect Discourse

A. Usage

Direct discourse is relating *directly* what someone else has said or written, using quotation marks (called **guillemets** in French) and the original wording.

> Il m'a dit: «J'aime la plage.»

Indirect discourse is relating *indirectly,* without quotation marks or **guillemets,** what someone else has said or written.

> Il m'a dit qu'il aimait la plage.

In order to relate what you've heard or read, apply the following principles (11.3).

1. Use **que/qu'** to introduce each dependent clause.

> Il m'a dit **qu'**il aimait la plage.
> Il m'a dit **qu'**il aimait la plage et **qu'**il ne voulait pas rentrer.

2. Adjust personal pronouns and possessive adjectives.

> Il m'a dit: «**Je** passe **mes** vacances à la plage». →
> Il m'a dit qu'**il** passait **ses** vacances à la plage.

3. Adjust verb tenses. If the introductory verb is in the past, the following changes occur.

direct discourse		*indirect discourse*
présent	→	**imparfait**
«J'**aime** la plage.»		Il m'a dit qu'il **aimait** la plage.
passé composé	→	**plus-que-parfait**
«J'**ai aimé** la plage.»		Il m'a dit qu'il **avait aimé** la plage.

[handwritten: futur ————→ Conditionnel]

The following tenses remain unchanged.

imparfait	→	**imparfait**
«J'**aimais** la plage.»		Il m'a dit qu'il **aimait** la plage.
plus-que-parfait	→	**plus-que-parfait**
«J'**avais aimé** la plage.»		Il m'a dit qu'il **avait aimé** la plage.

B. Time Expressions

Adjust the following time expressions, if they no longer relate to the present.

aujourd'hui	→	ce jour-là
hier	→	la veille, le jour avant
ce matin/ce soir	→	ce matin-là/ce soir-là
le mois dernier	→	le mois précédent, le mois avant

■ *Maintenant à vous*

D. **Contre bonne fortune.** Imaginez que vous venez de parler au jeune Guy de Rothschild, qui vous a raconté le dernier week-end de chasse à Ferrières. Racontez ce qu'il vous a dit, selon le modèle.

> MODÈLE: «Les invités sont arrivés samedi soir.» →
> Il m'a dit (Il m'a expliqué) que les invités étaient arrivés samedi soir.

1. «J'étais derrière une fenêtre et je les ai regardés descendre de voiture.»
2. «Un peu plus tard, je les ai vus entrer dans la salle à manger en smoking.»   3. «J'ai dû manger à la cuisine, comme tous les enfants.»
4. «Tout le monde s'est couché assez tôt, pour ne pas être fatigué.»
5. «Dimanche matin, tout le monde est descendu en tenue de chasse.»
6. «Après le déjeuner, je me suis assis à côté de mon père sur une voiture à cheval, et la chasse a commencé.»   7. «J'ai eu le droit de tirer plusieurs fois, et j'ai tué mon premier faisan.»   8. «C'est une expérience qu'on ne peut pas oublier.»

E. **Qu'est-ce qu'il a dit?** Vous venez de recevoir une carte postale d'un ami, David, qui passe ses vacances en Bretagne, et vous résumez pour nous le contenu de la carte postale. Qu'est-ce que David a dit?

F. **Une autre carte postale.** Cette fois-ci, c'est d'un couple français que vous connaissez (Denise et Jean-Michel). Qu'est-ce qu'ils ont dit?

La transhumance

Meilleurs souvenirs des Pyrénées! Nous nous reposons dans un village très pittoresque. Nous avons loué un gîte rural qui est très agréable. L'autre jour, nous avons vu des centaines de moutons qui traversaient le village (comme sur la carte)— Il y a une jolie petite rivière dans la vallée. Nous sommes allés à la pêche 2 ou 3 fois, mais nous n'avons rien attrapé.

Bien affectueusement,

Denise et Jean-Michel

G. **Un Américain à Roissy.** George, un étudiant américain, raconte à des amis français son arrivée à l'aéroport de Roissy à Paris. Mettez son histoire au passé en utilisant l'imparfait, le passé composé ou le plus-que-parfait selon le cas.

Avant de partir de New York, je (avoir)[1] beaucoup de confiance en moi. Je (ne jamais aller)[2] en France, mais je (étudier)[3] le français pendant plusieurs années, et je (croire)[4] que je (être)[5] prêt. Mais dans l'avion, un peu avant d'arriver, je (commencer)[6] à avoir peur: et si je (ne rien comprendre)[7]? Heureusement, je (comprendre)[8] la première personne qui me (adresser)[9] la parole en français. Ce (être)[10] un douanier (*customs officer*), et il me (dire)[11]: «Vos papiers, s'il vous plaît». Mais plus tard, ça (se compliquer).[12] Je (aller)[13] aux bagages pour attendre ma valise, et là, je (attendre)[14] pendant quinze ou vingt minutes. Il y (avoir)[15] beaucoup de valises qui (passer)[16] et (repasser)[17] devant moi, mais aucune (n'être)[18] ma valise. Au bout de 30 ou

40 minutes, je (se rendre compte)[19] que tous les passagers de mon avion (prendre déjà)[20] leurs valises et (partir).[21] Alors je (voir)[22] quelqu'un qui (avoir l'air)[23] de travailler là, et je lui (expliquer)[24] mon problème. Il me (regarder)[25] avec un petit sourire et me (répondre)[26] quelque chose que je (ne pas comprendre).[27] Finalement, je (trouver)[28] le bureau de la TWA et je (recommencer)[29] mon explication. L'employée, qui (très bien comprendre)[30] mon français, me (demander)[31] de remplir des formulaires. Et puis elle (téléphoner)[32] à New York, et on (apprendre)[33] que ma valise (rester)[34] là-bas.

H. **Un Américain à Paris—sans valise.** En groupes de deux, imaginez (oralement ou par écrit) le deuxième épisode des «aventures» de George. Vous pouvez vous servir des expressions suggérées, ou donner libre cours à votre imagination, mais rappelez-vous que l'histoire doit être au passé (imparfait/passé composé/plus-que-parfait).

Expressions suggérées: changer de l'argent au bureau de change de l'aéroport; prendre un taxi; aller dans un hôtel que quelqu'un / recommander; demander une chambre; ne pas avoir de brosse à dents ni de pyjama; aller dans un magasin; acheter une brosse à dents et du dentifrice; décider de ne pas prendre de pyjama après tout; se promener un petit peu dans les rues de Paris; être impressionné par les vieux monuments; avoir faim; manger dans un restaurant; aller à la Gare de Lyon; se renseigner sur le prix d'un billet pour Marseille; téléphoner à ses amis pour leur annoncer le délai; etc. (plus tard) mal dormir; rêver que sa valise / être mise sur le mauvais vol, etc.

I. **Et vous?** Interviewez un(e) de vos camarades de classe: demandez-lui de vous raconter «une aventure» qui lui est arrivée un week-end ou en vacances. Posez suffisamment de questions pour «tout» savoir—les circonstances (où? quand? avec qui? pourquoi?); ce qui s'était passé avant l'incident; un récit détaillé de l'incident; ses sentiments avant, pendant et après. Prenez des notes pendant l'interview, pour ne rien oublier.

Maintenant, changez de partenaire et racontez (en vous rappelant les principes du discours indirect) l'histoire que vous venez d'entendre—avec la permission de l'auteur, bien sûr!

J. **Jeu de rôles: «Une mémoire défaillante».** You and your brother or sister are trying to remember where the family went on vacation five years ago. One of you thinks that it was the year you rented a cabin in the mountains where there was a tennis court nearby, where you had met a guy (or girl) who played tennis with you, etc. (Evoke all kinds of memories that might be linked to a vacation in the mountains.) The other thinks that was the year the family stayed home, because your parents had just bought a new car, and there was not much money to go on vacation. You do remember going to the beach for a few days. (Evoke memories that might be linked to a few days at the beach.) Discuss back and forth until you can agree on what really did happen that year.

PAR ÉCRIT

■ *Avant d'écrire*

Point of View   Point of view refers to the standpoint from which a writer makes observations and gives opinions. It determines what a writer chooses to present and to emphasize. Accounts of the same event, for example, may vary dramatically from one eyewitness to another. Think of Guy de Rothschild's account of the hunting season in Ferrières. What if those weekend hunts were being remembered, not by Guy de Rothschild, but by his father's personal servant? Go back to Guy de Rothschild's text and determine which parts of the story that servant would have witnessed; identify each moment (i.e., l'**arrivée des invités, le grand dîner, le dimanche matin,** etc.), and then make a list of what the servant would have seen, done, and felt within each context. Use **le samedi soir** to begin your story, but be sure to include the activities and feelings that *had* dominated the servant's world prior to the arrival of the guests in your account.

■ *Sujet de composition*

Décrivez «la saison des chasses à Ferrières» du point de vue du valet du père de Guy de Rothschild, qui se rappelle, avec ou sans nostalgie, les événements d'une époque maintenant disparue.

▦ EN DÉTAIL

11.1. Another Use of the *plus-que-parfait*

The **plus-que-parfait** may be used with **si** to express a wish or a regret about the past.

Si seulement ils **avaient su...**

If only they had known . . .

This is not to be confused with **si + imparfait** used to express wishes or suggestions about the future.

Et **si** on **allait** au cinéma?

What if we went to a movie?

11.2. Time and Tense Sequence in the Past

Reminders:

- The **passé composé** is what makes the story progress. It sets the "time" of the narration.
- The **plus-que-parfait** is for flashbacks or anything that *had* happened *before* the time of the narration.
- The **imparfait** sets the stage for any past action, either in the **passé composé** or in the **plus-que-parfait.**

Activité Indicate the correct tense for each verb in parentheses, and explain why it is the correct one. Answers appear on page 248.

Retour au passé

L'année dernière, j'(avoir)[1] l'occasion de retourner à la maison de mon enfance. C'(être)[2] un peu par hasard: nous (être)[3] en vacances dans la région, et, quand je/j'(voir)[4] le nom du village sur la carte, je/j' (proposer)[5] de faire un détour, par curiosité. Nous (avoir)[6] du mal à trouver la maison, parce tout (changer)[7]: le village (grandir)[8], il y (avoir)[9] de nouveaux magasins, de nouvelles rues. La maison de mon enfance (être)[10] toujours là, mais elle (ne pas être)[11] plus de la même couleur, et les arbres (devenir)[12] énormes. Avec une certaine nostalgie, je (regarder)[13] le jardin où je/j' (jouer)[14] quand j' (être)[15] petite, et je/j' (reconnaître)[16] la balançoire (the swing) où je/j' (passer)[17] tant d'heures. Puis je/j' (regarder)[18] la façade de la maison, et je/j' (essayer)[19] de me rappeler à quelles pièces (correspondre)[20] les fenêtres, quand soudain la porte d'entrée (s'ouvrir)[21] et une petite fille (sortir)[22], interrompant le rêve où je/j' (entrer)[23].

11.3. More About Indirect Discourse

A. Present tense

If the introductory verb is in the present, there is no change of tense in the dependent clause(s).

> Il dit: «J'**aime** voyager». → Il dit qu'il **aime** voyager.
> Il dit: «J'**ai aimé** mon séjour en France». → Il dit qu'il **a aimé** son séjour en France.
> Il dit: «Je vous **écrirai**». → Il dit qu'il nous **écrira.**

B. Future tense

You have already seen most of the tense changes that occur when the introductory verb is in the past. One other change must be mentioned: the future tense in a direct quotation becomes conditional in indirect discourse. (The conditional will be reviewed in **Thème VI.**)

> Il a dit: «Je vous **écrirai**». → Il a dit qu'il nous **écrirait.**

C. Commands

In commands, the imperative verb becomes an infinitive introduced by **de.**

> Il nous a dit: «**Venez** avec moi!» → Il nous a dit **de venir** avec lui.

D. Questions

In questions, the following changes occur.

- With yes or no questions, use **si.**

> Il m'a demandé: «Est-ce que tu as fait un bon voyage?» → Il m'a demandé **si** j'avais fait un bon voyage.

- With information questions, keep the interrogative expression, but drop **est-ce que** or the inversion, and use a declarative sentence.

> Il m'a demandé: «Où est-ce que tu es allé(e)?» → Il m'a demandé où j'étais allé(e).
> Il m'a demandé: «A quelle heure repars-tu?» → Il m'a demandé à quelle heure je repartais.

- With interrogative pronouns, **qui est-ce qui** and **qui est-ce que** become **qui.**

Il m'a demandé: «**Qui est-ce que** tu as vu?» → Il m'a demandé **qui** j'avais vu.

Qu'est-ce qui becomes **ce qui.**

Il m'a demandé: «**Qu'est-ce qui** s'est passé?» → Il m'a demandé **ce qui** s'était passé.

Qu'est-ce que becomes **ce que.**

Il m'a demandé: «**Qu'est-ce que** tu as fait?» → Il m'a demandé **ce que** j'avais fait.

Answers: 1. what happened? → *passé composé*. 2–3. circumstances → *imparfait*. 4–6. what happened → *passé composé*. 7–8. action prior to time of narration → *plus-que-parfait*. 9–11. descriptive → *imparfait*. 12. action prior to time of narration → *plus-que-parfait*. 13. what happened? story progresses → *passé composé*. 14. action prior to time of narration → *plus-que-parfait*. 15. descriptive → *imparfait*. 16. what happened next? → *passé composé*. 17. action prior to time of narration → *plus-que-parfait*. 18. what happened after that? → *passé composé*. 19. action in progress, related to **quand** clause that follows → *imparfait*. 20. descriptive → *imparfait*. 21–22. what happened? → *passé composé*. 23. action prior to the time of narration, which time is now **quand une petite fille est sortie** → *plus-que-parfait*.

CHAPITRE 12

Le départ

PAROLES

Les voyages en train

La **gare** (*station*); la S.N.C.F. = Société Nationale des Chemins de Fer (*French National Railways*); le T.G.V. = Train à Grande Vitesse.

Le **départ** (*departure*): D'abord il faut **se renseigner** (*to get information*) au **bureau de renseignements** [m.] (*information desk/window*), et consulter l'**horaire des trains** (*train schedule*); puis on va au **guichet** (*ticket window*) pour prendre son **billet** (*ticket*). On demande un **aller simple** (*one-way ticket*) ou un **aller et retour** (*round trip*) pour la **destination** voulue, en **première**

249

classe ou en **deuxième classe;** pour un petit **supplément,** on peut **réserver** sa **place** [dans un **compartiment «Fumeurs»** (*smoking*) ou **«Non Fumeurs»**]; à l'entrée du **quai** (*platform*), il faut **composter** (*punch*) son billet dans une petite machine de couleur orange (un composteur), pour que le billet soit **valable** (*valid*); quand on a trouvé le **bon train** (*the right train*), on cherche la place indiquée sur sa réservation, ou une **place libre** (*empty seat*). On se dépêche pour ne pas **manquer** ou **rater** (*to miss*) le train.

Dans le train: Au moins une fois pendant le voyage, le **contrôleur** (*conductor*) contrôle les billets des **passagers** [m.] (*passengers*); si ce n'est pas un **train direct,** il faut descendre à la gare voulue pour prendre la **correspondance** (*connecting train*). Quand on voyage de nuit, on peut prendre une **couchette** (*bunk*).

L'arrivée: Si on désire laisser ses bagages à la gare pendant qu'on visite la ville, on les met à la **consigne** (*baggage check/locker*).

Les voyages en avion

Une compagnie aérienne (*airline*); un aéroport (*airport*).

Le départ: On peut prendre son billet et sa **carte d'embarquement** (*boarding pass*) dans une **agence de voyages** (*travel agency*) ou au **comptoir** (*ticket counter*). Avant de monter dans l'avion, il faut **enregistrer ses bagages,** puis trouver la **porte d'embarquement** (*boarding gate*).

Dans l'avion: Les **hôtesses de l'air** (*stewardesses*) et les **stewards** s'occupent des passagers. Quand l'avion décolle (**décoller** = *to take off*) ou atterrit (**atterrir** = *to land*), il faut rester dans son **siège** (*seat*) et **attacher sa ceinture** (*fasten one's seat belt*).

L'arrivée: Les passagers des **vols** [m.] (*flights*) internationaux doivent **passer à la douane** (*to go through customs*); le **douanier** (*customs officer*) contrôle votre **passeport** et demande si vous avez **quelque chose à déclarer;** quelquefois, il fouille (**fouiller** = *to search*) vos bagages.

■ *Parlons-en*

1. **Situation 1: «C'était horrible!»** En groupes de deux, écrivez un dialogue, que vous allez ensuite jouer devant la classe, entre deux voyageurs qui récapitulent ensemble ce qui leur est arrivé pendant leur premier voyage en train. Imaginez toutes les catastrophes possibles: tout

65% DE RÉDUCTION
SUR LES VOLS VERTS UTA
FAITES VENIR VOS PARENTS, VOS AMIS, EN AFRIQUE.

UTA French Airlines

d'abord, ils n'arrivaient pas à trouver la gare, puis il y a eu des problèmes au guichet, ils se sont trompés de train et ils ont donc dû changer de train plusieurs fois pour retrouver la bonne ligne; malheureusement, ils avaient laissé une de leurs valises dans le premier train, etc.

2. **Situation 2: «Tout s'est bien passé.»** Changez de partenaire et écrivez ensemble un autre dialogue, cette fois-ci entre ce couple âgé et leurs enfants qui viennent les chercher à l'aéroport. La grand-mère est particulièrement volubile; elle explique tout: l'achat du billet à l'agence de voyage (avec 65% de réduction pour le troisième âge!), le départ, le service dans l'avion, l'arrivée, la douane, etc. Le grand-père, habitué à la précision (et à interrompre sa femme), ajoute sans cesse des détails supplémentaires au récit. Les deux sont enchantés de leur voyage. Il n'y a eu aucun ennui.

LECTURE ▪ :·:

Le petit Nicolas by Jean-Jacques Sempé and René Goscinny has been a favorite book of both adults and children since its publication in 1954. Nicolas's seemingly simple words and thoughts often hide profound and funny observations about the adult world. Sempé, born in 1932, began drawing cartoons at the age of nineteen and is the author of many cartoon albums. Incidentally, his own son is named Nicolas. His drawings often appear in French magazines such as *Paris-Match* and *L'Express*. Goscinny (1926–77) was the creator of the popular cartoon series *Astérix*.

▪ *Avant de lire*

Point of View   When you read, it is just as important to understand how the story is told as to understand what happens. Noticing the point of view of the person telling the story is something you probably do naturally in your native language; when you interpret a passage, you consider not only the events described but also the narrator's attitude toward them.

In the excerpt from *Contre bonne fortune* in Chapter 11, the weekend hunting party is presented from the point of view of the young Guy de Rothschild. In the essay at the end of that chapter, you were asked to envision that hunting weekend from the point of view of one of the servants at the estate. The servant, for example, may not have found it as magical and special as the young Guy did. For him, it might simply have been a time of too much work. Or he might have been appalled at the waste and excess. Or he might have thoroughly enjoyed the festive crowds, the displays of food, and the triumph of the hunters. There are innumerable points of view a writer might adopt to tell the servant's story. In all cases, the result would be dramatically different from Guy de Rothschild's story. The meaning of any text depends very fundamentally on the point of view of the narrator.

Part of the charm of the excerpt from *Le petit prince* in Chapter 5 lies similarly in the point of view of the narrator. Events are described from the perspective of the child prince, who sees the world's incongruities and curiosities overlooked by adults. The child's point of view enables readers to look at their world with a fresh eye.

You will very probably find a similar charm in *Le petit Nicolas*. As Nicolas describes his preparations for summer camp, it becomes clear that he sees the world very differently from his parents. Instead of recognizing that his mother was crying because of his departure, for example, Nicolas says, «Maman avait quelque chose à l'œil.» He naively focuses on the appearance of things rather than on what lies behind them. His point of view repeatedly makes readers laugh.

After you have read it, look through the excerpt for other examples of a childlike point of view in the passage. List several of them, and note down the effect they have on you when you read. Are they funny? Surprising? Sad? Try to specify what details contribute to their effect.

■ *Étude de mots*

emmener	*to take*
une colonie de vacances	*summer camp*
rigoler	*to laugh, have fun*
crier	*to scream, yell*
se débrouiller	*to manage, to survive*
oser	*to dare*
avoir du mal à	*to have difficulty (doing something)*

Activité Identifiez le mot (ou l'expression) qui ne va pas avec les deux autres.

1. bien s'amuser, rigoler, s'ennuyer   2. avoir du mal à, trouver facile, trouver difficile   3. une colonie de vacances, un hôtel, un camp   4. échouer, se débrouiller, réussir   5. oublier, emmener, emporter   6. parler fort, murmurer, crier   7. oser, risquer, hésiter

Le petit Nicolas [extrait]

JEAN-JACQUES SEMPÉ ET RENÉ GOSCINNY

Aujourd'hui, je pars en colonie de vacances et je suis bien content. La seule chose qui m'ennuie, c'est que Papa et Maman ont l'air un peu tristes; c'est sûrement parce qu'ils ne sont pas habitués° à rester seuls pendant les vacances.

mot ap.

Maman m'a aidé à faire la valise, avec les chemisettes, les shorts, les espadrilles, les petites autos, le maillot de bain, les serviettes,° la locomotive du train électrique, les œufs durs, les bananes, les sandwiches au saucisson et au fromage, le filet° pour les crevettes,° le pull à manches longues, les chaussettes et les billes.° Bien sûr, on a dû faire quelques paquets parce que la valise n'était pas assez grande, mais ça ira.

towels

net (pour pêcher) / shrimp
marbles

Sempé-Goscinny, *Le petit Nicolas*, © Éditions Denoël, 1962.

Moi, j'avais peur de rater le train, et après le déjeuner, j'ai demandé à Papa s'il ne valait pas mieux° partir tout de suite pour la gare. Mais Papa m'a dit que c'était encore un peu tôt, que le train partait à 6 heures du soir et que j'avais l'air bien impatient de les quitter. Et Maman est partie dans la cuisine avec son mouchoir,° en disant qu'elle avait quelque chose dans l'œil.

Je ne sais pas ce qu'ils ont,° Papa et Maman, ils ont l'air bien embêtés.° Tellement embêtés que je n'ose pas leur dire que ça me fait une grosse boule° dans la gorge quand je pense que je ne vais pas les voir pendant presque un mois. Si je le leur disais, je suis sûr qu'ils se moqueraient° de moi et qu'ils me gronderaient.°

valait... était préférable de

handkerchief

ce... leur problème / inquiets
lump
mot ap.
réprimanderaient

Moi, je ne savais pas quoi faire en attendant l'heure de partir, et Maman n'a pas été contente quand j'ai vidé° la valise pour prendre les billes qui étaient au fond.

considérez: vide

—Le petit ne tient plus en place,° a dit Maman à Papa. Au fond,° nous ferions peut-être mieux de partir tout de suite.

tient... devient impatient / au... après tout (*ici*)

—Mais, a dit Papa, il manque encore une heure et demie jusqu'au départ du train.

—Bah! a dit Maman, en arrivant en avance, nous trouverons le quai vide et nous éviterons les bousculades° et la confusion.

jostling

—Si tu veux, a dit Papa.

Nous sommes montés dans la voiture et nous sommes partis. Deux fois, parce que la première, nous avons oublié la valise à la maison.

A la gare, tout le monde était arrivé en avance. Il y avait plein de gens partout, qui criaient et faisaient du bruit. On a eu du mal à trouver une place pour mettre la voiture, très loin de la gare, et on a attendu Papa, qui a dû revenir à la voiture pour chercher la valise qu'il croyait que c'était Maman qui l'avait prise. Dans la gare, Papa nous a dit de rester bien ensemble pour ne pas nous perdre. Et puis il a vu un monsieur en uniforme, qui était rigolo° parce qu'il avait la figure toute rouge et la casquette de travers.°

considérez: rigoler
de... pas droite

—Pardon, monsieur, a demandé Papa, le quai numéro 11, s'il vous plaît?

—Vous le trouverez entre le quai numéro 10 et le quai numéro 12, a répondu le monsieur. Du moins, il était là-bas la dernière fois que j'y suis passé.

—Dites donc, vous... a dit Papa; mais Maman a dit qu'il ne fallait pas s'énerver° ni se disputer, qu'on trouverait bien le quai tout seuls.

considérez: nerveux

Nous sommes arrivés devant le quai, qui était plein, plein, plein de monde, et Papa a acheté, pour lui et Maman, trois tickets de quai.* Deux pour la première fois et un pour quand il est retourné chercher la valise qui était restée devant la machine qui donne les tickets.

—Bon, a dit Papa, restons calmes. Nous devons aller devant la voiture Y.

Comme le wagon qui était le plus près de l'entrée du quai, c'était la voiture A, on a dû marcher longtemps, et ça n'a pas été facile, à cause des gens, des chouettes° petites voitures pleines de valises et de paniers et du parapluie du gros monsieur qui s'est accroché° au filet à crevettes, et le monsieur et Papa se sont disputés, mais Maman a tiré Papa par le bras, ce

chic, jolies
caught on

---

*Tickets purchased to gain access to the train platform.

Sempé-Goscinny, *Le petit Nicolas*, © Éditions Denoël, 1962.

qui a fait tomber le parapluie du monsieur qui était toujours accroché au filet à crevettes. Mais ça s'est très bien arrrangé, parce qu'avec le bruit de la gare, on n'a pas entendu ce que criait le monsieur.

Devant le wagon Y, il y avait des tas de types° de mon âge, des papas, des mamans et un monsieur qui tenait une pancarte où c'était écrit «Camp Bleu»: c'est le nom de la colonie de vacances où je vais. Tout le monde criait. Le monsieur à la pancarte° avait des papiers dans la main, Papa lui a dit mon nom, le monsieur a cherché dans ses papiers et il a crié: «Lestouffe! Encore un pour votre équipe!»°

Et on a vu arriver un grand, il devait avoir au moins dix-sept ans.

—Bonjour, Nicolas, a dit le grand. Je m'appelle Gérard Lestouffe et je suis ton chef d'équipe. Notre équipe, c'est l'équipe Œil-de-Lynx.

Et il m'a donné la main. Très chouette.

—Nous vous le confions, a dit Papa en rigolant.

—Ne craignez rien, a dit mon chef; quand il reviendra, vous ne le reconnaîtrez plus.

Et puis Maman a encore eu quelque chose dans l'œil et elle a dû sortir son mouchoir.

Et puis on a entendu un gros coup de sifflet° et tout le monde est monté dans les wagons en criant.

Des papas et des mamans criaient des choses, en demandant qu'on n'oublie pas d'écrire, de bien se couvrir° et de ne pas faire de bêtises.° Il y

garçons

signe

groupe

coup... whistle

se... s'habiller chaudement / faire... être méchant

avait des types qui pleuraient et d'autres qui se sont fait gronder parce qu'ils jouaient au football sur le quai, c'était terrible.

Tout le monde a embrassé tout le monde et le train est parti pour nous emmener à la mer.

Moi, je regardais par la fenêtre, et je voyais mon papa et ma maman, tous les papas et toutes les mamans, qui nous faisaient «au revoir» avec leurs mouchoirs. J'avais de la peine.° C'était pas juste, c'était nous qui partions, et eux ils avaient l'air tellement plus fatigués que nous. J'avais un peu envie de pleurer, mais je ne l'ai pas fait, parce qu'après tout, les vacances, c'est fait pour rigoler et tout va très bien se passer.

Et puis, pour la valise, Papa et Maman se débrouilleront sûrement pour me la faire porter par un autre train.

J'avais... J'étais triste.

■ *Avez-vous compris?*

A. Vrai ou faux?

1. Nicolas avait l'habitude de partir en colonie de vacances. 2. Maman a pu mettre toutes les affaires de Nicolas dans une seule valise. 3. Le train partait à 6 heures du soir. 4. Les vacances de Nicolas allaient durer une semaine. 5. Papa a oublié la valise de Nicolas plusieurs fois. 6. La scène sur le quai était calme. 7. Le chef de l'équipe de Nicolas s'appelait Lynx. 8. Enfin, Nicolas est parti avec sa valise.

B. Quels étaient les sentiments de Papa et de Maman? Identifiez les phrases qui indiquent ces sentiments au lecteur. Comment Nicolas a-t-il interprété les sentiments de ses parents? Comment Nicolas a-t-il décrit ses propres émotions?

C. A la gare, est-ce que le monsieur en uniforme a bien guidé la famille? Expliquez. *impertinent!*

D. Qu'est-ce que Maman et Nicolas ont mis dans sa valise?

E. Retracez «l'itinéraire» de la valise.

F. Racontez l'histoire du départ de Nicolas à un(e) camarade de classe. (Utilisez des verbes au passé.) Faites attention à la manière de présenter l'histoire. Il y a au moins trois «scènes» différentes dans le passage: à la maison, sur le quai de la gare, le départ.

■ *Et vous?*

1. Jouez en français la scène qui suit avec un(e) camarade de classe.

    Personne A: Your son Nicolas has just left on the train for camp and forgotten his suitcase. Talk to the appropriate person to see what can be done.

    Personne B: You are the "stationmaster." After hearing the story, inform the parent that the next train leaves in one hour. Lecture him or her about forgetfulness, about being more organized, the inconvenience to all, etc. Eventually, agree that the suitcase can be put on the next train.

2. Le jour où on quitte la maison familiale pour une assez longue absence (pour aller à l'université, pour aller en colonie de vacances, pour partir en vacances, etc.) est souvent mémorable. Parlez à un autre étudiant (une autre étudiante) d'une telle journée. Soyez très précis(e) quant à vos activités.

3. Pourriez-vous raconter une expérience bizarre (réelle ou imaginaire) avec une valise? (par exemple, quand une compagnie aérienne a perdu votre valise; quand votre valise s'est abîmée au cours d'un voyage)

4. Parlez d'un départ mémorable dans votre vie.

5. Selon les psychologues, l'oubli s'explique de plusieurs façons. D'après vous, quelle est la raison pour la valise oubliée?

6. Les parents de Nicolas et Nicolas lui-même cachent leurs vrais sentiments. Quelles sont les raisons de Papa et de Maman? de Nicolas? Quel est le résultat de cette manière d'agir? Qu'en pensez-vous? Imaginez une discussion plus honnête entre Nicolas et ses parents. En groupes de trois, jouez la scène du départ avec cette nouvelle honnêteté.

STRUCTURES ■ :

Le départ du petit Nicolas, ou les inquiétudes d'une maman

—Tu es sûr que tu as **tout** remis dans la valise?
—Oui, j'ai **tout** remis.
—Tu n'as pas oublié ton pull à manches longues?

—Non, je l'ai pris.
—Et tes espadrilles?
—Je **les** ai prises; je **te** dis, j'ai **tout** pris!
—Et les billes de ton copain, tu **les lui** as rendues?
—Non, il **m'**a dit que je pouvais **les** garder, mais je vais **les lui** rendre après les vacances.
—Si tu ne **les** perds pas... Oh, tiens, tu n'as pas perdu l'adresse de papy et mamy?*
—Non, non, ne **t'**inquiète pas, je vais **leur** écrire.

---

* *Grandpa and Grandma*

■ 1. Direct and Indirect Object Pronouns

Pronouns replace nouns, eliminating unnecessary repetitions. There are subject pronouns, direct or indirect object pronouns, and disjunctive pronouns.* (12.1)

A. Direct Object Pronouns

A *direct object* is a noun that *directly* follows the verb, without any preposition.

Tu n'as pas oublié **ton pull** à manches longues?

A direct object pronoun replaces a direct object noun, but instead of following the verb, the pronoun precedes it.

Non, je l'ai pris.

The direct object pronoun forms are the following.

SINGULAR:	me, te	le, la, l'
PLURAL:	nous, vous	les

In compound tenses conjugated with **avoir,** the past participle must agree with the preceding direct object pronoun.

Les espadrilles? Je **les** ai pri**ses.**

---

*See Chapter 14 for a discussion of disjunctive pronouns.

B. Indirect Object Pronouns

If the noun object is (1) a person, and (2) is introduced by the preposition **à**, it can be replaced by an indirect object pronoun, which precedes the verb.* (12.2)

> Tu vas écrire **à** papy et mamy? Oui, je vais **leur** écrire.

The indirect object pronoun forms are the following.

SINGULAR:	**me, te**	**lui**
PLURAL:	**nous, vous**	**leur**

A preceding indirect object *never* affects the past participle of a compound verb.

> J'ai écrit à mes grands-parents. → Je leur ai écri**t**.

C. Multiple Pronouns

When direct and indirect object pronouns are used together in questions and declarative statements, they must be combined in the following order. (See also 12.1)

$$subject + (ne) + \begin{matrix} me \\ te \\ (se) \\ nous \\ vous \end{matrix} + \begin{matrix} le \\ la \\ les \end{matrix} + \begin{matrix} lui \\ leur \end{matrix} + verb + (pas)$$

> Tu as rendu **les billes à ton copain?**   *Did you give the marbles back to your friend?*
> Tu **les lui** as rendues?   *Did you give them back to him?*

■ *Maintenant à vous*

A. **L'inventaire de la valise.** Voici la liste de ce que vous vouliez emporter.
   Est-ce que vous avez tout pris? Répondez selon le modèle.

>   MODÈLE: imperméable √ → oui, je l'ai pris.
>   parapluie   → Non, je l'ai oublié; il faut que je **le**
>   prenne.

blue-jean √	chemise bleue	pyjama
pantalon blanc	pull jaune √	trousse de toilette √

---

*Exception: With **penser à** (+ person), the preposition is retained and a disjunctive pronoun is used.
See Chapter 14.

| short | chaussures √ | appareil-photo √ |
| tee-shirts √ | chaussettes | carnet d'adresses |

B. **En sortant de la gare.** Imaginez la conversation du papa et de la maman de Nicolas après le départ de leur fils, selon le modèle.

> MODÈLE: Tu as parlé **à ce Gérard Lestouffe?** (oui) → Oui, je **lui** ai parlé.

1. Est-ce qu'il ne **t'**a pas paru un peu jeune? (si)   2. Mais tu fais confiance **à ce garçon?** (oui)   3. Tu crois que ces enfants vont obéir **à des jeunes de dix-sept à dix-huit ans?** (mais oui!)   4. Tu as dit **à Nicolas** d'écrire **à tante Margot?** (oui)   5. Tu as rappelé **à Nicolas** de **nous** écrire une fois par semaine? (oui)

C. **Mince alors!** (*Oh darn!*) Les parents du petit Nicolas s'aperçoivent que la valise est restée sur le quai. Reformulez les phrases selon le modèle.

> MODÈLE: Mais je croyais que tu avais donné **la valise à Nicolas!** → Mais je croyais que tu **la lui** avais donnée!

1. Et les paquets? Tu as donné **les paquets à Nicolas?**   2. Heureusement qu'il a **les paquets!**   3. Mais ses sandwiches au saucisson et au fromage—dire que j'avais préparé **ses sandwiches** exprès pour le train!   4. Mon pauvre petit—qui est-ce qui va donner à manger **à mon pauvre petit?** 5. Et qui est-ce qui va apporter **cette valise à notre petit Nicolas?**   6. Il y a des employés là-bas: va donc expliquer **la situation aux employés.**

▨ 2. Forms of *tout*

A. *Tout* as an Adjective

As an adjective, **tout** precedes the noun and agrees with it.

Tout le train était plein.	*The whole train was full.*
On a attendu **toute la** journée.	*We waited the whole day.*
Tous les enfants criaient.	*All the kids were yelling.*
Et **toutes les** mamans pleuraient.	*And all the moms were crying.*

B. *Tout* as a Pronoun

As a pronoun, **tout** can be used alone; it then expresses *everything*.

J'ai **tout** remis dans la valise.	*I've put everything back in the suitcase.*
Tout va bien.	*Everything's fine.*
Je ne peux pas **tout** faire.	*I can't do everything.*

Tout can reinforce the subject.

> **Ils** sont **tous** là.   *They are all there.*

It is also used with direct object pronouns (**le, la, les**).

> Les billes? Je **les** ai **toutes**. Je **les** ai **toutes** prises.
> Les paquets? Je ne **les** ai pas **tous.** Tu ne me **les** as pas **tous** donnés.

See 12.3 for details on using **tout**.

■ *Maintenant à vous*

D. **Un douanier méticuleux.** Vous racontez à un ami (une amie) ce qui s'est passé à la douane. Votre ami(e), incrédule, répète au fur et à mesure, selon le modèle.

> MODÈLE: Il a fouillé tous mes bagages! → Il **les** a **tous** fouillés?

1. Il a ouvert toutes les valises.   2. Il a sorti tous mes vêtements.   3. Il a demandé que j'ouvre tous les cadeaux.   4. Il a confisqué toutes mes boîtes de fromage!   5. Mais il m'a laissé tout mon chocolat.

E. **Une carte postale qui a pris la pluie.** Vous venez de recevoir une carte postale d'un ami en vacances, mais certains mots ont été effacés (*erased*) par la pluie. Reconstituez le texte en ajoutant la forme appropriée de **tout.**

Il pleut presque <u>tous</u> les jours, alors je ne peux pas faire <u>toutes</u> les excursions que j'avais prévues, mais <u>tout</u> se passe bien quand même. J'ai visité presque <u>tous</u> les châteaux de la Loire. Je les aime <u>tous</u>. Je voudrais m'arrêter dans <u>toutes</u> les petites villes, mais je n'ai pas le temps de <u>tout</u> faire. En <u>tout</u> cas, je t'embrasse de <u>tout</u> mon cœur.

■ 3. Communicative Strategies for Everyday Situations

A. How to Start a Polite Request

Pardon, monsieur (mademoiselle),...   *Pardon me, Sir (Miss), . . .*
Excusez-moi, monsieur (madame),...   *Excuse me, Sir (Ma'am), . . .*

B. Making a Polite Request

Est-ce que vous avez une chambre pour deux personnes?
Je voudrais un aller simple pour Marseille.
Pourriez-vous me dire où est la porte d'embarquement et à quelle heure part le prochain train pour Strasbourg?
Combien coûte un aller et retour pour Marseille en TGV?

C. Using Pause Fillers

Ben,... (*pronounced like* **bain**)	*Well, . . .*
Voyons,...	*Let's see, . . .*
C'est-à-dire que...	*I mean . . .*
Euh...	*Umm, . . .*
Oui, mais...	*Yes, but . . .*
Alors,...	*So, . . .*

D. Asking for Clarification

Comment?	*I beg your pardon? (What?)*
Excusez-moi, mais je n'ai pas (bien) compris.	

E. Closing the Conversation

Merci bien. / Merci beaucoup.
Au revoir, monsieur (madame, mademoiselle).

■ *Maintenant à vous*

F. **L'horaire des trains.** Après avoir passé quelques jours à Paris, vous voulez rejoindre des amis qui habitent à Grenoble, dans les Alpes. Vous voulez partir le plus tôt possible, un samedi matin. Quel train allez-vous prendre? En groupes de deux, étudiez l'horaire à la page 264, puis répondez aux questions.

1. D'abord, de laquelle des cinq gares de Paris allez-vous partir?   2. Pourquoi ne pouvez-vous pas prendre le train de 6h45?   3. Si vous prenez le train numéro 12, combien de fois est-ce que vous allez devoir changer, et où? Combien de temps devrez-vous attendre la correspondance?   4. Quel est le meilleur train, et pourquoi?

Changez de partenaire et jouez les rôles suivants: l'un(e) de vous est le/la touriste qui veut aller à Grenoble et qui demande des renseignments; l'autre est l'employé(e) qui donne les renseignements. Rappelez-vous les stratégies de la communication mentionnées ci-dessus, et faites comme si vous étiez dans une gare française!

G. **L'histoire du passeport.** Vous arrivez à l'aéroport Charles de Gaulle pour prendre l'avion, mais vous vous apercevez soudain que votre passeport n'est pas dans votre poche! Où l'avez-vous laissé? Avec votre camarade, qui voyage avec vous, essayez de retracer «l'histoire» du passeport, sous forme d'un dialogue que vous allez ensuite jouer devant la classe. Discutez ensemble tous les endroits où vous l'avez sorti (par exemple, la frontière suisse, ita-

Numéro du train			8781	8567	4705	5703	4707	5705	651	5087	5247/6	731	605	609	5709	21	5099	8785	613	8575	607
Notes à consulter			1	1	2	3	4		5	6	7	8	9	10	11	12			13 X		14
Paris-Gare-de-Lyon	D								06.15			06.45	07.00	08.00		**07.14**			**10.00**		08.00
Dijon-Ville	D									06.43						**08.52**	**09.07**				
Chalon-sur-Saone	D									07.21							**09.50**				
Le Creusot-TGV	D								07.43		09.28										
Lyon-Part-Dieu	A								08.23	08.36		08.45	09.00	10.08		**11.04**			12.02		10.02
Lyon-Part-Dieu	D				07.03				08.25	08.38		08.48	09.02	10.10	10.18	**11.06**			12.08	12.15	10.04
Lyon-Perrache	A								08.33	08.45			09.10	10.18		**11.13**			12.15		10.12
Lyon-Perrache	D		05.27	06.00		07.27	**08.05**		**09.00**									**11.42**			
Bourgoin-Jallieu	A		06.02	06.38	07.27	08.07	**08.33**		09.36						10.43			12.15		12.49	
La Tour-du-Pin	A		06.17		07.38		**08.44**		09.47						10.53			12.27		13.01	
St-André-le-Gaz	A		06.25	06.32											11.00			12.34		13.08	
Le Grand-Lemps	A			06.50																13.31	
Rives	A			06.59											**11.20**					13.39	
Voiron	A			07.09	08.09	**09.14**									**11.28**					13.47	
Grenoble	A			07.34	08.25	**09.32**			09.55						**11.44**					14.06	

Tous les trains offrent des places assises en 1re et 2e cl. sauf indication contraire dans les notes.
Les trains circulant tous les jours ont leurs horaires indiqués en gras.

X Train n'offrant pas la totalité de ses prestations sur tout son parcours ou sur toute sa circulation.

Notes :

1. Circule: tous les jours sauf les dim et fêtes.

2. Circule: jusqu'au 15 juil 86 : tous les jours sauf les sam, dim et fêtes; Circule du 21 juil au 25 août 86 : les lun; à partir du 26 août 86 : tous les jours sauf les sam et dim. 2e CL.

3. Circule: jusqu'au 28 juin 86 : tous les jours sauf les dim; Circule à partir du 29 juin 86 : tous les jours sauf les 31 août, 7, 14 et 21 sept 86.

4. Circule: tous les jours sauf les dim et fêtes. 2e CL.

5. Circule: jusqu'au 4 juil 86 et à partir du 1er sept 86 : tous les jours sauf les sam et dim. Conditions d'admission « Renseignez-vous ». A supplément certains jours. TGV. [1re CL] [bar].

6. Circule: tous les jours sauf les sam, dim et fêtes.

7. Jeune Voyageur Service.

8. Circule: tous les jours sauf les sam, dim et fêtes. A supplément. TGV. [1re CL] [bar]. Facilités pour handicapés physiques.

9. Circule: les dim et fêtes sauf le 15 août 86. Ne prend pas de voyageurs à Lyon-Part-Dieu. TGV. [bar]. Facilités pour handicapés physiques.

10. Circulation périodique, renseignez-vous. Conditions d'admission « Renseignez-vous ». A supplément certains jours. TGV. [1re CL] certains jours. [bar]. Facilités pour handicapés physiques.

11. Circule: jusqu'au 6 juil 86 : les sam et dim; du 7 juil au 31 août 86 : tous les jours; à partir du 6 sept 86 : les sam et dim.

12. [IC]. TGV. [1re CL] [bar]. Facilités pour handicapés physiques.

13. Ne prend pas de voyageurs à Lyon-Part-Dieu. TGV. [bar]. Facilités pour handicapés physiques.

14. Circule: jusqu'au 4 juil 86 et à partir du 1er sept 86 : tous les jours sauf les sam et dim. Conditions d'admission « Renseignez-vous ». A supplément. TGV. [1re CL] [bar].

Nota : A Paris-Gare-de-Lyon, l'office de tourisme de Paris assure un service d'information touristique et de réservation hotelière.

Symboles

A	Arrivée	✕	Voiture restaurant
D	Départ	⊗	Grill-express
(couchettes)	Couchettes	(restauration)	Restauration à la place
(voitures-lits)	Voitures-Lits	Ⓨ	Bar
IC	Intercités	(vente)	Vente ambulante
TGV	Train grande vitesse		

lienne, etc.), inventez même un incident qui s'est produit à la douane (par exemple, quand on vous a demandé si c'était vraiment vous sur la photo), puis essayez de vous rappeler où et quand vous l'avez vu la dernière fois. Fabriquez ensemble une histoire originale en utilisant le plus de pronoms possible. Quand chaque groupe aura joué son dialogue devant la classe, un vote déterminera qui mérite le prix d'originalité.

H. **A l'aéroport.** (Changez de partenaire pour cette situation.) Parce que vous n'avez pas retrouvé votre passeport à temps, vous avez manqué votre vol.

Présentez-vous au comptoir de la compagnie aérienne, racontez votre histoire à l'employé(e), et demandez si votre billet est valable pour un autre vol. L'employé(e) demande des détails (destination, heure de départ du vol manqué), propose d'autres vols possibles, et annonce qu'il y aura un supplément à payer. Essayez de négocier quelque chose qui vous arrange. Même si vous n'êtes pas particulièrement satisfait(e), essayez de rester poli(e)!

I. **Jeu de rôles.** You have just returned from a wonderful trip through Europe, but one of your bags has been lost. It was the bag with all the presents you had brought back for family and friends. As the airline employee asks you for a detailed description of the bag's content, make a nuisance of yourself and tell about each object: what it was, where you (had) bought it, etc. Emphasize the fact that *all* the gifts were in that bag; if everything is lost, you don't know what you're going to do. Role-play this situation again with a different partner and reverse roles.

PAR ÉCRIT ▪ :

▪ *Avant d'écrire*

Point of View   In this chapter, you read *Le petit Nicolas,* a story told from a child's viewpoint. Now write a story from a child's viewpoint. Read the composition topic and then go back to Nicolas's account of **le départ,** paying close attention to what the child focuses on and the style of the text in general: the repetitions, the simple sentences, etc. Next, prepare your story by identifying, in proper sequence, the various scenes that a child would perceive.

▪ *Sujet de composition*

Vous avez déjà eu l'occasion, après la lecture tirée du *Petit Nicolas,* de parler d'un départ mémorable dans votre vie. Mais s'il y a des départs, il y a aussi des arrivées: l'arrivée dans une nouvelle ville lors d'un déménagement, par exemple, ou l'arrivée en vacances, ou même le retour à la maison après les vacances. Racontez un départ ou une arrivée mémorable du point de vue de l'enfant que vous avez été. Si la mémoire vous fait défaut, faites appel à votre imagination. Faites très attention à la concordance des temps au passé, et évitez les répétitions inutiles par l'emploi de pronoms.

■■ EN DÉTAIL

12.1. Placement of Direct and Indirect Object Pronouns

A. Simple and Compound Tenses

With simple and compound tenses, pronouns are placed directly in front of the verb.

> Si tu ne **les** perds pas...

In compound tenses, pronouns are placed directly in front of the auxiliary.

> Je **les** ai prises.

B. Direct Object Pronouns and *voilà*

Direct object pronouns are placed directly in front of **voilà.**

> La valise? Ah, **la** voilà!
> Où es-tu? —**Me** voilà. (*Here I am*)

C. Infinitive Constructions

With infinitive constructions, direct and indirect object pronouns are placed directly in front of the verb they are logically related to, which is usually the infinitive.

> Les billes? Je vais **les lui** rendre. (Je n'ai pas pu **les lui** rendre.)

If the first verb is **laisser** or a verb of perception (**voir, regarder, entendre, écouter**), you must determine which verb the object belongs to. In the sentence **Les parents regardent partir le train,** is **le train** the object of **partir** or **regarder?** Since it is the object of **regarder,** the pronoun must go in front of **regardent.**

> Les parents **le** regardent partir.

In the sentence **J'écoute l'employé donner le renseignement,** l'employé is the object of **J'écoute,** and **le renseignement** is the object of **donner.** Therefore, one pronoun precedes each verb.

> Je **l'**écoute **le** donner.

Note that if the first verb is **faire,** the pronouns always go in front of **faire.**

> Nous **ferons** parvenir **la valise à Nicolas** par un autre train.
> Nous **la lui ferons** parvenir par un autre train.

D. Interrogatives and Negatives

With interrogative and negative patterns, direct and indirect object pronouns remain in their usual place, directly in front of the verb they are related to.

> Les billes—**les lui** as-tu rendues? Vas-tu **les lui** rendre?
> Je ne **les lui** ai pas encore rendues.
> Ne **les lui** as-tu pas rendues? Ne vas-tu pas **les lui** rendre?

E. Affirmative Commands

With affirmative commands, pronouns are placed *after* the verb, they are connected to the verb by hyphens, and **me** and **te** become **moi** and **toi.** The order of pronouns is the following:

verb	+	le la les	+	moi toi lui, leur nous vous

> Rends-moi mes billes! Rends-les-moi!

F. Negative Commands

With negative commands, the placement and order of pronouns is the same as in declarative sentences.

> Ne me rends pas mes billes! Ne me les rends pas!

12.2. Verbs and Prepositions

A. Common Verbs that Require a Preposition in English But Not in French

attendre (*to wait for*)	J'attends le train; je l'attends.
chercher (*to look for*)	Je cherche ma valise; je la cherche.
écouter (*to listen to*)	J'écoute la radio; je l'écoute.

payer (*to pay for*)   J'ai payé mon billet; je l'ai payé.
regarder (*to look at*)   J'ai regardé l'horaire; je l'ai regardé.

B. Common Verbs That Require the Preposition *à* in French But Not in English

obéir à (*to obey*)   Il obéit à ses parents; il leur obéit.
promettre à (*to promise*) Il a promis à sa maman d'être sage; il lui a
                           promis d'être sage.
répondre à (*to answer*)   Il répond à son chef; il lui répond.
ressembler à (*to resemble*) Il ressemble à son père; il lui ressemble.

12.3. Other Uses of *tout*

A. *Tout* as an Adverb

Used as an adverb, **tout** modifies an adjective or another adverb and means *quite* or *all*. As an adverb, **tout** is invariable, except in one case: before a feminine adjective beginning with a consonant sound, it must agree with the adjective.

> *Activité* Add the correct form of the adverb **tout**. (See answers at bottom of page.)
>
> 1. Nicolas est _tout_ content. 2. Les enfants sont _tout_ excités. 3. La petite fille est _tout_ heureuse. 4. Elle est _toute_ contente. 5. Les filles sont _toutes_ contentes. 6. Elles sont _tout_ excitées. 7. Allez _tout_ droit. 8. Parlez _tout_ doucement.

B. Another Use of *tout* as an Adjective*

The singular forms **tout** and **toute** may be used without the article, in which case the adjective expresses *every*.

> Tout homme est mortel.

---

*Note that the **s** of **tous** is not pronounced in the adjective, but it is pronounced in the pronoun. (Pronoun → *pronounced*). **Tous sont venus.**

Answers: 1–2. **tout** (masculine → invariable) 3. **tout** (feminine starting with vowel sound → invariable) 4. **toute** (feminine starting with consonant sound → agrees) 5. **toutes** (feminine starting with consonant sound → agrees) 6. **tout** (feminine starting with vowel sound → invariable) 7–8. **tout** (in front of adverbs → invariable)

C. Idiomatic Expressions with *tout*

en tout cas (*in any case*) → En tout cas, n'oublie pas ta valise.

malgré tout (*in spite of everything*) → Malgré tout, le voyage s'est bien passé.

tout à fait (*completely, absolutely*) → Je suis tout à fait d'accord.

tout à l'heure (*in a little while*) → A tout à l'heure! = à bientôt!

tout de suite (*right away*) → Je reviens tout de suite.

tout le monde (*everyone*) → Tout le monde est là?

© PETER MENZEL

A la gare

Yannick Vernay

Yannick Vernay: Avocat et père de famille

Yannick Vernay is an attorney with a background in business. He was interviewed in his office at a pharmaceutical firm outside Paris, where he directs certain legal and site operations. He is married, with two children. In this interview, he talks about his family, in particular about their approach to vacations, and he comments on the role played by vacations and leisure time in France.

◼

J'ai l'impression qu'en France les vacances jouent un rôle très différent dans la vie familiale par rapport aux États-Unis. Par exemple, on dit que les Français vivent toute l'année dans l'attente des vacances. Est-ce exact? Aidez-nous à comprendre un peu cette attitude.

Oui, c'est un peu vrai. Il faut d'abord dire que les vacances sont échelon- nées° dans l'année; il y a les grandes vacances, et en général les Français prennent un mois, en août ou en juillet. Il y a de plus en plus de petites vacances qui sont en général d'une semaine à Noël ou à Pâques pour faire du ski.

Et à combien de semaines de vacances a-t-on droit? Est-ce que le nombre de semaines de vacances varie selon le travail que l'on fait?

Oui. La base est de cinq semaines de congé, néanmoins,° suivant l'ancien- neté dans l'entreprise,° suivant l'entreprise dans laquelle on se trouve, on

distribuées

nevertheless
mot ap.

270

peut avoir plus et par exemple dans le secteur bancaire, on peut avoir parfois six semaines de congé, voire° plus.

même

Durant les semaines pendant lesquelles on ne travaille pas, quelle est votre estimation du pourcentage de la population qui en vérité part en vacances?

Il doit y avoir environ 60% des Français qui quittent leur domicile. C'est un chiffre estimatif. Parce qu'il y a toute une partie de la population rurale, qui, elle, ne part pas ou en tout cas beaucoup moins que les citadins.

Pour les grandes vacances l'été dernier, qu'avez-vous fait avec votre famille? Quelles ont été les différentes étapes de vos préparatifs?

C'est très difficile de partir en vacances en France, parce que, en général, pour un Français les vacances sont synonymes de soleil, de détente° et de mer. Or tous les endroits qui répondent à cette attente sont bondés.° Il faut s'y prendre° très en avance, c'est-à-dire, à partir du mois de février. C'est ce que j'ai fait l'année dernière. J'ai loué une maison à Nice sur la Côte d'Azur à peu près à cette époque.

relaxation
très frequentés
s'y... commencer

Et l'été prochain?

L'été prochain, je m'y prendrai encore plus tôt, car même cette année au mois de février, j'ai eu des problèmes pour ma location. Je pense que mes projets seront à peu près identiques, c'est-à-dire, trouver un endroit ensoleillé, tranquille, surtout pour les enfants, qui sont une préoccupation importante, car il faut qu'ils puissent jouer librement, sans contraintes.°

sans... en liberté

Si l'argent n'était pas une considération importante, où choisiriez-vous d'aller en famille pour les grandes vacances?

En fait, il y a plusieurs endroits auxquels je pense: les États-Unis, et tout particulièrement la Californie. Ma femme et moi aimons beaucoup cet endroit. J'aimerais beaucoup le faire connaître à mes parents qui connaissent déjà la Floride et New York, mais pas la Californie. Pourquoi la Californie? Parce que c'est un endroit qui répond à mes préoccupations. C'est ensoleillé et parce que c'est aussi très intéressant en tant que mode de vie et c'est un des pays du futur.

A l'opposé de la Californie, il y a comme autre choix possible, des îles désertes avec beaucoup de soleil, également° la plage pour les enfants. Par exemple les Seychelles.° En troisième lieu, je choisirais l'Extrême-Orient: la Thaïlande, que j'aimerais beaucoup visiter pour ses richesses culturelles et la différence de civilisation.

et
îles dans l'Océan Indien

Est-ce qu'il est plus commun—d'après ce que vous connaissez des Français— d'aller chaque année au même endroit ou d'en choisir un nouveau?

Je crois que les Français aiment bien aller systématiquement au même endroit, pour autant qu'il les satisfasse.° Et je dirai qu'après tout, si l'on pense à la France, les endroits où l'on peut passer des vacances sont tout de même assez limités. Il y a la Bretagne, le Sud-Ouest de la France et la Côte d'Azur. Le plus populaire de tous étant de toute évidence la Côte d'Azur; ensuite peut-être la Bretagne et le Sud-Ouest.

pour... s'il les satisfait

Que pensez-vous des voyages organisés? Avez-vous déjà participé à de tels voyages?

Oui, nous avons fait des voyages organisés. Bien entendu, c'était à l'étranger,° et nous sommes allés en Afrique du Nord principalement. C'est intéressant, car lorsque l'on se rend dans un pays étranger, on a besoin d'un guide pour nous indiquer ce qu'il y a d'intéressant à visiter. Par contre, je n'aime pas les voyages organisés quand tout est organisé y compris les loisirs, quand il faut faire toujours comme tout le monde. Et cela, c'est mon petit côté individualiste.

à... dans un autre pays

Aux États-Unis, les «summer camps» pour les enfants sont très populaires. Est-ce la même chose que les colonies de vacances ici?

Je ne sais pas exactement ce que sont les «summer camps.» Mais pour ce qui est des colonies de vacances en France, cela consiste donc à envoyer son enfant dans des camps où l'air est pur, proches de la nature et surtout où il y a possibilité de développer leurs capacités sportives. Ces camps sont essentiellement orientés vers le sport et en second lieu vers le développement de la vie en commun. Je crois que c'est ce que les parents recherchent indépendamment du fait qu'ils souhaitent faire faire du sport à leurs enfants. Ils considèrent, je considère aussi, que ce qui est très important, c'est cette vie en commun pendant un mois, pendant lequel les enfants vont être amenés à faire des concessions à leurs petits camarades, ils vont vivre avec eux et vont se trouver confrontés à des personnalités différentes des leurs. Donc, selon moi, alors que le milieu parental amène à développer leur propre personnalité, à affirmer leur «moi», les colonies les font prendre conscience du fait qu'il y a d'autres «moi» que le leur.

Si le mois d'août est consacré aux vacances, quel en est l'effet sur l'économie française avec tant de bureaux, d'usines et de magasins fermés?

L'économie française tout d'abord y est accoutumée. Cela ne crée pas de perturbations spécifiques. Cela dit, il faut quand même prendre en considération le fait que tout n'est pas fermé au mois d'août et au mois de juillet, puisque la moitié des Français alternent sur ces deux mois. Et que par ailleurs, il n'y a que 60% des Français qui partent en congé, donc cela ne pose pas de problèmes pour faire ses courses. Si une partie de l'industrie s'endort un peu, une autre en revanche commence à revivre; c'est celle du tourisme. Le tourisme, ce n'est pas seulement l'infrastructure hôtelière, c'est aussi le petit commerce. Je pense que d'une façon générale, ce problème de vacances existe partout ailleurs—en Europe et peut-être dans le monde à une moindre échelle,° mais cela existe quand même en Allemagne, en Suisse et en Italie. L'économie française—comme les autres économies d'ailleurs—a appris à réagir à ce type de phénomène.

à... *to a lesser degree*

A votre avis, l'attitude des Français vis-à-vis des vacances est-elle en train de changer?

Oui, dans une certaine mesure. En fait, les Français ont de plus en plus envie de découvrir d'autres horizons, d'une part parce que leur niveau de vie° augmente et d'autre part parce que l'on ne vit plus maintenant comme on vivait il y a cinquante ans, dans un monde cloisonné;° la notion de frontière existe de moins en moins. En plus, il y a de plus en plus de communication entre les états, ce qui fait que l'on est de plus en plus attiré par ce qui est au-delà des frontières. Il y a bien entendu aussi le développement de l'industrie du tourisme et toute la publicité qui est faite autour des destinations plus ou moins lointaines telles que l'Afrique du Nord qui est très fréquentée par les Français, la Grèce, l'Espagne, l'Italie. Les États-Unis sont également très prisés, mais cela pose des problèmes financiers car le transport est tout de même onéreux.° Donc, effectivement dans ce sens-là, l'attitude des Français tend à changer.

niveau... style de vie fermé

cher

Une dernière question. Pouvez-vous nous raconter un souvenir de vacances qui vous est cher?

J'en ai plusieurs, mais je vais vous parler de deux particulièrement. Il y en a un qui concerne les États-Unis et plus particulièrement Carmel, qui est à mon avis l'un des plus beaux endroits du monde, en tout cas le plus beau que je connaisse. Cet endroit m'a beaucoup ému par la nature, les couleurs qu'on y rencontrait, par la beauté du paysage et par la manière dont le paysage était organisé. C'est-à-dire que finalement il n'y avait pas de violation de ce paysage par une civilisation, mais une civilisation qui était complètement intégrée au paysage. Cela a été pour moi un des plus beaux souvenirs.

A l'opposé, je citerai la Tunisie, où j'ai passé d'excellentes vacances avec tout un groupe d'amis et là, il y avait à la fois le cadre qui était magnifique et il y avait beaucoup d'activités. Nous avons fait du sport (du tennis et de la natation). Mais nous avons également fait beaucoup de visites de la Tunisie, du désert, de toutes les villes importantes, et cela a été fantastique car cela nous a amenés à découvrir une civilisation qui a sûrement plus de mille ans de retard par rapport à la nôtre et sur certains plans peut-être plus de cent ans d'avance. C'était donc très intéressant, c'était la découverte de quelque chose d'inconnu d'une part et le plaisir de partager cette découverte d'autre part.

■ *Avez-vous compris?*

A. Vrai ou Faux?

1. On a droit à cinq semaines de vacances minimum en France.   2. Yannick Vernay estime que 40% des Français ne quittent pas leur domicile pour aller en vacances.   3. En France il faut s'y prendre au printemps pour préparer les vacances d'août.   4. La location d'une maison à Nice pour le mois d'août est facile.   5. Un endroit idéal pour des vacances est, d'après Yannick Vernay, Carmel en Californie.   6. Bien des Français vont au même endroit pour leurs vacances chaque année.   7. La Bretagne est l'endroit le plus populaire pour les vacances d'été en France.   8. Les Français voyagent de plus en plus à l'étranger.

B. Décrivez les caractéristiques préférables (d'après Yannick Vernay) d'un lieu de vacances.

C. Parlez des avantages et des inconvénients des voyages organisés, selon Yannick Vernay.

D. Pourquoi est-ce que Yannick Vernay considère quelques semaines dans une colonie de vacances comme une bonne idée pour un enfant?

E. D'après Yannick Vernay, quel est l'effet sur l'économie française des fermetures annuelles du mois d'août? Expliquez.

F. Quelles sont les deux catégories de vacances que décrit Yannick Vernay?

■ *Et vous?*

1. Maintenant c'est votre tour. Expliquez à Yannick Vernay l'importance des vacances dans votre vie, dans celle de votre famille, et aux États-Unis en général. C'est un sujet bien vaste, mais essayez de choisir quatre ou cinq idées à discuter.

2. Que pensez-vous de l'idée de prendre quatre semaines de vacances ensemble en août ou en juillet? Préférez-vous les longues vacances ou plusieurs longs week-ends échelonnés dans l'année?

3. En France, on a droit à un minimum de cinq semaines de congé. Que pensez-vous de ce minimum? Contrastez-le avec les deux semaines de congé typique aux États-Unis.

4. En groupes de deux: vous avez lu une description des caractéristiques des endroits préférés pour des vacances d'été en France. Ici, aux États-Unis, croyez-vous que la liste soit aussi facile à faire? Avec votre partenaire, essayez de faire une liste de plusieurs caractéristiques qui rendent

un endroit populaire pour des vacances. Au bout de trois minutes comparez vos listes.

5. Quand vous étiez adolescent(e), est-ce que votre famille allait en vacances toujours au même endroit? Parlez de cet endroit (à la montagne? à la plage? dans une ville? chez des parents ou des amis?) et de ce que vous y faisiez.

6. Parlez un peu de votre voyage de rêves. Quand vous aurez le temps et assez d'argent, ou irez-vous? Que ferez-vous? Avec qui serez-vous?

Bon appétit!

En bref

Food, a common topic of conversation in every culture, has special importance in France. Many contemporary magazine and newspaper pieces as well as passages from classical literature focus on food. You will read a few of these in **Thème V.**

Functions

- Linking ideas coherently

- Avoiding repetition

- Circumlocution
- Describing, narrating, and explaining in the present and future

Structures

- Relative pronouns
- Transitions words
- Pronouns: y, en, demonstrative, possessive
- Useful fixed phrases
- Special problems: present and future tenses; articles; nouns

Avant de commencer

Before you look at the following recipe for a French version of beef stew, think about the ingredients often found in American beef stew and list them. What

Bœuf à l'orange

Pour 6 personnes :
2 kg de bœuf dans le gîte-gîte°
50 g de beurre
2 oignons
1 poivron vert°
3 oranges
0,75 litre de bouillon de bœuf
farine°, huile°
sel°, poivre°
Préparation : 20 mn
Cuisson : 2 h

from the round

poivron... *green pepper*

flour / oil
salt / pepper
Considérez: cuire

Coupez le bœuf en gros dés°, passez-les dans la farine, secouez-les° pour en faire tomber l'excès. Dans une cocotte° faites-les dorer° avec le beurre et 2 cuillerées à soupe d'huile. Sortez-les de la cocotte, réservez sur un plat. A leur place, faites revenir° les oignons émincés° et le poivron débarrassé de ses graines° et coupé en lanières.° Ajoutez un peu d'huile si nécessaire.

Remettez la viande dans la cocotte. Mouillez° avec le bouillon chaud, ajoutez les zestes et le jus des 3 oranges, salez peu, poivrez, couvrez, laissez cuire 2 heures au moins à four moyen 180° (6 au thermostat). Dressez sur le plat de service, servez avec un riz créole.

Coupez... *dice*
shake them
Dutch oven / brown

faites... *brown*
mot ap.
cleared / seeds
thin strips

moisten

Placez

NOTRE CONSEIL : si vous n'avez pas de bouillon de bœuf, préparez-en un avec 2 cubes de concentré de bouillon dissous° dans 1 litre d'eau chaude. Salez peu mais rectifiez l'assaisonnement° en fin de cuisson.

dissolved
Considérez: sel
mot ap.

are the usual steps in preparing beef stew? As you skim the recipe, notice how it differs from the versions you know. Before your second reading, glance at **Paroles** in Chapter 13.

Activités

A. Complétez la phrase selon le passage.

1. La recette sert _____ personnes.   2. Le bœuf est coupé en _____.
3. On passe les morceaux de bœuf dans _____.   4. Le bœuf est doré dans _____ et _____.   5. Puis on dore _____ et _____.   6. Enfin on laisse cuire le bœuf _____ au moins.

B. Expliquez à un(e) camarade de classe comment on prépare le Bœuf à l'orange selon la recette. Donnez beaucoup de détails, mais essayez aussi d'employer vos propres mots.

C. **Et vous.** Expliquez comment vous préparez un hamburger ou un autre plat de votre choix.

CHAPITRE 13

Les plaisirs de la table

© OWEN FRANKEN/STOCK, BOSTON

PAROLES ▪▪ ∙∙∙∙∙∙∙∙∙∙∙∙∙∙∙∙∙∙∙∙∙∙∙∙∙∙∙∙∙∙∙∙∙∙∙

Le petit déjeuner: le premier repas (*meal*) de la journée

Une **tasse** (*cup*) **de café;** du **café au lait;** un **crème** (*coffee with cream*), du **cho-colat;** du **thé.**

Une **tartine** = une tranche de pain (*slice of bread*) avec du beurre ou de la **confiture** (*jam*)], du **pain grillé** (*toast*), des **croissants** [m.].

Le déjeuner et le dîner

1. Les **hors-d'œuvre** [m.] ou le **potage** (*soup*):
   Les **crudités** [f.] (*raw vegetables*): la **salade de tomates** [f.], de **concombres** [m.] (*cucumbers*), de **betteraves** [f.] (*beets*) à la **vinaigrette** (*vinegar and oil dressing*).
   La **charcuterie** (*cold cuts*): le **jambon** (*ham*), le **saucisson** (*hard salami*), le **pâté**.
   Le **potage** ou la **soupe**: une **soupe de légumes**, la **soupe à l'oignon**, un **potage** aux **champignons** [m.] (*mushrooms*), du **bouillon** (*broth*).

2. **L'entrée**:
   Le **poisson** (*fish*), les **fruits de mer** (*seafood*): les **crevettes** [f.] (*shrimp*), le **crabe**, les **coquilles** [f.] (*scallops*) Saint-Jacques, le **homard** (*lobster*), les **huîtres** [f.] (*oysters*).
   Les **escargots** [m.]; une **omelette**; une **quiche**.

3. Le **plat garni** ou le **plat principal** (*main dish*):
   Les **viandes** [f.]: le **bifteck** / un **steak**; un **rôti** (*roast*) de **bœuf** [m.], de **veau** [m.] (*veal*), de **porc** [m.], ou d'**agneau** [m.] (*lamb*); une **côtelette**.
   La **volaille** (*poultry*): le **poulet** (*chicken*), le **canard** (*duck*), la **dinde** (*turkey*).
   Les **légumes** [m.] (*vegetables*): les **asperges** [f.] (*asparagus*), les **carottes** [f.], le **chou** (*cabbage*), les **épinards** [m.] (*spinach*), les **haricots verts** (*green beans*), le **maïs** (*corn*), les **petits pois** (*peas*), les **pommes de terre** (*potatoes*), les **frites** [f.] (*fries*).
   Les **pâtes** [f.] (*pasta*), les **nouilles** [f.] (*noodles*), le **riz** (*rice*).

4. La **salade** (la laitue = *lettuce*) et le **fromage** (le camembert, le brie, le roquefort, le gruyère [*Swiss cheese*], le **fromage de chèvre** [*goat*], etc.).

5. Le **dessert**:
   Les **fruits** [m.]: un **abricot**, l'**ananas** [m.] (*pineapple*), une **banane**, une **orange**, une **poire** (*pear*), une **pomme** (*apple*), le **raisin** (*grapes*).
   Le **yaourt**: **nature** (*plain*), **aux fraises** [f.] (*strawberries*), **aux framboises** [f.] (*raspberries*), **au citron** (*lemon*), **à la pêche** (*peach*).
   La **glace** (*ice cream*): à la vanille, au **chocolat**, etc.
   Les **gâteaux** [m.]: un **chou à la crème** (*cream puff*), un **éclair**, une **tarte aux cerises** [f.] (*cherries*), etc., **les petits gâteaux** (*cookies*).

6. Les **boissons** (*drinks*): l'**eau minérale**, la **bière**, le **vin**, le **lait**, un **jus de fruit**, un **Coca**, une **boisson gazeuse** (*carbonated*) / **non gazeuse** (*non-carbonated*); un **glaçon** (*ice cube*).

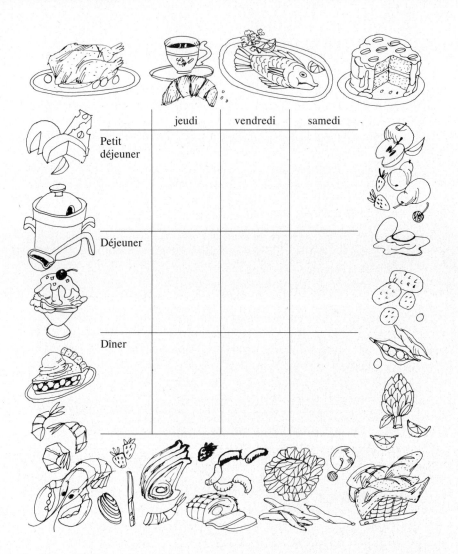

	jeudi	vendredi	samedi
Petit déjeuner			
Déjeuner			
Dîner			

■ *Parlons-en*

La semaine prochaine, vous et votre partenaire espérez avoir l'honneur d'être les hôtes ou hôtesses d'un programme d'immersion dans la langue et la culture françaises pour des étudiants de français de votre campus. Une grande maison a été louée pour l'occasion, et la salle à manger va bien sûr être le centre de bien des activités. Votre rôle est de planifier (*to plan*) les repas pour trois jours (petits déjeuners, déjeuners et dîners) et de les faire approuver par votre professeur. Saurez-vous mériter l'honneur espéré?

LECTURES ■ : : : : : : : : : : : : : : : : :

France is known throughout the world for its exceptional cuisine; its culinary traditions have influenced fine cooking in such countries as the United States, Canada, Germany, Vietnam, Cambodia, Argentina, and Japan. Traditional French cooking is often somewhat elaborate and rich in sauces and flavors. Special attention is paid to the way food is served as well as eaten. These traditional patterns of eating may be changing, however. Both "fast food" and "natural" foods have grown increasingly popular. Many French people worry that their country is growing too "Americanized." However, these social changes should perhaps be attributed instead to the increase in the number of families in which both parents must work outside the home (often commuting substantial distances), to the growth of international business, and to the accelerated pace of life in general. It is not surprising that the French now prefer simpler ways of preparing and serving food.

In the following readings, you will look at a few examples of foods available in France.

■ Lecture 1

Journal français d'Amérique, 24 avril 1986, p. 6.

Saviez-vous que « Fruit on the Bottom » est français ?

La réussite exemplaire de Dannon

Par Sylvie Guiraud

Parmi les entreprises françaises qui ont le mieux réussi outre-Atlantique, il en est une dont le nom est connu des consommateurs américains qui en utilisent les produits depuis deux générations. Il s'agit de[1] Dannon. Généralement, le public ignore que 100 % de son capital est contrôlé par une société aussi connue que BSN : Boussois-Sauchon-Neuvesel. Georges Casala, le président de Dannon, fait le point sur les stratégies et les ambitions de son entreprise.

1. Il... Il est question de

Mixed Berries
Fruit
on the Bottom

Ingrédients : Lait entier. Ferments lactiques
yoghourts. Teneur moyenne en sucre 11,4 %.
teneur moyenne en fruits 6 % (myrtilles, mûres)
et 4 % (fraises et framboises), arômes, conservateur des fruits E 202. Teneur moyenne pour
125 g : 557 kilojoules (133 cal). Lipides 3,4 g.
Protides 4,6 g. Glucides 21 g. Calcium 135 mg.

Poids net : **250 g**
(2 x 125 g)

Danone aux fruits

FRUITS DE LA FORÊT

DANONE

GERVAIS-DANONE FRANCE 92302 LEVALLOIS-PERRET

■ *Avez-vous compris?*

1. Selon le début de cet article, quel fait est peu connu des consommateurs américains? Ce fait vous a-t-il surpris?
2. Depuis combien de temps vend-on ce produit aux Américains?
3. Quelle est la «réussite exemplaire» de Dannon?
4. Nommez les ingrédients principaux du yaourt.

■ *Et vous?*

1. Nommez d'autres produits français qui ont réussi aux États-Unis. Avec vos camarades, composez une liste des produits français qui se trouvent dans les supermarchés et dans les magasins américains.
2. De nos jours, on se demande souvent quelle est la meilleure nourriture pour rester en bonne santé. Avec un autre membre de la classe, prenez position pour ou contre chacun des aliments qui suivent: le yaourt, le beurre (la margarine), le café et le thé, l'alcool (le vin, la bière, le whisky etc.), les œufs, le poisson, la volaille, la viande, les fruits et les légumes, les céréales.

:: Lecture 2

The following article describes the development of a new kind of "fast food" in France. A baker from Alsace, a region in northeastern France where cooking shows a pronounced German influence, has come up with a surprising use for a traditional kind of food.

■ *Avant de lire*

Previewing Besides skimming and scanning, another helpful technique when you start reading a new text is previewing. Previewing is particularly useful with items such as newspaper articles that include photographs, headlines, lead lines, highlighted passages, and so forth. In these sections, the author calls out important points for readers, making it easier for them to get the gist of the article quickly. When you read in a foreign language, however, you may forget to look carefully at these elements before you begin to read the text itself. If you do, you may be ignoring important clues that will make reading the passage much easier.

Practice previewing the following text. Read only the highlighted elements, look at the photograph and caption, and then decide what you think the important points in *Le bretzel fourré* will be.

■ *Étude de mots*

économe	*thrifty, frugal*
décuplé	*increased tenfold*
le chiffre d'affaires	*business earnings*
un bénéfice	*profit*
les impôts	*taxes*
ailleurs	*elsewhere*

Activité Trouvez l'antonyme des mots suivants dans la liste de vocabulaire.

1. dépensier (-ière)
2. diminué
3. ici
4. un déficit

Imagination

Le bretzel fourré: la version française du «fast food»

L'invasion du « fast food » à l'américaine stimule décidément bien des imaginations. Avec un « bretzel° fourré » pour gourmands économes et pressés, un boulanger de Mulhouse, en Alsace, est en passe de se tailler° un beau succès sur les marchés français.

Photo AFP

Désormais le «fast food» américain n'a qu'à bien se tenir! Le bretzel fourré est en piste[1] pour une contre-attaque française sur le territoire hexagonal.[2]

1. route   2. l'Hexagone = la France

En passant du stade° de boulanger de quartier à celui de petit industriel, Paul Poulaillon a presque décuplé son chiffre d'affaires en trois ans. Grâce à l'engouement° du public pour son bretzel fourré, il a réalisé dix millions de francs de chiffre d'affaires en 1985, avec un bénéfice net avant impôts, de l'ordre de 25 %. Son entreprise emploie désormais° trente-quatre personnes.

Pas cher et varié

« Le bretzel fourré s'inscrit° dans la tendance actuelle qui est de manger vite, pas cher et à toute heure », explique le rénovateur d'une formule traditionnelle en Alsace. « Nous allongeons le bretzel pour lui donner la forme d'un petit pain° que nous remplissons avec une vingtaine de garnitures° différentes comme des salades au poulet ou au thon° des salades exotiques, de la charcuterie, et bientôt, de la viande hachée° » poursuit-il.

Baptisé « mauricette » dans la région, le bretzel casse-croûte est fabriqué avec une pâte° traditionnelle à base de farine de froment° allégée° pour se rapprocher un peu de celle de la brioche, dit encore Paul Poulaillon.

garni intérieurement

bien... beaucoup de
pretzel
en... sur le point de se faire

position

infatuation

maintenant

entre

un... *a roll*

stuffings, trimmings
tuna fish

ground

dough
farine... *wheat flour* /
   Comparez: léger

Journal français d'Amérique, 28 mars 1986, p. 4.

Prêt à conquérir le marché américain

Après une apparition timide, la formule a pris en Alsace, mais aussi ailleurs. A l'enseigne° du « Bretzel chaud », <u>quatre points de fabrication-vente</u> tournent maintenant à plein régime° dans la région de Mulhouse.

signe

à... tout le temps

Les ambitions de Paul Poulaillon ne s'arrêtent pas à la région. Un magasin en franchise vient d'être ouvert à Nice et cinq autres vont suivre, notamment à Nancy et à Paris. D'autres implantations sont en projet en Allemagne Fédérale, aux Etats-Unis et même au Japon.

Les performances de son entreprise ont valu au boulanger de Mulhouse l'un des douze prix nationaux décernés° chaque année par les banques populaires à des artisans à la pointe de° leurs secteurs.

offerts

a... au sommet de

■ *Avez-vous compris?*

A. Choisissez la meilleure réponse.

1. Le bretzel fourré est (*un dessert, une espèce de sandwich, un saucisson*).
2. Un (*charpentier, pâtissier, boulanger*) d'Alsace a inventé le bretzel fourré.
3. Il a réalisé un bénéfice net avant impôts en 1985 de (*2,5 millions de francs; 7,5 millions de francs; 5 millions de francs*).   4. La formule d'origine pour le bretzel vient d(e) (*Paris, Nice, Alsace*).   5. Le bretzel est fabriqué avec une pâte à base de (*sucre, farine de froment, farine de riz*).   6. Dans la région de Mulhouse il y a actuellement (*3, 4, 2*) endroits où les bretzels se fabriquent et se vendent.   7. Paul Poulaillon a (*2, 5, 6*) magasins en franchise ouverts ou projetés en France.   8. Le boulanger de Mulhouse est devenu (*tailleur, banquier, petit industriel*).

B. Quelles sont les trois raisons proposées par l'article pour la réussite du «fast food» dans le monde?   manger vite / pas cher / à toute heure

C. Décrivez différentes sortes de bretzels fourrés.

■ *Et vous?*

A. Le «fast food» (la restauration rapide) est très populaire en France comme aux États-Unis. Mais certains proclament que ce genre de nourriture est très mauvais pour la santé. Qu'en pensez-vous? Justifiez votre opinion.

B. Paul Poulaillon a commencé avec une bonne idée et un sens du marketing, et il a réussi. Imaginez que vous avez un nouveau produit alimentaire que vous voulez développer et vendre. Parlez des choses que vous ferez, des étapes que vous devrez suivre pour devenir millionaire.

C. En groupes de trois, jouez les scènes qui suivent.

1. You are in a French restaurant. Discuss with a friend what you are going to order as a first course, as a main dish, and for dessert. When the waiter approaches your table, order each of your meals. Ask to see a wine list also and order a wine to go with your dinners.

2. The waiter begins to pour your wine. One of you notices that it has a strange taste, and the other notices that it is not chilled enough. Complain to the waiter. He assures you that that is the usual flavor for this wine, but says that he can bring you a colder bottle.

3. After the meal, you discover that the restaurant does not accept credit cards. You and your friend do not have enough cash to pay the bill. Suggest several solutions. You might leave your credit card as a guarantee of your return, and go to the bank to get cash, or you might leave your name and address and come back the next day with cash. The waiter will decide which alternative is acceptable.

⠿ Lecture 3

The following advertisements are from *Free Time,* a French chain of fast food restaurants similar to McDonald's.

■ *Avant de lire*

Recognizing Persuasive Techniques   As a sophisticated consumer, you may find it interesting not only to read an advertisement, but also to try to see how the seller is trying to influence your opinion. Look at the ads for the **longburger** and the **Super Sundae** to discover (1) which words in each ad are included to make the product more appealing, and (2) what the visual images contribute to the ad. What do you associate with them? Do those associations lead you to want to buy the product? Why?

LONGBURGER AUX FINES HERBES
sauce Freetime, salade, tomates, ketchup, cornichons, 1 steak haché aux fines herbes.

pickles
chopped

PLUS C'EST LONG, PLUS C'EST BON.

LONGBURGER
sauce Freetime, salade, tomates, ketchup, oignons, cornichons, 1 steak haché.

Plus grand que le ventre, on croît rêver.
Ils se ressemblent, ils sont longs avec des tomates, des cornichons,
un steak haché, de la salade, du ketchup et de la sauce Freetime.
Mais attention, ils sont différents ; le longburger a des oignons,
le longburger cheese des oignons et du fromage, le double
longburger cheese, du fromage, des oignons avec en plus un deuxième
steak ; enfin il existe le longburger aux fines herbes.
Est-ce bien raisonnable ?
La vérité c'est que tout est long et donc tout est bon.

Plus... (ici) You want
more than you can eat

287

▪ *Avez-vous compris?*

1. Expliquez les différences entre les variétés de longburgers.
2. D'après la publicité, pourquoi choisir un longburger?
3. Nommez les ingrédients d'un longburger aux fines herbes.

▪ *Et vous?*

1. Allez-vous souvent aux établissements de restauration rapide? Auxquels? Quel est l'avantage d'un repas, par exemple, à Free Time?
2. Comparez le longburger et le «Big Mac». (ingrédients, dimensions, etc.) Lequel des deux trouveriez-vous plus appétissant? Pourquoi?
3. Est-ce que cette publicité vous influence? Comment?

Le Super Sundae

▪ *Avez-vous compris?*

1. Décrivez les Super Sundaes à la fraise, à la pêche et à la myrtille.
2. Expliquez le jeu de mots du slogan «une oasis dans le dessert».
3. Décrivez les images que vous voyez sur cette publicité.

▪ *Et vous?*

1. Lequel des trois Super Sundaes vous plaît le plus? Pourquoi?
2. Est-ce que cette publicité pour les Super Sundaes vous donne envie d'une glace? Essayez d'identifier si c'est l'aspect visuel ou les mots qui vous influencent.
3. Avec un(e) camarade de classe, jouez la scène qui suit.

You and your roommate are trying to decide where you will go for a late afternoon snack. He or she has suggested McDonald's, but you prefer Burger King. Discuss the situation and explain your preference: for example, the hamburgers taste better, the french fries **(frites)** come in larger portions, and the choice of milkshake flavors is greater. Your roommate will respond and explain his or her preference: for example, the hamburgers are larger, the french fries are less greasy **(grasses),** and the coffee is better. Try to decide what to do. If you do not have all the vocabulary you need to say what you want, think of other ways to express similar ideas with words you already know.

SUPER SUNDAES : UNE OASIS DANS LE DESSERT.

AVEC DE VRAIS FRUITS.

Les SUPER SUNDAES : trois nouveaux super desserts de FREE TIME.
Le SUPER SUNDAE fraise*? Une glace vanille avec des fraises
fraîches. Le SUPER SUNDAE à la pêche? Une glace vanille,
de vrais morceaux de pêches, le tout nappé d'un sirop
de fraise. Et le SUPER SUNDAE myrtilles : une glace
vanille avec plein de myrtilles à l'intérieur.
Décidément, chez FREE TIME, les desserts
ont bonne mine !

(*) FREE TIME S.A. se réserve la possibilité
de remplacer à certaines époques
de l'année, les fraises fraîches
par des griottes.

couvert

blueberries

ont... semblent appétissants

type de cerises

▪ Lecture 4

This ad for Volvic mineral water relies more on visual imagery than on words to sell the product. What does it lead you to associate with Volvic mineral water? Why? Do you think the ad will be successful? At what group of consumers is it probably aimed?

▪ *Avez-vous compris?*

1. De quelle région de France vient l'eau Volvic?
2. Quelle est la relation entre les roches et Volvic?
3. D'après la publicité, que fait Volvic pour le corps?

▪ *Et vous?*

1. Buvez-vous de l'eau minérale? Quelle marque? Pourquoi, ou pourquoi pas?
2. Que veut dire le «bien-être»; comment le définissez-vous pour vous-même? Que faites-vous pour le maintenir ou pour l'obtenir?
3. Voici une interprétation possible du message de cette publicité: Volvic est naturelle et vous serez en bonne santé si vous en buvez. Visuellement, comment ceux qui ont formulé cette publicité ont-ils suggéré ce message?
4. Discutez en groupes de deux:

The French drink much more bottled water than Americans do. Is bottled water worth the price? Is it really better than tap water (**l'eau du robinet**)? One person will make a list of all the reasons to drink bottled water and the other a list of all the reasons that it doesn't make any sense. Afterwards, each pair will present their arguments.

STRUCTURES :::::::::::::::::::::::::::

Le gâteau breton

© YCA – BELLES EDITIONS DE BRETAGNE – QUIMPER/PHOTO Y. R. CAOUDAL

Même si vous n'aimez pas **les** gâteaux, vous n'allez pas pouvoir résister **au** gâteau breton! **La** recette est très simple: mélangez 250 grammes (ou 2 tasses) **de** farine, 250 gr. (ou 1 tasse 1/4) **de** sucre, et 250 gr. (ou **une** demi-livre) **de** beurre (**du** vrai beurre **que** vous aurez laissé ramollir* à température ambiante). Quand **la** farine, **le** sucre et **le** beurre sont bien mélangés, ajouter 6 jaunes d'œufs et les incorporer à **la** pâte.* On peut aussi ajouter **du** Grand Marnier—**une** cuillerée à soupe. Aplatir* **la** pâte dans **un** moule à gâteau* (rond) bien beurré. Dorer **la** surface avec **un** septième jaune d'œuf; tracer **des** lignes à **la** fourchette pour **la** décoration—et voilà! Il ne reste plus que **la** cuisson: à 375° pendant 30 mn, puis à 300° pendant 15 mn. Ne pas démouler avant que **le** gâteau soit complètement refroidi.

C'est **un** gâteau **qui** est sûr de plaire, et **dont** vous allez rêver **la** nuit.

---

*Ramollir = *to soften;* la pâte = *dough;* aplatir = *to flatten;* un moule à gâteau = *cake pan.*

▪▪ 1. Articles

Articles introduce nouns and indicate the gender (masculine or feminine) and the number (singular or plural) of the nouns. There are three kinds of articles in French: indefinite, definite, and partitive.

A. Indefinite Articles: *un, une, des*

These articles correspond to the English *a*, *an*, or *some*. Although *some* is often omitted before nouns in English, the plural indefinite article **des** is hardly ever omitted in French.

Ajouter **une** demi-livre de beurre.	*Add half a pound of butter.*
Aplatir dans **un** moule à gâteau.	*Flatten into a cake pan.*
Tracer **des** lignes à la fourchette.	*Draw (some) lines with a fork.*

After a negative expression, **un, une,** or **des** become **de.**

Si vous n'avez pas **de** moule à gâteau, prenez un moule à tarte.

Exception: In negative sentences with **être,** the indefinite article remains unchanged.

Ce n'est pas **un** gâteau ordinaire.

B. Definite Articles: *le, la, l', les*

These articles correspond to the English *the*. They are sometimes omitted in English, but rarely in French. They indicate that a noun is used in a general or abstract sense.

Les gâteaux ne sont pas toujours bons pour **la** santé, mais ils sont délicieux.	*Cakes (in general) are not always good for your health, but they are delicious.*
Même si vous n'aimez pas **les** gâteaux...	*Even if you don't like cakes . . .*

Note that verbs expressing likes and dislikes (**aimer, préférer, détester** and their synonyms) are almost always followed by definite articles.

Definite articles may also indicate that a noun refers to a specified person, thing, or idea. This usage resembles English.

La recette est très simple.	*The recipe is very simple.*
Quand **la** farine, **le** sucre et **le** beurre sont bien mélangés...	*When the flour, the sugar, and the butter are well mixed . . .*

Le and **les** contract with the prepositions à and **de.**

à + le = au	Vous ne pourrez pas résister **au** gâteau breton!
	You won't be able to resist the Breton cake!

à + les = aux	Faites attention **aux** œufs: n'utilisez que le jaune.
	Be careful about the eggs: use only the yolk.
de + le = du	Nous parlons **du** gâteau breton.
	We're talking about the Breton cake.
de + les = des	Que fait-on **des** blancs d'œufs? Rien.
	What do you do with the egg whites? Nothing.

C. Partitive Articles: *du, de la, de l'*

These articles correspond to the English *some* or *any*. Often omitted in English, they *must* be used in French. They refer to a *part* (hence, *partitive*) of a whole or to a limited but unspecified quantity.

Pour le petit déjeuner, je mange **du** pain, avec **du** beurre et **de la** confiture, et je bois **de** l'eau.

For breakfast, I eat (some) bread, with (some) butter and jam, and I drink (some) water.

In the plural, the indefinite article **des** is used.

Like indefinite articles, partitive articles become **de** after negative expressions, except when the verb is **être**.

Je ne bois jamais **de** vin.

I never drink wine.

Mais ce n'est pas **du** vin, c'est du jus de raisin.

But it's not wine, it's grape juice.

Partitive articles also become **de** after most expressions of quantity. (13.1)

Achète du pain, beaucoup **de** pain.

Buy some bread, a lot of bread.

■ *Maintenant à vous*

A. **Les ingrédients.** Dans **Thème V,** vous avez déjà découvert plusieurs plats ou produits alimentaires. Récapitulez ce qu'ils contiennent en ajoutant les articles voulus—indéfinis, définis ou partitifs selon le cas.

1. Le bœuf à l'orange: Pour ce plat, il faut _____ bœuf, _____ beurre, _____ oignons, _____ poivron [m.], _____ oranges, _____ bouillon [m.] de bœuf, _____ farine [f.], _____ huile [f.], _____ sel [m.], et _____ poivre [m].

2. Le bretzel fourré: Il faut d'abord _____ pâte. _____ bretzel est fabriqué avec _____ farine de froment. Comme garniture, on peut prendre _____ poulet, _____ thon [m.], _____ viande hâchée ou _____ salades exotiques.

3. Le «longburger aux fines herbes»: Il faut _____ steak hâché, avec _____ fines herbes, _____ sauce [f.] «Freetime», _____ salade, _____ tomates, _____ ketchup [m.] et _____ cornichons.

La vitrine d'une charcuterie

Lequel de ces «plats» préférez-vous servir à des amis? Pourquoi?

B. **Tout pour faire plaisir.** Pendant une visite chez votre grand-mère, vous l'accompagnez au supermarché où elle veut acheter tout ce qui vous ferait plaisir. Alors, pourquoi ne pas la laisser vous gâter (*spoil*)? Jouez la situation avec un(e) partenaire. Ensuite, renversez les rôles.

> MODÈLE: oranges → *Étudiant A:* Tu **aimes** les oranges?
> *Étudiant B:* Oui, **prends** *des* oranges! (*ou*)
> Non, ne prends pas *d*'oranges!

1. pâte 2. concombres 3. huîtres 4. poisson 5. crevettes 6. agneau
7. poulet 8. haricots verts 9. carottes 10. riz 11. purée 12. gruyère
13. Coca 14. jus de pomme 15. glace au chocolat 16. ?

Ensuite, les «grand-mères» décriront les goûts de leur «petit-fils» ou «petite-fille» à la classe.

C. **La liste des commissions** (*grocery shopping list*). Pour mieux vous rappeler, vous répétez à haute voix ce que vous devez acheter. Ajoutez les articles voulus.

1. D'abord, il faut que j'achète _____ pain et _____ croissants. (J'espère que _____ croissants seront encore chauds!) 2. Voyons, je vais prendre aussi _____ livre _____ beurre, _____ pot _____ confiture, _____ kilo _____ tomates,_____ litre _____ lait et _____ bouteille _____ eau minérale.
3. Comme viande, si _____ biftck est beau, je vais prendre _____ biftck.

Autrement, je prendrai _____ côtelettes de veau.   4. Je vais prendre aussi _____ jambon et _____ saucisson. _____ saucisson est toujours bon, _____ jambon aussi, d'ailleurs.

Maintenant, dites à un(e) partenaire ce que vous avez acheté la dernière fois que vous avez fait des courses.

▪ 2. Nouns

A. Gender

As you know, French nouns are either masculine or feminine. Since there are very few rules for determining the gender, each new noun should be learned with its article. When in doubt, consult the dictionary. (13.2)

Some masculine nouns designating people can be made feminine by simply changing the article—**un(e) adulte; un(e) artiste; un(e) enfant; un(e) secrétaire**—or by following the same rules as for adjectives. (See Chapter 1)

un(e) ami(e); un(e) étudiant(e); un(e) Français(e).
un boulanger → une boulangère; le patron → la patronne.

A few nouns (primarily referring to professions) are always masculine **(un architecte, un ingénieur, un juge, un médecin, un professeur)**, and a few nouns are always feminine **(une personne, une vedette de cinéma, une victime).**

B. Number

The rules described in Chapter 1 for adjectives apply to nouns as well. Some irregular plural forms are particular to nouns. (13.3)

SINGULAR		PLURAL	EXCEPTIONS
-al, -ail	→	**-aux**	
un animal		des animaux	bals, festivals
un travail		des travaux	chandails, détails
-eu	→	**-eux**	
un feu		des feux	pneus
-ou	→	**-oux**	
un genou		des genoux	sous (*money*), trous (*holes*), clous (*nails*)

Here are individual exceptions:

un œil → des yeux
le ciel → les cieux
un jeune homme → des jeunes gens

■ *Maintenant à vous*

D. **Un petit discours.** Vous avez préparé un petit discours (*speech*) sur les repas français, mais sous le coup de la nervosité sans doute, vous avez mis tous vos noms au singulier—vite, mettez-les au pluriel! Faites les autres changements nécessaires.

1. *Madame et Monsieur,...* 2. ...je vais vous parler *du repas français.* 3. *Le petit déjeuner* est «petit»,... 4. ...mais *l'autre repas* est «grand». 5. Pour manger, on met sa serviette sur *son genou,* et on garde *la main* sur la table. 6. Il faut aussi garder *l'œil* sur *son voisin* pour voir comment il se sert *de la fourchette et du couteau.* 7. D'abord il y a *le hors-d'œuvre; l'entrée et le plat garni* ne sont pas *la même chose.* 8. *Le fruit de mer,* par exemple, ou *le poisson,* n'est pas considéré comme *un plat principal.* 9. *La viande* se sert avec *un légume.* 10. *Le fromage* se sert avant *le fruit.*

En quoi le repas français diffère-t-il du repas américain?

E. **Un malentendu.** Pensant que vous parliez d'un ami, nous avons tout interprété au masculin; mais il s'agissait en fait *d'une amie,* alors rectifions les phrases suivantes.

1. Si nous comprenons bien, ce n'est plus *un enfant.* 2. Il est *étudiant* à l'université de Paris. 3. Il veut devenir *architecte* ou *ingénieur.* 4. A la maison, c'est *un bon cuisinier* et surtout *un bon pâtissier.*

■ 3. Relative Pronouns

Relative pronouns *relate* sentences to each other, or join them. A relative clause explains or elaborates on a word or idea in the main clause.

C'est un gâteau **qui** est sûr de plaire.

In this example, the relative clause **qui est sûr de plaire** elaborates on **un gâteau** and allows the speaker to avoid awkward repetitions by combining two sentences into one. (**C'est un gâteau. Ce gâteau est sûr de plaire.**) The word or concept that the relative clause refers to—in this case, **gâteau**—is called the antecedent (**l'antécédent**). (13.5)

A. *Qui*

If the relative pronoun (or the antecedent it represents) is the subject of the clause it introduces, the form to use is **qui. Qui** may refer to either people or things. It corresponds to the English *who, that,* or *which.*

La recette **qui** vous est donnée ici est un secret de famille.

The main clause in this example is **La recette est un secret de famille.** The relative clause is **qui vous est donnée ici.** Why **qui? La recette,** represented by the relative pronoun, is the subject of the verb phrase **est donnée.** (**Vous** is the indirect object.) Note that the relative clause follows its antecedent directly.

When there is no specific antecedent, the pronoun **ce qui** serves as an antecedent. It can refer only to things or ideas.

Je vois **ce qui** se passe.

I see what is happening.

B. *Que*

If the relative pronoun is the direct object of the clause it introduces, the form to use is **que** (or **qu'** in front of a vowel). **Que** may refer to either people or things; it corresponds to the English *whom, that,* or *which.*

C'est le genre de gâteau **que** j'aime.   *It's the kind of cake (that) I like.*
Un chef **que** je connais m'a donné la recette.   *A chef (whom) I know gave me the recipe.*

Although in English the relative pronoun *that* is often omitted, in French it must always be stated. In addition, since **que** indicates a preceding direct object, watch for past participle agreements when compound tenses are used.

La pâte **qu'**on a faite est assez dure.   *The dough (that) we made is rather hard.*

The antecedent **ce** may be used with **que** as well, when no specific antecedent is present.

Voilà **ce que** j'aime.   *That's what I like.*
Je vous dis tout **ce que** je sais.   *I'm telling you everything I know.*

C. *Dont*

If the verb of the dependent clause requires the preposition **de,** the relative pronoun used is **dont.** It too may refer to either people or things, and corresponds to the English *whose, of whom,* or *of which.* (13.4)

C'est un gâteau **dont** vous allez rêver la nuit. (rêver **de**)

Dont is also used to express possession. Note that the possessive adjective becomes a definite article after **dont.**

Je connais un monsieur; **sa** femme est française.
(sa femme = la femme **de** ce monsieur; de → dont) →
Je connais un monsieur **dont la** femme est française.

Ce dont is used when there is no specific antecedent.

Voilà **ce dont** j'ai besoin.   *That's what I need.*

D. *Où*

If the antecedent is a place (introduced by the preposition **dans, sur, à,** etc.) or a time, the relative pronoun is **où.** It corresponds to the English *where* or *when*.

Voilà un restaurant **où** on mange bien, paraît-il.
Oh, le jour **où*** tu m'emmèneras au restaurant...

■ *Maintenant à vous*

F. **Comment?** Vous avez vraiment l'esprit ailleurs aujourd'hui. Avec un(e) partenaire, demandez et donnez des clarifications selon le modèle, en utilisant le pronom **dont** ou bien **où** selon le cas. Ensuite, renversez les rôles.

MODÈLE: Le gâteau / on parlait → *Étudiant A:* Voilà le gâteau. →
Étudiant B: Quel gâteau? →
Étudiant A: Le gâteau dont on
parlait.

1. la recette / tu avais besoin   2. le livre / j'ai trouvé cette recette   3. le magazine / ses réclames (*ads*) sont toujours si belles   4. la réclame / je te parlais   5. la page / il y a la photo de mon dessert favori   6. le dessert / j'étais si fier (fière) l'autre jour

G. **La publicité et les produits alimentaires.** Modifiez les phrases en changeant le pronom relatif selon la construction du verbe.

MODÈLE: *Dannon est une marque de yaourt* qui est très populaire.
(a) on trouve partout →
Dannon est une marque de yaourt qu'on trouve partout.

1. *Le Bretzel fourré est un produit* qui a fait la fortune d'un boulanger de Mulhouse. (a) ne coûte pas cher. (b) on peut manger vite. (c) peut se remplir de viande, de poisson ou de salade. (d) le créateur est français.
2. *Free Time est une chaîne de restaurants* qu'on commence à voir dans toutes les grandes villes françaises. (a) a beaucoup de succès en France. (b) ressemble à McDonald's ou Burger King. (c) on trouve des «long-burgers». (d) on peut aussi acheter des «sundaes».
3. *Volvic est une eau minérale* qui vient d'Auvergne. (a) on a besoin pour être en bonne santé. (b) il faut boire tous les jours! (c) vous avez certainement entendu parler, n'est-ce pas? (d) donne l'énergie de sauter par-dessus les montagnes!

***Quand,** which never has any antecedent, may *not* be used in this case.

H. **Le gâteau breton.** Combinez les deux phrases de chaque paire à l'aide d'un pronom relatif, selon le modèle.

> MODÈLE: C'est un gâteau. Il est très facile à faire. →
> C'est un gâteau qui est très facile à faire.

1. C'est un gâteau. Vous pourrez le faire vous-même.
2. Les ingrédients sont de la farine, du sucre, du beurre et des œufs. On a besoin de ces ingrédients.
3. Le beurre peut être avec ou sans sel. Vous utilisez ce beurre.
4. Le moule doit être bien beurré. Vous mettez la pâte dans ce moule.
5. C'est un gâteau. Il peut se manger à toute heure de la journée.

I. **Vous devinez?** Commencez la description d'un produit alimentaire, et vos camarades vous poseront des questions pour essayer de deviner ce à quoi vous pensez. Condition requise: chaque phrase ou question *doit contenir un pronom relatif.*

> MODÈLE: Je pense à un produit alimentaire dont le nom commence par un **c.** →
> (Question 1) C'est quelque chose qu'on mange au dessert? → non
> (Question 2) C'est quelque chose qui vient d'un animal? → non
> (Question 3) C'est un légume dont la couleur est verte? → oui
> (Question 4) C'est un légume qui se mange en salade? → oui
> (Réponse) Le concombre!

La liste de vocabulaire du début du chapitre pourra vous servir d'inspiration.

J. **A vous!** En groupes de deux, complétez les phrases suivantes de façon personnelle. Faites une liste des réponses que vous avez en commun, puis faites part de cette liste à la classe. A la fin, choisissez le groupe avec les meilleures réponses.

1. Un repas de fête, c'est un repas qui/que...   2. Un repas ordinaire, c'est un repas qui/que...   3. J'aime aller dans des restaurants où...   4. Ce dont j'ai envie maintenant...   5. J'attends avec impatience le jour où...

K. **Jeu de rôles.** You and your roommate are planning a formal French dinner to impress some of your friends, but while you are trying to stay on a budget, your roommate seems to think that money is no object. Other considerations, of course, are your friends' preferences in food, and your own. Discuss each course, and come to an agreement about what you will serve.

PAR ÉCRIT ▪▪ :::::::::::::::::::::::::

▪ *Avant d'écrire*

How to Begin: Brainstorming   Most experienced writers can write something interesting about nearly any topic. Less experienced writers, however, often find that the biggest problem they face is simply finding something interesting to say. One source of the problem is that novice writers expect to produce lively and organized prose the first time they sit down with a pen and paper. They don't realize that all good work grows out of a series of steps; writing is a process that usually begins with brainstorming, which is followed by a stage of organizing ideas (and eliminating some of them), and which ends only after several revisions.

One of the most useful ways to approach a subject that you have not chosen yourself is to think about how it connects with your personal experience. You can't write something that will capture your reader's interest if it bores you. Jot down all the ideas that occur to you. Don't evaluate or criticize them; you can do that later. Once you begin brainstorming in this way, you will probably be surprised at how much you have to say about nearly any topic.

Once you have more ideas than you can use, go back and begin to shape your essay. Organize your ideas into the general and the particular, and eliminate those that do not seem to fit into your general line of thought. You will find several hints about how to organize your ideas in the **Par écrit** sections of Chapters 5 and 6.

Read the following topic, and set aside fifteen or twenty minutes just to brainstorm before you begin your writing. You might start by asking yourself these questions: What do I remember about meals in my family? Do meals seem to have a different character in my friends' families? What role does eating play in other cultures I know about? Afterwards, list personal experiences you might use to approach the topic, and then progress to generalizations about other people.

▪ *Sujet de composition*

«Le rôle des repas dans la vie familiale et sociale» (Faites particulièrement attention à la personnalisation de votre composition, et au point de vue de la forme, à l'emploi des articles, à l'accord des noms, et à la formation de phrases plus élaborées.)

■ EN DÉTAIL

13.1. Expressions of Quantity

A. The following expressions of quantity are followed directly by a noun, with no intervening article: **assez de** (*enough*), **beaucoup de** (*a lot of, many, much*), **peu de** (*few, little*), **un peu de** (*a little*—with singular nouns only), **trop de** (*too much, too many*), **une boîte de** (*a can/a box of*), **une bouteille de** (*a bottle of*), **une cuillerée de** (*a spoonful of*), **un kilo de, un litre de** (*a liter of*), **une livre de** (*a pound of*), **un morceau de** (*a piece of*), **un pot de** (*a jar of*), **une tasse de** (*a cup of*), **une tranche de** (*a slice of*), and **un verre de** (*a glass of*).

B. The partitive remains unchanged after the following expressions:

encore (*some more*)	Vous avez encore **du** gâteau?
la plupart (*most*)	La plupart **des** gens aiment les gâteaux.

C. No article or preposition is used after the following expressions:

plusieurs (*several*)	J'ai plusieurs recettes.
quelques (*a few*)	J'ai quelques recettes.

13.2. Gender of Nouns

Some noun endings indicate masculine or feminine gender, although there are exceptions.

	MASCULINE GENDER		FEMININE GENDER
-age	le garage (*exceptions:* une image, une page)	**-ance/-ence**	l'enfance, la patience
		-e	(*preceded by a double consonant*) la famille, la terre
-ail/-al	le journal, le travail		
-eau	le bureau (*exceptions:* l'eau, la peau)	**-ion**	la question (*exceptions:* un avion, un camion)
-et	un objet	**-son**	la chanson, la raison
-isme	le romantisme	**-té/-tié**	la santé, la pitié (*exceptions:* un été, un côté, un pâté)
-nt	l'argent, un appartement (*exception:* une dent)	**-tude/-ture**	une attitude, la nature, la peinture

Nouns whose final letter in the singular is an **a, i, o,** or **u** are masculine: **le cinéma, le piano, le trou.**

13.3. Plurals of Compound Nouns and Other Irregular Plurals

Verbs and prepositions are invariable in a compound noun; nouns and adjectives are pluralized if the meaning allows it.

le grand-père (*adj. + noun*) →   les grands-pères
l'arrière-grand-parent (*prep. + adj. + noun*) →   les arrière-grands-parents
une salle à manger (*noun + prep. + verb*) →   des salles à manger
un gratte-ciel (*verb + noun, but one sky only*) →   des gratte-ciel
un hors-d'œuvre (*prep. + noun expressing a singular idea*) →   des hors-d'œuvre

To form the plural of **monsieur, madame,** and **mademoiselle,** which are the contractions of **mon seigneur** (*my lord*), **ma dame** (*my lady*), and **ma demoiselle** (*my damsel*), the possessive adjective becomes plural: *mes*sieurs, *mes*dames, *mes*demoiselles.

Finally, note that proper nouns are invariable in French.

M. et Mme Dupont = les Dupont.

13.4. Common Verbs and Verbal Expressions that Require the Preposition *de* Before a Noun

- avoir besoin de (*to need*), avoir envie de (*to feel like having*), avoir honte de (*to be ashamed of*), avoir peur de (*to be afraid of*)
- être content de (*to be happy with*), être fier de (*to be proud of*), être sûr de (*to be sure about*)
- entendre parler de (*to hear about*)
- faire la connaissance de (*to meet*)
- parler de (*to talk about*)
- se servir de (*to use*)
- se souvenir de (*to remember*)

13.5. Other Relative Pronouns (for recognition only)

If the verb in the relative clause requires any preposition other than **de,** different relative pronouns are used. If the antecedent is a thing or things, use the preposition followed by **lequel, laquelle, lesquels,** or **lesquelles.**

> Voilà la recette **à laquelle** je pensais.

Note: à + lequel = auquel; à + lesquel(le)s = auxquel(le)s.

> C'est justement le gâteau **auquel** je pensais.

If the antecedent is a person or persons, **qui** usually replaces **lequel.**

> C'est la dame **à qui** je pensais.
> Je connais les gens **avec qui** vous travaillez.

CHAPITRE 14

Le goût du souvenir

© CAROL PALMER

Combray où Marcel Proust enfant passait ses vacances

PAROLES

Les courses

Les petits magasins: l'**épicerie**/l'**alimentation générale** (*grocery store*), la **boulangerie** (*bakery*), la **pâtisserie** (*pastry shop*), la **boucherie** (*butcher shop*), la **charcuterie** (*delicatessen*), la **poissonnerie** (*fish market*).

le primeur = fruits et légumes
la laiterie = lait, fromage, oeufs

305

Le **marché** (*market*): les **halles** [f.] (*covered market*), le **marché en plein air** (*open air market*).

Un **supermarché**, un **hypermarché**, ou les **grandes surfaces** (*discount department store*): un **chariot**/un **caddy** (*shopping cart*), un **rayon** (*department*).

Faire les commissions: choisir, faire peser (*to have something weighed*), **faire la queue** (*to wait in line*), **passer à la caisse** (*cash register*), **payer la caissière/le caissier** (*cashier*), **garder le reçu** (*receipt*), **mettre ses achats dans un sac en plastique,** une **boîte en carton** (*cardboard box*) ou un **panier** (*basket*).

Les différentes sortes de pain: une **baguette**, un **pain de campagne** (*round country bread*), du **pain complet** (*whole wheat*), du **pain de mie** (sans croûte [f.] = *without crust*), des **petits pains au chocolat,** etc.

Les différentes sortes de **produits: frais** (*fresh*), **en conserve** (*canned*), **surgelés** (*frozen*), **en boîte** (*canned or boxed*), **secs** (*dry*), **en poudre** (*powdered*).

Les **plats préparés** (*ready-to-serve dishes*), **crus** (*raw*), **cuits** (*cooked*).

La cuisine (*cooking*)

Les **ustensiles** [m.]: un **couteau** (*knife*), une **cuillère en bois** (*wooden spoon*), une **spatule**, un **mixeur**, une **casserole** (*cooking pan*), une **poêle** (*frying pan*), une **marmite** (*Dutch oven*), un **moule à gâteau** ou **à tarte** (*cake/pie pan*), un **rouleau de pâtisserie** (*rolling pin*).

La **cuisinière** (*stove*), le **four** (*oven*), le **four (à) micro-ondes** (*microwave oven*), l'**évier** [m.] (*sink*), le «**frigo**»/le **congélateur** (*"fridge"/freezer*).

Une **recette,** un **livre de cuisine.**

Des **ingrédients** [m.]: la **farine** (*flour*), le **sucre** (*sugar*), le **sel** (*salt*), le **poivre** (*pepper*), les **herbes** [f.] et les **épices** [f.] (*herbs and spices*), la **moutarde** (*mustard*), l'**aïl** [m.] (*garlic*), le **persil** (*parsley*), un **œuf** (*egg*), la **crème** (*cream*), la **vanille** (*vanilla*).

Les **mesures** [f.]: une **cuillerée à café/à soupe** (*tea-/tablespoonful*) une **pincée** (*a pinch*), 100 gr., la **moitié/un(e) demi-...** (*1/2*), un **tiers** (*1/3*), un **quart** (*1/4*), une **tasse** (*cup*).

Les **techniques** [f.]: **ajouter** (*to add*), **mélanger** (*to mix*), **faire cuire** (*to cook*) à **feu doux** (*on low*), à **feu moyen** (*on medium heat*), à **feu vif** (*on high*), **faire frire** (*to fry*), **faire bouillir** (*to boil*), **faire revenir/dorer** (*to brown*), **brûler** (*to burn*), **réchauffer** (*to reheat*), **mettre au four** (*to bake*), **laisser refroidir** (*to cool*), **saler/poivrer** (*to add salt/pepper*), **assaisonner** (*to season*), **goûter** (*to taste*), **servir** (*to serve*).

Quels sont les avantages des grandes surfaces?

■ *Parlons-en*

1. Imaginez que vous êtes à l'université d'Aix-en-Provence, dans le sud de la France, depuis quelques mois. Vous avez pris les habitudes françaises en ce qui concerne les courses et les repas, et quand un ami (une amie) de chez vous vient vous rendre visite pour quelques jours, vous voulez bien sûr l'impressionner par tout ce que vous savez! Vous l'emmenez avec vous au marché pour acheter vos fruits, vos légumes et vos fromages, puis vous allez dans un supermarché pour finir vos courses. En groupes de deux, jouez les rôles suivants:

Votre ami(e): Comme c'est votre premier séjour en France, vous posez beaucoup de questions sur tout ce que vous voyez au marché et aux différents rayons du supermarché.

Vous: Vous êtes ravi(e) de faire le guide et de tout expliquer—le nom des produits partout où vous allez, et même l'ordre dans lequel vous faites vos courses. («Bon, maintenant nous allons passer au rayon pâtisserie.»)

Pendant que vous faites la queue à la caisse du supermarché, vous échangez quelques comparaisons entre la façon de faire les courses aux États-Unis et en France.

2. **Des recettes.** Apportez en classe une recette simple que vous aimez bien. Sans montrer la recette, et sans lire d'abord la liste complète des ingrédients, décrivez à un(e) camarade tout ce que vous faites pour préparer ce plat et voyez si votre camarade peut deviner de quel plat il s'agit. Chacun dira ensuite à la classe ce qui lui a permis de deviner la recette de son partenaire—ou pourquoi c'était impossible de deviner.

LECTURE ■·····································

The reading in Chapter 14 is excerpted from Volume I of the well-known novel by Marcel Proust (1871–1922) *A la recherche du temps perdu* (literally, *In Search of Lost Time*). The novel has been compared to a symphony, with recurring themes of love, death, jealousy, time, and memory. The complex and beautiful passage reprinted here explores the ways in which the past can come alive again through memory and the intense sensations that a recollection can sometimes trigger—sensations often more vivid than present experience. In the passage, Proust seems to be trying to capture the actual experience of remembering— that is, to describe the ways in which memory works; he describes how long-

3000 pp.

plusieurs volumes

Remembrance of things past

forgotten images and sensations can be conjured up, sometimes with great difficulty. This is one of the most famous passages from his work.

■ *Avant de lire*

Identifying the Plot   The plot (**l'intrigue**) of a literary work is the story line,
the presentation of the action or events. If someone asks what a story is about,
he or she usually wants to know the plot of the story. The theme (**le thème**), on
the other hand, is the central meaning of a literary work. It can often be expressed as some moral, political, philosophical, or social truth about the human
condition. To outline the plot of *Romeo and Juliet*, for example, would require
at least seven or eight sentences. The theme can be stated briefly as the conflict
between romantic love and the demands of family and society.

When you begin reading a literary work in a foreign language, it is especially important to understand the general lines of the plot before you try to
interpret the work. Particularly in a literary work rich in ideas and imagery, this
will help you avoid sweeping generalizations that bear little relation to the text
itself.

The first time you read this excerpt from *A la recherche du temps perdu,* try
simply to answer the following questions about what happened.

1. Qui parle?
2. Où est-il?
3. Que fait-il à la maison?
4. Quel est l'état d'âme du narrateur au début de l'histoire?
5. Quels mots dans le premier paragraphe se rapportent aux sensations du
   garçon (par exemple, *triste, plaisir*)?
6. Comment se sent le garçon avant de goûter la madeleine? Et après?
7. Quelles questions le narrateur se pose-t-il dans le premier paragraphe?
   Que cherche-t-il à découvrir?

Reminder: As you read the excerpt, use the strategies for identifying the
essential parts of a sentence that you learned in **Avant de lire,** Chapter 2.

■ *Étude de mots*

une madeleine	*a shell-shaped tea cake*
la gorgée	*sip*
les miettes [f.]	*crumbs*
le breuvage	*beverage* (old-fashioned term)
tremper	*to dip, to dunk*
un tilleul	*lindenflower tea*
la saveur	*taste*
la vue	*sight*

Activité   Trouvez le mot de la liste qui convient.

1. Beaucoup de gens aiment _____ des biscuits dans leur thé, leur café ou leur lait.   2. Un thé spécial fait des fleurs d'un arbre s'appelle _____.   3. La mère dit à ses enfants, «Ne laissez pas de _____ partout!»   4. Un petit gâteau français, en forme de coquille, s'appelle _____.   5. Un _____ chaud, comme le café ou le thé, réchauffe bien quand on a froid.   6. La première _____ du breuvage lui a brûlé la bouche.   7.   La _____ de la brioche lui avait rappelé des dimanches d'autrefois.   8.   Cette soupe a une _____ agréable.

. . . .

A la recherche du temps perdu [extrait]

MARCEL PROUST

Un jour d'hiver, comme je rentrais à la maison, ma mère, voyant que j'avais froid, me proposa de me faire prendre, contre mon habitude, un peu de thé. Je refusai d'abord et, je ne sais pourquoi, me ravisai.° Elle envoya chercher un de ces gâteaux courts et dodus° appelés Petites Madeleines qui semblent avoir été moulés° dans la valve rainurée° d'une coquille° de Saint-Jacques. Et bientôt, machinalement, accablé° par la morne° journée et la perspective d'un triste lendemain, je portai à mes lèvres une cuillerée du thé où j'avais laissé s'amollir° un morceau de madeleine. Mais à l'instant même où la gorgée mêlée° des miettes du gâteau toucha mon palais, je tressaillis,° attentif à ce qui se passait d'extraordinaire en moi. Un plaisir délicieux m'avait envahi,° isolé, sans la notion de sa cause. Il m'avait aussitôt rendu les vicissitudes° de la vie indifférentes, ses désastres inoffensifs, sa brièveté illusoire, de la même façon qu'opère l'amour, en me remplissant d'une essence précieuse: ou plutôt cette essence n'était pas en moi, elle était moi. J'avais cessé de me sentir médiocre, contingent, mortel. D'où avait pu me venir cette puissante joie? Je sentais qu'elle était liée° au goût du thé et du gâteau, mais qu'elle le dépassait° infiniment, ne devait pas être de même nature. D'où venait-elle? Que signifiait-elle? Où l'appréhender? Je bois une seconde gorgée où je ne trouve rien de plus que dans la première, une troisième qui m'apporte un peu moins que la seconde. Il est temps que je m'arrête, la vertu du breuvage semble diminuer. Il est clair que la vérité° que je cherche n'est pas en lui, mais en moi. Il l'y a éveillée,° mais ne la connaît pas, et ne peut que répéter indéfiniment, avec de moins en moins de force, ce même témoignage° que je ne sais pas interpréter et que je veux au moins pouvoir lui redemander et retrouver intact, à ma

j'ai changé d'opinion
plump
molded / grooved / shell
fatigué / sombre

soften
mélangée
j'ai tremblé
entré
problèmes, fluctuations

jointe
considérez: passer

Il = le breuvage
considérez: vrai / commencée
évidence

disposition, tout à l'heure, pour un éclaircissement° décisif. Je pose la tasse et me tourne vers mon esprit. C'est à lui de trouver la vérité. Mais comment?

Et je recommence à me demander quel pouvait être cet état inconnu, qui n'apportait aucune preuve° logique, mais l'évidence, de sa félicité, de sa réalité devant laquelle les autres s'évanouissaient.° Je veux essayer de le faire réapparaître. [...]

Arrivera-t-il jusqu'à la surface de ma claire conscience, ce souvenir, l'instant ancien que l'attraction d'un instant identique est venue de si loin solliciter, émouvoir, soulever tout au fond de° moi?

Dix fois il me faut recommencer, me pencher° vers lui. Et chaque fois la lâcheté° qui nous détourne de toute tâche difficile, de toute œuvre importante, m'a conseillé de laisser cela, de boire mon thé en pensant simplement à mes ennuis° d'aujourd'hui, à mes désirs de demain qui se laissent remâcher° sans peine.

Et tout d'un coup le souvenir m'est apparu. Ce goût, c'était celui du petit morceau de madeleine que le dimanche matin à Combray° (parce que ce jour-là je ne sortais pas avant l'heure de la messe), quand j'allais lui dire bonjour dans sa chambre, ma tante Léonie m'offrait après l'avoir trempé dans son infusion de thé ou de tilleul. La vue de la petite madeleine ne

---

explication

évidence

disparaissaient

au... à l'intérieur

diriger

≠ courage

troubles

reconsidérer

village de son enfance

lui = tante Léonie

Marcel Proust

Devant la gare de Combray

m'avait rien rappelé avant que je n'y eusse goûté; peut-être parce que, en ayant souvent aperçu° depuis, sans en manger, sur les tablettes des pâtissieurs, leur image avait quitté ces jours de Combray pour se lier à d'autres plus récents; peut-être parce que, de ces souvenirs abandonnés si longtemps hors de la mémoire, rien ne survivait, tout s'était désagrégé,° les formes—et celle aussi du petit coquillage de pâtisserie, si grassement° sensuel sous son plissage° sévère et dévot—s'étaient abolies,° ou, ensommeillées,° avaient perdu la force d'expansion qui leur eût permis de rejoindre la conscience. Mais, quand d'un passé ancien rien ne subsiste, après la mort des êtres, après la destruction des choses, seules, plus frêles° mais plus vivaces, plus immatérielles, plus persistantes, plus fidèles, l'odeur et la saveur restent encore longtemps, comme des âmes, à se rappeler, à attendre, à espérer, sur la ruine de tout le reste, à porter sans fléchir,° sur leur gouttelette° presque impalpable, l'édifice immense du souvenir.

Et dès que j'eus reconnu le goût du morceau de madeleine trempé dans le tilleul que me donnait ma tante,... aussitôt° la vieille maison grise sur la rue, où était sa chambre, vint comme un décor de théâtre s'appliquer au petit pavillon donnant sur le jardin, qu'on avait construit pour mes parents sur ses derrières,... et avec la maison, la ville, depuis le matin jusqu'au soir et par tous les temps, la Place où on m'envoyait avant déjeuner, les rues où j'allais faire des courses, les chemins qu'on prenait si le temps était beau. Et comme dans ce jeu où les Japonais s'amusent à tremper dans un bol de porcelaine rempli d'eau, de petits morceaux de papier jusque-là indistincts qui, à peine y sont-ils plongés, s'étirent,° se contournent,° se colorent, se différencient, deviennent des fleurs, des maisons, des personnages consistants° et reconnaissables, de même maintenant toutes les fleurs de notre jardin et celles du parc de M. Swann, et les nymphéas° de la Vivonne,° et les bonnes gens du village et leurs petits logis et l'église et tout Combray et ses environs, <u>tout cela qui prend forme et solidité,</u> est sorti, ville et jardins, de ma tasse de thé.

remarqué

détruit
extrêmement
comparez: plié / *mot ap.*
endormies

mot ap.

bending
droplet

immédiatement

comparez: tirer
comparez: tourner
avec forme

water lilies / un fleuve

Des madeleines

© MARK ANTMAN/THE IMAGE WORKS

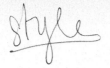
style

■ *Avez-vous compris?*

pairs (A) Complétez les phrases.

1. La mère du narrateur lui a offert un peu de ___thé___. 2. Les _pt.mad._ semblaient avoir été moulées dans une coquille. 3. Quand la gorgée mêlée des
miettes de la madeleine a touché le palais du narrateur, il a commencé à
sentir _____. *un plaisir délicieux / une sensation extraordinaire* 4. Le narrateur compare le plaisir qu'il éprouve à goûter la
madeleine à _l'amour_ 5. Il a enfin compris que quand il était plus jeune, sa
tante _Léonie_ avait l'habitude de lui offrir une madeleine, trempée de la même
manière. 6. Des _souvenirs_ de son enfance à Combray sont sortis de sa tasse
de thé.

ens. (B) Vrai ou faux?

1. L'histoire se passe en hiver. ✓ 2. Le narrateur accepte l'offre de thé la
première fois. F 3. Une madeleine est plate. F 4. C'était la troisième gorgée
qui a produit la plus grande réaction. F 5. Le narrateur a essayé plusieurs
fois de comprendre la source de sa joie. ✓ 6. Il s'est rendu compte que la
source de sa joie est l'arrivée d'une lettre de sa tante Léonie. F 7. Il a enfin
compris que la source de sa joie n'était pas en la boisson mais en lui-même. ✓

C. Terminez les phrases de la colonne de gauche avec une expression de la
colonne de droite.

1. Le narrateur a d'abord refusé...   4 goût du gâteau
2. Il a imaginé que le lendemain serait...   6 des tâches difficiles ~~qui~~
3. Dans le thé il a trempé...   8 sont puissantes
4. Sa joie était liée au...   4 souvenir de son enfance
5. Il a trouvé la vérité dans...   5 son esprit
6. Selon le narrateur, la lâcheté (*cowardice*)   1 le thé
   nous détourne...   2 triste
7. La vue de la madeleine...   7 ne lui avait rien rappelé
8. L'odeur et la saveur...   3 la madeleine

■ *Et vous?*

A. Le passage que vous venez de lire décrit en détail un goût spécial que le
narrateur a éprouvé pendant son enfance. Evoquez à votre tour le goût de
quelque chose que vous mangiez ou buviez souvent et qui avait une signification spéciale pour vous. A quoi associez-vous ce goût?

B. Nous avons tous des plats favoris. Choisissez-en un que vous préférez. Circulez dans la classe pour faire un sondage de trois minutes. Échangez vos

préférences avec vos camarades de classe. Donnez aussi une ou deux raisons de votre choix. A la fin, rapportez les résultats de votre sondage.

C. Est-ce que vous avez entendu parler du phénomène de «déjà vu»? Comment définiriez-vous cela? Comparez votre idée de cette sorte d'expérience avec celle de Proust. Quelles sont les différences et les similarités? Ensuite, parlez d'une expérience personnelle (réelle ou imaginaire) de «déjà vu».

D. D'après ce que vous avez lu, quelle sorte de personne est le narrateur de «La madeleine»? Décrivez son caractère et donnez beaucoup d'exemples.

E. Quelles sortes de techniques employez-vous comme aide-mémoire? Sont-elles efficaces?

F. Quand Proust parle de «l'édifice immense du souvenir», qu'est-ce qu'il veut dire à votre avis?

G. D'après Proust, on peut «retrouver» le temps «perdu». Êtes-vous d'accord? Expliquez aussi clairement que possible.

H. Imaginez que vous devez décrire le style de Marcel Proust à un ami (une amie) qui n'a pas encore lu ses œuvres. Qu'est-ce que vous allez lui dire? N'oubliez pas de mentionner vos réactions à son style. Parlez aussi de l'effet du style sur le sujet de sa prose.

STRUCTURES ▦ : : : : : : : : : : : : : : : : : : :

La madeleine et la tasse de thé

Une simple tasse de thé... il **y** avait trempé une madeleine, et le souvenir avait pris vie. Le thé en **soi** ne lui avait rien rappelé; la madeleine non plus, parce qu'il **en** avait vu beaucoup depuis son enfance. Mais la combinaison des deux goûts sur son palais avait fait revivre «le temps perdu». Par le pouvoir du souvenir, il traversait le temps et l'espace. Combray? Il **y** était. Sa tante Léonie? Il se retrouvait chez **elle,** savourant la madeleine qu'elle partageait avec **lui** le dimanche matin, quand elle prenait son thé. Il n'**y** avait pas pensé depuis des années... Il **en** ressentait une joie infinie.

In Chapter 12, you reviewed direct and indirect object pronouns. In this chapter you will review the pronouns **y** and **en,** as well as the disjunctive pronouns **moi, toi, lui, elle, nous, vous, eux,** and **elles.**

⸬ 1. The Pronoun *y*

If the noun object is a thing and it is introduced by the preposition à, it can be replaced by the pronoun **y.**

> Il n'avait pas pensé **à cela** depuis des années. → Il n'**y** avait pas pensé depuis des années. (*He hadn't thought about it for years.*)

Rappel. Remember that a prepositional phrase consisting of à followed by a noun referring to *a person* may be replaced only with an indirect object pronoun (**me, te, lui, nous, vous, leur**).

> Il n'avait pas écrit **à sa tante Léonie.** → Il ne **lui** avait pas écrit.

Y can also be used to replace a prepositional phrase referring to a place, except when the phrase begins with **de.** In this sense, **y** means *here/there.*

> Il avait trempé une madeleine **dans une tasse de thé.** → Il **y** avait trempé une madeleine. (*He had dunked his madeleine in it.*)
> Il était **à Combray.** → Il **y** était. (*He was there.*)

⸬ 2. The Pronoun *en*

If the noun object is a thing or a place, and it is introduced by the preposition **de,** it can be replaced by the pronoun **en.**

> Il se souvenait **de ses dimanches à Combray.** → Il s'**en** souvenait.
> Il venait **de Combray.** → Il **en** venait.

En is also used if the noun object is a thing or *a person* introduced by:

an indefinite article*

> Il a mangé **une madeleine.** → Il **en** a mangé **une.**
> Il a mangé **des madeleines.** → Il **en** a mangé.

a partitive article

> Il a bu **du thé.** → Il **en** a bu.

---

*Un or **une** must be repeated when **en** is used.

a number or an expression of quantity*

> Il a vu **beaucoup de madeleines.** → Il **en** a vu **beaucoup.**
> Il a vu **quelques madeleines.** → Il **en** a vu **quelques-unes.**
> Il avait **plusieurs tantes.** → Il **en** avait **plusieurs.**

▚ 3. Multiple Pronouns

When **y** and **en** are combined with other pronouns, they always come last; **y** always precedes **en.** (14.1)

> Il avait revu **sa tante Léonie à Combray.** → Il **l'y** avait revue.
> Il avait passé **beaucoup de jours heureux à Combray.** → Il **y en** avait passé beaucoup.

■ *Maintenant à vous*

A. **Des madeleines.** Vous vous préparez à faire des madeleines. Avec un(e) partenaire, vérifiez ensemble si vous avez tous les ingrédients nécessaires, et les mesures voulues.

> MODÈLE: vanille / une demi-cuillerée à café →
> *Étudiant A:* Tu as de la vanille? →
> *Étudiant B:* Oui, j'en ai. →
> *Étudiant A:* Combien est-ce que tu vas en mettre? →
> *Étudiant B:* Je vais en mettre une demi-cuillerée à café.

1. œufs / 4
2. sucre / une tasse et demie
3. beurre / une tasse et quart
4. jus de citron / une cuillerée à soupe
5. farine / 2 tasses et un tiers

(Et maintenant, pour les gourmands et les curieux, le reste de la recette: préchauffer le four à 350°, mélanger tous les ingrédients, beurrer les moules à madeleines, et mettre au four pendant 8 ou 9 minutes. Cette recette est pour 48 madeleines.)

B. **Ce que les Français mangent.** Avec un(e) partenaire, discutez le tableau suivant, selon le modèle:

---

*Numbers and expressions of quantity must be repeated when **en** is used. When **quelques** is repeated, it becomes **quelques-uns** or **quelques-unes.**

Ce que vous mangez

Jean-Yves Potel (directeur), *L'État de la France et de ses habitants*, Éditions La Découverte, Paris, 1985.

	en plus			en moins	
	QUANTITÉ	ÉVOLUTION %		QUANTITÉ	ÉVOLUTION %
Riz	3,8 kg	+ 58,3	Pain	50,6 kg	− 36,4
Farine de blé	4,2 kg	+ 13,5	Pâtes	5,5 kg	− 25,7
Confiture	2,7 kg	+ 50	Pommes de terre	57,8 kg	− 38,8
Viande de boucherie	23,7 kg	+ 12,9	Légumes secs	1,5 kg	− 34,8
Dont : Bœuf		+ 14	Lait frais	73,6 l	− 13,2
Mouton-Agneau		+ 84,2	Beurre	7,7 kg	− 13,5
Porc frais, salé			Huiles alimentaires	10,9 l	− 9,9
fumé		+ 29,7	Sucre	13,8 kg	− 31
Volailles		+ 17,9			
Charcuterie	8,9 kg	+ 30,9			
Fromages	14,4 kg	+ 33,3			
			Vin ordinaire	48,8 l	− 38,1
Apéritifs et liqueurs	3,5 l	+ 25	Bière	16,6 l	− 20,2
			Cidre	4,6 l	− 65,9

Quantités consommées à domicile par personne et par an en 1978–1980.
Évolution en % par rapport à la période 1965–1967 (*source: INSEE, 1982*).

MODÈLE: (riz) *Étudiant A:* Est-ce que les Français mangent beaucoup de riz? →

Étudiant B: Le Français moyen (*average*) en mange 3 kilos virgule 8 par an.

1. pain   2. pâtes   3. pommes de terre   4. légumes secs (haricots, etc.)
5. viande   6. charcuterie   7. beurre   8. fromages   9. sucre   10. confiture

Qu'est-ce qui vous surprend dans ce tableau?

C. **Et vous?** En groupes de deux, essayez de découvrir cinq produits que votre partenaire ne mange jamais, dix produits qu'il/elle mange souvent et dix produits qu'il/elle mange quelquefois. Faites une liste au fur et à mesure, pour pouvoir rapporter vos trouvailles à la classe après l'activité.

MODÈLE: Est-ce que tu manges du pain complet? →
—Je n'en mange jamais. / —J'en mange beaucoup. / —J'en mange quelquefois.

D. **Tant qu'à faire** (*While you're at it*). Voyant que vous allez faire les commissions, votre camarade de chambre vous demande où vous allez et si vous pourriez faire quelques achats supplémentaires. Il/Elle vous dit les produits qu'il/elle veut (un ou plusieurs pour chaque magasin), tandis que vous faites au fur et à mesure la liste.

> MODÈLE: passer / boulangerie →
>
> > *Votre camarade:* Est-ce que tu vas passer à la boulangerie? →
> >
> > *Vous:* Oui, je vais y passer. →
> >
> > *Votre camarade:* Est-ce que tu peux y prendre (une baguette) pour moi?

1. aller / épicerie 2. passer / pâtisserie 3. s'arrêter / boucherie 4. aller / charcuterie 5. s'arrêter / poissonnerie 6. ?

Oh, il/elle exagère! Après l'activité en groupes de deux, et avec votre liste sous les yeux, faites un rapport à la classe de tout ce qu'il faut que vous preniez pour votre camarade de chambre.

E. **Mais de quoi parle-t-on?** Avec un(e) camarade, donnez un sens à chacune des phrases ci-dessous. Ajoutez un contexte sous forme d'une question ou d'un mini-dialogue. (Que ce soit une phrase interrogative ou déclarative, incorporez-la dans un contexte cohérent.)

> MODÈLE: Qu'est-ce qu'on va y faire? →
>
> > *Étudiant(e) A:* Tu veux venir avec nous au club de français?
> >
> > *Étudiant(e) B: Qu'est-ce qu'on va y faire?*
> >
> > *Étudiant(e) A:* Regarder un film, et puis manger des crêpes.
> >
> > *Étudiant(e) B:* Manger des crêpes? Je viens!

1. Il faut que je leur en parle. 2. On ne pourra sans doute pas y rester longtemps. 3. Je n'arrive pas à m'y habituer. 4. Depuis quand est-ce que tu t'y intéresses?

■ 4. Disjunctive Pronouns

A. If the noun object is a person introduced by any preposition but à*, it can be replaced by a disjunctive pronoun (**un pronom disjoint**). Although other indirect object pronouns replace a noun *and* its accompanying preposition, the preposition keeps its original position in the sentence with a disjunctive pronoun. (14.2)

---

*There are a few cases when a disjunctive pronoun can be used with the preposition à: **penser à** is the most common of these exceptions.

The disjunctive pronoun forms are the following.

SINGULAR	PLURAL
moi	nous
toi	vous
lui, elle, soi*	eux, elles

Il se retrouvait **chez sa tante Léonie.** → Il se retrouvait **chez elle.**

Elle partageait sa madeleine **avec le jeune Marcel.** → Elle partageait sa madeleine **avec lui.**

Il se souvenait **de sa tante.** → Il se souvenait **d'elle.**

B. Disjunctive pronouns also have the following uses.

to emphasize subject pronouns

Moi, j'ai faim.	*I am hungry.*
C'est **toi** qui **as** fait ça?†	*It's you who did that?*

with **à** to express possession or emphasize a possessive adjective

Cette recette n'est pas **à moi;** c'est sa recette **à elle.**	*This recipe is not mine; it's her recipe.*

with **c'est** or alone (14.3)

Qui est là? —**Moi!** (—C'est **moi!**)	*Who's there? —Me! (It's me!)*
J'ai faim, et **toi?**	*I am hungry. How about you?*

in compound subjects

Mes amis et **moi,** nous aimons manger.

with **même** to mean *-self* (myself, yourself, etc.)

Il ne le sait pas **lui-même.**	*He doesn't know it himself.*
Nous faisons tout **nous-mêmes.**	*We do everything ourselves.*

with **ne... que**

Ce n'est que **moi.**	*It's only me.*

---

*__Soi__ is used with impersonal expressions: **On** est bien chez **soi. Chacun** pour **soi.** (*To each his own.*)
†Note the agreement of the verb with the **tu** form.

■ *Maintenant à vous*

F. **Il faut bien que quelqu'un le fasse.** Personne ne veut rien faire, mais il y a pourtant des courses à faire et un grand repas à préparer. Soyez emphatiques dans vos instructions, selon le modèle.

MODÈLE: tu / aller au supermarché → C'est toi qui iras au supermarché.

1. je / faire la liste des commissions   2. tu / acheter tout ce qu'il faut
3. il / nettoyer la maison   4. nous / faire la cuisine   5. tu / préparer les légumes   6. moi / faire cuire la viande   7. elle / s'occuper du dessert
8. il / mettre la table

Parmi les tâches précédentes, laquelle préfères-tu faire? Laquelle n'aimes-tu pas du tout?

G. **Au secours!** (*Help!*) L'auteur du passage ci-dessous est conscient de son style très lourd. Pouvez-vous l'aider en remplaçant toutes les répétitions inutiles par les pronoms appropriés?

L'expérience de Marcel Proust avec sa madeleine et sa tasse de thé me rappelle quelque chose: quand je bois de la citronnade fraîche, je pense à ma grand-mère. Quand j'étais petit, je passais mes étés chez ma grand-mère. J'aimais beaucoup ma grand-mère. C'était même amusant de travailler avec ma grand-mère, ou pour ma grand-mère. Une de mes responsabilités, avant chaque repas, était de préparer la citronnade. Je choisissais bien soigneusement les citrons: je prenais un ou deux citrons, je lavais les citrons, je pressais les citrons à la main, je mettais le jus dans le pichet (*pitcher*) à citronnade, et puis j'ajoutais l'eau et le sucre au jus. Quand la citronnade était prête, je montrais la citronnade à ma grand-mère: je demandais toujours à ma grand-mère de goûter la citronnade, pour voir s'il fallait ajouter du sucre à la citronnade. Ce n'était pas difficile de faire plaisir à ma grand-mère. Et maintenant, ce n'est pas difficile de penser à ma grand-mère: il suffit d'un simple verre de citronnade pour que je me souvienne de ma grand-mère.

⠿ 5. Strategies for Getting and Giving Essential Information

Foreigners often need to know how to ask for clarification when they don't understand something, as well as how to express ideas even when they don't know the exact words. Here are some suggestions.

A. Asking for Clarification

Above and beyond the very acceptable **Comment?**, the following expressions can be used:

Qu'est-ce que vous voulez (tu veux) dire?	*What do you mean?*
Qu'est-ce que ça veut dire?	*What does it mean?*
Comment ça se fait?	*How come?*
Comment se fait-il que les magasins soient fermés?	*How is it that the stores are closed?*

B. Circumlocuting

To circumlocute is to get a message across without the exact term(s). To get "around" a missing word, you need to remember that there usually is more than one way to say something, and that you can use the familiar to explain or describe the unfamiliar. Stalling devices or pause fillers such as **voyons...** and **euh...** (see Chapter 12) or **comment dirais-je...** (*how should I say... ?*) make natural leads into circumlocution. Here are some useful expressions.

• **C'est quelque chose qui s'utilise... qu'on utilise pour...**

> Je ne sais pas comment ça s'appelle, mais c'est quelque chose qu'on utilise pour ouvrir les boîtes de conserve (*cans*).

• **un truc, un machin** (*familier,* = **une chose**)

> Passe-moi le truc pour ouvrir les boîtes de conserve.

• **C'est ce qu'on fait quand...**

> C'est ce qu'on fait quand on ajoute des épices.

• **C'est ce qui arrive quand...**

> C'est ce qui arrive quand on laisse quelque chose trop longtemps sur le feu.

• **C'est là où...**

> C'est là où on garde la glace et les choses très froides.

For example, imagine that you are explaining how to make a cake, but you don't remember how to say *cake pan* in French. One possible solution would be to say **Comment dirais-je... C'est quelque chose en métal pour faire cuire le gâteau.** Can you think of other circumlocutions for *cake pan*?

■ *Maintenant à vous*

H. **Place à la stratégie.** Sans le mot juste (dont l'équivalent anglais est en italique dans les phrases suivantes), pouvez-vous quand même exprimer les idées ci-dessous?

1. Tell a French guest, who wants to help you in the kitchen, that he/she can *peel* the potatoes.   2. Explain that one of the *burners* on your stove doesn't work.   3. Explain that you prefer your vegetables *steamed*.   4. Explain that you try not to eat too many *sweets* because they are *fattening*. 5. Apologize for the fact that the ice cream you are serving is *half-melted*. 6. You are returning a bottle of milk to the store: explain that the milk is *sour*.

I. **Un jeu.** Faites chacun une liste de dix mots (français) que vous avez appris cette année (vous pouvez feuilleter les sections de vocabulaire si vous manquez d'inspiration). Ensuite, mettez-vous en groupes de deux, et à tour de rôle, faites deviner à votre partenaire chacun de vos mots. Attention de ne pas montrer vos mots à votre partenaire, et rappelez-vous que vos explications, ou circonlocutions, ne peuvent être qu'en français! Par exemple, si votre premier mot est «homard», vous pouvez le décrire de cette façon: «C'est un animal rouge qui vit dans la mer et qui ressemble à une grosse crevette; ça coûte très cher; c'est une spécialité de la Nouvelle Angleterre.

J. **Jeu de rôles:** "It just isn't your day!" You and your roommate are having a terrible day: car trouble, school trouble, and so on. As you discuss what has already happened, the seemingly tragic becomes almost funny. On a humorous note, anticipate (and exaggerate) together what else might go wrong today: since you are having friends over for dinner at your apartment this evening, speculate on the problems you will have as you shop, as you cook, as you serve the dinner, etc. Be prepared to act out your situation in front of the class afterwards. Make it as original as you can!

PAR ÉCRIT ■■ :

■ *Avant d'écrire*

Introducing Variety into Your Writing   An unbroken series of short or long sentences makes for tedious reading. Nothing animates prose like variety, and sentences are infinitely variable. You can vary their structure as well as their length. Longer sentences combine related thoughts. Short sentences isolate a single thought for special focus. Compare the paragraph-opening sentences from Proust's text:

1. Un jour d'hiver, comme je rentrais à la maison, ma mère, voyant que j'avais froid, me proposa de me faire prendre, contre mon habitude, un peu de thé.
2. Je refusai d'abord, et, je ne sais pourquoi, me ravisai.

The first sentence combines several descriptive elements and the circumstances behind the offer of a cup of tea. The second short sentence provides a striking contrast: it emphasizes the narrator's decision—a seemingly trivial decision that will have profound consequences. Later in the text, another short sentence (**Et tout d'un coup le souvenir m'est apparu.**) conveys the sudden recollection. Then, as Proust describes that recollection, the sentences stretch from one image to another. On a simpler scale, you too can vary your sentences to create special effects and improve your style in French.

Pre-writing Task Working in class with a partner, combine the following related sentences into one or two longer sentences, using relative pronouns and other connecting words such as **et, mais, parce que, quand,** etc. Avoid unnecessary repetitions. Then add a short sentence for special effect.

(1) J'étais enfant. (2) Ma mère m'envoyait souvent faire les commissions à l'épicerie du coin. (3) On vendait toutes sortes de bonbons dans cette épicerie. (4) Les bonbons n'étaient jamais sur ma liste. (5) Il fallait que je rapporte la monnaie exacte. (6) Je ne pouvais pas acheter de bonbons sans que maman le sache.

■ *Sujet de composition*

«A la recherche du temps perdu.» Pensez d'abord à une expérience particulièrement mémorable que vous avez partagée avec une ou plusieurs personnes qui vous sont chères. Pour faire revivre ce souvenir, essayez de le reproduire dans une lettre que vous envoyez à ceux qui l'ont partagé avec vous. Recréez le décor et décrivez les activités, la conversation, etc. Soyez très spécifique dans vos descriptions. Peut-être qu'après tout il sera possible de «retrouver le temps perdu». Essayez de créer des effets de style en variant la structure et la longueur de vos phrases.

▟ EN DÉTAIL

14.1. Use of *y* and *en* with Imperatives

A. *Y* and *en*

You have learned that if the **tu** form of the present tense ends in **-es** or **-as,** the **s** is dropped for the imperative. However, if that imperative is followed by **y** or **en,** the **s** must be restored.

> **Va** au bureau! **Vas**-y!
> **Parle** du problème! **Parles**-en!

B. Multiple Pronouns

Remember that the order of pronouns in the affirmative imperative is the following.

	le		moi			
verb +	la	+	toi lui	+	y	+	en
	les		nous vous leur			

Note that **moi** + **en** = **m'en,** and **toi** + **en** = **t'en.**

> Parle-moi du problème. Parle-**m'en.**
> Souviens-toi du problème. Souviens-**t'en.**

14.2. Exceptional Uses of Disjunctive Pronouns with *à*

Rule: **à** + *person* = indirect object pronoun.

> Je téléphone **à mes amis.** → Je **leur** téléphone.

Exception: à + person = à + disjunctive pronoun, in these cases:

* after the following verbs or verbal expressions:*

> s'adresser à (*to address oneself to*)   Je m'adresserai à eux.

---

*Of course, if the object of these verbs is a thing instead of a person, the pronoun used is **y:** Je m'intéresse beaucoup à la cuisine française. → Je m'y intéresse beaucoup.

avoir affaire à (*to deal with*)	J'ai peur d'avoir affaire à lui.
faire attention à (*to pay attention to, to watch out for*)	Fais attention aux voitures!
se fier à (*to trust*)	Je ne me fie pas trop à lui.
s'habituer à (*to get used to*)	Je m'habitue à eux.
s'intéresser à (*to be interested in*)	Alors, tu t'intéresses à lui, hein?
penser à / songer à (*to think about*)	Pense à nous!
renoncer à (*to give up*)	Mais renonce donc à elle.
rêver à (*to dream about*)	Tu as rêvé à moi?
tenir à (*to care about*)	Je tiens beaucoup à toi.

- to express possession with **être à...** or for emphatic use with possessive adjectives

  Ce livre est à moi. C'est mon livre à moi!

14.3. *C'est* or *ce sont* with Disjunctive Pronouns?

The singular verb form **c'est** is used with all disjunctive pronouns except **eux** and **elles**.

C'est nous qui faisons la vaisselle, ou bien **ce sont eux**?

CHAPITRE 15

A table!

© STUART COHEN/COMSTOCK

PAROLES ▥

Mettre le couvert / la table (*to set the table*)

La **nappe** (*tablecloth*), une **serviette** (*napkin*), un **set de table** (*placemat*).

Une **assiette** (*a plate*): une **assiette creuse** (*soup plate*), une **assiette plate** (*dinner plate*), une **petite assiette** (*dessert plate*), une **soucoupe** (*saucer*).

La **porcelaine** (*china*), la **faïence** (*stoneware*), le **plastique**.

Un **plat** (*serving dish*), une **soupière** (*tureen*).

Les **couverts** (*silverware*): un **couteau** (*knife*), une **cuillère** (*spoon*), une **cuillère à soupe** (*soup spoon*), une **petite cuillère** (*teaspoon*), une **fourchette** (*fork*), une **fourchette à dessert** (*dessert fork*), une **louche** (*ladle*), une **cuillère de service** (*serving spoon*).

Les **verres** (*glasses*): le **verre à eau**, le **verre à vin**, un verre **en cristal, en verre** [m.] (*glass*).

Une **tasse** (*cup*), un **bol** (*bowl*).

Un **plateau** (*tray*), une **carafe** (*pitcher*).

L'**hôte/l'hôtesse** (*host, hostess*), un(e) **invité(e)** (*guest*).

Au restaurant

Le **serveur** (*waiter*), la **serveuse** (*waitress*). «Monsieur/Mademoiselle, s'il vous plaît...»

Une **table pour deux personnes.**

Le **menu:** on **commande un menu à prix fixe** (*set price*), ou **à la carte.**

La **carte des vins:** un **vin blanc, rouge, rosé;** une **liqueur;** un **apéritif/**un **digestif** (*before-dinner/after-dinner drink*).

L'**addition** [f.] (*the bill, the check*); service **compris/non-compris** (*included/not included*); le **pourboire** (*tip*).

Un pique-nique

Un **sandwich au jambon, au thon** [m.] (*tuna fish*), **au pâté, au fromage,** etc.

Des **œufs durs** (*hard-boiled eggs*); un **melon** (*cantaloupe*); une **pastèque** (*watermelon*); un **barbecue.**

Des **assiettes en papier.**

Les régimes spéciaux (*special diets*)

Suivre un régime/être **au régime** (*to be on a diet*).

Un **régime végétarien, amaigrissant** (*reducing*) **grossissant** (*fattening*), **sans sel, sans sucre,** etc.

Faire attention à sa ligne (*to watch one's figure*).

Hors-d'oeuvres

Escargots à la bourguignonne
Caviar Romanoff
Crevettes à la marinière
Fonds d'artichauts Bayard

Potages

Soupe à l'oignon gratinée
Vichyssoise

Poissons

Filet de sole meunière
Truite amandine
Homard grillé
Crabe Thermidor

Viandes

Canard à l'orange
Poulet aux champignons
Côtelettes d'agneau grillées
Tournedos béarnais
Chateaubriand gastronome
Veau cordon bleu

Salades

Salade d'épinards flambée
au Cognac
Salade de laitue au Roquefort

Fromages assortis

Desserts

Gâteau moka
Meringue glacée
Pêche Melba
Soufflé au Grand Marnier
Crème caramel
Tarte aux framboises

■ *Parlons-en*

Vous et votre camarade travaillez dans un grand restaurant parisien. Vous venez de mettre le couvert. Vous jetez un dernier coup d'œil sur les tables et vous récapitulez à haute voix, en détail, ce que vous avez mis sur chaque table (y compris le plateau de fruits de mer.) Ensuite, comme le restaurant est encore vide, vous restez là à rêver un instant. Pour vous amuser, vous imaginez les clients qui vont venir manger à deux des tables que vous avez sous les yeux. Décrivez d'abord les clients imaginaires de la table numéro 1, puis jouez les rôles du serveur (ou de la serveuse) et du client (ou de la cliente) depuis le moment où le client arrive jusqu'au moment où il commande son repas. Renversez les rôles pour la table numéro 2. N'oubliez pas que c'est un restaurant très chic.

LECTURES ■■ : . . . .

In Chapter 15 you will read two poems in which eating is the backdrop for the action. The first, *Le corbeau et le renard* by Jean de La Fontaine, was published in 1668. Jean de La Fontaine (1621–1695) is best known for fables such as this one, although he also wrote short stories. The central figures in these fables are usually animals with human virtues and vices; their adventures lead to a moral about human behavior. In *Le corbeau et le renard,* notice how the fox manipulates the crow to get what he wants. The second poem, *Déjeuner du matin* by Jacques Prévert, was published in 1946. In it, the breakfast table becomes the scene of a personal drama.

■ *Avant de lire*

Reading poetry, like reading literary prose, requires an understanding of certain conventions. Poems, like songs, rely for their effect on the sound and arrangement of words as well as their meaning. Repeated words, for example, take on a special meaning in the overall context of the poem. Words that rhyme with others, or parts of speech that are out of their normal order, may have an unusual significance. Poetry uses sound and rhythm to shape the emotional reaction of the reader or listener. A poem about the writer's anger at the violence of war, for example, may have an insistent regular background rhythm, like that of an ominous drumroll.

   Poetry must be read aloud to achieve its full effect. Think about one of your favorite songs and ask yourself if you would still like it if you just read the lyrics, never hearing them aloud or listening to them with music. The answer, very probably, is not at all. When reading poetry in a foreign language, it is especially important to let yourself react to the sounds and to think and talk about how they affect you. Your reactions may be personal, not necessarily shared by other members of your class, but they are central to appreciating poetry.

After you have read through the following poems several times and have an idea of their meaning, listen to your instructor read them aloud, or read them aloud yourself. Think about the overall impression created by the sounds and arrangement of the words, and discuss it with your classmates. How does the rhyme scheme in *Le corbeau et le renard* contribute to its meaning? What is the effect of the elaborate sentence structure? What emotions does its rhythm create? What is the effect of the repetition of verbs in the **passé composé** in *Déjeuner du matin*? Can you find other repetitions that contribute significantly to meaning in this poem? How do the sounds affect you?

▪▪ Lecture 1

▪ *Étude de mots*

Look for the following words, many of which are cognates, in *Le corbeau et le renard*. Guess their meaning in context and then verify your guesses when you read the poem. The words are **perché, le bec, l'odeur, le langage, semblez, le plumage, le phénix, les hôtes, la joie, sa proie, le flatteur, aux dépens de, le doute,** and **confus.**

Le corbeau et le renard

JEAN DE LA FONTAINE

Maître° corbeau, sur un arbre perché,	*mot ap.* (î = s)
Tenait en son bec un fromage.	
Maître renard, par l'odeur alléché,°	attiré
Lui tint° à peu près° ce langage:	tenir (*passé simple*) / à... presque
«Eh bonjour, Monsieur du Corbeau.	
Que vous êtes joli! que vous me semblez beau!	
Sans mentir, si votre ramage°	chanson

© *Fables Choisies de la Fontaine, Librairie Larousse*

Se rapporte à° votre plumage,
Vous êtes le phénix* des hôtes de ces bois.»
A ces mots, le corbeau ne se sent pas° de joie;
    Et pour montrer sa belle voix,
Il ouvre un large bec, laisse tomber sa proie.
Le renard s'en saisit, et dit: «Mon bon monsieur,
    Apprenez que tout flatteur
    Vit aux dépens de celui qui l'écoute.
Cette leçon vaut bien un fromage sans doute.»
    Le corbeau, honteux° et confus,
Jura,° mais un peu tard, qu'on ne l'y prendrait plus.

se... est comparable à

ne... *is overcome*

comparez: honte
swore

---

*Oiseau mythologique qui représente un être unique en son genre, supérieur par ses brillantes qualités.

■ *Avez-vous compris?*

1. Arrangez en ordre(1–6), en considérant la fable:

    3 _____ Le renard flatte le corbeau.
    6 _____ Le renard offre la leçon.
    2 _____ Le renard sent l'odeur du fromage.
    4 _____ Le corbeau ouvre son bec pour chanter.
    5 _____ Le renard a le fromage.
    1 _____ Le corbeau est perché sur un arbre.

2. On dit que les *Fables* de La Fontaine possèdent deux parties: l'histoire et la morale. Identifiez chacune et le moment de transition entre les deux.

3. Les mots de la fable indiquent clairement qu'il s'agit d'animaux. Faites une liste des verbes, des noms, et des adjectifs qui appartiennent au royaume des animaux.

4. Décrivez le caractère du corbeau et puis celui du renard.
        vain   rusé

■ *Et vous?*

1. Dans la Préface des *Fables*, La Fontaine a écrit: «Ces fables sont un tableau où chacun de nous se trouve dépeint». Vous identifiez-vous le plus au renard ou au corbeau? Expliquez votre choix.

2. A propos du ton de ses fables, La Fontaine a écrit: «Aujourd'hui... on veut de la nouveauté et de la gaieté... un certain charme, un air agréable, qu'on peut donner à toutes sortes de sujets, même les plus sérieux». Relisez la fable et identifiez où et pourquoi vous trouvez ce charme et cette gaieté.

3. La fable présente un monde injuste. Voyez-vous le monde du vingtième siècle de cette façon? Expliquez votre réponse.

4. La vanité est-elle un vice ou un aspect naturel de l'humanité? Quelle est la différence entre la vanité et une bonne opinion de soi-même, une confiance en soi qui est nécessaire au bon fonctionnement de l'individu?

5. Racontez un incident où quelqu'un a essayé de vous flatter pour arriver à ses propres buts. Quel a été le résultat?

6. Si les méchants et les rusés gagnent dans le monde, quelle morale voyez-vous dans cette situation?

7. En groupes de deux, jouez la scène suivante.

    You're in the supermarket and have just picked up the last available wedge of Roquefort cheese to put into your cart. A friend approaches. She or he also wanted the Roquefort for a special salad dressing and will try to talk you out of buying it. The method will be to appeal to your vanity and flatter your good sense by suggesting: (a) blue cheese has the same taste as Roquefort and is less expensive, (b) she or he has heard that blue cheese is lower in calories and cholesterol, and (c) Roquefort isn't very popular any more for the above reasons, and many people "in the know" are switching."

⊞ Lecture 2

Jacques Prévert (1900–1977) is a popular French poet whose work often depicts everyday life. His poems are usually simple in form. In the poem you are about to read, a quiet and painful drama occurs without a word being spoken. Before you read, scan the poem for the verbs. What actually happens in the scene Prévert describes?

■ *Étude de mots*

allumer	*to light*
faire des ronds	*to blow smoke rings*
la fumée	*smoke*
les cendres	*ashes*
le cendrier	*ashtray*

Activité   Choisissez le meilleur mot.

1. On allume des cigarettes pour (*respirer, fumer*).   2. La fumée n'est pas appréciée dans la section (*fumeurs, non-fumeurs*) d'un restaurant.   3. Dans les films, on voit souvent (*le héros, le médecin*) faire des ronds de fumée. 4. Le cendrier est souvent placé (*sur la table, dans le tiroir*) pour mieux recevoir les cendres.

Déjeuner du matin

JACQUES PRÉVERT

Il a mis le café
Dans la tasse
Il a mis le lait
Dans la tasse de café
Il a mis le sucre

Dans le café au lait
Avec la petite cuiller
Il a tourné
Il a bu le café au lait
Et il a reposé la tasse
Sans me parler
Il a allumé
Une cigarette
Il a fait des ronds
Avec la fumée
Il a mis les cendres
Dans le cendrier
Sans me parler
Sans me regarder
Il s'est levé
Il a mis
Son chapeau sur sa tête
Il a mis
Son manteau de pluie
Parce qu'il pleuvait
Et il est parti
Sous la pluie
Sans une parole
Sans me regarder
Et moi j'ai pris
Ma tête dans ma main
Et j'ai pleuré.

■ *Avez-vous compris?*

A. Complétez:

1. L'histoire se passe au _____.

2. Au dehors il _____.

3. Le monsieur boit _____.

4. Dans son café il met _____ et _____.

5. Il allume _____.

6. Il fait _____ avec la fumée.

7. Il met _____ sur sa tête.

8. Il met aussi _____.

9. Il ne _____ pas.

10. Après son départ le narrateur _____

B. Répondez aux questions suivantes. Vous allez trouver qu'il y a plusieurs réponses possibles à certaines questions.

1. *Déjeuner du matin* nous offre le spectacle de deux personnes silencieuses. Qui sont-elles? (mari et femme? deux amis? mère et fils? père et fille? deux amants?) Justifiez votre réponse.
2. Décrivez l'atmosphère du poème.
3. Quels sentiments éprouve le narrateur du poème? Et l'autre «il»?
4. Quel est l'effet de la répétition de certains mots?

■ *Et vous?*

1. Quel rapport mystérieux entre les deux personnages du poème! Prévert offre peu de détails qui expliqueraient leur situation. Avec un(e) camarade de classe, inventez leur histoire et soyez prêts à la raconter au bout de cinq minutes. (exemples: une dispute familiale? la fin d'une période de vie ensemble? un matin typique dans leur mariage?)
2. En groupes de deux:

    C'est le soir de la journée qui est présentée dans le poème. Lui, il revient du travail et vous, vous avez résolu de sauver votre mariage (ou relation ou amitié). Vous analysez la situation actuelle, et vous expliquez ce que vous voulez faire. Votre partenaire présente son point de vue. A deux, vous allez «négocier» votre avenir ensemble en parlant spécifiquement de vos actions futures.

3. Cette sorte de rapport représente jusqu'à un certain point le mariage stéréotypé des années 50 et 60. (L'homme de la maison qui lit son journal et ne parle à personne.) Dans les vieux films et dans les séries de télévision, on en trouve beaucoup d'exemples: *The Honeymooners, I Love Lucy,* les films de Doris Day, etc. Est-ce réaliste? Est-ce toujours vrai? Connaissez-vous des personnes comme ça?
4. En imaginant que, d'ici dix ans, vous serez marié(e), quelle sera votre réaction et que direz-vous si votre mari ou votre femme agit de cette manière?
5. Prévert arrive à communiquer beaucoup en peu de mots. Comment est-ce qu'il le fait? Expliquez, par exemple, l'effet de l'énumération des pronoms sujets.
6. **Le repas du matin.** Décrivez un petit déjeuner typique dans la cafétéria, dans votre appartement, ou dans votre famille. Mentionnez ce que vous prenez pendant le repas, et l'interaction typique entre ceux qui sont présents.

STRUCTURES ▦ ∴∴∴∴∴∴∴∴∴∴∴∴∴

Les résolutions du corbeau

«Ce n'était pas son fromage... c'était **le mien**... *enfin,* **celui que** j'avais volé au marché, avec beaucoup de courage, *d'ailleurs*... Ah, il faut se méfier de **ceux qui** vous flattent comme ça... *La prochaine fois que* je le verrai, **celui-là**, je ne l'écouterai pas. La seule voix *que* j'écouterai, ce sera **la mienne,** *ou plutôt* **celle de** mon bon sens... La voix de la flatterie est bien dangereuse, *surtout quand* elle vient d'un renard.

As you progress from short and repetitive sentences into more sophisticated paragraphs, pronouns become increasingly useful. This chapter reviews possessive and demonstrative pronouns. You will also work more with connecting words as you review the present and future tenses.

▦ 1. Possessive Pronouns

A possessive pronoun replaces a possessive adjective and the noun it modifies. The forms, which correspond to the English *mine, yours,* etc., are the following.

POSSESSOR	SINGLE POSSESSION	PLURAL POSSESSIONS
je	le mien, la mienne	les miens, les miennes
tu	le tien, la tienne	les tiens, les tiennes
il/elle/on	le sien, la sienne	les siens, les siennes
nous	le nôtre, la nôtre	les nôtres
vous	le vôtre, la vôtre	les vôtres
ils/elles	le leur, la leur	les leurs

Ce n'était pas **son fromage,** c'était **le mien.**	*It wasn't his cheese, it was mine.*
La seule **voix** que j'écouterai, ce sera **la mienne.**	*The only voice I will listen to will be mine.*

The prepositions **à** and **de** contract with the definite article that always accompanies the possessive pronoun.

Il ne s'agit pas de son bon sens, mais **du mien.**	*It's not about his common sense, but (about) mine.*
Les ruses ne sont pas réservées aux renards: les corbeaux ont aussi besoin **des leurs!**	*Tricks aren't reserved for foxes: crows need their own too.*

The possessive pronoun is often used with **ce** + **être.**

> **C'était** le mien; **ce sera** la mienne.

If the subject of **être** is **il(s)** or **elle(s),** possessive pronouns are *not* used.

> **Il** était **à moi,** ce fromage.

■ *Maintenant à vous*

A. **L'inventaire.** Après un dîner pour lequel on avait emprunté toutes sortes de choses à plusieurs personnes, un inventaire est nécessaire.

> MODÈLE: La nappe est à toi, n'est-ce pas? →
> Oui, c'est la mienne.

1. Le plateau est à la voisine du dessous (*from downstairs*), n'est-ce pas?
2. Les assiettes sont à nous, n'est-ce pas?   3. Et la soupière, elle est aux voisins du dessus (*from upstairs*), non?   4. Les couverts sont aussi à eux? (non)   5. Alors, ils sont à la voisine du dessous?   6. Et le grand plat en porcelaine, il est à nous?   7. Finalement, les verres sont à toi, n'est-ce pas?

B. **Mais de quoi parle-t-on?** En groupes de deux, donnez un sens à chacune des phrases suivantes en ajoutant un contexte sous forme d'un mini-dialogue (que ce soit une phrase interrogative ou déclarative, incorporez-la dans un contexte cohérent).

1. Est-ce que tu as besoin du tien?   2. Prenez donc le vôtre!   3. D'ici cinq ans, j'aurai déjà fini le mien.   4. Le nôtre ne marche plus.   5. Les siennes sont bien meilleures que les nôtres.

■ 2. Demonstrative Pronouns

A. Usage

Demonstrative pronouns, equivalent to the English *this one, that one, these,* and *those* replace demonstrative adjectives and the nouns they modify.

> **ce** verre → **celui** (-ci ou -là)   **ces** verres → **ceux** (-ci ou -là)
> **cette** assiette → **celle** (-ci ou -là)   **ces** assiettes → **celles** (-ci ou -là)

Demonstrative pronouns cannot be used alone; they must be followed either by . . .

• **-ci** or **-là** (*this* one/*that* one) (15.1)

> Cette cuillère-là est pour la soupe; **celle-ci** est pour le dessert.

- the preposition **de** + noun

  La seule voix que j'écouterai, ce sera **celle de** mon bon sens. | *The only voice I will listen to will be that of my common sense.*

- a relative clause

  C'était mon fromage... enfin, **celui que** j'avais volé. | *It was my cheese . . . well, the one I had stolen.*

  «Tout flatteur vit aux dépens de **celui qui** l'écoute.»

B. *Ceci, cela,* and *ce*

Ceci (*this*) and **cela** (*that*) are invariable pronouns that refer to ideas or to something indefinite; they are used when there is no specific noun antecedent. **Ça** is the familiar equivalent of **cela.** (15.1B)

> **Cela** m'irrite. Ne fais pas **ça!**

Ce is used instead of **cela** with **être** or with relative pronouns.

> C'est le mien!
> C'est **ce** que je disais.

■ *Maintenant à vous*

C. **Le régime.** Allez-vous gagner la bataille contre les tentations? Remplacez les expressions soulignées par des pronoms démonstratifs, selon le modèle.

MODÈLE: Voyons, ce dessert-ci est moins grossissant que ce dessert-là. →
Ce dessert-ci est moins grossissant que celui-là.

1. Mais ce dessert-ci est bien plus appétissant.   2. Et c'est du dessert qui fait grossir que j'ai envie, bien sûr.   3. Pourquoi est-ce que je préfère toujours les choses grossissantes aux choses qui sont bonnes pour la santé?
4. Les meilleurs plats sont toujours les plats qui ont le plus de calories.
5. Et la plus grande torture est la torture de ne pas pouvoir toucher à ce qu'on aime.

De quel dessert s'agit-il, à votre avis?

D. **De quel(s) restaurant(s) s'agit-il?** Vous consultez l'annuaire (*phone book*) de la région parisienne pour voir où vous allez pouvoir manger. Voyons si vous avez bien lu les annonces publicitaires. Complétez les phrases avec des pronoms démonstratifs et les constructions nécessaires (**-ci/-là,** préposition **de,** ou pronom relatif), puis dites de quel(s) restaurant(s) il s'agit.

MODÈLE: C'est _____ sert des spécialités chinoises. →
C'est **celui qui** sert des spécialités chinoises. (Le Mandarin)

CASA DEL TEATRO

PIZZERIA
**cadre et accueil
à l'italienne
PATES FRAICHES**

44, av. Paul Doumer
(à 5 mn de la Défense)
92500 Rueil-Malmaison
(Fermé le Dimanche)
(1) 751.00.50 - (1) 749.66.99

Sa formule :
**Buffet de hors-d'œuvre
et une grillade ou un plat**
SALLE A CIEL OUVERT
JARDIN D'HIVER

MANDARIN DE NEUILLY

MANDARIN DE NEUILLY
Restaurant CHINOIS
148, av. Charles de Gaulle
(1) 624.11.80
Fermé le Dimanche
13 TOQUES GAULT ET MILLAU 1982

AUBERGE DU FRUIT DÉFENDU

AUBERGE du FRUIT DÉFENDU
Séminaires - Soirées aux chandelles
**80, bd Bellerive (Anct quai Halage)
92500 RUEIL MALMAISON** (1) 751.14.92

EL CHIQUITO

EL CHIQUITO
Sptés POISSONS - CRUSTACÉS - JARDIN
**126, av. Paul Doumer 92500 RUEIL
(1) 751.00.53**

ETABLE (L')

Restaurant

**DANS UN CADRE AGRÉABLE
AU COEUR DE RUEIL
3 PETITES SALLES
POUR DINER OU DÉJEUNER**
56, r. du Gué 92500 RUEIL MALMAISON
(1) 749.21.60

LA NONNA

LA NONNA
RESTAURANT ITALIEN
5, r. Bequet
**92500 RUEIL-MALMAISON
(1) 751.22.63
OUVERT TOUS LES JOURS**

LA MAMMA

**ouvert tous les jours
jusqu'à 1 heure du matin**

92, av. Charles-de-Gaulle
**92200 NEUILLY-SUR-SEINE
(1) 637.55.88**

25, r. Marbeuf
Champs Elysées 75008 PARIS
(1) 723.94.23
PARKING

LE BERJALLIEN

**LE BERJALLIEN
SA CUISINE PERSONNALISÉE
DANS UN CADRE RÉNOVÉ**
24, r. de Chartres 92200 NEUILLY/SEINE
(1) 722.41.66

1. C'est _____ est ouvert tous les jours jusqu'à 1h du matin.   2. C'est _____ on sert des pâtes fraîches.   3. C'est _____ l'avenue Paul Doumer. 4. C'est _____ le cadre a été rénové.   5. Ce sont _____ sont fermés le dimanche.   6. Ce sont _____ on peut trouver des spécialités italiennes. 7. Parmi _____ Neuilly, quel est _____ vous préférez?   8. Oh, regardez _____, à Rueil-Malmaison! Je me demande _____ on y sert—des pommes?? 9. Alors, où est-ce qu'on va? Moi, vous savez, _____ m'est égal.

A quel restaurant aimeriez-vous dîner? Pourquoi?

■ 3. Difficulties with the Present and the Future

A. The Present of the Indicative

Since the use of the present tense is quite similar in English and in French, difficulties that arise usually concern form (choosing and conjugating the verbs correctly) more than usage. You will find several tips to help you perfect your control of the present in the *En détail* section. (15.2 and 15.3)

Concerning usage, you may have difficulties with . . .

- **depuis** (and synonyms) + expressions of time.

Although the present tense is *not* used in English in these cases, remember that in French, any action *continuing into the present* must be expressed in the present tense.

Depuis quand **êtes**-vous à l'université?	*How long have you been at the university?*
Ça fait un an que je **suis** ici.	*I've been here for a year.*

- attempts to translate literally the English *progressive present.* The simple present is used in French.

I am working = **Je travaille.**

If you wish to emphasize the progressive nature of the action, use **être en train de** + *infinitive.*

Je **suis en train de travailler.**

B. The Future

As you learned in **Thème III,** there are various ways to express future time: the **futur proche** is an easy and common way to narrate and describe in the immediate future. Problems often associated with forming the future tense are discussed in *En détail.* (15.4)

Concerning usage, be on the alert for the words **quand, lorsque, dès que, aussitôt que, tant que,** and **la prochaine fois que.** If the action is expected to occur in the future, the tense used in French is *not* the present as in English, but the future.

Quand nous **aurons** faim, nous mangerons.	*When we **are** hungry, we will eat.*
La prochaine fois que je le **verrai,** je ne l'écouterai pas.	*The next time I **see** him, I will not listen to him.*

■ *Maintenant à vous*

E. **Déjeuner du matin.** Un autre «il», un autre scénario. Faites des phrases au présent avec les indications données.

MODÈLE: ouvrir le frigo / mais ne pas savoir pourquoi →
Il ouvre le frigo, mais il ne sait pas pourquoi.

1. regarder les œufs / et hésiter   2. s'apercevoir que / ne pas y avoir de bacon   3. décider que / ne pas vouloir d'œufs ni de bacon de toute façon   4. fermer le frigo / et jeter un coup d'œil à sa montre   5. ouvrir un placard / et choisir une boîte de céréales   6. sortir le lait du frigo / prendre un bol et une petite cuillère   7. se servir / et manger en silence   8. déplier le journal / et lire les gros titres (*headlines*)   9. jeter un autre coup d'œil à sa montre / et se lever   10. attraper sa serviette / et partir

Qui est-il? Imaginez sa vie, sa profession, etc.

F. **Et vous?** Quel est le scénario de votre «déjeuner du matin» quand vous êtes pressé(e) et, par contre, quand vous vous levez tard et que vous n'avez rien à faire? En groupes de deux, décrivez ce que vous faites dans ces deux situations, et prenez note des points que vous avez en commun avec votre partenaire. Voyez ensuite si ces points sont communs à toute la classe.

G. **La prochaine fois.** Qu'est-ce que vous ferez la prochaine fois que les situations suivantes se présenteront? Complétez de façon personnelle.

1. aller au restaurant (La prochaine fois que j'irai au restaurant,...)
2. recevoir un chèque
3. faire les commissions
4. inviter quelqu'un à dîner
5. avoir l'occasion de faire un pique-nique
6. ne pas avoir eu le temps de finir mes devoirs
7. ?

▪ 4. From Sentences to Paragraphs

Connecting words **(les mots-liens)** change simple sentences into more complex ones, and strings of sentences into paragraphs, adding coherence and a native-like "flow" to what you say and write. You have already learned various kinds of connectors, such as relative pronouns **(qui, que, dont, où)**, conjunctions **(quand, lorsque, depuis que, pour que,** etc.), and adverbs **(déjà, encore, parfois, toujours,** etc.). Here are more basic expressions that will help you show relationships among ideas.

Ordering of Events: **d'abord** (*first*), **puis/ensuite** (*then*), **après/plus tard** (*after, later*), **finalement/enfin*** (*finally*).

***Enfin** may also mean *well . . .* or *that is to say . . .*

C'était mon fromage... enfin, celui que j'avais volé.

Additions and Nuances: **et, aussi** (*also*), **de même** (*similarly*), **en plus/de plus***
(*moreover*), **d'ailleurs** (*besides*), **ou plutôt** (*or rather*), **surtout** (*especially*), **quand
même/de toute façon** (*anyway*), **au fait**† (*by the way*), **en fait**† (*actually*).

Explanation and Cause: **c'est-à-dire [que]** (*that is to say*), **en d'autres termes**
(*in other words*), **c'est pour ça que** (*that's why . . .*), **parce que** (*because*), **puis-
que/comme** (*since*), **à cause de** (*because of*).

Illustration: **par exemple** (*for example*), **comme** (*like, as*).

Purpose: **pour** (*in order to*), **pour que** [+ subjunctive] (*so that*).

Contrast or Concession: **mais** (*but*), **par contre/au contraire/en revanche** (*on
the contrary*), **d'autre part** (*on the other hand*), **au moins** (*at least*), **malgré** (*in
spite of*), **sauf [que]** (*except*), **bien que** [+ subjunctive] (*even though*),
cependant/pourtant (*yet, nevertheless*), **alors que/tandis que** (*whereas*), **même si**
(*even if*).

Consequence: **alors/donc/ainsi** (*so, then, therefore*), **par conséquent** (*consequently*).

■ ## *Maintenant à vous*

H. **Le corbeau et le renard: du poème à la prose.** Pour raconter l'histoire du
corbeau et du renard, au présent, quels mots-liens faut-il ajouter? Transformez ces phrases de style télégraphique en paragraphe, en vous servant de
conjonctions, d'adverbes ou de pronoms (relatifs et autres) pour éliminer les
répétitions inutiles et articuler les idées.

1. Perspective du récit, dans l'ordre *chronologique*:
   Le renard se promène dans un bois / Il sent quelque chose de bon / Il
   lève la tête / Il voit un corbeau perché sur un arbre / Ce corbeau tient
   un fromage dans son bec / Le renard pense à une ruse / Il demande au
   corbeau si sa voix est aussi belle que son plumage / Le corbeau, flatté,
   commence à chanter / Quand il ouvre son bec, il perd son fromage / Le
   renard le prend / Le renard fait la morale au corbeau.

2. Perspective de *l'explication*, avec diverses nuances:
   C'est l'histoire d'un renard / Ce renard a faim / Il ne veut pas se fatiguer
   pour trouver à manger / Il voit un corbeau dans un arbre / Ce corbeau

---

*The **-s** is pronounced in both forms.
†The **-t** is pronounced.

tient un fromage dans son bec / Le renard est rusé / Il pense tout de suite à un moyen d'obtenir ce fromage / La flatterie marche toujours bien / Il fait toutes sortes de compliments au corbeau / Il l'encourage à montrer sa voix / Le corbeau est fier de sa voix / Il oublie tout / Il ouvre le bec / Il perd son fromage / Le renard est tout content / Le corbeau n'est pas très fier de lui.

I. **Déjeuner du matin: du poème à la prose.** Transformez le poème de Prévert en paragraphe au présent; les mots-liens que vous utiliserez refléteront votre interprétation. («Déjeuner du matin», c'est l'histoire d'un homme qui...)

J. **«L'autre» déjeuner du matin.** Reprenez les phrases de l'exercice E, et combinez-les de façon à ce qu'elles forment un paragraphe cohérent.

K. **«Depuis que... »** Est-ce que vos habitudes alimentaires ont changé ou non depuis que vous êtes à l'université? Est-ce que vous mangez le même genre de choses qu'avant? Est-ce que vos repas sont réguliers? Préférez-vous manger chez vous ou au restaurant? Quels restaurants aimez-vous, et pourquoi? Expliquez tout ceci à un(e) camarade de classe en utilisant le plus de mots-liens possible. Ensuite, renversez les rôles, puis rapportez à la classe ce que vous avez en commun avec votre partenaire. (Depuis que je suis à l'université...)

L. **Jeux de rôles**
1. «Le service laisse à désirer».

Student A: You and a group of guests are trying out a new restaurant, but you are not happy with the service. First, remind the waiter that there still aren't enough settings on the table (point out what's missing). Mention also that you've been waiting for the first course for a long time and ask if there is any hope of being served soon. When the salads finally arrive, you notice that there is a fly (**une mouche**) in yours. Resolve the situation to your satisfaction.

Student B: As the waiter, act skeptical at first about the missing place settings, and then act very apologetic. Name the items as you bring them to the table. Explain that one of the cooks is on vacation, or make up other excuses for the slow service. Act shocked about the fly. Be original in your excuses and promises.

2. «Un pique-nique ou un repas à la maison?»

You and a cousin are planning a big family reunion to be held in June. Twenty to twenty-five people are expected. You are in favor of a picnic, but your cousin would prefer to have the party at home. Discuss the pros and cons of both and come to an agreement.

PAR ÉCRIT ■ :

■ *Avant d'écrire*

Paragraphs (1)   Your recent work connecting ideas has led you to create paragraphs. A paragraph is a group of sentences that are about the same topic and follow the same line of thought. Writing in paragraphs means first *separating* and then *connecting* your ideas.

1. First, *separate* your thoughts into smaller units. If you are working with an outline, each of your subheadings can be a paragraph starter. Aim to begin a new paragraph when your thoughts change direction.
2. To achieve unity within the paragraph, you must then *connect* your sentences. Ideas and information must be related to the main point of the paragraph. Connecting words, such as the ones you learned earlier in this chapter, are used to make transitions from one sentence to another.
3. Finally, unity is achieved through sufficient development. Have you said enough about the topic to ensure that the intelligent reader won't think something has been left out? Have you anticipated all of your reader's questions?

Pre-writing Tasks

1. Gather information about two or three restaurants in your area.
2. Define the main point you wish to make about each restaurant. This will become your topic sentence. (See the writing strategy in Chapter 7.) Make sure that what you express in the topic sentence is a general idea, not a detail.
3. Expand your topic sentence by anticipating all of your reader's questions. List those questions and your answers.
4. Organize your material to create a logical continuum from one sentence to another.

■ *Sujet de composition*

Sachant que vous avez des connaissances en français, l'Office du Tourisme de votre ville vous a demandé de rédiger une brochure pour les touristes francophones sur les restaurants de la région. Écrivez sous forme de paragraphes une description de deux ou trois restaurants (décor, service, spécialités, prix, etc.) et faites des recommandations.

EN DÉTAIL

15.1. More About Demonstrative Pronouns

A. The *former* and the *latter* (for recognition only)

Celui-ci and **celui-là** are used to refer to two persons or things just mentioned: **-ci** refers to the last element mentioned, the latter, while **-là** refers to the first, the former. Test yourself:

> Ésope et La Fontaine ont tous les deux écrit des fables. _____ était grec; _____ était français.*

B. *C'est* or *il est*?

- With an adjective, the personal pronouns **il/elle/ils/elles** are used for specific references, while the indefinite **ce** refers to concepts without gender or number.

  > La soupe? **Elle** est bonne.
  > On a mangé toutes sortes de choses; **c'**était bon!
  > Elle ne sait pas faire la cuisine: **c'**est ennuyeux.

- When the verb **être** is followed by a noun, the subject is usually the indefinite **ce.**

  > **C'est** un plat italien. **Ce sont** des spaghetti.

- With names of professions, religions, and political affiliations, if the noun is unmodified, personal pronouns are preferable (as with adjectives), but **ce** may be used as well.

  > **Il est** avocat.   **C'est** un avocat.
  > **Elle est** catholique.   **C'est** une catholique.
  > **Ils sont** républicains.   **Ce sont** des républicains.

  If the noun is modified, it must be treated as any noun, and **ce** must be used.

  > **C'est** un bon avocat.   **Ce sont** des républicains modérés.

---

*Answers: Aesop is farther from the end of the sentence (**celui-là**) and La Fontaine is closer (**celui-ci**).

- Test yourself: **c'est** or **il est?***

> Marc n'est pas encore arrivé; (1) ＿＿ dommage. Je voulais vous le présenter. (2) ＿＿ très original. (3) ＿＿ artiste. C'est lui qui a peint ceci. (4) ＿＿ joli, non?

15.2. Tips to Help You Perfect Your Control of the Present Indicative

A. *-er* Verbs

Most French verbs are **-er** verbs, and *all* **-er** verbs are regular, except **aller.** For verbs in **-ier,** such as **étudier,** remember that the **-i** belongs to the stem and never changes. Verbs like **acheter, préférer, appeler,** and verbs in **-yer, -cer,** or **-ger** have some spelling irregularities in their stem. Refer to Chapter 3 or to **Appendice B** in the back of your book.

B. *-ir* Verbs

The "trouble spot" of regular **-ir** verbs, such as **finir,** is the **-iss-** in plural endings: nous obé**iss**ons, vous maigr**iss**ez, ils gross**iss**ent.

Many regular **-ir** verbs are formed from adjectives. All such verbs indicate the process of "becoming," such as the "color" verbs below.

blanc → blanchir	noir → noircir
bleu → bleuir	rouge → rougir
jaune → jaunir	vert → verdir
dur → durcir (*to harden*)	mou → ramollir (*to soften*)
grand → grandir (*to grow up*)	
gros → grossir (*to gain weight*)	maigre → maigrir (*to lose weight*)
jeune → rajeunir (*to look younger*)	vieux → vieillir (*to grow old*)
sale → salir (*to [get something] dirty*)	

C. Irregular *-ir* Verbs

Irregular **-ir** verbs like **dormir, mentir, partir, sentir,** and **servir** will prove less difficult if you remember that the last consonant of the stem is dropped for the singular endings.

> je dors   tu pars   il sert

D. *-re* Verbs

There are very few regular verbs in **-re**. Remember that verbs in **-dre** have *no ending* added to the stem at the third person singular.

> il atten**d**   elle répon**d**   on ven**d**

Verbs in **-pre** do have an ending at the third person singular.

> il interrom**pt**

15.3. Irregular Verbs That Can Be Grouped

A. Verbs like *ouvrir*: *couvrir, découvrir, offrir, souffrir*

These verbs have the same present-tense endings as **-er** verbs.

j'ouvre	nous ouvrons
tu ouvres	vous ouvrez
il/elle/on ouvre	ils/elles ouvrent

The past participle ends in **-ert: j'ai ouvert.**

B. Verbs like *craindre*

Atteindre (*to reach*), **éteindre** (*to turn off*), **peindre** (*to paint*), **plaindre** (*to pity*), and **se plaindre** (*to complain*) are all conjugated like **craindre** (*to fear*).

je crains	nous craignons
tu crains	vous craignez
il/elle/on craint	ils/elles craignent

C. Verbs like *connaître*

Naître (*to be born*), **paraître** (*to appear*), and **disparaître** (*to disappear*) are conjugated like **connaître.**

je connais	nous connaissons
tu connais	vous connaissez
il/elle/on connaît	ils/elles connaissent

Note the circumflex accent on the **i** before a **t.**

D. Affixes

When the last *two* syllables of an unfamiliar irregular verb are identical to those of another irregular verb you know, you can safely assume that their conjugations are the same. For example, **aper*cevoir*** (*to catch a glimpse of*) and **dé*cevoir*** (*to disappoint*) are conjugated like **re*cevoir*.**

Prefixes do not affect the conjugation of irregular verbs; for example, **devenir, prévenir, revenir,** etc., are conjugated like **venir.** The exception is that verbs formed from **dire** do not have the same **vous** form. One says **vous dites,** but **vous interdisez** (*you forbid*) and **vous contredisez** (*you contradict*).

15.4. Problems Often Associated with Forming the Future

Remember that the "key" to the future tense is the letter **r.**

> je mang**er**ai   tu boi**r**as   il paie**r**a   nous au**r**ons fini

If the infinitive ends in **-rer** (as in **préparer** or **préférer**), remember that both **r**'s must be used.

> vous prépa**rer**ez   ils préfé**rer**ont

If the infinitive ends in **-ier** (such as **étudier** or **remercier**), the **e** is silent in the future.

> tu étudi*e*ras   on les remerci*e*ra

Georges Blanc

Georges Blanc: Restaurateur

Georges Blanc represents the fourth generation of his family to run the restaurant and hotel *La Mère Blanc* in Vonnas, a village in the wine country north of Lyon. Jean-Louis Blanc opened a small inn near Vonnas in 1872. Georges Blanc's two sons are currently studying to take over the family business.

La Mère Blanc has received the coveted three-star recommendation of the *Guide Michelin;* it was one of only eighteen such restaurants honored in France in 1988. Blanc also gives cooking demonstrations around the world, and is the author of several cookbooks in English as well as in French.

Fine cuisine and great chefs such as Georges Blanc are probably more revered in France than in the United States. Every March, when the new Michelin ranking of restaurants appears, there is enormous national interest. Any restaurant awarded three or more stars is besieged with reservation requests from all over the country. The chefs in these establishments become media personalities, just as Julia Child has in the United States.

Before you read the interview, think of a half dozen questions you would ask a world famous chef if you had the opportunity. As you read, see if your questions are answered.

■

Pourriez-vous nous parler un peu de vous-même?

Oui, Alors là, c'est une affaire familiale. Vous verrez dans l'histoire que je suis la quatrième génération de la famille ici. Mes parents m'ont un peu poussé pour faire ce métier. J'étais le seul garçon de la famille; il fallait continuer. J'avais une sœur, qui a onze ans de plus que moi, qui était

Le restaurant

Le restaurateur

mariée et qui n'était pas du tout dans le métier, et alors mes parents m'ont envoyé à l'école hôtelière. Mais je n'étais pas vraiment passionné par ce métier au début. Après avoir travaillé dans différentes maisons, je suis revenu ici dans l'affaire familiale et j'ai travaillé deux ans avec ma mère qui faisait une cuisine un peu différente de ce que je fais aujourd'hui. Ça, c'était dans les années avant 1970, c'est-à-dire avant qu'il y ait une certaine évolution, un certain changement, qu'on décrit comme «nouvelle cuisine». C'est à partir de ce moment-là que mes parents ont pris leur retraite. Moi j'étais très jeune à l'époque, j'avais vingt-trois ou vingt-quatre ans et je venais juste de me marier. Ma femme travaillait avec moi et c'est là que la passion s'est vraiment amplifiée, et je dois vraiment dire que dans la vie, jusqu'ici, j'ai eu beaucoup de chance, parce que j'ai toujours fait un métier que j'aime beaucoup; et je crois que c'est une chose essentielle dans la vie, de pouvoir se passionner pour sa vie professionnelle. Ça apporte beaucoup. Donc la propriété était déjà dans la famille, mais c'étaient toujours les femmes qui étaient en cuisine. Je suis donc le premier cuisinier de la famille, et la tradition va continuer, je crois: j'ai deux garçons, et l'aîné qui a vingt ans, il est déjà cuisinier. Il travaille chez un de mes amis, chez Marc Meneau, à Vézelay.

350

Pourriez-vous expliquer le système d'étoiles du Guide Michelin? *Depuis quand avez-vous la troisième étoile? Quelle a été votre réaction quand vous l'avez gagnée?*

Alors la troisième étoile est arrivée en 1981, et on a eu beaucoup de chance parce qu'il n'y a eu qu'une seule promotion cette année-là, et après il n'y en a pas eu pendant trois ans. Ce qui fait que pendant trois ans on a été le dernier trois étoiles connu, très connu. Alors, disons que c'est le *Guide Michelin* qui édite chaque année une publication dans laquelle sont répertoriés tous les hôtels, et pour les meilleurs restaurants il délivre trois étoiles, ce qui vaut le voyage, ou deux étoiles qui mérite un détour, ou une étoile qui veut dire une bonne table, voilà. C'est un guide qui est édité en trois ou quatre langues. Ce sont des signes donc, qui correspondent à des normes de qualité. Voilà, les visites, ce sont des inspecteurs qui passent, on sait pas quand, anonymement.

Quelles sont les caractéristiques uniques de votre restaurant?

Alors, je crois qu'il y a d'abord la tradition familiale. C'est une maison qui a une histoire, un passé, ses vieux meubles, une famille qui continue. Tout ceci personnalise cette maison. Et puis, deuxième chose, c'est qu'on a réussi. J'ai compris très tôt quand j'ai pris la suite de mes parents qu'un restaurant, c'est un petit peu un endroit culturel où les gens viennent entre amis, en famille, partager un petit peu leurs émotions gourmandes, voyez, autour d'une table. On parle de ce qu'on mange, du mariage avec les vins, tout ça c'est très culturel. C'est bien dans l'esprit français. Mais je pense que ce mariage des mets° avec les vins c'est une chose; mais qu'il fallait aussi   plats
développer tout un environnement agréable, c'est à dire confortable, beau au niveau du décor, les vieux meubles, les couleurs, l'environnement de verdure, toutes les fleurs; la possibilité pour les gens de dormir ici sur place, la possibilité de pouvoir se détendre au bord de la piscine quand il fait beau, de faire un tennis, parce que tout ça concourt° à renforcer l'esprit   contribue
de fête. C'est-à-dire que les gens viennent l'après-midi, ils sont bien, ils se détendent, et donc ils sont mieux préparés, mieux réceptifs pour le moment de fête qu'ils vont passer à table. Ça, je crois que c'est une caractéristique de la maison. Que tout ça soit en harmonie, si vous voulez.

Voudriez-vous nous décrire une journée typique dans la vie d'un chef?

Bon. Je commence à huit heures trente. J'arrive. Je viens d'ouvrir le courrier. Je distribue le travail à tous les collaborateurs, les chefs de service. Après, j'ai toujours un, deux, trois rendez-vous dans la matinée avec des gens qui veulent me rencontrer. J'essaie de me protéger un petit peu: si c'est des choses qui peuvent être déléguées, je les fais discuter avec mes chefs de service. Et puis moi j'essaie toujours de dégager le plus de temps possible pour les idées, pour la création, parce que c'est la richesse de l'entreprise, c'est la capacité de renouvellement. C'est avoir les idées, contrôler la bonne application de ces idées, dans la cuisine et partout; et donner beaucoup de temps pour les clients, pour animer, pour inspirer, pour que les gens voient que cette maison a une âme° si vous voulez.   *soul*

   Bon, en détail: un tout petit peu avant midi, je vais manger en dix minutes; après il y aura le service jusqu'à deux heures et demie. A deux heures et demie je vais aller faire un petit tour pour voir les clients dans la salle jusqu'à quatre heures et demie à peu près. Après, à quatre heures et demie, je vais arrêter pendant deux heures de travailler, pour aller dormir une heure, ou aller dans mes vignes,° ou aller faire un tour chez   *mot ap.* (de raisins) les antiquaires. Après, je mange à six heures et à sept heures moins le quart je suis de nouveau là, dans la cuisine. A huit heures moins le quart le service commence, et là je suis dans la cuisine jusqu'à dix heures et demie. Après, je vais voir les clients jusqu'à minuit, une heure.

Comment décririez-vous la cuisine de votre restaurant?

Moi, je suis, si vous voulez, un petit peu un homme de synthèse. Je ne pense pas qu'à priori une seule cuisine soit valable. Il faut, je crois, faire une synthèse de tout ce qu'il y a de bon. Souvent je fais un menu pure tradition: avec par exemple les écrevisses° à la nage que l'on mange avec   *crayfish* les doigts, de très bonnes écrevisses, cuites simplement dans un court-bouillon au vin blanc; des grenouilles° que l'on mange aussi avec les doigts;   *frogs* et puis la fricassée de poulet de Bresse à la crème, comme faisait ma grand-mère.

Qu'est-ce que vous aimez dans votre travail? et qu'est-ce que vous n'aimez pas du tout? Recommanderiez-vous ce genre de travail à un jeune?

Je crois, oui, que c'est un métier assez passionnant, mais qui comporte donc plusieurs parties. Il y a les gens qui travaillent dans la cuisine qui n'ont pas du tout le même travail que ceux qui sont au contact des visiteurs ici. Bon moi, j'ai l'avantage d'être aussi bien en cuisine qu'au contact des gens qui viennent ici. J'ai peut-être aussi l'avantage d'être le patron, donc je suis un petit peu maître de mon emploi du temps. Le matin quand je commence ma journée, ce qui est formidable c'est que je sais que je vais travailler beaucoup, mais que je vais un peu faire ce que j'ai envie de faire. Si aujourd'hui je veux m'occuper d'écrire pour mon livre, je vais écrire, parce que j'ai les idées, parce que ça me plaît de faire ça aujourd'hui. Je reconnais que c'est une chance.

   Pour les jeunes, je crois que dans la cuisine il y a le côté création, l'impression de participer au travail d'une équipe qui est fière de gagner et d'être la meilleure si c'est possible; et c'est très enthousiasmant pour un jeune. Voilà, je crois que ceux qui travaillent au contact, dans le restaurant, avec les clients, c'est aussi une lourde responsabilité d'organiser la fête des gens, et il faut que les gens se sentent bien, qu'ils soient heureux, qu'ils soient à l'aise.

Avec tous les régimes d'aujourd'hui, est-ce que les clients qui viennent chez vous commandent moins?

Je crois que ce qui a changé dans la cuisine c'est qu'elle a évolué vers plus de légèreté.° Les gens préfèrent goûter à plusieurs choses avec plus de raffinement peut-être, et moins de grandes assiettes avec plein de choses. Ils préfèrent manger quatre plats plutôt que deux plats pleins.

comparez: léger

Quel est l'avenir que vous prévoyez pour la grande cuisine en France?

Je crois qu'il faut défendre la qualité avec beaucoup d'enthousiasme, et surtout encourager les gens qui font des produits de qualité. Dans la cuisine, la chose la plus importante, avant même le côté technique, c'est-à-dire la mise en œuvre des produits, c'est la qualité du marché. Alors, ça c'est essentiel, et il faut que les grands cuisiniers fassent cet effort de motivation chez les producteurs. D'ailleurs le livre que je fais pour les États-Unis est un livre qui est dédicacé aux jardiniers, les artisans qui font les bons produits de la terre.

■ *Avez-vous compris?*

A. Complétez.

1. Georges Blanc est la _____ génération de la famille Blanc en cuisine.
2. Les parents de Georges Blanc l'ont un peu _____ à faire le métier de chef.   3. La tradition va continuer avec _____.   4. Son restaurant a reçu la troisième étoile dans le *Guide Michelin* en _____.   5. Un aspect unique de son restaurant, selon lui, est _____.   6. Il croit qu'un restaurant qui réussit doit créer un _____ agréable.   7. Sa journée commence à _____.   8. Il prend son déjeuner à _____.   9. De 2h30 à 4h30 il _____.   10. Très souvent il _____ un peu après 4h30.   11. Il dîne à _____.   12. Sa journée se termine vers _____ ou _____.

B. Décrivez une journée typique de Georges Blanc.

C. Expliquez la théorie de Georges Blanc quant à l'harmonie nécessaire entre le restaurant, l'auberge et le milieu. Pourquoi est-ce tellement important?

D. Voici un extrait du *Guide Michelin France*, 1986.

1. Quel est le numéro de téléphone du restaurant de Georges Blanc?
2. Quelles cartes de crédit sont acceptées?   3. Combien de chambres a l'auberge?   4. Quels vins recommande-t-on?   5. Vous voudriez dîner chez

Guide Michelin France, 1986, p. 1247.

VOLVIC 63530 P.-de-D. **73** ⑭ G. Auvergne – 3 936 h.

Voir Coulée de lave ★ dans la maison de la Pierre — Ruines du château de tournoël ★★
※ ★ 1,5 km au N.

Paris 380 – Aubusson 85 – ♦ Clermont-Ferrand 21 – Riom 7.

🏠 **Optim'Hôtel**, 3 pl. Eglise ℰ 73 33 60 64 – 🛗 🚿wc ☎. 🚫 rest
fermé janv. et dim. soir – SC : **R** 65/110 ⚱ – 🍽 20 – **21 ch** 150/180.

CITROEN Gar. Dechavanne, ℰ 73 33 51 63   **Gar. Demossier**, ℰ 73 33 65 34
RENAULT Gar. Veautier, ℰ 73 33 51 78

VONNAS 01540 Ain **74** ② – 2 505 h. alt. 189.

Paris 409 – Bourg-en-Bresse 24 – ♦Lyon 66 – Mâcon 19 – Villefranche-sur-Saône 39.

🏰 ✿✿✿ **Georges Blanc** Ⓜ 🐦, ℰ 74 50 00 10, Télex 380776, 🏊, 🚣, 🍴 – 🎦 rest
📺 ☎ 🚗 🅿. ⒜Ⓔ ⓞ 𝘝𝘐𝘚𝘈
fermé 2 janv. au 10 fév. – **R** *(fermé jeudi sauf le soir du 15 juin au 15 sept. et merc.
sauf fériés)* (nombre de couverts limité - prévenir) 240/360 et carte – 🍽 46 – **24 ch**
460/1 100, 6 appartements
Spéc. Crêpe parmentière au saumon et caviar, Bar à la marinière, Poularde de Bresse aux gousses
d'ail et au foie gras. **Vins** Mâcon blanc, Chiroubles.

CITROEN Ferrand, ℰ 74 50 00 27   RENAULT Gautret, ℰ 74 50 02 41 🅽
PEUGEOT-TALBOT Mousset, ℰ 74 50 06 02   RENAULT Morel, ℰ 74 50 15 66

Georges Blanc le jeudi 15 juillet. Est-ce que le restaurant sera ouvert?
6. Est-il nécessaire de faire des réservations?   7. Essayez de deviner la nature des trois spécialités du restaurant (crêpes, bar, poularde).

■ *Et vous?*

1. Georges Blanc décrit une vie composée de journées longues et pleines
   de travail, mais avec beaucoup de liberté. Cet équilibre semble lui
   plaire. Que cherchez-vous dans le travail que vous voulez faire après
   l'université? Est-ce qu'il est préférable de travailler des heures fixes (de
   9h à 5h par exemple) mais avec peu de liberté?
2. Quel travail vous voyez-vous faire dans dix ans? (Si vous n'êtes pas sûr,
   inventez un choix.) Comment sera une journée de travail typique?
3. Quand vous choisissez un restaurant pour un dîner spécial, quelles sont
   les choses que vous considérez? Nommez-en cinq ou six et expliquez
   l'importance de chacune.
4. Actuellement, quel est votre restaurant favori (ici ou dans la ville de vos
   parents)? Décrivez-le avec autant de détails que possible (type de cuisine, prix, cartes de crédit acceptées, qualité de la cuisine, atmosphère,
   distance de chez vous, depuis quand vous le connaissez, etc.).
5. **En groupes de trois.** Voici un «menu découverte» du restaurant
   Georges Blanc. Avec un(e) camarade de classe, consultez ce menu et
   faites vos choix. Le serveur (la serveuse) viendra prendre vos com-
   mandes et répondra aux questions.

GEORGES BLANC

MA CUISINE DES SAISONS
ÉTÉ 1986

MENU DÉCOUVERTE

Pour découvrir, en QUATRE SERVICES, plusieurs de nos plats du moment dans un menu équilibré, servi en petites portions
(Pour DEUX PERSONNES minimum)

Gourmandise[1] Bressane[2] au Foie Gras
ou
Timbale[3] de Cuisses de Grenouilles[4] Tièdes[5] aux Fèves[6]

❧

A Votre Choix, deux des trois Mets suivants :

Flan[7] de Homard[8] et Langouste[9] au Beurre d'Herbes Potagères	Crêpe Parmentière au Saumon et Caviar	Tomate Farcie de Champignons et Merlan[10] au Rouget[11] et aux Piments Doux[12]

❧

Bar[13] Marinière au Vin d'Azé
ou
Salmis de Canette[14] à l'Ancienne
ou
Aile de Pigeonneau[15] et Cuisse de Poularde[16] aux Légumes et à la Graine de Moutarde

❧

Fromages Frais et Affinés[17]

❧

Deux Petits Desserts en Surprise
et
Le Grand Assortiment
Composition à votre Goût
Petits Fours et Mignardises[18]

Pour tous les convives d'une même table et pour votre agrément[19]
Georges Blanc
peut composer un "Menu Surprise Spécial"

---

1. *tidbit, sweetmeat* 2. *from the Bresse region* 3. *small molded dish* 4. *cuisses... frogs legs* 5. *warm* 6. *beans* 7. *custard* 8. *lobster* 9. *spiny lobster* 10. *whiting* 11. *mullet* 12. *piment... sweet peppers* 13. *bass* 14. *duckling* 15. *Aile... squab wing* 16. *young fowl* 17. *ripened* 18. *delicacies* 19. *plaisir*

La santé

:: En bref

Thème VI focuses on health. The 1980s will probably be remembered partly for a strong preoccupation with health: how to define it, how to achieve it, what to eat and do to prolong it, and what modern medicine can do to sustain it. **Thème VI** will touch on all of these questions. In addition, you will read articles on stress and how to reduce it in your life, a fictional excerpt about a stressful family situation, and a satiric scene from a play about charlatanism in medicine.

Functions

- Describing and comparing
- Hypothesizing
- Using extended discourse

Structures

- The comparative and superlative of adjectives, adverbs, and nouns
- The present and past conditional
- Using *si* clauses
- "Problem" verbs

:: Avant de commencer

Regular exercise has many advocates, but there are also those who caution about its excesses. Before you read *La gymnastique qui soigne,* jot down some of your own thoughts about exercise. Compose three sentences about the benefits of exercise, and three about its dangers. (*Modèle:* **Si je faisais de l'exercice régulièrement, je serais...**)

LA GYMNASTIQUE QUI SOIGNE...

La gymnastique ne fait pas que détendre, muscler, assouplir et donner la forme. Elle peut aussi soigner. Pierre Pallardy, ostéopathe, kinésithérapeute,° naturothérapeute, en est le témoin° quotidien.° Tous les petits maux° qui perturbent l'énergie et minent le moral, il les connaît mieux que personne, et pour vous aider à lutter contre eux, il nous donne ici quelques mouvements simples, mais très efficaces.° Des mouvements, des conseils° à retrouver dans son livre écrit avec sa femme Florence, «La Forme naturelle» (ELLE Édition N° 1) pour une meilleure connaissance de votre corps. Et une meilleure maîtrise° de vous-même.

physiotherapist / witness
de tous les jours / douleurs

bons
suggestions

contrôle

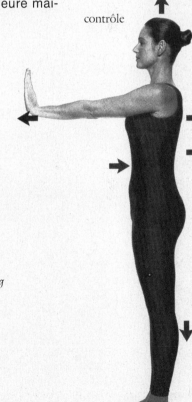

Mal au dos? Fatigue? Nervosité? Insomnie? Ces maux si fréquents—et qui sont notre triste lot—peuvent être soulagés par quelques mouvements de gymnastique pratiqués quotidiennement. Pierre Pallardy vérifie ce fait tous les jours dans son cabinet de consultation auprès de ses patients et dans ses cours de gymnastique. Pour lui la gymnastique constitue une vraie thérapeutique non seulement contre le mal de dos, mais aussi contre la fatigue, le stress et même l'insomnie. Elle est à la fois anti-douleur, détente des systèmes nerveux et neurovégétatif, et dynamisante,° car elle relance l'énergie dans toutes les parties du corps. La gymnastique qui soigne ne doit pas être épuisante,° ni ronronnante.° Elle peut n'être faite que de quelques mouvements seulement, mais spécialement étudiés pour leur grande efficacité. Tels sont ceux que Pierre Pallardy vous propose. Une recommandation: si vous pouvez faire cette gymnastique à n'importe quel moment de la journée, il ne faut pas exécuter les mouvements à la va-vite° mais avec une extrême concentration, en rythmant exécution du mouvement et respiration. Tous ces exercices, et bien d'autres, sont enseignés par Pierre Pallardy à la salle Pleyel à Paris.

donnant de l'énergie

très fatigante / *droning on*

à... rapidement

Elle, numéro 2092, février 1986.

■ *Étude de mots*

As you might expect, an article about exercise contains many verbs telling you what to do and how to do it. Study the following list before you reread.

miner	*to undermine*	s'éveiller	*to awaken*
détendre	*to relax*	s'étirer	*to stretch*
muscler	*to develop muscles*	appuyer	*to press*
assouplir	*to make supple*	écarter	*to spread (arms, legs)*
soulager	*to relieve*	redresser	*to straighten out*
relancer	*to start again*	enfoncer	*to thrust*
entraîner	*to train*	expirer	*to exhale*
rééquilibrer	*to bring back into balance*	inspirer	*to inhale*
		relâcher	*to loosen, relax, ease*

■ *Activités*

A. **Vrai ou faux?**

1. D'après Pallardy, la gymnastique peut augmenter le stress. 2. Pierre Pallardy est kinésithérapeute. 3. Pierre et son frère Bernard ont écrit un livre sur la gymnastique. 4. Il recommande qu'on pratique la gymnastique au moins deux fois par semaine. 5. Pallardy dit que la gym peut soulager le mal de dos et l'insomnie. 6. Il recommande qu'on fasse ces exercices quand on est pressé.

B. **En groupes de deux.** Une personne va lire les instructions pour faire le premier exercice et l'autre va le faire. Ensuite, renversez les rôles avec le deuxième exercice.

C. Actuellement, est-ce que l'exercice fait partie de votre vie? Expliquez ce que vous faites, ou pourquoi vous ne faites rien (par exemple: le jogging, l'aérobique, le sport à l'université, la natation, la bicyclette, les promenades à pied ou en vélo...).

D. Si vous deviez expliquer l'importance de la gymnastique à un ami (une amie), que lui diriez-vous?

E. Avec un autre étudiant (une autre étudiante), créez un exercice qui sert à combattre le stress. Donnez des instructions détaillées. Après avoir terminé votre travail, vous pourrez présenter votre exercice à d'autres membres de la classe qui vont l'essayer.

F. Avez-vous jamais assisté à une classe d'aérobique, en personne ou devant la télévision? Si oui, expliquez aux autres comment l'heure de classe est normalement structurée. Comparez les exercices de cette classe-là avec ceux du Dr Pallardy.

CHAPITRE 16

En bonne forme

© STUART COHEN / COMSTOCK

PAROLES ■■ ·· ·· ·· ·· ·· ·· ·· ·· ··

Le corps humain...

La **peau** (*skin*), un **os*** (*bone*), un **muscle**, un **ligament**, le **sang** (*blood*), un **nerf*** (*nerve*).

Les **organes** [m.]: le **cœur** (*heart*), le **cerveau** (*brain*), les **poumons** [m.] (*lungs*), *le* **foie** (*liver*), l'**estomac** [m.]* (*stomach*), les **reins** [m.] (*kidneys*).

---

*Notes de prononciation: the **l** is pronounced in **cils** but not in **sourcils**; the **s** is pronounced in the singular **un os**, but not in the plural, **des os**; the **f** is not pronounced in **nerf**; and the **c** is not pronounced in **estomac**.

la tête

les cheveux (m.)
le front
la paupière
les sourcils (m.)
les cils (m.)
l'œil / les yeux (m.)
le nez
l'oreille (f.)
la joue
la mâchoire
les lèvres
la langue
les dents (f.)
les gencives (f.)
le menton
la gorge

la bouche

le visage / la figure

Les actions du corps

Respirer (*to breathe*), bouger (*to move*), croiser [les bras, les jambes, les mains] (*to fold, to cross*), écarter [les bras, les jambes] (*to spread*), étendre (*to extend*), plier (*to bend*), sauter (*to jump*).

L'exercice physique

La course (*running*), le jogging, la marche (*walking*), la danse, la gymnastique; avoir des courbatures (*to feel stiff, to have sore muscles*).

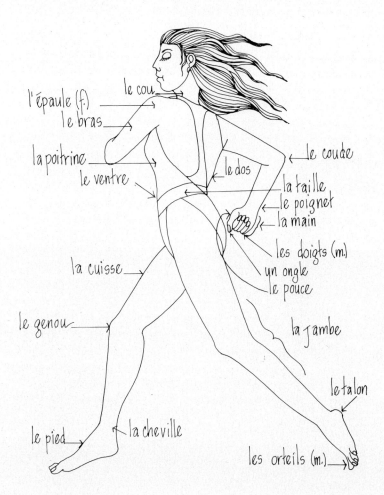

l'épaule (f.)
le cou
le bras
la poitrine
le ventre
le coude
le dos
la taille
le poignet
la main
les doigts (m.)
un ongle
le pouce
la cuisse
le genou
la jambe
le talon
le pied
la cheville
les orteils (m.)

■ *Parlons-en*

Votre partenaire et vous êtes les associé(e)s du Dr Frankenstein, et vous essayez, vous aussi, de «recréer» un être humain. Faites une liste (par écrit) des parties du corps que vous avez trouvées dans les cimetières et ailleurs. Puis décrivez en détail la personne que vous créez au fur et à mesure que vous travaillez. Enfin, décrivez les mouvements que vous faites faire à votre «créature» quand elle devient vivante. Donnez-lui aussi un nom, et faites quelques prédictions sur sa destinée.

Quand vous aurez fini, sortez de votre laboratoire et décrivez votre créature à la classe, qui jouera le rôle de la presse (avec toutes ses questions)! La presse devra ensuite comparer les créations de chaque laboratoire, et décider qui mérite de paraître «à la une» des journaux.

LECTURE ▦ :::::::::::::::::::::::::::::::::

The following article, *Le stress,* from the French magazine *Madame Figaro,* shows that feeling pressured is a universal problem, at least in Western societies. The chances are that stress is not unfamiliar to you as a student. Stress is often treated as a social problem. Below you will read a more careful analysis of its characteristics, its history, and some possible treatments for it.

■ *Avant de lire*

The Language of Journalism   Reading a magazine or newspaper article can present special challenges. In this kind of publication, space is at a premium; prose tends to be terse and to have more gaps than usual. Fewer transition words are included. Moreover, newspaper articles in particular tend to be structured differently from other kinds of writing. Instead of saving major points for the end, journalists assume that many readers will not finish the article; consequently, they present facts in decreasing order of importance. Knowing this, you can organize your reading efficiently. Many modern magazines and newspapers also address readers in a kind of trendy, conversational language.

To help you read *Le stress,* review some of the characteristics of oral language in **Avant de lire,** Chapter 10. Also review the strategies you learned for scanning for important details and skipping less significant ones (Chapter 1). And of course, in articles on scientific topics, you will need to rely heavily on your ability to guess the meaning of cognates in context.

Before you skim the following article, think about what points you expect to find in it. Look at the section titles and lead lines, and outline the overall structure of the article. Then, as you skim, underline the topic sentence(s) of each paragraph. Finally, before you read in depth, make a list of seven or eight main points that the author makes.

. . . .

La plus importante de nos maladies de société

Le Stress

PAR GENEVIÈVE DOUCET

Le stress est à la base de 80% de nos maladies de société. Travail, soucis, bruit, transports: tout est cause de stress. Mais ne dites surtout pas que c'est le mal du siècle. Sachez identifier votre stress. Et n'en faites pas une maladie!

Stress: un mot intraduisible et pourtant compris de chacun. «Je suis stressé», cela signifie: je suis bousculé,° malmené, agressé intérieurement. Tout peut être cause de stress, le bruit d'une perceuse° comme la peur du

pushed around
drilling machine

lendemain, puisqu'en fait, le stress, c'est tout ce que nous devons «encaisser»° dans une journée... ou dans une vie, tout ce qui nous met en déséquilibre avec nous-mêmes. Une maladie? Non. Mais un danger car, au bout
du stress, nous craquons.

tolérer

UN MAL UNIVERSEL

Mal moderne? Sûrement pas. On pense que l'homme des cavernes° qui
partait à la chasse, sans certitude d'avoir à manger le soir, était aussi stressé
que celui qui, en 1987, se jette, le matin, sur la rubrique° «offres d'emplois»
de son quotidien.° Mal des «cadres°»? Rien de moins sûr non plus: les
spécialistes actuels du stress affirment qu'il touche tous les milieux sociaux.
Un agriculteur endetté° est aussi stressé qu'un cadre surmené.° Mal des
hommes plus que des femmes? Encore une erreur colportée° au fil des°
années: les femmes n'échappent pas au stress. Celles qui travaillent encore
moins que les autres puisque les stress professionnels viennent dans ce cas
s'ajouter à ceux de la vie du foyer,° repas, horaires, enfants, etc. En fait,
disent les médecins, aucune femme n'est épargnée.° Car c'est presque toujours à la femme qu'incombent° la gestion du temps familial et celle des
dépenses quotidiennes (or, il n'y a rien de plus stressant, dit-on, même si
elle n'est pas mortelle,° qu'une préoccupation d'argent constante...). Le
stress est universel? Il fait partie de la vie. Il nous arrive à tous mille choses,
bonnes ou mauvaises. Il ne se passe pas une journée sans que nous ayons
à subir° toutes sortes de mini-événements qui nous énervent, nous cho-
quent, nous freinent, nous fatiguent. Notre organisme les reçoit comme il
peut. Quelquefois bien, quelquefois mal. Quand, pour une raison ou pour
une autre, nous n'arrivons plus à bien vivre ce qui nous arrive, les plombs
sautent.° C'est à ce moment que nous nous disons «stressés», que nous
nous sentons menacés. On ne peut plus supporter les cris des enfants, le
bruit des voisins, l'humeur° du compagnon, les caprices du patron. Les nerfs
«lâchent°». Et l'on ne peut nier° que, à ce sujet, le mode de vie actuel ne
nous ménage pas. La multiplication des contraintes,° la rétraction du temps,
la nécessité d'être toujours rapide, plus performant (professionnellement,
sentimentalement et même sexuellement!) nous mettent à rude épreuve.°
Sont aujourd'hui reconnus comme facteurs de troubles dus au° stress: à
49% les conditions de travail et d'habitat; à 37% les difficultés de transport
(encombrements° trajets domicile-travail°); à 33%... la télévision et, de
manière plus générale, la vision dramatique que les médias renvoient du
monde et des événements quotidiens; enfin, à 30%, une certaine «inco-
hérence culturelle», qui nous plonge dans une sorte d'état anxieux chro-

mot ap.

partie du journal
journal de chaque jour /
   directeurs
mot ap. / overworked
passée / au... pendant

maison
spared
viennent

mot ap.

supporter

les... *the fuses blow*

tempérament
give out / deny
mot ap.

test
dus... causés par

congestion / trajets ...
   commuter route

nique. Les médecins disent alors que nous «décompensons». Et c'est en général à cette occasion qu'ils nous voient arriver dans leur cabinet, souffrant de maux divers. Car, si le stress—c'est vrai—fait partie de la vie, l'excès de stress nous rend presque à coup sûr° malades. Parce que notre corps ne va plus pouvoir répondre de façon satisfaisante aux informations qu'il reçoit. C'est une question d'hormones. La plupart du temps, l'équilibre émotion-réaction est maintenu. Le «coup» de colère, le «coup» de cafard° sont généralement surmontés. Mais quand les émotions ou les agressions sont trop fortes, trop répétitives, nous n'avons plus le temps de récupérer. Les sécrétions hormonales s'emballent,° et—sans que nous en soyons toujours conscients—voilà la tension qui monte, la migraine qui s'installe, les brûlures d'estomac qui nous narguent.° «Docteur, je ne digère plus rien.» En fait, ce sont les stress qui ne passent plus.

  La maladie du stress, c'est cela: un encombrement d'émotions, un trop-plein de préoccupations, avoir la tête et le cœur malmenés. Un cri du corps, en somme, qui exprime, comme il peut, son «ras-le-bol».°

On ne doit pas baisser les bras devant le stress. Il existe des médicaments, des techniques, des gestes anti-stress. Et aussi un mode d'emploi intérieur de retour au calme. Là encore, à chacun de choisir dans le lot. Selon son tempérament et ses goûts.

TRANQUILLISANTS

Ils ont mauvaise réputation car on en consomme trop. Cinq à huit millions de femmes en prennent régulièrement. Sans doute parce qu'il y a abus de prescriptions. Les tranquillisants sont en effet pour le médecin une solution de facilité. Cela dit, ils peuvent momentanément° être d'un bon secours.° Mieux vaut être «tranquillisé» par un médicament léger (les benzodiazépines sont très bien tolérés) que vivre dans le stress. Ne jamais mélanger à l'alcool, éviter de cumuler° avec un somnifère.° Attention également aux tendances dépressives: les tranquillisants les accroissent.° Sur ordonnance.°

BÊTA-BLOQUANTS

Ce sont des substances qui «bloquent» les récepteurs bêta des catécholamines, les hormones du stress, celles qui justement engendrent les troubles

à... assurément

depression

are carried away

scoff at us

límite

mot ap. / bon... aide

mélanger / comprimé
 pour dormir
rendent plus sérieuses /
 prescription

physiologiques (sueurs,° tachycardie).° D'où la diminution des décharges° émotives° et de l'anxiété. On en donne aux hommes politiques avant une épreuve particulière (une émission de TV, par exemple). Effet anti-stress remarquable: moins de tremblements, moins de tensions musculaires, meilleure maîtrise° de soi. Recommandables seulement en prescription ponctuelle,° et à petites doses. Sur ordonnance.

sweats / irregular heart beat / mot ap: (dé = dis)
considérez: émotion
contrôle
mot ap.

VITAMINES ET OLIGO-ÉLÉMENTS

Certains médecins en sont des partisans convaincus. Leurs arguments: l'organisme humain ne sait plus fabriquer toutes les vitamines dont il a besoin (la vitamine C en particulíer). De plus, notre alimentation est défectueuse° en oligo-éléments. D'où la nécessité d'un apport° supplémentaire sous forme de médicaments. Nécessité encore accrue° lorsque nous sommes fatigués ou stressés. En effet, le stress valorise la libération dans l'organisme de substances appelées radicaux libres, qui—s'ils sont en trop grand nombre—ont la fâcheuse propriété de perturber° notre production d'oxygène. Or, de récentes études semblent démontrer que certaines vitamines (C et E notamment) sont capables de piéger° ces radicaux libres et de les rendre inoffensifs. Apports souhaitables: vitamine C, vitamine E, vitamines du groupe B (B1, B6, B9). Pour les oligo-éléments: zinc, manganèse, magnésium, sélénium. De nombreux laboratoires les commercialisent. Un conseil: bien que ces médicaments soient en vente libre,° éviter l'auto-médication. Seul un traitement approprié peut se révéler utile et sans inconvénients secondaires.

mot ap.
contribution
augmentée

mot ap.

trap

en... freely sold

QUI A "INVENTÉ" LE STRESS?

Le mot *stress* ne date pas d'hier. On le doit à des ingénieurs anglo-saxons qui, au début du siècle, travaillaient sur la capacité de résistance des métaux. Ils l'employèrent pour désigner le niveau de contraintes—de «stress»—que les métaux pouvaient supporter. Et c'est en 1936 qu'un physiologiste canadien, le Pr Hans Selye, fit entrer le mot dans le langage médical: il étudiait, lui, la capacité de l'homme à résister aux chocs et aux agressions. Il est reconnu aujourd'hui comme le plus grand spécialiste en ce domaine, et tout le monde s'accorde sur la définition qu'il a donnée du stress: «Une réponse non spécifique de l'organisme à une demande qui lui est faite.» En un mot une inadaptation.

■ *Avez-vous compris?*

A. Choisissez la meilleure réponse.

1. L'introduction à l'article affirme que seulement _____ des maladies de société ne sont pas liées au stress. (a) 80% (b) 20% (c) 50%
2. Le stress est _____. (a) un mal récemment découvert (b) un mal limité aux professionels (c) un mal avec une longue histoire.
3. Le stress affecte principalement _____. (a) les cadres et d'autres professionnels (b) les femmes plus que les hommes (c) des membres de tous les milieux sociaux
4. La femme qui travaille hors de la maison est _____ stressée que celle qui travaille seulement au foyer. (a) moins (b) aussi (c) plus
5. Quand nous ne pouvons plus _____ les événements de la vie, nous nous considérons «stressés». (a) supporter (b) perturber (c) malmener
6. La télévision et les médias sont des facteurs de stress _____ importants que les difficultés de transport. (a) plus (b) aussi (c) moins
7. Les médecins aiment prescrire des tranquillisants parce que ces médicaments _____. (a) n'ont aucun mauvais effet (b) guérissent (*cure*) le stress de façon permanente (c) sont une solution facile
8. Il est important de ne jamais prendre de tranquillisants avec _____. (a) de l'alcool (b) des somnifères (c) «a» et «b»
9. L'article affirme que les/des _____ prennent des bêta-bloquants. (a) millions de femmes (b) gens qui ont des troubles psychologiques (c) hommes et femmes politiques
10. L'auteur constate que la vitamine _____ peut aider dans la lutte contre le stress. (a) A (b) K (c) C
11. _____ a/ont donné au mot «stress» un sens médical. (a) Des ingénieurs (b) Le Dr. Hans Selye (c) Des Anglo-saxons

B. L'article compare le stress des hommes des cavernes avec celui du chômeur moderne, et celui du cadre avec celui de l'agriculteur endetté. Faites une liste des causes probables du stress de chacun.

C. Comparez les avantages des tranquillisants, des bêta-bloquants et des vitamines.

■ *Et vous?*

1. Parlez de quelqu'un que vous connaissez qui est stressé, et des effets sur sa famille et ses amis.
2. Dans le milieu universitaire, le stress est très souvent mentionné comme problème sérieux. Quelles sont les causes du stress pour l'étudiant? et pour le professeur?
3. A votre avis, quels sont les dangers du stress?

6. La sensibilité au bruit affecte les gens d'une manière très variable. Quels sons vous agressent le plus? Quels sons vous mettent de bonne humeur?

7. **En groupes de deux.** L'article suggère que la femme qui travaille hors de la maison est plus stressée que celle qui reste à la maison. Un(e) étudiant(e) va être «pour» cette idée et l'autre «contre». Après une courte discussion, présentez vos idées à la classe.

8. Circulez dans la classe pour faire un sondage. Découvrez les faits suivants concernant vos camarades de classe: (a) dans quelles situations ils se sentent stressés (b) leurs symptômes de stress (c) ce qu'ils font pour se soulager (d) la personne de leur connaissance la plus stressée.

STRUCTURES ▪ :

Réflexions d'une personne stressée

Il semble que la vie va **de plus en plus** vite, vous ne trouvez pas? On dit que «**plus** ça change, **plus** c'est la même chose», mais ce n'est pas vrai. Avant, je me sentais **mieux** dans ma peau, j'étais beaucoup **moins** bousculé, et pourtant je faisais **autant** de choses, sinon **plus.** Maintenant je suis toujours fatigué: je cours **de plus en plus,** je dors **de moins en moins,** la **moindre** chose m'irrite, et je n'arrive même plus à me détendre sans me sentir coupable. Et à quoi ça sert, cette course constante contre la montre? Est-ce que la vie sera **meilleure** demain?

▪ 1. Comparing Adjectives and Adverbs

Comparisons can take several forms: for example, you can be *less* tired *than* . . . , *as* tired *as* . . . , *more* tired *than* . . . another person, or *the least* tired, or *the most* tired of a group of people. In French, these forms are expressed as follows:

A. Less/Least

*   comparative: **moins... que**

    > Il est **moins** fatigué **qu'**avant.
    > Il se fatigue **moins** facilement **que** les autres.

- superlative: *adjectives* (**le** / **la** / **les moins...** [**de**]) and *adverbs* (**le moins...** [**de**])

  > C'est elle qui est **la moins** fatiguée **de** tous.
  > Elle se fatigue **le moins** facilement.

B. As . . . as: *aussi... que**

> Ils sont **aussi** fatigués **que** nous.
> Ils se fatiguent **aussi** facilement **que** nous.

C. More / Most

- comparative: **plus... que**

  > Vous êtes **plus** fatigué **que** moi.
  > Vous vous fatiguez **plus** vite **que** moi.

- superlative: **le plus... (de)** (The definite article agrees with adjectives.)

  > Nous sommes **les plus** fatigués **de** tous.
  > Nous nous fatiguons **le plus** vite.

Note that when a noun is included in the *superlative* construction, the adjective retains its normal position, whether in front of the noun, with one article (**La moindre chose m'irrite.**), or after it, with two articles (**C'est la chose la plus importante.**).

D. Irregular Forms

In the "more / most" category, the following adjectives and adverbs have irregular forms. (16.1, 16.2)

- **beaucoup** → **plus, davantage**

  > Il se fatigue **plus que** nous.

- **bien** → **mieux**

  > Elle travaille **mieux** (*better*) le soir **que** le matin.
  > Elle travaille **le mieux** (*best*) le soir.

- **bon** → **meilleur**

  > Est-ce que la vie sera **meilleure** (*better*) **qu**'avant?
  > La vie de demain sera-t-elle **la meilleure** (*the best*)?

As much as is expressed by **autant que.** (Ils travaillent **autant que** nous.)

- mauvais → **plus mauvais / pire**

  Le stress est **pire (plus mauvais)** [*worse*] **que** la fatigue.
  C'est **la pire** (*the worst*) **des** choses.

- petit → **plus petit** (refers to size)
       → **moindre** (abstract sense)

  Elle est **plus petite que** sa sœur.
  La moindre chose m'irrite. (*The least thing bothers me.*)

- peu → **moins**

  Je travail **moins qu'**avant.

See (16.3–16.4).

■ *Maintenant à vous*

A. **Ce qui m'énerve le plus.** Comparez les facteurs d'irritation suivants avec un comparatif, puis un superlatif, selon le modèle.

   MODÈLE: (Quand j'essaie de dormir) les cris des enfants / le bruit des voisins / le bruit d'une perceuse (*drill*) →
   Les cris des enfants m'énervent plus que le bruit des voisins, mais ce qui m'énerve le plus, c'est le bruit d'une perceuse.

   1. (Quand j'essaie d'étudier) la musique rock / la télévision / le téléphone
   2. (Quand je passe un examen) le bruit dans le couloir / le manque de temps / le manque d'inspiration
   3. (Quand j'attends l'autobus) le froid / la pluie / le vent
   4. (Quand je suis en voiture) les travaux sur la route / les embouteillages / un passager qui fait constamment des remarques sur ma façon de conduire
   5. (Quand je vais dans les magasins) la foule / les vendeurs trop occupés / la queue (*line*) à la caisse
   6. (Quand je suis stressé [e])?

B. **Les avis du docteur Dupont.** Complétez par la forme appropriée de **meilleur** ou **mieux.**

   1. Les soins médicaux sont _____ aujourd'hui qu'avant.   2. Il vaut _____ éviter les tranquillisants.   3. Vous feriez _____ de prendre de la vitamine C.   4. La vitamine C est la _____ des vitamines pour lutter contre le stress.   5. C'est _____ de se passer de (*do without*) médicaments, si on peut.

   Résumez les conseils du docteur Dupont quant aux médicaments.

C. **La vie moderne.** En groupes de deux, énoncez d'abord une opinion selon les indications données, puis réagissez de façon personnelle. Alternez les rôles toutes les deux phrases.

Astérix

MODÈLE: les femmes / les hommes / stressé / moins →
Étudiant A: Les femmes sont moins stressées que les hommes.
Étudiant B: Ah, mais pas du tout! Les femmes sont même plus stressées que les hommes parce que... (*ou*: Je dirais que les femmes sont aussi stressées que les hommes, parce que...)

1. l'homme moderne / l'homme des cavernes / stressé / plus
2. les vieux / les jeunes / vulnérable au stress / aussi
3. la vie à la campagne / la vie en ville / bon pour la santé / plus
4. les conditions de travail / les conditions d'habitat / stressant / moins

D. **Astérix et Obélix.** Complétez les comparaisons de ces deux «héros gaulois» chers aux amateurs de bandes dessinées (*cartoons*), en vous inspirant des illustrations ci-dessous.

1. Astérix est _____ qu'Obélix. (petit)
2. Obélix est _____ des deux. (gros)
3. Astérix est _____ physiquement, mais il est _____ qu'Obélix. (fort / intelligent)
4. Astérix a les cheveux _____ qu'Obélix. (long)
5. Obélix mange _____ qu'Astérix. (beaucoup)

Trouvez deux autres comparaisons à faire entre Astérix et son ami Obélix.

A votre avis, qui serait le plus vulnérable au stress: Astérix, qui, à cause de son intelligence, est chargé de toutes sortes de missions dangereuses, ou Obélix, qui accompagne son ami partout parce qu'il adore se battre (*to fight*)—et manger? Justifiez votre opinion.

Obélix

▪▪ 2. Other Types of Comparisons

A. Comparing Nouns

COMPARATIVE

- **moins de** (*fewer*)... **que**
  Il a **moins de** problèmes **que** nous.
- **plus de** (*more*)... **que**
  On a **plus de** travail **que** lui.
- **autant de** (*as much, as many as*)... **que**
  Il n'a pas **autant de** responsabilités **que** nous.

SUPERLATIVE

- **le moins de** (*the fewest*)... **de**
  Il a **le moins de** problèmes **de** tous.
- **le plus de** (*the most*)... **de**
  Elle a **le plus de** travail **de** tous.

B. Useful Expressions

- **de plus en plus** (*more and more*)

    Je cours de plus en plus.

- **de moins en moins** (*less and less*)

    Je dors de moins en moins.

- **plus ou moins** (*more or less*)

    Je dors plus ou moins bien.

- **Plus... plus...** (*The more . . . the more . . .*)

    Plus ça change, **plus** c'est la même chose.

- **Plus... mieux...** (*The more . . . the better . . .*)

    Plus on apprend, **mieux** c'est.

- **Moins... plus...** (*The less . . . the more . . .*)

    Moins on mange, **plus** on maigrit.

- **le plus / le moins possible** (*the most / the least possible*)

    Certaines personnes se fatiguent le moins possible.

- **de mieux en mieux** (*better and better*)

    Il a été très malade, mais il va de mieux en mieux.

- **de pire en pire** (*worse and worse*)

    Il est très malade; son état est même de pire en pire.

■ *Maintenant à vous*

E. **Des emplois du temps chargés?** (*Busy schedules?*) Mettez-vous en groupes de trois. Chaque participant va d'abord faire son emploi du temps pour une semaine typique à l'université, en utilisant les éléments suivants: (1) le nombre de cours, (2) le nombre d'heures passées à la bibliothèque (à peu près), (3) le temps passé à faire des devoirs en dehors de la bibliothèque, (4) le nombre d'examens et (5) le nombre d'activités non-académiques. Ensuite, lisez tous les emplois du temps et faites des comparaisons basées sur les cinq catégories mentionnées, en utilisant d'abord des comparatifs, puis des superlatifs.

MODÈLE: X a autant de cours que Z; Y a le plus de cours.

F. **Voilà ce qui arrive.** Complétez les phrases suivantes de manière personnelle.

1. Plus j'étudie,...   2. Plus on vieillit,...   3. Moins on fait d'exercice physique,...   4. Quelque chose que j'aime de plus en plus, c'est...   5. Quelque chose que je fais le moins possible, c'est...   6. Je comprends de mieux en mieux pourquoi...

▦ 3. Problem Words

A. *Sentir* and *se sentir*

Sentir has two meanings. Followed by a noun or adjective, it means *to smell*.

Je sens quelque chose de brûlé.	*I smell something burnt.*
En effet, ça ne sent pas très bon.	*You're right, it doesn't smell very good.*

Followed by **que** and a dependent clause, it expresses *to feel that*.

Je sens que vous avez raison.	*I feel that you are right.*

Se sentir also means *to feel*, but only in reference to the state of one's health; it is used with adverbs such as **bien, mal, mieux,** etc., or with adjectives such as **fatigué, stressé, déprimé,** etc.

Je ne me sens pas bien.	*I don't feel good.*
Elle se sent fatiguée.	*She feels tired.*

B. *Avoir mal / avoir du mal / faire mal / se faire mal*

Avoir mal à followed by a reference to part of the body means *to hurt*.

J'ai mal à la gorge.	*I have a sore throat.*
J'ai mal au ventre.	*I have a stomach ache.*
J'ai mal au pied.	*My foot hurts.*

Avoir du mal à followed by an infinitive means *to have a hard time (doing something)*.

J'ai du mal à m'exprimer en français.	*I'm having a hard time expressing myself in French.*

Faire mal à followed by a reference to a person means *to hurt someone*.

Ne fais pas mal à ton frère!	*Don't hurt your brother!*

Se faire mal à followed by a reference to part of the body means *to hurt oneself*.

Je me suis fait mal au dos.	*I hurt my back.*

■ *Maintenant à vous*

G. **Qu'est-ce qui ne va pas?** Complétez les phrases suivantes avec les verbes appropriés (**sentir / se sentir,** ou une expression avec **mal**).

1. Je ne _____ pas bien du tout! 2. Je/j'_____ à la tête depuis ce matin.
3. D'ailleurs, je/j'_____ à me concentrer à cause de ça. 4. Et puis tout à

l'heure, en descendant l'escalier, je/j'___ au pied.   5. En fait, c'est ma cheville qui ___.   6. Je/j'___ que ce n'est pas mon jour.

Résumez ce qui vient de vous arriver.

H. **Aïe, aïe, aïe!** (*Ouch!*) En groupes de deux, racontez et comparez des souvenirs douloureux, selon les indications données.

1. Deux incidents (ou même accidents) où vous vous êtes fait mal. Lequel était le pire? Pourquoi?   2. Deux incidents où vous avez eu très mal quelque part. Comparez les deux sortes de douleurs.   3. Deux incidents où vous vous êtes senti(e) «stressé(e)». Lequel était le pire?

Résumez ensuite pour la classe un des incidents racontés par votre partenaire. Puis choisissez par un vote l'incident le plus mémorable.

I. **Qu'en pensez-vous?** Réagissez aux clichés suivants.

1. Plus on est riche, plus on est heureux.   2. Les blondes s'amusent davantage.   3. Plus ça change, plus c'est la même chose.   4. Plus c'est grand, mieux c'est.   5. Les gens les plus occupés accomplissent le plus de choses.

J. **Jeu de rôles.** You and your grandmother are talking about stress: you contend that young people nowadays face more pressures **(la pression),** and life is more difficult than it was forty or fifty years ago. Your grandmother doesn't agree: she claims that modern life, with all of its conveniences, is much easier; it's just that people have less patience and less tolerance because they are more spoiled and selfish. Defend your respective points of view.

PAR ÉCRIT ■ ⸱

■ *Avant d'écrire*

Paragraphs (2)   In your reading, you have learned to pick out the topic sentence(s) in a paragraph. You may have noticed that they appear in different places; the topic sentence is not always at the beginning of the paragraph. It may be useful, as you write, to think about several patterns of paragraph organization and the merits and disadvantages of each. Among the many ways to organize a paragraph, the following three are among the most common.

1. *Topic sentence first.* In this standard paragraph, writers make their most important point near the beginning of the paragraph. They then expand or limit (define) it.

2. *Topic sentence in the middle*. This kind of paragraph delays the topic sentence. It usually begins by suggesting a viewpoint opposed to the topic sentence, and then "swerves" into the topic, which is usually a fact that is surprising in relation to the opening sentences. The following sentences provide an example from a paragraph that changes direction. The opening sentence might be: "Most people believe that stress is a professional's disease." This is followed by supporting statements. Then the topic sentence appears: "Housewives, however, are the real victims of stress." This kind of paragraph makes a strong impression on the reader because the topic sentence stands out as a surprise.

3. *Topic sentence at the end*. In this type of paragraph, ideas build to a climax at or near the end. The paragraph moves through supporting points and examples, and arrives at a statement that brings things together only at the end. For example:

> In twentieth century Opia, a small country on the Optic sea, unemployment has been consistently about 40% for the last ten years. Those who do have work usually find that their disposable income after taxes does not even cover their living expenses. *It is hardly surprising then, that the country experienced massive demonstrations in the streets last July.*

This kind of development is especially dramatic and effective. Readers tend to remember most vividly the last points made.

Now, with a partner, choose one of the topics of comparison given in exercise J. Make a list of major and supporting points to be made. Next, think about which of the three kinds of paragraphs would best enable you to make the point you wish to make; organize your list accordingly and justify your paragraph development.

Now prepare the following writing assignment by following the same steps.

■ *Sujet de composition*

«**La vie à l'université vs. la vie au lycée.**» Un jour que vous vous sentez particulièrement stressé(e), vous commencez à comparer mentalement votre vie à l'université et au lycée. Inspiré(e) par toutes sortes de pensées profondes, vous ouvrez votre journal, et vous écrivez deux ou trois paragraphes sur les différences et les similitudes entre vos expériences au lycée et à l'université: la vie académique, la vie sociale, et le niveau de stress, bien sûr.

▦ EN DÉTAIL

16.1. *Meilleur/mieux*

You have learned that **meilleur** is the comparative form of the adjective **bon**, and that **mieux** is the comparative form of the adverb **bien**. However, when the verb is **être**, it is quite common and acceptable to use **mieux** instead of **meilleur**.

> Cette solution est **meilleure** que les autres. (*or*)
> Cette solution est *mieux* que les autres.

16.2. How to Say *Much better*

- With **meilleur**, use **bien**.

    > Ce fromage est **bien meilleur** que l'autre.

- With **mieux**, use **beaucoup** or **bien**.

    > Je me sens **beaucoup** mieux aujourd'hui. / Je me sens **bien** mieux.

16.3. Adjectives Used as Adverbs

Although **bien** and **mieux** are the only adverbs that can be used in the place of an adjective, there are several adjectives that can be used as adverbs. In this case, they are invariable. Note the following expressions:

> La vie coûte **cher**.
> Parlez plus **fort** (*louder*), s'il vous plaît.
> La soupe sent **bon**; les gâteaux sentent **meilleur**.
> Elle chante **faux** (*off key*).
> Nous travaillons plus **dur** que jamais.

16.4. Use of Possessive Adjectives with Superlatives

The first definite article that accompanies a superlative may be replaced by a possessive adjective.

> C'est **ma** meilleure amie.
> Voilà **notre** plus grande faiblesse (*weakness*).
> **Sa** qualité **la** plus remarquable est l'honnêteté.

CHAPITRE 17

Émotions et maladies

Un moment riche en émotions

PAROLES ■■

Les sentiments et les émotions

L'**amour** [m.] (*love*) / la **haine** (*hate*); **aimer** / **haïr**.

L'**amertume** [f.] (*bitterness*); être **amer**.

L'**angoisse** [f.] (*anxiety*); être **angoissé**.

Le **cafard** (*the blues*); avoir le cafard, être **déprimé** (*depressed*).

Un **choc; éprouver** un choc, être **choqué** (*shocked*).

La **colère** (*anger*); **se mettre en colère, se fâcher** (*to get mad*).

La **confiance** (*confidence*); avoir confiance en soi (*to be self-confident*).

Un **complexe** [d'infériorité, de persécution, etc.]; être **complexé.**

L'**inquiétude** [f.] (*worry*); être **inquiet, soucieux** (*worried*).

La **jalousie**; être **jaloux.**

La **joie,** le **bonheur**; être **heureux**; le **chagrin** (*sorrow*), la **tristesse**; être **triste, malheureux.**

La **peur,** la **crainte**; avoir peur, craindre.

La **rancune** (*grudge*); **garder rancune** [à quelqu'un]; le **pardon** (*forgiveness*); **pardonner** [quelque chose à quelqu'un].

La **surprise,** l'**étonnement**; être **surpris, étonné.**

Les maladies mentales

Faire une dépression nerveuse (*to have a nervous breakdown*).

La **folie** (*madness*); être **fou / folle.**

Les maladies physiques

Être **en bonne santé** / être **malade.**

Les symptômes [m.]: des **boutons** [m.] (*pimples, pocks, rash*), une **démangeaison** (*itch*), une **douleur** (*pain*), la **fièvre** (*fever*) [avoir de la fièvre], l'**hypertension** [f.] (*high blood pressure*), la **nausée** (*nausea*), **éternuer** (*to sneeze*), **avoir le nez qui coule** (*to have a runny nose*), **se moucher** (*to blow one's nose*), **tousser** (*to cough*).

Les maladies [f.]: une **allergie,** l'**anémie** [f.], être anémique, l'**arthrite** (*arthritis*), la **bronchite** (*bronchitis*), le **cancer,** une **congestion cérébrale** (*stroke*), une **crise cardiaque** (*heart attack*), la **grippe** (*flu*), la **grippe intestinale** (*stomach flu*), un **rhume** (*a cold*), **attraper un rhume** (*to catch a cold*), le **Sida** [syndrome immuno-déficitaire acquis] (*AIDS*).

Les remèdes [m.]: [prendre] un **médicament** (*medicine*), un **antibiotique,** de l'**aspirine** [f.], un **comprimé** (*a tablet*), une **pilule** (*a pill*), une **goutte** (*a drop*) du **sirop,** un **traitement**; faire une **piqûre** (*to give a shot*), **soigner** (*to treat*), **se soigner** (*to take care of oneself*), **soulager** [la douleur] (*to relieve*), **guérir** (*to heal, to cure*).

L'Express international, numéro 1908, 5 février 1988, p. 61.

La famille Groseille dans le film «La vie est un long fleuve tranquille».

■ *Parlons-en*

Voici la famille Groseille. Vous les connaissez, car vous êtes leurs voisins. En groupes de deux, vous parlez de cette famille qui vous semble étrange depuis un certain temps, et vous exprimez vos sentiments sur leur apparence physique. Vous vous demandez si ces personnes sont en bonne santé. Ensemble, vous essayez de définir les problèmes de chacun; vous dressez un portrait quasi-médical des parents et des cinq enfants, avec quelques hypothèses personnelles sur les causes de leurs conditions, et les remèdes que vous conseilleriez. Préparez un scénario original, que vous jouerez ensuite devant la classe.

LECTURE ■ : ·

This excerpt from *Poil de Carotte,* a novel by Jules Renard published in 1894, presents the problems of a child confronted by a difficult family situation. Renard is usually considered a "naturalist" writer. The naturalists maintained that a writer should represent the details of everyday life with clinical accuracy and frankness. Their fiction has been likened to sociology; they attempt to investigate the principles that underlie individual behavior and social interaction. Naturalists steadfastly insist on presenting the less pleasant aspects of life; they reject the notion that literature is primarily entertainment.

Poil de Carotte, which was adapted into a play and a film, is the story of a young boy, "Little Redhead," who feels that his mother treats him cruelly. Renard never actually describes what the mother has done, or why. It is almost as if Renard is presenting an experiment to his readers: this is the family situation; observe the effects on the child who feels rejected.

■ *Avant de lire*

Characterization   Characterization is an important element in fiction. A writer can give information about characters in a variety of ways. In general, as a reader, you use the same processes to draw conclusions about characters' personalities and temperaments that you use to think about people you know or have just met. You look at what characters say and, equally important, how they say it. You also notice what the characters avoid saying; this can also tell you something about them. You pay attention to what characters say about each other as well, and to details about appearance, such as what they wear, how they walk, and what they choose to do or avoid doing. The judgment you make about fictional characters and their significance in the story is a complex one. It is the sort of judgment you make spontaneously over and over again when you read in your native language, but it may help you to pay particular attention to it when you read fiction in French.

Le Livre de Poche

After you have a general understanding of the story in *Poil de Carotte,* think about the main character himself. Take a piece of paper and divide it into four columns entitled (1) how **Poil de Carotte** describes himself, (2) how his father describes him, (3) how Jules Renard describes him, (4) other information and its source. Jot down brief notes in each column. You may not have something in every column, but you should be able to compile a substantial amount of information that will help you work with the questions in **Et vous?** after the reading.

. . . .

Poil de Carotte [extrait]

JULES RENARD

Le soir, après le dîner où Mme Lepic, malade et couchée, n'a point paru, où chacun s'est tu,° non seulement par habitude, mais encore par gêne, M. Lepic noue° sa serviette qu'il jette sur la table et dit:

was silent
ties a knot in

—Personne ne vient se promener avec moi jusqu'au biquignon,° sur la vieille route?   endroit élevé

Poil de Carotte comprend que M. Lepic a choisi cette manière de l'inviter. Il se lève aussi, porte sa chaise vers le mur, comme toujours, et il suit docilement son père.

D'abord ils marchent silencieux. La question inévitable ne vient pas tout de suite. Poil de Carotte, en son esprit, s'exerce à° la deviner° et à lui répondre. Il est prêt. Fortement ébranlé,° il ne regrette rien. Il a eu dans sa journée une telle émotion qu'il n'en craint pas de plus forte. Et le son de voix même de M. Lepic qui se décide, le rassure.   s'... pratique / découvrir affecté

MONSIEUR LEPIC

Qu'est-ce que tu attends pour m'expliquer ta dernière conduite qui chagrine ta mère?

POIL DE CAROTTE

Mon cher papa, j'ai longtemps hésité, mais il faut en finir. Je l'avoue: je n'aime plus maman.

MONSIEUR LEPIC

Ah! A cause de quoi? Depuis quand?

POIL DE CAROTTE

A cause de tout. Depuis que je la connais.

MONSIEUR LEPIC

Ah! c'est malheureux, mon garçon! Au moins, raconte-moi ce qu'elle t'a fait.

POIL DE CAROTTE

Ce serait long. D'ailleurs, ne t'aperçois°-tu de rien?   *notice*

MONSIEUR LEPIC

Si. J'ai remarqué que tu boudais° souvent.   *pout*

POIL DE CAROTTE

Ça m'exaspère qu'on dise que je boude. Naturellement, Poil de Carotte ne peut garder une rancune sérieuse. Il boude. Laissez-le. Quand il aura fini, il sortira de son coin, calmé, déridé.° Surtout n'ayez pas l'air de vous occuper de lui. C'est sans importance.   plus heureux

Je te demande pardon, mon papa, ce n'est sans importance que pour les père et mère et les étrangers. Je boude quelquefois, j'en conviens, pour la forme, mais il arrive aussi, je t'assure, que je rage énergiquement de tout mon cœur, et je n'oublie plus l'offense.

MONSIEUR LEPIC

Mais si, mais si, tu oublieras ces taquineries.°   *teasings*

POIL DE CAROTTE

Mais non, mais non. Tu ne sais pas tout, toi, tu restes si peu à la maison.

MONSIEUR LEPIC

Je suis obligé de voyager.

POIL DE CAROTTE, *avec suffisance.*°   présomption

Les affaires sont les affaires, mon papa. Tes soucis t'absorbent, tandis
que maman, c'est le cas de le dire, n'a pas d'autre chien que moi à fouetter.°   n'a pas... *does not have*
Je me garde de m'en prendre à° toi. Certainement je n'aurais qu'à mou-   *others to pick on*
charder,° tu me protégerais. Peu à peu, puisque tu l'exiges,° je te mettrai   m'en... te blamer
au courant du passé. Tu verras si j'exagère et si j'ai de la mémoire. Mais   parler / demandes
déjà, mon papa, je te prie de me conseiller.
Je voudrais me séparer de ma mère.
Quel serait, à ton avis, le moyen° le plus simple?   la façon

MONSIEUR LEPIC

Tu ne la vois que deux mois par an, aux vacances.

POIL DE CAROTTE

Tu devrais me permettre de les passer à la pension. J'y progresserais.

MONSIEUR LEPIC

C'est une faveur réservée aux élèves pauvres. Le monde croirait que je
t'abandonne. D'ailleurs, ne pense pas qu'à toi. En ce qui me concerne, ta
société° me manquerait.   compagnie

POIL DE CAROTTE

Tu viendrais me voir, papa.

MONSIEUR LEPIC

Les promenades pour le plaisir coûtent cher, Poil de Carotte.

POIL DE CAROTTE

Tu profiterais de tes voyages forcés. Tu ferais un petit détour.

MONSIEUR LEPIC

Non. Je t'ai traité jusqu'ici comme ton frère et ta sœur, avec le soin de
ne privilégier personne. Je continuerai.

POIL DE CAROTTE

Alors, laissons mes études. Retire-moi de la pension, sous prétexte que j'y vole° ton argent, et je choisirai un métier.

prends

MONSIEUR LEPIC

Lequel? Veux-tu que je te place comme apprenti chez un cordonnier,° par exemple?

celui qui fait des chaussures

POIL DE CAROTTE

Là ou ailleurs.° Je gagnerais ma vie et je serais libre.

dans un autre lieu

MONSIEUR LEPIC

Trop tard, mon pauvre Poil de Carotte. Me suis-je imposé pour ton instruction de grands sacrifices, afin que tu cloues° des semelles°?

nail / dessous des chaussures

POIL DE CAROTTE

Si pourtant je te disais, papa, que j'ai essayé de me tuer.

MONSIEUR LEPIC

Tu charges°! Poil de Carotte.

exagères

POIL DE CAROTTE

Je te jure que pas plus tard qu'hier, je voulais encore me pendre.°

hang

MONSIEUR LEPIC

Et te voilà. Donc tu n'en avais guère envie. Mais au souvenir de ton suicide manqué, tu dresses fièrement° la tête. Tu t'imagines que la mort n'a tenté° que toi. Poil de Carotte, l'égoïsme te perdra. Tu tires toute la couverture. Tu te crois seul dans l'univers.

avec fierté
tempted

POIL DE CAROTTE

Papa, mon frère est heureux, ma sœur est heureuse, et si maman n'éprouve aucun plaisir à me taquiner, comme tu dis, je donne ma langue au chat.° Enfin, pour ta part, tu domines et on te redoute°, même ma mère. Elle ne peut rien contre ton bonheur. Ce qui prouve qu'il y a des gens heureux parmi l'espèce° humaine.

je... I would be baffled / fear, dread
la race

MONSIEUR LEPIC

Petite espèce humaine à tête carrée,° tu raisonnes pantoufle.° Vois-tu clair au fond des cœurs? Comprends-tu déjà toutes les choses?

square / tu... tu n'es pas raisonnable

POIL DE CAROTTE

Mes choses à moi, oui, papa; du moins je tâche.°

je... j'essaie

MONSIEUR LEPIC

Alors, Poil de Carotte, mon ami, renonce au bonheur. Je te préviens,° *warn*
tu ne seras jamais plus heureux que maintenant, jamais, jamais.

POIL DE CAROTTE

Ça promet.° *It looks promising.*

MONSIEUR LEPIC

Résigne-toi, blinde-toi,° jusqu'à ce que majeur et ton maître, tu puisses *protège-toi*
t'affranchir,° nous renier° et changer de famille, sinon de caractère et *te libérer / répudier*
d'humeur. D'ici là,° essaie de prendre le dessus, étouffe° ta sensibilité et *D'ici... jusqu'à ce mo-*
observe les autres, ceux même qui vivent le plus près de toi; tu t'amuseras; *ment-là / contrôle*
je te garantis des surprises consolantes.

POIL DE CAROTTE

Sans doute, les autres ont leurs peines. Mais je les plaindrai° demain. *will pity*
Je réclame° aujourd'hui la justice pour mon compte.° Quel sort° ne serait *demande / mon... moi-*
préférable au mien? J'ai une mère. Cette mère ne m'aime pas et je ne *même / destin*
l'aime pas.

—Et moi, crois-tu donc que je l'aime? dit avec brusquerie M. Lepic
impatienté.

A ces mots, Poil de Carotte lève les yeux vers son père. Il regarde
longuement son visage dur, sa barbe épaisse où la bouche est rentrée
comme honteuse d'avoir trop parlé, son front plissé,° ses pattes-d'oie° et *creased / wrinkles*
ses paupières baissées qui lui donnent l'air de dormir en marche.

Un instant Poil de Carotte s'empêche° de parler. Il a peur que sa joie *s'arrête*
secrète et cette main° qu'il saisit et qu'il garde presque de force, tout ne *cette... (de son père)*
s'envole.° *fly away*

Puis il ferme le poing, menace le village qui s'assoupit° là-bas dans les *s'endort*
ténèbres,° et il crie avec emphase: *darkness*

—Mauvaise femme! te voilà complète.° Je te déteste. *te... that completes the*
picture

—Tais-toi, dit M. Lepic, c'est ta mère, après tout.

—Oh! répond Poil de Carotte, redevenu simple et prudent, je ne dis
pas ça parce que c'est ma mère.

■ *Avez-vous compris?*

A. Voici des commencements de phrases qui résument la situation de Poil de
Carotte. Relisez brièvement le passage et complétez chaque phrase.

1. Poil de Carotte se promène avec _____.   2. Monsieur Lepic veut savoir _____.   3. Poil de Carotte explique que c'est parce que _____.   4. Son père a remarqué qu'il _____.   5. Poil de Carotte n'aime pas ce terme; il préfère qu'on dise qu'il _____.   6. Il dit que M. Lepic _____, et n'est pas là pour bien comprendre la situation.   7. Poil de Carotte dit que s'il _____, il sait que son père le protégerait.   8. La solution proposée d'abord par Poil de Carotte est que pendant les grandes vacances, il _____.   9. Son père n'accepte pas cette idée parce que tout le monde croirait que _____. La deuxième raison pour son refus c'est que _____. Et la troisième c'est que, par principe, il ne _____.   10. La deuxième suggestion de Poil de Carotte est qu'on le place comme _____.   11. Son père n'aime pas cette idée parce que _____.   12. Poil de Carotte semble être un peu soulagé quand il comprend _____.

B. En vérité, pourquoi Poil de Carotte est-il tellement malheureux?

C. Expliquez la différence entre «bouder» et «rager» du point de vue de Poil de Carotte.

D. Composez une liste d'adjectifs pour décrire Poil de Carotte.

E. Expliquez la philosophie de la vie de M. Lepic.

F. Quels sentiments Poil de Carotte éprouve-t-il quand il apprend le secret de son père?

■ *Et vous?*

1. Comment voyez-vous Poil de Carotte? Est-ce un enfant persécuté? un enfant privé d'amour? un enfant avec beaucoup de pitié pour lui-même? Comment réagissez-vous à ce petit personnage?

2. Il existe beaucoup de mythes concernant «la famille normale» et «l'enfance idéale». Dans ce roman, vous voyez un autre type d'enfance. Pensez-vous qu'un enfant élevé comme Poil de Carotte soit spécialement susceptible à des troubles émotifs? Expliquez votre opinion.

3. **Situation I: en groupes de deux.**

   Étudiant(e) A: Imaginez pour un instant que vous êtes Poil de Carotte. Vous êtes en train de parler avec un ami (une amie), et vous lui décrivez vos parents et vos rapports avec eux. Vous exprimez votre désir de partir et d'aller à Paris pour trouver du travail et commencer une nouvelle vie.

   Étudiant(e) B: Vous allez écouter l'histoire de votre ami(e), et puis vous allez essayer de le (la) convaincre de rester à la maison au lieu de fuir. Donnez plusieurs raisons.

4. **Situation II: en groupes de deux.**

Étudiant(e) A: Vous êtes M. Lepic. Parlez au psychologue de vos problèmes avec votre fils, avec votre femme et avec la vie en général. Vous êtes très déprimé.

Étudiant(e) B: Vous êtes un(e) psychologue. Écoutez M. Lepic et essayez de l'aider. Vous pouvez comparer sa situation avec celle d'autres personnes que vous connaissez et puis dire ce que les autres ont fait.

STRUCTURES ■∷∷∷∷∷∷∷∷∷∷∷∷∷

Les hypothèses de Poil de Carotte et de son père

—**Et si** tu me **laissais** rester à la pension toute l'année?
—Tu me **manquerais.**
—Mais tu **pourrais** venir me voir!
—Ça **coûterait** cher... Et puis, ça ne **serait** pas juste vis à vis de ton frère et de ta sœur.
—**Et si j'arrêtais** l'école pour aller travailler quelque part? Je **gagnerais** ma vie, je **serais** libre.
—Comment? Tu **abandonnerais** tes études? Après tous mes sacrifices...
—Mais **si je reste** à la maison, je **serai** malheureux!
—**Comme si** le bonheur **existait...**

■ 1. Making Hypotheses

A. Expressing Conditions

When you want to express "what *would* happen if . . . ," the "if clause" is called the condition. In French, clauses expressing conditions begin with the word **si.** The verb is either in the *present of the indicative,* the **imparfait** or the **plus-que-parfait,*** depending on the meaning intended.

Si + Present

If the condition is foreseeable or likely, the present tense of the indicative is used; the expected result in the main clause is expressed in the future tense.

---

*Conditions in the **plus-que-parfait** will be discussed in Chapter 18.

> **Si je reste** à la maison, je **serai** malheureux.   *If I stay home, I will be unhappy.*
> **Si je reste** à la maison, je **vais être** malheureux.   *If I stay home, I'm going to be unhappy.*

An alternative to the future tense result may be a command.

> **Si tu pars, emmène**-moi avec toi.   *If you leave, take me with you.*

Si + imparfait

The imperfect tense is used to express conditions that are less likely to happen. With the **imparfait,** you set the stage for things that *would* occur, if something else were the case. The implication is that it is *not* the case.

> **Si j'arrêtais** l'école, **je serais** libre.   *If I dropped out of school, I would be free.*

Et si...?

Used in questions, this expression means *What if . . . ?* It can be followed by the present of the indicative or, more commonly, by the **imparfait.**

> **Et si je suis** malheureux?   *What if I am unhappy?*
> **Et si j'arrêtais** l'école?   *What if I dropped out of school?*

Comme si...

Followed by the **imparfait,** this expression means *as if . . . .*

> **Comme si** le bonheur **existait...**   *As if happiness existed . . .*

Expressing Consequences

As seen above, the future is used to express an expected result. To express the consequences of a hypothetical situation, a *conditional* verb form is used. Within the conditional mood, there are two tenses: the present and the past. In this chapter, the **conditionnel présent** is reviewed.

Formation

To form the present tense of the conditional, take the future stem and add the endings of the **imparfait.** There are *no* exceptions.

	AIMER	AVOIR	ÊTRE
(future stem →)	**aimer-**	**aur-**	**ser-**
je/j'	aimer**ais**	aur**ais**	ser**ais**
tu	aimer**ais**	aur**ais**	ser**ais**
il/elle/on	aimer**ait**	aur**ait**	ser**ait**
nous	aimer**ions**	aur**ions**	ser**ions**
vous	aimer**iez**	aur**iez**	ser**iez**
ils/elles	aimer**aient**	aur**aient**	ser**aient**

Uses

The conditional is used to make polite requests.

Je **voudrais** vous demander un service.

I would like to ask a favor.

Most importantly, however, the present tense of the conditional is used to make abstract *hypotheses*. The *conditions* for such hypotheses are sometimes unexpressed or implied.

Tu me **manquerais** (si tu partais).   *I would miss you (if you left)*.

The **imparfait** is used to state the conditions when they are explicit.

Si j'arrêtais l'école, je **gagnerais** ma vie.   *If I quit school, I would make a living.*

These tense combinations—**présent / futur** and **imparfait / conditionnel présent**—are extremely important. Remember the patterns whenever you hypothesize in French. (17.1; 17.2)

■ *Maintenant à vous*

A. **Des suppositions.**

1. Votre meilleur ami (meilleure amie) est assez déprimé(e) en ce moment: les études coûtent cher, elles sont loin d'être faciles, et elles semblent durer éternellement. Est-ce qu'il ne vaudrait pas mieux arrêter l'école et chercher un travail quelque part? Envisagez ensemble les possibilités, en élaborant le plus possible. (Si tu arrêtes l'école,... Si tu persévères,...)

2. Si demain matin, vous vous réveillez avec tous les symptômes de la grippe, mais vous avez un examen que vous ne pouvez absolument pas vous permettre de manquer, qu'est-ce que vous allez faire?

3. Si votre meilleur ami (meilleure amie) a constamment le cafard, qu'est-ce que vous allez faire pour lui remonter le moral? Envisagez plusieurs causes de cafard et plusieurs remèdes.

4. Si votre camarade de chambre vous accuse injustement d'avoir cassé sa chaîne stéréo et refuse de croire à votre innocence, comment allez-vous réagir?

B. **Des inquiétudes.** Vous pensez à votre vie après l'université: si les situations suivantes se présentent, qu'est-ce que vous ferez? Répondez de façon personnelle.

1. si vous ne trouvez pas de travail dans votre domaine de spécialisation... 2. si votre travail paie bien mais ne vous plaît pas...   3. si votre travail vous plaît beaucoup mais ne paie pas bien du tout...   4. si vous êtes marié(e) et que votre mari/femme ne puisse pas trouver de travail dans la même ville que vous...   5. si vous devez choisir entre un poste temporaire qui vous plaît beaucoup et un poste permanent qui vous plaît moins...

C. **Des hypothèses.** Utilisez les éléments donnés pour poser des questions à un(e) de vos camarades de classe. Votre camarade de classe donnera sa réponse, puis vous posera la même question.

> MODÈLE: avoir 500 dollars à dépenser / que / acheter →
> —Si tu avais 500 dollars à dépenser, qu'est-ce que tu achèterais? →
> —J'achèterais un magnétoscope. Et toi, qu'est-ce que tu achèterais?

1. pouvoir voyager / où / aller
2. aller en France / que / vouloir visiter
3. pouvoir changer d'identité / qui / être
4. avoir plus de temps / que / faire

▦ 2. Problem Words

A. *Manquer*

The use of **manquer** (*to miss*) is sometimes confusing for English speakers. When **manquer** expresses the idea of missing someone, the usage is totally different from English: the person who is missed is the subject of the French sentence. To express the sentence "He misses **his family**" in French, *his family* will be the subject and *He* will be the indirect object.

> **Sa famille** *lui* manque.

Similarly, the sentence, "My sister misses **her friends,**" would become **Ses amis manquent à ma sœur.**

    Manquer followed by a direct object represents a usage similar to English; the context will usually be means of transportation, or an appointment, a class, etc.

J'ai manqué le train.	*I missed the train.*
Si je ne me dépêche pas, je vais manquer mon rendez-vous.	*If I don't hurry, I'm going to miss my appointment.*

    When the subject of **manquer** is the impersonal pronoun **il** (or an impersonal interrogative pronoun such as **qu'est-ce qui**), **manquer** indicates that something or someone is missing.

Qu'est-ce qui manque?	*What's missing?*
Est-ce qu'il manque quelqu'un?	*Is there anyone missing?*
Il manque un livre.	*There is a book missing.*
Il me manque un livre.	*I am missing a book.*
Il lui manque dix dollars.	*He is ten dollars short.*

Finally, **manquer** followed by the preposition **de** means *to lack.*

Je **manque de** patience.   *I lack patience.*

B. *Apporter, amener,* etc.

Ap*porter,* em*porter,* and rap*porter* are for things that can be carried (**porter** = *to carry*).

Je vous ai apporté des bonbons.

A*mener,* em*mener,* and ra*mener* are for people, or for things that cannot be carried (**mener** = *to lead*).

Amène ta voiture! Amène tes amis!

A*pporter* and a*mener* mean *to bring,* or *take to (someplace).*

Apporte ton dictionnaire.   *Bring your dictionary.*
Je vous amènerai à l'aéroport.   *I'll take you to the airport.*

E*mporter* and em*mener* mean *to take along* or *away from.*

Emmenez-les!   *Take them away!*
J'emporte toujours trop de choses en voyage. *I always take too much with me when I travel.*

Ra*pporter* and ra*mener* mean *to bring* or *take back.*

Si tu vas en Suisse, rapporte-moi du chocolat. *If you go to Switzerland, bring me back some choco-late.*

Je les ai ramenés chez eux.   *I took them back home.*

■ *Maintenant à vous*

D. **Des voyageurs en détresse.** Remplacez les phrases en italique par des phrases contenant le verbe **manquer.**

> MODÈLE: Si on arrive trop tard, *l'avion sera déjà parti.* →
> Si on arrive trop tard, on va manquer l'avion.

1. *J'ai tous mes papiers sauf un.*   2. *Je n'ai jamais assez d'organisation.*
3. Depuis que je suis parti(e), *je pense constamment à mes amis.*   4. *Quand tu penses à ton pays,* est-ce que tu as le cafard?   5. Si je partais, *est-ce que tu penserais souvent à moi?*   6. Qu'est-ce que tu cherches? *Tu as perdu quelque chose?*

E. **Des questions personnelles.** Discutez en groupes de deux, en prenant note des réponses que vous avez en commun. Ensuite, partagez ces points communs avec le reste de la classe.

1. La première fois que vous avez dû «voler de vos propres ailes» (c'est-à-dire, vivre indépendamment), qu'est-ce qui vous a manqué le plus?
2. Quand est-ce qu'il vous arrive de manquer de confiance en vous? Donnez des situations générales et des exemples spécifiques.
3. Est-ce qu'il vous est jamais arrivé de planifier quelque chose, et puis, à la dernière minute, de vous apercevoir qu'il vous manquait quelque chose (de l'argent, un document, etc.) pour réaliser votre projet? Racontez.
4. Si vous faisiez partie d'un groupe expérimental d'astronautes et si on vous envoyait vivre sur la lune pendant plusieurs mois, qu'est-ce qui vous manquerait le plus quand vous penseriez à la Terre?

F. **Une histoire de fou.** Complétez avec la forme voulue des verbes appropriés (apporter / amener, emporter / emmener, rapporter / ramener).

1. Chaque fois qu'il s'échappait de l'asile, il ＿＿＿＿ toutes sortes de provisions avec lui, au cas où il aurait faim. 2. Et il allait voir des gens qu'il avait connus; il leur ＿＿＿＿ des fleurs sauvages comme cadeaux. 3. Il annonçait qu'il partait en voyage et qu'il voulait ＿＿＿＿ ses amis avec lui. 4. On faisait semblant de le croire, on regrettait de ne pas pouvoir l'accompagner, mais on proposait de le/l'＿＿＿＿ à la gare. 5. Mais au lieu de le/l'＿＿＿＿ à la gare, on le/l'＿＿＿＿ à l'asile.

G. **Discussion.** En groupes de deux, donnez votre réponse aux questions suivantes.

1. Si votre maison ou appartement était en feu et si vous n'aviez que cinq minutes pour prendre quelques objets, qu'est-ce que vous emporteriez?
2. Quand est-ce que vous avez été tenté de dire à quelqu'un: «Emmène-moi avec toi... »
3. Quand vous êtes malade, qu'est-ce que vous aimez qu'on vous apporte?

H. **Jeu de rôles: Le monde idéal.** You are discussing what the "ideal" world would be like. One of you believes that there would be no hate, no sorrow, no sickness, etc. The other contends that it is necessary to experience the bad in order to appreciate the good, and that a world without evil and pain would not be without problems. Define and discuss your respective positions.

PAR ÉCRIT ▪▪ ·

▪ *Avant d'écrire*

Paragraph Continuity To maintain continuity and fluidity among the sentences in a paragraph, that is, to ensure the coherence of the paragraph, the key is to keep the preceding sentence in mind when you write each new sentence. Each sentence should appear to grow naturally out of the other. There are several ways to do this, according to the point you wish to make. For example, you can respond to the topic sentence **Poil de Carotte se croit victime d'une mère cruelle** in one or more of the following ways.

1. Provide an example. **(Elle le traite différemment que le reste de la famille. Elle est dure avec lui.)**
2. Contradict it or object to it. **(Mais en fait son histoire n'offre aucune preuve que sa mère le maltraite.)**
3. Speculate about what it means by asking a rhetorical question. **(Mais pourquoi se croit-il victime?)**
4. Make a transition to what will follow. **(C'est peut-être vrai qu'elle est dure avec lui, mais l'imagination de Poil de Carotte n'exagère-t-elle pas les choses?)**

Before you write your essay on the following topic, write a general, one-sentence answer to the first question in *Sujet de composition*. Then write three or four numbered sentences, each of which could be the next sentence in the paragraph. You are trying to create alternative follow-up sentences, based on the four items above. You may wish to use one of these groups of sentences as the basis for your essay.

■ *Sujet de composition*

Si vous appreniez que vous n'aviez plus qu'un an à vivre, qu'est-ce que vous feriez? Quels seraient vos sentiments immédiats? Comment réagiriez-vous? Et puis après, quelles décisions prendriez-vous? Est-ce que vous continueriez vos études, ou bien est-ce que vous arrêteriez tout pour faire un grand voyage, par exemple, ou retourner chez vous, ou aller vivre ailleurs? Est-ce que votre perspective de la vie serait la même? Est-ce que vos valeurs et vos relations avec les gens que vous aimez seraient affectées? Si vous appreniez que vous n'aviez plus qu'un an à vivre, qu'est-ce qui changerait et qu'est-ce qui ne changerait pas pour vous?

EN DÉTAIL

17.1. Tips to Make Hypothesizing Easier

Verbs in the conditional are *not* used in a **si** clause. This is different from English usage, where the conditional may be used after *if*.

> **Si** seulement elle **écoutait.**   *If only she **would listen.***

Here are the possible combinations of tenses in hypotheses (reviewed thus far):

Si CLAUSE	MAIN CLAUSE
present	future imperative
imperfect	conditional (present)

Note also that the future is never used in a **si** clause. Do not confuse the conditional *would* with the *would* that expresses a repeated action in the past; if *would* means *used to,* the imperfect tense is used in French.

> Quand nous étions en vacances, nous *dormions* jusqu'à midi.   *When we were on vacation, we **would** sleep 'til noon.*

17.2. Other Uses of the Conditional

Just as in English, the conditional is used to indicate a future action in a past context. Compare the following:

> Je *sais* qu'il **viendra.**   *I know he will come.*
> Je *savais* qu'il **viendrait.**   *I knew he would come.*

The switch from future to conditional is especially common in indirect discourse, when the main clause is in the past.

> Ils ont dit: «Nous viendrons» → Ils ont dit qu'ils **viendraient.**
> Je leur ai demandé: «Vous viendrez?» → Je leur ai demandé **s'ils viendraient.**

Note that **si** may be followed by a verb in the future or conditional when it does not express a condition, but rather, an indirect question. In this sense, it expresses the English *whether.*

> Je ne sais pas si les autres viendront.
> Je ne savais pas s'ils viendraient.

CHAPITRE 18

Le triomphe de la médecine

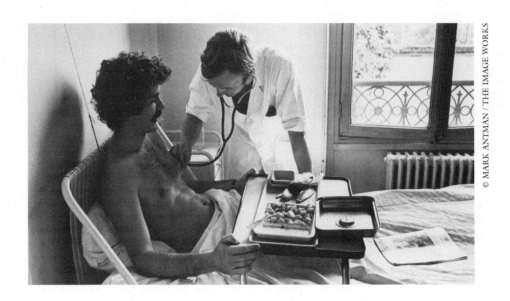

© MARK ANTMAN / THE IMAGE WORKS

PAROLES ░░ ⋮⋮⋮⋮⋮⋮⋮⋮⋮⋮⋮⋮⋮⋮⋮⋮⋮⋮⋮

Chez le docteur/le médecin

Prendre un **rendez-vous** (*to make an appointment*).

Une **consultation:** examiner un **malade**/un patient, **prendre une radio** (*to take an X-ray*), **faire un diagnostic,*** **prescrire** [un traitement] (*to prescribe*), faire une **ordonnance** (*to write out a prescription*).

Un **généraliste** (*general practitioner*), un **spécialiste,** un **chirurgien** (*surgeon*).

_____

*The **g** of **diagnostic** is pronounced.

A l'hôpital

Une **ambulance,** une **civière** (*stretcher*), un **fauteuil roulant** (*wheel chair*).

Une **infirmière,** un **infirmier** (*nurse*).

La **maternité:** une femme **enceinte** (*pregnant*), la **grossesse** (*pregnancy*), l'**accouchement** [m.] (*delivery*), la **naissance** (*birth*), le bébé.

Une **opération:** la **salle d'opération** (*operating room*), **se faire opérer** (*to have surgery*), l'**anesthésie** [f.] (*anesthesia*).

La **chirurgie esthétique** (*plastic surgery*).

La **thérapie;** la **convalescence.**

Les accidents

Une **blessure** (*wound*), un **bleu** (*bruise*), une **bosse** (*bump, lump*), une **chute** (*fall*), une **coupure** (*cut*), une **égratignure** (*scratch*), une **plaie** (*wound*), une **cicatrice** (*scar*).

Être **blessé** (*to be injured*), **se brûler** (*to burn oneself*), **se cogner** [contre quelqu'un ou quelque chose] (*to bump against, to hit*), **se couper, se casser** [le bras, la jambe, etc.], **se fouler/se tordre** [la cheville] (*to sprain/twist one's ankle*), **saigner** (*to bleed*).

Avoir [la jambe] dans le **plâtre** (*cast*); marcher avec des **béquilles** [f.] (*crutches*).

Chez le dentiste

Un **cabinet dentaire** (*dentist's office*), la **salle d'attente** (*waiting room*).

Un **abcès** (*abscess*), une **carie** (*cavity*), une **couronne** (*crown*).

Arracher une dent de sagesse (*to pull a wisdom tooth*), **plomber une dent** (*to fill a cavity*).

L'hygiène

La **baignoire** (*bathtub*), le **bain** (*bath*), la **douche** (*shower*) [prendre un bain/une douche], le **lavabo** (*bathroom sink*), le **savon** (*soap*), la **serviette** (*towel*), le **shampooing** (*shampoo*).

Se laver, s'essuyer (*to dry oneself*), **se raser** (*to shave*), **se peigner** (*to comb one's hair*).

Les **produits de beauté** (*cosmetics*): le **déodorant,** la **lotion.**

La **brosse à dents** (*toothbrush*) [**se laver/se brosser les dents**], le **dentifrice** (*toothpaste*), le **fil dentaire** (*dental floss*).

© PETER MENZEL

■ *Parlons-en*

En groupes de deux, créez par écrit des dialogues imaginaires entre ce médecin et une dame. Vous allez ensuite «jouer» vos dialogues devant la classe, et la classe choisira par un vote les dialogues les plus originaux.

Situation 1: la consultation. Pourquoi cette dame est-elle venue consulter le médecin? Imaginez la conversation entre le médecin et la dame à la fin de la consultation. Le médecin explique son diagnostic et prescrit un traitement. La dame demande des explications sur sa condition, etc.

Situation 2: une journée chargée. Après la consultation, le médecin explique à la dame qu'il a eu une journée très chargée: il a passé toute la matinée à l'hôpital où il était de service aux urgences (*emergency room*). Il parle d'un(e) accidenté(e) qu'il a traité(e); il raconte l'accident et décrit les blessures. La dame, à son tour, raconte un accident qu'elle a eu il y a quelques années, depuis le moment de l'accident même jusqu'à sa sortie de l'hôpital.

LECTURE ▦ :::::::::::::::::::::::::::::::::::::::

The following scene from the play *Knock, ou le triomphe de la médecine* by Jules Romains (1885–1972) was published in 1923. *Knock,* a satiric farce, presents Dr. Knock who has just bought the practice of a small town doctor, Parpalaid. Parpalaid's practice in the mountain village of Saint-Maurice had been very small, but through pure charlatanism, Knock soon manages to lure in new patients. In fact, his first act as village doctor is to offer a free weekly consultation morning. You will read about one of these consultations.

Jules Romains

■ *Avant de lire*

Transition Words   In your own writing, you have been focusing on coherence within and between paragraphs. Recognizing the links between sentences and paragraphs is of course equally important when you read. You may find it especially useful to focus on transition words in one of your readings of a passage to practice picking out the line of thought in the work. Transition words are signals indicating exactly how one idea relates to another. Some of the possible types of relations are listed below.

1. Cause and effect: **parce que, à cause de, la raison pour laquelle, car**
2. Consequence: **donc, ainsi** (*thus*), **par conséquent**
3. Contrast: **mais, néanmoins** (*nevertheless*), **par contre, tandis que** (*whereas*)
4. Likeness: **de la même façon, et de même**
5. Amplification: **c'est-à-dire, de plus**
6. Sequence: **d'abord, ensuite, et après, enfin**
7. Insistence: **en effet** (*in fact*), **vraiment**
8. Restatement: **en d'autre** termes, **dans un (certain) sens**
9. Recapitulation: **en bref, pour résumer**
10. Limitation: **quoique, bien que** (*although*), **même si** (*even if*)

There are of course many more transition words than those listed here. As you read *Knock,* scan for the following transition words and underline them. If you don't know the meaning, try to guess from the context before you look the word up. Think about which of the relationships each word indicates. Look also for other transition words not listed here, circle them, and note their meaning.

> **peut-être, tandis que, même, d'autant que, surtout, d'autre part, mais, d'ailleurs, parfois, car, réellement, plutôt, sauf, puis, pour ainsi dire**

Knock ou le triomphe de la médecine

JULES ROMAINS

Scène V
Knock, la dame en violet

Elle a soixante ans; toutes les pièces de son costume sont de la même nuance de violet; elle s'appuie assez royalement sur une sorte d'alpenstock.° — *canne pour les excursions en montagne*

LA DAME EN VIOLET, avec emphase.

Vous devez bien être étonné, docteur, de me voir ici.

KNOCK

Un peu étonné, madame.

LA DAME

Qu'une dame Pons, née demoiselle Lempoumas, vienne à une consultation gratuite, c'est en effet assez extraordinaire.

KNOCK

C'est surtout flatteur pour moi.

LA DAME

Vous vous dites peut-être que c'est là un des jolis résultats du gâchis° actuel, et que, tandis qu'une quantité de malotrus° et de marchands de cochons roulent carrosse et sablent le champagne° avec des actrices, une demoiselle Lempoumas, dont la famille remonte sans interruption jusqu'au XIIIe siècle et a possédé jadis° la moitié du pays, et qui a des alliances avec toute la noblesse et la haute bourgeoisie du département, en est réduite à faire la queue, avec les pauvres et pauvresses de Saint-Maurice? Avouez, docteur, qu'on a vu mieux. — *situation confuse / personne sans éducation, avec des manières grossières / sablent... boivent beaucoup de champagne pour fêter quelque chose / autrefois*

KNOCK la fait asseoir.

Hélas oui, madame.

LA DAME

Je ne vous dirai pas que mes revenus soient restés ce qu'ils étaient autrefois, ni que j'aie conservé la maisonnée° de six domestiques et l'écurie° de quatre chevaux qui étaient de règle° dans la famille jusqu'à la mort de mon oncle. J'ai même dû vendre, l'an dernier, un domaine de cent soixante hectares, la Michouille, qui me venait de ma grand-mère maternelle. Ce nom de la Michouille a des origines gréco-latines, à ce que prétend° M. le — *les domestiques vivant à la maison / bâtiment qui loge des chevaux / de... une tradition / dit* curé. Il dériverait de *mycodium* et voudrait dire: haine du champignon, pour cette raison qu'on n'aurait jamais trouvé un seul champignon dans ce domaine, comme si le sol en avait horreur. Il est vrai qu'avec les impôts° et les réparations, il ne me rapportait plus qu'une somme ridicule, d'autant que, depuis la mort de mon mari, les fermiers abusaient volontiers de la situation et sollicitaient à tout bout de champ des réductions ou des délais. J'en avais assez, assez, assez! Ne croyez-vous pas, docteur, que, tout compte fait,° j'ai eu raison de me débarrasser° de ce domaine?

taxes

tout... enfin / me... vendre (*ici*)

KNOCK, qui n'a cessé d'être parfaitement attentif.

Je le crois madame, surtout si vous aimez les champignons, et si, d'autre part, vous avez bien placé votre argent.

LA DAME

Aïe! Vous avez touché le vif° de la plaie! Je me demande jour et nuit si je l'ai bien placé, et j'en doute, j'en doute terriblement. J'ai suivi les conseils de ce gros bêta° de notaire, au demeurant° le meilleur des hommes. Mais je le crois moins lucide que le guéridon° de sa chère femme, qui, comme vous le savez, servit quelque temps de truchement° aux esprits.° En particulier, j'ai acheté un tas d'actions° de charbonnages.° Docteur, que pensez-vous des charbonnages?

cœur

personne stupide / au... autrement, par ailleurs
table ronde
bouche / fantômes
stocks / mines de charbon

KNOCK

Ce sont, en général, d'excellentes valeurs, un peu spéculatives peut-être, sujettes à des hausses° inconsidérées suivies de baisses° inexplicables.

comparez: haut / hausses

LA DAME

Ah! mon Dieu! Vous me donnez la chair de poule°. J'ai l'impression de les avoir achetées en pleine hausse. Et j'en ai pour plus de cinquante mille francs. D'ailleurs, c'est une folie de mettre une somme pareille dans les charbonnages, quand on n'a pas une grosse fortune.

goose bumps

KNOCK

Il me semble, en effet, qu'un tel placement ne devrait jamais représenter plus du dixième de l'avoir° total.

possessions

LA DAME

Ah? Pas plus du dixième? Mais s'il ne représente pas plus du dixième, ce n'est pas une folie proprement dite?

KNOCK

Nullement.

LA DAME

Vous me rassurez, docteur. J'en avais besoin. Vous ne sauriez croire quels tourments me donne la gestion de mes quatre sous. Je me dis parfois qu'il me faudrait d'autres soucis pour chasser celui-là. Docteur, la nature humaine est une pauvre chose. Il est écrit que nous ne pouvons déloger° un tourment qu'à condition d'en installer un autre à la place. Mais au moins trouve-t-on quelque répit° à en changer. Je voudrais ne plus penser toute la journée à mes locataires,° à mes fermiers et à mes titres.° Je ne puis pourtant pas, à mon âge, courir les aventures amoureuses—ah! ah! ah!— ni entreprendre un voyage autour du monde. Mais vous attendez, sans doute, que je vous explique pourquoi j'ai fait queue à votre consultation gratuite?

faire bouger

mot ap. (é = es)
considérez: louer (*to rent*) / *titles*

KNOCK

Quelle que soit votre raison, madame, elle est certainement excellente.

LA DAME

Voilà! J'ai voulu donner l'exemple. Je trouve que vous avez eu là, docteur, une belle et noble inspiration. Mais, je connais mes gens. J'ai pensé: «Ils n'en ont pas l'habitude, ils n'iront pas. Et ce monsieur en sera pour sa générosité.» Et je me suis dit: «S'ils voient qu'une dame Pons, demoiselle Lempoumas, n'hésite pas à inaugurer les consultations gratuites, ils n'auront plus honte de s'y montrer.» Car mes moindres gestes sont observés et commentés. C'est bien naturel.

KNOCK

Votre démarche est très louable,° madame. Je vous en remercie.

admirable

LA DAME *se lève, faisant mine° de se retirer.*

faisant... pretending

Je suis enchantée, docteur, d'avoir fait votre connaissance. Je reste chez moi toutes les après-midi. Il vient quelques personnes. Nous faisons salon autour d'une vieille théière° Louis XV que j'ai héritée de mon aïeule.° Il y aura toujours une tasse de côté pour vous. (*Knock s'incline. Elle avance encore vers la porte.*) Vous savez que je suis réellement très, très tourmentée avec mes locataires et mes titres. Je passe des nuits sans dormir. C'est horriblement fatigant. Vous ne connaîtriez pas, docteur, un secret pour faire dormir?

considérez: thé / mon...
ma grand-mère

KNOCK

Il y a longtemps que vous souffrez d'insomnie?

LA DAME

Très, très longtemps.

KNOCK

Vous en aviez parlé au docteur Parpalaid?

LA DAME

Oui, plusieurs fois.

KNOCK

Que vous a-t-il dit?

LA DAME

De lire chaque soir trois pages du Code civil. C'était une plaisanterie. Le docteur n'a jamais pris la chose au sérieux.

KNOCK

Peut-être a-t-il eu tort. Car il y a des cas d'insomnie dont la signification est d'une exceptionnelle gravité.

LA DAME

Vraiment?

KNOCK

L'insomnie peut être due à un trouble essentiel de la circulation intra-cérébrale, particulièrement à une altération des vaisseaux° dite «en tuyau de pipe°». Vous avez peut-être, madame, les artères du cerveau en tuyau de pipe.

(blood) vessels
en... like a pipe stem

LA DAME

Ciel! En tuyau de pipe! L'usage du tabac, docteur, y serait-il pour quelque chose? Je prise° un peu.

use snuff

KNOCK

C'est un point qu'il faudrait examiner. L'insomnie peut encore provenir° d'une attaque profonde et continue de la substance grise° par la névroglie.

venir
le cerveau

LA DAME

Ce doit être affreux. Expliquez-moi cela, docteur.

KNOCK, *très posément.*

Représentez-vous un crabe, ou un poulpe,° ou une gigantesque arai-gnée° en train de vous grignoter,° de vous suçoter° et de vous déchiqueter° doucement la cervelle°.

octopus
spider / *nibble* / *suck away*
at / mettre en pièces
brain

LA DAME

Oh! (*Elle s'effondre° dans un fauteuil.*) Il y a de quoi s'évanouir d'horreur. *slumps*
Voilà certainement ce que je dois avoir. Je le sens bien. Je vous en prie,
docteur, tuez-moi tout de suite. Une piqûre, une piqûre! Ou plutôt ne
m'abandonnez pas. Je me sens glisser° au dernier degré de l'épouvante°. *slide / fear*
(*Un silence.*) Ce doit être absolument incurable? et mortel?

KNOCK

Non.

LA DAME

Il y a un espoir de guérison°? *cure*

KNOCK

Oui, à la longue.° à... *après beaucoup de*
temps

LA DAME

Ne me trompez pas, docteur. Je veux savoir la vérité.

KNOCK

Tout dépend de la régularité et de la durée du traitement.

LA DAME

Mais de quoi peut-on guérir? De la chose en tuyau de pipe, ou de
l'araignée? Car je sens bien que, dans mon cas, c'est plutôt l'araignée.

KNOCK

On peut guérir de l'un et de l'autre. Je n'oserais peut-être pas donner
cet espoir à un malade ordinaire, qui n'aurait ni le temps ni les moyens de
se soigner, suivant les méthodes les plus modernes. Avec vous, c'est différent.

LA DAME se lève.

Oh! je serai une malade très docile, docteur, soumise° comme un petit *docile*
chien. Je passerai partout où il le faudra, surtout si ce n'est pas trop
douloureux°. *painful*

KNOCK

Aucunement douloureux, puisque c'est à la radioactivité que l'on fait
appel. La seule difficulté, c'est d'avoir la patience de poursuivre° bien *considérez: suivre*
sagement° la cure pendant deux ou trois années, et aussi d'avoir sous la *considérez: sage*
main un médecin qui s'astreigne° à une surveillance incessante du processus *ties himself down*

de guérison, à un calcul minutieux des doses radioactives—et à des visites presque quotidiennes.

LA DAME

Oh! moi, je ne manquerai pas de patience. Mais c'est vous, docteur, qui n'allez pas vouloir vous occuper de moi autant qu'il faudrait.

KNOCK

Vouloir, vouloir! Je ne demanderais pas mieux. Il s'agit de pouvoir. Vous demeurez loin?

LA DAME

Mais non, à deux pas. La maison qui est en face du poids public.°   poids... *public scales*

KNOCK

J'essayerai de faire un bond° tous les matins jusque chez vous. Sauf le   visite
dimanche. Et le lundi à cause de ma consultation.

LA DAME

Mais ce ne sera pas trop d'intervalle, deux jours d'affilée°? Je resterai   sans interruption
pour ainsi dire sans soins du samedi au mardi?

KNOCK

Je vous laisserai des instructions détaillées. Et puis, quand je trouverai une minute, je passerai le dimanche matin ou le lundi après-midi.

LA DAME

Ah! tant mieux! tant mieux! (*Elle se relève.*) Et qu'est-ce qu'il faut que je fasse tout de suite?

KNOCK

Rentrez chez vous. Gardez la chambre. J'irai vous voir demain matin et je vous examinerai plus à fond.

LA DAME

Je n'ai pas de médicaments à prendre aujourd'hui?

KNOCK, debout.

Heu... si. (*Il bâcle° une ordonnance.*) Passez chez M. Mousquet° et priez-   écrit vite / le pharmacien
le d'exécuter aussitôt cette première petite ordonnance.

■ *Avez-vous compris?*

A. **Vrai ou faux?** Si la phrase est fausse, changez-la pour la rendre vraie.

1. La dame en violet n'a pas beaucoup d'argent.   2. La dame vient voir le médecin pendant la période de consultations gratuites.   3. Elle s'identifie avec les pauvres qui font la queue avec elle.   4. Elle a conservé le même nombre de domestiques et de chevaux qu'avaient ses parents.   5. Elle a vendu un domaine où on avait cultivé des champignons.   6. Elle a acheté des actions de charbonnages.   7. Ce placement de son argent l'inquiète.   8. Elle dit qu'elle est là pour la consultation gratuite pour donner l'exemple aux habitants du village.   9. Le docteur Parpalaid a pris au sérieux son insomnie.   10. Elle imagine un crabe, un poulpe, ou une araignée en train de détruire sa cervelle.   11. Knock explique que son seul espoir de guérison est de le voir souvent pour des traitements.   12. Knock prescrit des médicaments pour elle.   13. Elle accepte ce qu'il propose.

B. Madame Pons discute de ses affaires monétaires en grand détail. Elle emploie un vocabulaire utile pour le monde des affaires. Réunissez les mots de chaque colonne qui vont logiquement ensemble.

1.	les impôts	a.	les augmentations
2.	les réparations	b.	les taxes
3.	placer l'argent	c.	le prix, la qualité
4.	les charbonnages	d.	investir
5.	la valeur	e.	les mines de charbon
6.	les hausses	f.	les restaurations
7.	les baisses	g.	l'administration
8.	l'avoir	h.	un officier public
9.	la gestion	i.	les possessions
10.	les conseils	j.	une part dans une société ou compagnie commerciale
11.	le notaire		
12.	une action	k.	les opinions
		l.	les diminutions

C. Pendant les premiers moments de la scène, Knock se montre très attentif à ce que dit la dame de ses finances et de ses problèmes d'insomnie. Quelle est sa motivation?

D. Après, il suggère certaines causes possibles pour son insomnie. Parlez de sa manière de les présenter à Madame Pons. Quelles sortes d'images crée-t-il? Pourquoi? Quel effet a cette présentation sur la dame?

E. Comment décririez-vous la manière dont Knock s'occupe de sa cliente? Il se montre bon psychologue. Parlez de la façon dont il manipule Madame Pons psychologiquement.

■ *Et vous?*

1. La dame en violet explique très clairement qu'elle se considère supérieure à la grande majorité du village. Faites une liste des mots et des expressions qu'elle emploie pour donner cette impression. Que pensez-vous de ce genre de personne? Connaissez-vous quelqu'un de semblable? Si oui, décrivez cette personne.

2. Est-ce qu'il y a un peu du «malade imaginaire» en nous tous? Expliquez.

3. **En groupes de deux.**

   Étudiant(e) A: You are the doctor. Suggest to your patient that his or her feeling of being under stress probably has very serious causes. Talk about a disease that has a long name (invent it!) and is similar to a spider eating away at the nerves. After the patient has asked questions about the outlook, assure him or her that constant office visits and medications will help.

   Étudiant(e) B: You are the patient who has consulted the doctor about the severe stress you are feeling. Listen to the doctor's diagnosis with great fear and ask a lot of questions about what he or she can do for you.

STRUCTURES ▟ :

L'indignation de la dame en violet

Qu'est-ce qui me **serait arrivé si** le docteur Knock **n'était pas venu** s'installer à Saint-Maurice! Cette gigantesque araignée **aurait continué** à me grignoter la cervelle sans que je le sache, et puis je **serais morte** d'une mort horrible et lente... moi, une dame Pons, née demoiselle Lempoumas, dont la famille remonte jusqu'au XIIIe siècle... Quand même, le docteur Parpalaid **aurait dû** se rendre compte que mes insomnies avaient pour causes une chose en tuyau de pipe et une araignée! **S'il avait été** qualifié, il **aurait pu** voir que «trois pages du Code civil chaque soir» ne tuent pas les araignées cérébrales!

▦ 1. More Hypotheses

If things had been different, what would have happened? This type of hypothesis no longer deals with the realm of possibilities, but the world of regrets and missed opportunities. Since the conditions for such hypotheses are even further re-moved from reality than conditions discussed earlier—that is, they are even less likely to happen—they are expressed in the **plus-que-parfait;** their consequences are expressed in the past tense of the conditional, or **conditionnel passé.** The past tense of the conditional is a compound tense formed by conjugating the auxiliary **avoir** or **être** in the present tense of the conditional and adding the part participle of the main verb.

je serais mort(e)	nous aurions souffert
tu aurais souffert	vous seriez mort(e)(s)
il/elle/on serait mort(e)	ils/elles auraient souffert

Your repertoire of hypothetical sentences is now the following:

Si CLAUSE	MAIN CLAUSE
present	future imperative
imperfect	(present) conditional
pluperfect	*past conditional*

Other tense combinations may also be used to hypothesize in French. (18.1) The past conditional is also sometimes used in sentences that are not hy-potheses. (18.2)

■ *Maintenant à vous*

A. **Si j'avais été conscient(e)...** Vous vous êtes cassé la jambe en faisant du ski. Comme vous aviez perdu connaissance, vous n'avez pas vu ce qui s'est passé après l'accident. Mais **si** vous aviez été conscient(e)...

> MODÈLE: entendre l'ambulance →
> j'aurais entendu l'ambulance.

1. se rappeler la chute   2. voir arriver les secouristes (*rescuers*)   3. devoir expliquer trente-six fois ce qui s'était passé   4. sentir le contact de la civière   5. s'inquiéter dans l'ambulance   6. imaginer le pire   7. ?

B. **Et après?** Si vraiment vous vous étiez cassé la jambe, et si la fracture avait été grave, qu'est-ce qui se serait passé après votre arrivée à l'hôpital?

> MODÈLE: On m'admet à l'hôpital. →
> On m'aurait admis(e) à l'hôpital.

1. On me transporte dans la salle d'urgences.   2. Un docteur m'examine.
3. On prend plusieurs radios.   4. On me fait une piqûre pour m'endormir.
5. On m'opère.   6. On met ma jambe dans le plâtre.   7. Plus tard, je
marche avec des béquilles.   8. ?

C. **Des regrets.** Monsieur Malchance (vous le connaissez?) examine sa vie avec
quelques regrets. Formez des phrases selon le modèle.

> MODÈLE: faire plus attention / être en meilleure santé →
> Si j'avais fait plus attention, j'aurais été en meilleure santé.

1. se brosser les dents plus régulièrement / avoir moins de caries   2. suivre
un régime / ne pas devenir si gros   3. faire plus de sport / se sentir plus en
forme   4. être moins inquiet / être plus heureux   5. ?

D. **Et vous?** Des suppositions personnelles et imaginaires. En groupes de deux,
discutez les conditions (1) et les hypothèses (2) suivantes. Prenez note des
réponses que vous avez en commun avec votre partenaire, puis faites part de
ces points communs au reste de la classe.

1. Dans quelles conditions est-ce que... (a) vous vous seriez fait opérer
pour des raisons esthétiques? (b) vous auriez préféré mourir? (c) vous
auriez abandonné vos études à l'âge de seize ans?
2. Qu'est-ce que vous auriez fait différemment *si*... (a) la situation économique de votre famille avait été différente? (b) vous aviez été enfant
unique, ou au contraire, si vous aviez eu plus de frères et sœurs? (c)
quand vous étiez au lycée, si vous aviez su ce que vous savez maintenant? (d) vous étiez né(e) à une autre époque? (A quelle autre époque
auriez-vous aimé vivre?)

E. **Des hypothèses historiques.** Changez de partenaire et trouvez ensemble
quatre personnages de l'histoire, ou de l'actualité politique, dont vous pourrez dire: «Si j'avais été à sa place dans telle ou telle situation, j'aurais fait
comme lui/elle parce que... », ou «Je n'aurais pas fait la même chose parce
que... »

Après votre discussion, soyez prêts à présenter vos hypothèses et vos conclusions à la classe. Le groupe choisira par un vote les réponses les plus
originales.

▪▪ 2. **Difficulties with *pouvoir, vouloir,* and *devoir***

A. *Pouvoir*

The meaning of **pouvoir** is fairly constant.

Tu **peux** partir.	*You **can** (**may**) leave.*
Tu **pourras** partir.	*You will **be able to** leave.*

Difficulties arise, however, when English speakers try to translate *could*. Depending on the context, three tenses are possible in French. Compare the following contexts and example sentences.

A hypothesis is followed by the conditional.

*If you came, we **could** talk.*	Si tu venais, on **pourrait** parler.

Past circumstances are expressed using the **imparfait.**

*We were always too busy; we **could** never talk.*	Nous étions toujours trop occupés, nous ne **pouvions** jamais parler.

Single past events are related in the **passé composé.**

*We tried to talk to each other last night, but we **couldn't**.*	On a voulu se parler hier soir, mais on **n'a pas pu.**

Could have indicates the past conditional of **pouvoir.**

*We **could have** talked.*	Nous **aurions pu** parler.

Note that the second verb is a past participle in English (*talked*), but an infinitive in French **(parler).**

B. *Vouloir*

* Remember that the present tense of **vouloir (je veux)** is considered too blunt to express desires or polite requests. The conditional form (**je voudrais)** is preferable.
* In a past context, since **vouloir** usually expresses a state of mind, the **imparfait** is most common.

Je **voulais** partir.	*I wanted to leave.*

* In the **passé composé, vouloir** takes on different meanings.

J'**ai voulu** partir.	*I **tried** to leave.*
Je **n'ai pas voulu** partir.	*I **refused** to leave.*

* **Vouloir bien** means *to be willing.*

Je veux bien le faire.	*I'm willing to do it.*

With the conditional form, **bien** does not affect the meaning of **vouloir**—it is just a filler word that French speakers use frequently.

Je voudrais bien partir.	*I would like to leave.*

C. *Devoir*

When followed by a number or a noun, **devoir** means *to owe.*

Je vous dois des excuses.	*I owe you an apology.*
Il me devait dix dollars.	*He owed me ten dollars.*

When followed by an infinitive, **devoir** has special meanings that must be learned for each tense.

TENSE	MEANING
present (indicative)	→ obligation or probability
Il **doit** partir.	*He **must** leave.* (or) *He **is supposed to** leave.*
Il **doit** être malade.	*He **must** be sick.*
passé composé	→ obligation or probability
Il **a dû** partir.	*He **had to** leave.* (or) *He **must have** left.*
imparfait	→ supposition or obligation
Il **devait** partir aujourd'hui.	*He **was supposed to** leave today.*
Il **devait** partir tous les jours à la même heure.	*Every day, he **had to** leave at the same time.*
present conditional	→ suggested obligation or advice
Il **devrait** partir.	*He **should** (**ought to**) leave.*
past conditional	→ unfulfilled obligation or reproach
Il **aurait dû** partir.	*He **should have** left.*

For tenses not mentioned in this chart, such as the future or the **plus-que-parfait,** the meaning is always that of an obligation (*to have to*).

Il **avait dû** partir sans nous.	*He had been forced to leave without us.*

■ *Maintenant à vous*

F. **Reproches à un malade têtu.** Complétez les phrases suivantes en mettant les verbes indiqués au temps approprié. Pensez bien au sens avant de répondre.

1. Si tu _____ (vouloir) guérir plus vite, tu serais allé voir un médecin.
2. Mais je _____ (ne pas pouvoir)! Mon médecin était en vacances.
3. Tu _____ (pouvoir) en voir un autre; ton médecin n'est pas le seul au monde.   4. Peut-être que je/j'_____(devoir) le faire, en effet, mais ça ne sert à rien de me faire des reproches, puisque je vais mieux.

Résumez la réaction du malade aux reproches.

G. **Chez le dentiste.** Remplacez les phrases en italique par des phrases contenant le verbe **devoir.**

MODÈLE: *Il faut que j'aille chez le dentiste.* →
Je dois aller chez le dentiste.

1. J'ai mal aux dents; *j'ai sans doute une carie.*   2. J'avais déjà pris un

rendez-vous chez le dentiste, *mais j'ai été obligé(e) de l'annuler.*   3. J'avais oublié que *j'avais autre chose à faire ce jour-là.*   4. D'habitude je n'ai jamais mal aux dents; *j'ai sans doute mangé trop de chocolat ces derniers temps.*
5. J'espère que *je ne serai pas obligé(e) d'attendre trop longtemps.*

H. **Des conseils.** Mettez-vous en groupes de deux, et avec le conditionnel présent de **devoir,** donnez des conseils qui s'appliquent aux problèmes de votre pauvre camarade de classe. Inversez les rôles après chaque phrase.

> MODÈLE: «Personne nc m'aime.»   →
> Tu devrais penser un peu moins à toi-même, t'ouvrir davantage, etc.

1. «Je suis toujours fatigué(e).»   2. «J'ai un rhume depuis une quinzaine de jours.»   3. «Je viens de me cogner la tête; regarde un peu cette bosse.»
4. «Je souffre d'insomnie.»

Maintenant, inventez chacun(e) un autre problème. N'ayez pas peur d'être fantaisistes!

I. **Des reproches.** Toujours avec votre pauvre camarade de classe, mais cette fois-ci avec le conditionnel passé du verbe **devoir,** formulez des reproches qui s'appliquent aux situations suivantes. Continuez à inverser les rôles toutes les deux phrases.

> MODÈLE: «J'ai attrapé un rhume en faisant du jogging.»   →
> Tu aurais dû mieux te couvrir, etc.

1. «Je me suis brûlé(e) en sortant le plat du four.»   2. «J'ai failli m'évanouir en voyant mon ancien petit ami (ancienne petite amie) avec quelqu'un d'autre.»   3. «J'avais un cafard horrible, alors j'ai pris des somnifères.»
4. «J'avais oublié ma clé, alors j'ai passé la nuit dehors.»

Maintenant, inventez chacun(e) un autre problème—quelque chose que vous avez fait et que vous n'auriez peut-être pas dû faire, ou le contraire.

J. **Jeux de rôles:**
1. **L'adolescente et son père.**

Student A: You are a father whose teenaged daughter ran away from home to live with some friends in "the big city" and "have more freedom." After a few weeks, you find your daughter and speak with her. Uneasy at first, begin the conversation with small talk, then tell her how worried you've been, and explain that if she had given her family a chance, you could have talked this over. She shouldn't have left like that, etc.

Student B: You are the teenager who ran away from home. Life in the big city is not what you had thought it would be, but you certainly don't want to admit that to your father. Explain to him that you "had" to run away, because if you had told your family of your desire to drop out of school, get a job, and have more freedom, they wouldn't have gone along with it. It would have created a scene, and you were tired of having to do things you didn't want to do, etc.

2. **Le triomphe de la médecine?**

Student A: You think that "progress" in medical science is really no progress at all in some instances, such as preserving the lives of infants who have no chance to live normally, or prolonging the lives of elderly people who would themselves prefer to die. Shouldn't doctors let nature take its course?

Student B: You think that doctors have a moral obligation to do everything they can to preserve or prolong life, no matter what that life is like.

PAR ÉCRIT ■ :

■ *Avant d'écrire*

Transitions Between Paragraphs   Linking paragraphs is just as important as linking sentences. Here are three ways to make the transition to a new paragraph.

1. Use a transitional word or phrase: **mais, cependant, d'autre part,** etc. (See **Structures** in Chapter 15, and **Avant de lire** in this chapter.)
2. Answer a question raised at the end of the preceding paragraph:

    Last sentence of paragraph 1: **Mais pourquoi n'y avais-je pas pensé?**

    First sentence of paragraph 2: **Mon ignorance venait en partie de mon manque d'expérience.**

3. Repeat a key word or recall a key idea from the preceding paragraph:

    Last sentence of paragraph 1: **Il fallait que je considère toutes les** *alternatives.*

    First sentence of paragraph 2: **Une de ces** *alternatives* **était bien sûr de ne rien faire.**

As you do the following writing assignment, continue to work on coherence and unity (see **Avant d'écrire,** Chapters 15, 16, and 17).

■ *Sujet de composition*

Racontez une mésaventure (*mishap*) que vous avez eue, et expliquez ce que vous auriez pu (ou dû) faire pour éviter certaines difficultés. Si cette même situation se représentait aujourd'hui, que feriez-vous?

▪▪ EN DÉTAIL

18.1. Other Tense Combinations in Conditional Sentences

The following combinations are not very common; they are presented here so that you will recognize them when you see them.

A. *Imparfait/conditionnel passé*

This combination is used when the consequence is past, but the condition is still present.

> S'il n'**était** pas si malade, il **serait** venu.

> *If he weren't so sick, he would have come.* (He is still sick.)

B. *Plus-que-parfait/conditionnel présent*

Here the condition is past, but the consequence is still present.

> S'il **s'était couché** plus tôt, il ne **dormirait** pas en classe.

> *If he had gone to bed earlier, he wouldn't be sleeping in class.*

C. *Si + passé composé*

There are a variety of tense combinations possible when the condition is expressed in the **passé composé**. Usage here is similar to English.

> Si tu **as** trop **mangé,** ne **prends** pas de dessert.
> S'il n'**a** pas **mangé,** c'**était** à cause de son régime.

> *If you have eaten too much, don't take any dessert.*
> *If he didn't eat, it was because of his diet.*

18.2. Other Uses of the Past Conditional

- The past conditional may be used to report unconfirmed facts or hearsay. This is especially common in the media.

> Une dizaine de spectateurs **seraient morts.**

> *Approximately ten spectators are said to have been killed.*

- The past conditional replaces the **futur antérieur** in a past context.

> J'espère (*present*) qu'il **aura vu** le médecin.
> J'espérais (*past*) qu'il **aurait vu** le médecin.

> *I hope he will have seen the doctor.*
> *I was hoping he would have seen the doctor.*

Le docteur
Jacques Préaux

Jacques Préaux: Médecin

Jacques Préaux is a plastic surgeon who practices in Neuilly, a suburb of Paris. He is married, with two teenaged children. In the following excerpts from an interview, he describes the French medical system, highlighting in particular how nationalized health care works in France. He then reflects generally on several ethical dilemmas that physicians everywhere must confront. Finally, he gives his own opinion of the future of the medical profession in France.

Je crois qu'en France, vous avez un système de médecine «socialisée». Aux États-Unis, quand on parle de la médecine socialisée ou nationalisée, il y a beaucoup de gens, surtout des médecins, qui frémissent.° J'aimerais discuter cela en détail avec vous. Quand quelqu'un consulte un médecin, qui paie la visite? Quel pourcentage l'État prend-il en charge?

tremblent

Il existe en France une Sécurité Sociale, qui est très efficace. Mais pour l'essentiel, les médecins sont rémunérés à l'acte;° les patients paient les médecins. La majorité des patients avance la somme nécessaire et est remboursée plus ou moin intégralement.° Les malades qui bénéficient de l'assistance médicale gratuite ne paient pas les médecins. Ceux-là n'avancent pas les frais. Presque tous les médecins ont passé des accords de convention° avec la Sécurité Sociale—on n'est pas obligé de le faire. Donc, la plupart des médecins sont conventionnés auprès de la Sécurité Sociale. Chaque spécialisation a ses tarifs.

à... immédiatement

totalement

accords... arrangements pour des tarifs

Internes à l'Hôpital Bicêtre
(Paris)

Quel est le pourcentage pris en charge par l'État?

Je ne connais pas très bien le prix de la consultation. Je crois que c'est proche de cent francs. La consultation spécialisée doit coûter dans les° cent vingt-cinq francs. Les malades doivent être remboursés à 70 ou 80% de la consultation. Il y a souvent des malades qui ont une mutuelle° complémentaire. Il y a des mutuelles qui remboursent considérablement, même les consultations chères, et d'autres qui sont beaucoup plus limitées.

dans... approximative-ment
insurance policy

Les patients peuvent-ils choisir leur médecin en France?

Absolument. On peut habiter Lille, dans le Nord de la France, et se faire opérer à Marseille. Mais il y a quelques différences de tarif entre les caisses de la Sécurité Sociale de Paris et celles de province. Ce qui fait que l'on peut parfois y être un petit peu de sa poche,° selon le lieu que l'on choisit. On peut en tout cas choisir tout à fait librement son médecin. Et en général, on n'attend pas beaucoup pour obtenir un rendez-vous chez le médecin, sauf chez certains grands patrons.

y... devoir payer un peu

Que pensez-vous de ce système? Quels en sont les avantages et les inconvénients? Que pensez-vous de la prestation médicale° et de l'attention que l'on porte au patient moyen?

prestation... *medical wel-fare provisions*

J'ai une bonne opinion de la médecine française, mais elle se détériore pour plusieurs raisons. D'une part, la Sécurité Sociale coûte extrêment cher; elle est perpétuellement en dette. Les moyens d'investigation, par exemple dans le domaine radiologique, ont fait des progrès tels que l'on s'en passe difficilement, mais cela coûte très cher. Le scanner ou l'appareil de résonnance magnétique sont encore plus coûteux. Seulement, cela apporte une telle source de renseignements, que l'on a du mal à s'en passer. Donc, la médecine est très chère. Les programmes de recherche dans les hôpitaux sont également imputés sur° le budget de la Sécurité Sociale. Alors, je crois que, ou bien les cotisations vont augmenter, ou bien alors on ne va plus rembourser certains risques, parce que les divers gouvernements et partis manquent de solutions pour résoudre ce problème.

De nos jours, on lit de nombreux articles sur le problème de l'euthanasie. Quelles sortes de problèmes cela cause-t-il aux médecins en France?

Mon opinion est qu'il ne faut pas légiférer° dans ce domaine. Il ne faut pas demander à la loi de vous autoriser ou de vous défendre.° Je crois qu'il faut agir en conscience et que si l'on éprouve le sentiment qu'il est nécessaire de mettre fin aux jours d'un patient, s'il n'y a pas d'autre issue et si l'on croit bien faire, je pense que l'on doit pouvoir alors prendre la décision seul. Sans tapage° et sans le faire savoir. Il y a des choses qui se sont dites et qui n'auraient pas dû être dites. Avant que l'on évoque ce problème, on a dû faire face à un autre cas de conscience, celui de l'avortement° thérapeutique.

Il est vrai que le médecin n'est pas là pour aider les gens à mourir ou pour les faire mourir. Mais dans l'avortement thérapeutique, quand il y avait une vie en jeu, le choix se faisait en conscience. Il fallait être trois pour prendre la décision, mais quelles que soient nos convictions religieuses, on arrivait à prendre la décision—seul ou avec quelqu'un d'autre— sans qu'il y ait beaucoup de bruit autour de cela.

Je crois que l'euthanasie a toujours été pratiquée. On en parle plus maintenant car certains tabous sont tombés. Il y a des problèmes que l'on met sur la place publique aujourd'hui alors qu'autrefois on était beaucoup plus discret. Je suis contre le fait de s'acharner à° faire survivre un malade à tout prix. On le fait «durer» plus longtemps et je crois que cela ne profite à personne.

Je suis au fond, pour des cas très rares tout de même, relativement favorable à l'euthanasie discrète. Je vais vous donner un exemple. J'ai un ami, mort maintenant, qui a opéré beaucoup de cancers. Donc il a été souvent confronté à ce problème du malade qui dit au médecin: «Docteur, je vous en prie, faites-moi mourir». Plus d'une fois il a expliqué à ses

---

imputés... *charged to*

faire des lois
forbid

bruit

abortion

s'acharner... persister à

malades: «Voilà, si vous avez trop mal, prenez ce médicament. Mais faites attention, car si vous en abusez, vous risquez de mourir». Aucun patient n'est mort des suites de l'absorption de ce médicament. Bien des malades voudraient qu'on les aide à mourir, mais ils ne sont pas prêts à franchir le pas° eux-mêmes. J'ai beaucoup admiré la façon d'agir de ce médecin.

franchir... agir

Pourriez-vous nous parler un peu de l'avenir de la médecine en France?

J'aime mon métier, mais je ne pousserai pas mes enfants à faire médecine. J'ai un fils qui souhaiterait faire ses études de médecine. Il y a certaines familles qui dissuadent leurs enfants de faire médecine. J'ai hésité long-temps, mais maintenant je crois que je ferai comme eux. Il y a beaucoup trop de monde en médecine. Là où il y a du monde, la compétition se fait plus rude° et pas toujours de façon très correcte. Je crois qu'il est difficile, sauf pour ceux qui travaillent beaucoup ou qui sont brillants, de savoir où l'on va finir. Pour ceux qui choisissent une carrière hospitalière, les places sont chères et rares, par conséquent, bien malin° celui qui peut dire qu'il va arriver au sommet de la pyramide. Et ceux qui restent à un niveau inférieur sont déçus parce que leurs opportunités de travail et leur rému-nération ne correspondent pas toujours aux études qu'ils ont suivies.

difficile

intelligent

■ *Avez-vous compris?*

A. Complétez.

1. Le docteur Préaux est un médecin _____.
2. La France a un système de médecine _____.
3. Pour l'essentiel, les _____ paient les médecins à l'acte.
4. Les patients sont remboursés à _____ pour cent de la consultation.
5. On a le droit de choisir un médecin _____.
6. Selon le docteur Préaux, la médecine française se détériore parce que _____.
7. Deux questions de conscience que discute le docteur Préaux sont _____ et _____.

B. Décrivez le système de Sécurité Sociale en France: spécifiquement, la rému-nération du médecin et le remboursement du malade.

C. Comment l'ami du docteur Préaux a-t-il traité les patients qui voulaient mourir?

D. Quelles sont, d'après le docteur Préaux, quelques-unes des raisons pour ne pas devenir médecin?

■ *Et vous?*

1. Avant de lire cette interview, quelle était votre impression de la méde-
    cine socialisée? Comment jugez-vous le système français tel qu'il est
    présenté ici?
2. La Sécurité Sociale en France et aux États-Unis ont les mêmes diffi-
    cultés financières. Quelles solutions recommanderiez-vous?
3. L'euthanasie est une question de conscience pour beaucoup de méde-
    cins. Que pensez-vous de l'attitude de l'ami du docteur Préaux? Dé-
    crivez vos sentiments au sujet de l'euthanasie. Parlez de l'aspect pratique
    et de l'aspect moral de la question.
4. **En groupes de deux.** Two French friends are talking. One wants to go
    to medical school and study to be a doctor. The other tries to convince
    him or her that this is not a good idea in the 1990s. Each will try to
    convince the other, giving detailed reasons.

Le monde francophone

▦ En bref

Thème VII focuses on **la francophonie**—in particular, French-speaking communities outside of France, Belgium, Switzerland, and Luxembourg. French is currently the official language of more than twenty countries—most of them former French colonies in Africa, the Caribbean, and South America. It is also, along with English, the official language of Canada. Even where it is no longer an official language, French is spoken by significant numbers of people in regions such as North Africa. In this unit, you will read literary selections from several of these regions, and you will be exposed to some of the current problems francophone peoples face because of their linguistic and cultural heritage.

Functions

- Discussing abstract ideas

- Expressing and supporting opinions
- Talking about time

- Talking about places

Structures

- More uses of the present subjunctive
- The past subjunctive
- Present participle
- Passive voice
- Numbers, dates, expressions of time
- Using geographical names

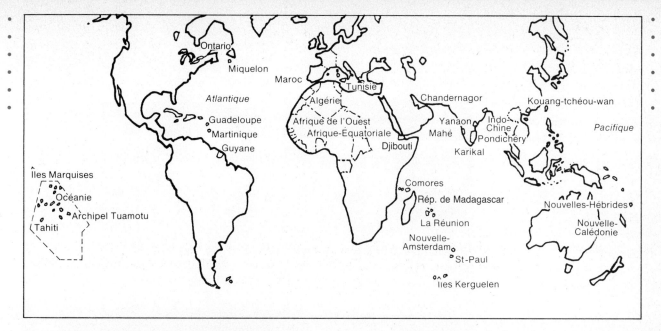

⠿ Avant de commencer

The following article, adapted from the *Journal Français d'Amérique*, describes the current status of the French language in the world. To simplify your reading, begin by identifying the major ideas of the article. Compare your outline with those of your classmates. Do you find that there is more than one way to outline the article?

La langue française se porte bien° à travers le monde

se... va bien

Malgré les assauts° perpétuels de la culture et de la langue anglo-américaines, le français résiste tant bien que mal: 100 millions de francophones continuent à utiliser cette langue dans le monde et 100 autres millions l'apprennent à l'école comme langue étrangère.

mot ap.

« Il ne faut être ni alarmiste ni triomphaliste,° il y a encore 100 millions de francophones dans le monde dont le français est soit la langue maternelle,° soit la deuxième langue, et 100 autres millions l'apprennent en tant que° langue étrangère», affirme M. Xavier Michel, chargé de mission au Haut Conseil de la Francophonie.*

trop optimiste

mot ap.

en... comme

---

*Le Haut Conseil de la Francophonie regroupe vingt-sept personnalités françaises et étrangères. Le Conseil se consacre à «l'enseignement du français en français» dans le monde.

L'Académicien Léopold Sédar Senghor, une des personnalités du Haut Conseil de la Francophonie, félicité par M. Mitterrand.

Journal Français d'Amérique, 17–30 janvier 1986.

Aujourd'hui, hormis° la France, où parle-t-on français dans le monde? En Europe, dans trois pays: la Belgique, la Suisse, le Luxembourg, soit au total, avec la France, 64 millions de personnes. En Amérique, 14 millions d'individus parlent cette langue: Canada, Haïti, Louisiane, Antilles, Guyane.

    En Afrique, 12 états ont le français comme seule langue officielle (notamment le Sénégal, la Côte d'Ivoire, le Tchad, la République Centrafricaine, etc...) et neuf autres ont adopté le français comme l'une de leurs langues officielles (par exemple, le Zaïre, la Mauritanie, le Maroc, l'Algérie et la Tunisie).

    Le Français est aussi présent dans le sud-est asiatique (Cambodge, Vietnam, Laos). A Madagascar, où il a perdu le statut de langue officielle, il conserve de fortes positions. Les Seychelles, elles, ont adopté le français comme langue officielle (en même temps que le créole et l'anglais) en 1976, après leur indépendance.

    Au Canada, l'état du Manitoba est obligé depuis juin 1985 à traduire ses lois en français. Le Nouveau-Brunswick, berceau° de la culture acadienne,° compte 18% de francophones.

à l'exception de

cradle
canadienne d'origine française

Quant à° la télévision hollandaise, elle a doublé son temps de programme en français, et en septembre dernier a eu lieu° en Autriche la
première diffusion par câble de programmes français.

Quant... *As for*
a... s'est passée

LES «ENVAHISSEURS»° ANGLO-SAXONS

invaders

Cependant, malgré une présence persistante, la francophonie doit faire
face à° une menace de jour en jour plus pressante: celle du monde anglo-
saxon, celle des Etats-Unis dont le «way of life», les refrains et les produits
déferlent° sur le monde y compris dans le bloc socialiste.

faire... confronter

unfurl, break

De l'Europe occidentale à l'Asie du sudest en passant par la Yougoslavie ou l'Algérie la chanson anglo-américaine fait fureur,° les séries télévisées américaines envahissent les petits écrans.° Plus grave, s'inquiètent
les francophones militants, le français est affecté par des anglicismes de
plus en plus nombreux, dénoncés d'ailleurs par les institutions officielles
comme l'Académie Française.*

fait... est populaire
les... la télévision

L'affaire a même pris parfois un tour politique, notamment quand le
ministre de la Culture, M. Jack Lang, s'en était pris,° en 1982 à Mexico, à
«l'impérialisme américain», estimant que celui-ci° était un danger pour les
cultures nationales en imposant son modèle à travers le cinéma, la chanson
et les modes vestimentaires.°

s'en... a attaqué
(l'impérialisme améri-
cain)
à... par
de vêtements

Face à la menace, que faire? Pour M. Michel, l'une des raisons de la
baisse° du français dans le monde est que cette langue est «victime d'une
image trop intellectuelle, trop élitiste et trop culturelle», contrairement à
l'image plus dynamique qu'offre l'anglais. «Il faut la moderniser», affirme-
t-il.

diminution

Reste que,° pour les spécialistes, domination linguistique et domina-
tions politique et économique sont inséparables, tant pour° l'anglais, l'espagnol que pour le français qui, s'il persiste en Afrique, le doit à son ancien
empire colonial.

Reste... *The fact remains
that* / tant... *as much
for*

Pour continuer à tenir le coup° l'enseignement du français à l'étranger
paraît primordial:° 200,000 jeunes, dont 65% d'étrangers, apprennent le
français à travers le monde, dans 459 écoles, collèges et lycées français
répartis° dans 115 pays, où ils reçoivent le même enseignement qu'en
France.

tenir... *hold its own*
de la plus grande impor-
tance
distribués

Mais, au delà de l'apprentissage° de la langue, c'est toute la culture
française qu'il s'agit de promouvoir,° souligne M. Michel, pour qui il s'agit
également de développer les «relations culturelles, scientifiques et économiques».

mot ap.
encourager

---

*Les quarante intellectuels chargés de maintenir et de moderniser le dictionnaire officiel du français.

■ *Activités*

A. Complétez d'après votre lecture.

1. Il y a 100 millions de francophones dont le français est soit la langue maternelle soit _____.   2. _____ millions apprennent le français à l'école ou le parlent déjà.   3. En Europe (hormis la France) on parle français dans trois pays: _____, _____, et _____.   4. En Amérique on parle français au _____, à _____, en _____, aux _____ et en _____.   5. En Afrique, dans _____ états, le français est la seule langue officielle, et dans _____ autres, le français est une des langues officielles.   6. Dans le sud-est asiatique, le français est présent au _____, au _____ et au _____.   7. Au Canada, le Nouveau-Brunswick compte _____% de francophones.   8. En Europe, les programmes français de télévision sont populaires en _____ et en _____, deux pays où le français n'est pas la langue dominante.   9. Le «way of life» des _____ est très populaire dans le monde francophone, comme partout dans le monde.   10. Les séries télévisées _____ passent sur les petits écrans partout dans le monde.   11. La menace la plus grave à la francophonie, ce sont les _____ dénoncés par certaines institutions officielles.   12. Jack Lang, le ministre de _____, en 1982 a parlé d'un _____. Il le voyait comme un danger pour les autres cultures nationales.   13. Pour maintenir la place de la francophonie dans le monde, _____ à l'étranger est très important.

B. Le titre de l'article suggère un certain optimisme. Est-ce que cet optimisme est justifié? Pourquoi (pas)?

C. Expliquez les dangers que posent la culture anglo-saxonne et sa langue pour la francophonie. Donnez des exemples. Expliquez pourquoi elle a tant d'influence dans le monde.

D. Le Haut Conseil de la Francophonie a pour but la dissémination de la langue française dans le monde. Connaissez-vous une telle organisation pour l'anglais? Que pensez-vous d'une telle activité? Donnez des détails et essayez de défendre votre opinion.

E. La francophonie considère les «Anglo-Saxons» comme des envahisseurs. Avez-vous jamais pensé à la culture américaine de cette manière? Pourquoi, ou pourquoi pas? Acceptez-vous les jugements proposés dans l'article?

F. **En groupes de deux.** Organize a debate about Jack Lang's accusation. One person will speak for Lang's position and the other against. Be prepared to sum up some of the arguments after your debate.

CHAPITRE 19

L'immigration

© PETER MENZEL

PAROLES

L'immigration et le racisme

Un **étranger** / une **étrangère** (*a foreigner*).
Un(e) **émigrant(e)** **émigre** de son pays d'origine.
Un(e) **immigré(e)** a déjà immigré dans un autre pays.
Un(e) **réfugié(e)** politique.

Accueillir (*to welcome*); **renvoyer** (*to send back*); **déporter** (*to deport*).

Un **résident illégal** (*illegal alien*); un(e) **citoyen(ne)** (*citizen*).

La **nationalité;** une **groupe ethnique**.

La **race;** un **conflit racial;** une attitude **raciste**.

L'**antisémitisme;** les **Juifs** (*Jews*)

Avoir des **préjugés** [m.] (*prejudices*) [contre]; **mépriser** (*to despise*).

Le **chauvinisme,** la **discrimination** ≠ la **tolérance,** l'**acceptation** (*acceptance*).

La vie en société

La **loi** (*law*).

La **justice/l'injustice**.

Avoir le droit de [+ verb] (*to have the right to*).

Avoir droit à [+ noun] (*to have a right to*).

Abuser de (*to abuse*).

Faire concurrence à (*to compete with*).

Menacer (*to threaten*); une **menace** (*threat*).

Vivre aux dépens (*to live at the expense of*) [du gouvernement].

S'intégrer dans [la société]; **s'adapter** [à] (*to adjust*).

Le **marché de l'emploi** (*job market*), les **travaux manuels** (*manual labor*), la **main-d'œuvre** (*manpower*).

Le **revenu** (*income*); les **impôts** [m.] (*taxes*).

Faire la grève (*to go on strike*).

Un **syndicat** (*trade union*).

Une **manifestation** (*demonstration*); une **émeute** (*riot*).

Un **agent de police** (*police officer*), **un flic** [fam.] (*cop*).

Le **commissariat** de police (*police station*).

Un **gendarme** (*highway patrol officer*).

Être **recherché** par la police (*wanted by the police*); être **arrêté** (*arrested*).

Commettre un **crime,** un **vol à main armée** (*armed robbery*), un **meurtre** (*murder*), un **viol** (*rape*).

Une **victime** [toujours féminin]; être **attaqué** (*to be attacked*) [par].

Poursuivre en justice (*to sue*); un **procès** (*trial*); le **tribunal** (*court*).

Un **critère** [de jugement].

Un **phénomène** [social, politique, économique].

A Marseille. La troisième génération d'immigrés est en marche.

L'Express international, numéro 1904, 8 janvier 1988, p. 38.

■ *Parlons-en*

Trois générations d'immigrés arabes à Marseille*.

En groupes de deux, utilisez votre imagination pour finir les phrases suivantes et créer des histoires originales sur chacune des trois personnes représentées. Quelques étudiant(e)s joueront le rôle des journalistes qui écouteront la discussion des groupes (deux groupes par journaliste), poseront des questions et prendront des notes pour pouvoir ensuite faire un rapport à la classe et tirer des conclusions sur les problèmes de l'immigration.

1. La grand-mère: Quand elle est arrivée en France, elle ne parlait pas un mot de français. Elle a eu beaucoup de mal à s'adapter...

2. La jeune femme: Elle a eu une enfance difficile. Elle sait ce que c'est que les préjugés, le racisme, le chômage, le crime. La preuve, c'est que...

3. L'enfant: Est-ce que lui aussi sera déchiré (*torn*) entre deux mondes? Il y a des choses qui ne changent jamais, comme... Mais il y aussi des choses qui peuvent peut-être changer, comme... A notre avis, cet enfant...

---

*Marseille, qui compte plus de 120 000 musulmans sur un million d'habitants, et où on estime que d'ici 1995 un enfant sur cinq sera d'origine maghrébine (nord-africaine), souffre particulièrement des problèmes de l'immigration.

LECTURE ■ :·:·:·:·:·:·:·:·:·:·:·:·:·:·:·:·:·:·:·:

Immigration is currently a major topic of discussion in France. Many thousands of Francophones from former French colonies and many thousands of people who do not speak French have come to France to find work and to settle. It has been estimated that there are four and a half million immigrants (out of a population of fifty-five million) in France. This includes those who themselves have come from another country and those whose parents or grandparents were the ones who immigrated. The greatest numbers of immigrants are Moslems from North Africa: Algerians, Moroccans, and Tunisians. Next in number are the Portuguese.

One of the reasons France has so many immigrants is that its borders have generally been open to them. Before the Second World War, France came second only to the United States in the number of immigrants it received.

Immigration poses social, political, cultural, and moral questions of many types. For example, do immigrants have the same rights to jobs, unemployment insurance, and health care as citizens? The French have a long history of disdaining those from different backgrounds; even Parisians consider French people who have just come from the provinces of France to settle there to be **étrangers,** or foreigners. Especially in times of high unemployment, such as the 1980s, some French people look for scapegoats, who are often immigrants. They speak of **une trop grosse charge** (*burden*) **pour le pays.** Extremist right-wing politicians such as Jean-Marie Le Pen, leader of **Le Front national,** argue for sending all immigrants home. His slogan is **La France aux Français.** Those holding more moderate attitudes toward **le problème d'immigration** have created slogans urging tolerance, such as **Ne touche pas à mon pote** (*buddy*)! The following article from the *Journal Français d'Amérique* addresses the question of immigration by describing the various viewpoints of immigrants and French citizens.

■ *Avant de lire*

Tone   Recognizing the tone of a piece is essential to understanding a writer's attitude toward a subject. If the writer's attitude is negative, the tone of the passage may be sarcastic, angry, bitter, resigned, etc. A positive attitude may be expressed through a light or jovial tone. A sophisticated writer may try to convince readers of his or her impartiality through a measured, reasonable tone. You cannot assume, however, that a light tone is always linked to a positive attitude; humorists often treat serious matters about which they are profoundly pessimistic with a very light tone. Tone is created in part by word choice, sentence structure, and level of language.

On the delicate topic of the following article—racism in France—tone is particularly crucial. After you have read it several times, analyze the writer's attitude toward the subject and discuss it with your classmates. What is the writer's own answer to the question that the title poses? Because this article comes from a newsmagazine, the writer seems to adopt an objective stance. Nevertheless, writers are almost never truly neutral on a topic. You will be able to find signs of what this writer thinks by noticing, for example, the people he chooses to quote and how he makes them appear. Notice how he highlights certain ideas by placing them in key positions, such as at the beginning or the end of a section. Can you find any instances where the writer states his opinion directly and openly to the reader?

Le racisme en question

La France est-elle toujours «terre d'accueil»?

PAR PATRICK VAN RŒKEGHEM

Une série de faits divers° particulièrement tragiques et odieux° relancent° en France le débat sur le racisme. Ils donnent tout leur sens aux appels permanents de «S.O.S.-Racisme» et du Mouvement contre le racisme et pour l'amitié entre les peuples pour une meilleure harmonie entre Français de souche et les populations d'origine étrangère.

faits... événements
mot ap. / recommencent

J'aime pas les Arabes!». C'est par cette violente diatribe, lancée à la face des policiers qui les arrêtaient que les auteurs de deux récentes agressions racistes en France ont tenté, en vain, de justifier leurs actes.

DES AFFAIRES GRAVES

A la mi-août, de jeunes skinheads organisaient une opération punitive contre des jeunes gens d'origine maghrébrine,° à Châteauroux, dans l'Indre. Ils étaient aussitôt placés en garde à vue° et l'un d'eux confiait° aux policiers: «j'aime pas les Arabes».

Nord-africaine
garde... surveillance / disait

A la fin de l'été, un jeune Français d'origine maghrébine était retrouvé sérieusement blessé au bord d'une route, près d'Abbeville, dans la Somme.° Les trois hommes qui l'avaient pris en auto-stop l'avaient roué de coups.° «Parce qu'il était arabe!» devait déclarer l'un d'eux aux policiers.

au Nord de la France
roué... battu

Ces affaires parmi tant d'autres ont ému l'opinion publique française et, une nouvelle fois, attiré° l'attention sur les difficiles rapports entre certains Français de souche et des Français d'origine étrangère ou des immigrés.

attracted

Elles s'ajoutent à celles, plus anciennes, d'un jeune Maghrébin défenestré° d'un train par des militaires en goguette° ou des deux jeunes Antillais blessés à coups de carabine° tirés d'une fenêtre de HLM* de la banlieue° parisienne, simplement parce qu'ils «faisaient du bruit»...

jeté par la fenêtre /
drunk
fusil
suburbs

UN SUJET DÉLICAT

La France est-elle raciste? Le sujet est particulièrement délicat au moment où le Front national, le parti d'extrême droite de Jean-Marie Le Pen prône «la France aux Français», où la réforme du «code de la nationalité»[†] est devenue sujet de controverse et où les attentats de l'an dernier à Paris ont ému une opinion publique devenue particulièrement soupçonneuse vis-à-vis des étrangers à la peau basanée.°

swarthy, dark

A cela s'ajoutent la crise économique et le chômage qui font que beaucoup reprochent aux étrangers de «s'approprier le travail revenant de droit aux nationaux». Mais on trouve toujours de nombreux Français qui refusent d'accomplir certaines tâches dévolues° aux immigrés.

données

Alors, la France est-elle toujours la «terre d'accueil» par excellence dont elle aimait à se glorifier depuis la Révolution? Les Français ne sont-ils pas devenus racistes, contrairement à ce qu'ils disent (car dans l'ensemble ils s'en défendent)? Ou bien chacun en est-il réduit à jouer des coudes° dans un monde qui se déshumaise?

jouer... lutter pour sa place

Dans les années 70, les immigrés étaient d'autant mieux tolérés en France qu'ils étaient utiles, sinon indispensables au développement du pays. Aujourd'hui, nombreux sont ceux qui les considèrent comme des intrus.° De là à rejeter la responsabilité de ce qui ne va pas sur l'étranger, il n'y a qu'un pas que beaucoup franchissent° facilement.

intruders
font

*Habitation à loyer modéré (*government subsidized housing*)
[†] Une nouvelle loi qui donne aux immigrants le droit de choisir entre la nationalité française et une autre nationalité.

«ON NOUS ACCUSE DE TOUS LES MAUX DE LA TERRE»

«En période de boom économique, tout allait bien pour nous ici, explique, amer,° un travailleur Malien installé depuis 18 ans en France. Aujourd'hui, nous sommes rejetés. On nous accuse de tous les maux de la terre». plein de ressentiment

De fait, dans le métro parisien fleurissent des inscriptions racistes du genre: «Sales nègres, retournez chez vous», ou même «Les nègres puent».° Elles ont parfois un caractère religieux, du genre: « Musulmans° hors de France». A proximité de ces inscriptions, des groupes de clochards° avinés,° blancs ceux-là, donnent pourtant une image peu flatteuse de la société européenne dite «civilisée». sentent très mauvais
mot ap.
tramps / ivres

Les commandos racistes se sont multipliés. Dans le 20ᵉ arrondissement de Paris, de septembre à décembre 1986, trois sinistres° ont eu lieu dans des immeubles modestes, habités par des immigrés. Œuvre de maniaques racistes? Ils ont en tout cas causé la mort de 19 personnes. Les habitants du quartier trouvaient fréquemment dans leurs boîtes aux lettres des tracts signés «S.O.S.-France» prenant ouvertement position contre l'immigration. Ces tracts transformaient à leur manière le slogan de «S.O.S.-Racisme» en «Touche pas à la France, mon pote». feux

Autre hantise° de ceux qui n'ont plus de travail en France: celle du retour forcé. L'ombre du «charter» sur Bamako où 101 Maliens furent «réexpédiés» dans leur pays l'année dernière à bord d'un avion affrété par le ministre de l'Intérieur, plane° sur chaque Africain de Paris en situation irrégulière. obsession

loué
menace

LE «SEUIL° DE TOLÉRANCE» EST-IL DÉPASSÉ?   limite

Alors, le «seuil de tolérance» (chiffre à ne pas dépasser faute de quoi le racisme monte dans un pays) a-t-il été atteint en France? Selon une étude de l'organisation «Hommes et migrations», il y aurait 4 470 495 étrangers (toutes origines confondues, qu'il s'agisse de Portugais, d'Africains noirs ou de Maghrébins) pour une population de 55,6 millions d'habitants. Ils étaient 3 680 100 quatre ans plus tôt.

Nombreux sont les Français qui estiment cependant que les limitations à l'immigration ne peuvent se faire que dans le strict respect de la dignité humaine et que tout doit être fait pour que les minorités installées en France disposent d'un minimum de garanties, ce qui exclut notamment les actes racistes.

▪ *Avez-vous compris?*

A. Complétez.

1. Quand la police les a arrêtées, les deux personnes qui venaient de commettre des agressions racistes ont dit: «_____».   2. L'article demande si la France est _____ ou si elle accueille toujours les immigrés.   3. Le slogan de _____ est «la France aux Français». Il est chef du Front national, le parti d'_____ (très conservateur).   4. Les réalités de l'économie, comme _____ et l'inflation, créent une situation compliquée.   5. Depuis 1789, les Français aiment considérer leur pays comme une «_____».   6. Dans les années 70, les immigrés étaient nécessaires au _____ et donc étaient mieux «tolérés». 7. Un Malien considère que les immigrés sont blâmés de tous les _____. 8. Dans le métro parisien on trouve beaucoup d'_____ racistes.   9. A Paris, dans les quartiers où habitent beaucoup d'immigrés, il y a eu trois _____ de septembre à décembre 1986.   10. Un groupe qui essaie de protéger les droits des immigrés est _____.   11. L'article dit qu'actuellement il y a _____ d'immigrés en France et que la population de la France est à _____ d'habitants.

B. Expliquez le terme le «seuil de tolérance».

C. Quelles sortes de violences contre les immigrés décrit l'article?

D. Quelle situation économique explique en partie la force des sentiments des Français sur l'immigration de nos jours?

▪ *Et vous?*

A. On utilise souvent des stéréotypes pour catégoriser ceux qui sont différents de soi. Quelquefois il y a un peu de vérité dans ces stéréotypes, mais ils ne rendent pas justice aux énormes différences qui existent entre les membres d'un même groupe.

1. Quels stéréotypes des immigrés en général et des Arabes spécifiquement trouvez-vous dans l'article? Qui les emploie et pour quelles raisons?
2. Dans votre communauté (sur le campus, ou chez vos parents) il y a peut-être des personnes d'une souche ethnique différente de la vôtre. Réfléchissez un moment, et énumérez les stéréotypes que vos avez employés ou que vous avez entendus pour décrire ces personnes (elles sont intelligentes, elles sont riches, elles conduisent mal, etc.). Puis, d'après votre expérience, discutez quelques exceptions à ces stéréotypes.

B. Le parti politique de Jean-Marie Le Pen est extrémiste. Aux États-Unis, quels partis politiques ou groupes sont comparables au Front national?

Quelles sortes de devises (*mottos*) ont-ils? Quelles actions proposent-ils? Discutez leur influence et votre réaction.

C. L'article met en relief certaines difficultés que l'immigration pose au pays qui reçoit beaucoup d'immigrants. Ce sont des difficultés dont on parle aussi beaucoup aux États-Unis. Parlez de la responsabilité d'un pays vis-à-vis des immigrés. Que pensez-vous, par exemple, de l'idée du «seuil de tolérance»?

D. On dit que les États-Unis sont un pays d'immigrés. Parlez de votre famille et de ses racines.

STRUCTURES ▉ : ·

Le racisme: un point de vue

Raciste? Moi? Je **propose** tout simplement **qu'on établisse** des contrôles beaucoup plus stricts de l'immigration. Je **ne trouve pas que** ce **soit** une bonne idée d'accueillir n'importe qui sous prétexte qu'on a des idéaux de «liberté, égalité, fraternité». **A moins qu'**ils **aient** des qualifications professionnelles et un véritable désir de s'intégrer dans la société, ce n'est pas l'égalité et la fraternité que ces immigrés vont trouver, mais la pauvreté et l'hostilité. Vous pouvez appeler ça du racisme si vous voulez, mais on ne peut pas **s'attendre à ce que** les citoyens d'un pays **acceptent** à bras ouverts des gens qui, bien souvent, représentent un risque économique et social. L'attitude générale n'est-elle pas la même **aux** États-Unis, **au** Canada et dans les autres pays qui se disent «terres d'accueil»? (Anonyme)

▉ 1. Talking About Places

A. Using Geographical Names in General

No article is used with names of *cities* and *masculine** islands,* unless the article is part of the name.

> **Paris** est une grande ville; j'adore **Paris.**
> Nous avons visité **Hawaii.**
> **Le Caire** est la capitale de l'Égypte.

---

* Determining whether geographical names are masculine or feminine is really quite simple; see 19.1.

A definite article is used with *countries, continents, feminine islands, states,* and *provinces,* when these names are used as subjects or direct objects.

> **La** France attire beaucoup d'étrangers.
> Est-ce que vous connaissez **la** Louisiane?
> Je tiens à visiter **le** Québec.

B. Going *to*, Being *in*, or Coming *from* a Place

CATEGORY	TO, IN	FROM
Cities/islands	**à** Je vais à Paris.	**de** Elle vient de Tahiti.
Other geographical names (feminine or masculine starting with a vowel)	**en** Il habite en France. Faisons un voyage en Israël.	**de** Il est originaire de Tunisie. Je reviens d'Arizona.
Other geographical names (masculine starting with a consonant)	**au** On parle espagnol au Chili.	**du** Il vient du Brésil
Other geographical names (masculine plural)	**aux** Nous allons aux Antilles.	**des** Nous sommes des États-Unis.

■ *Maintenant à vous*

A. **Des connaissances géographiques un peu nébuleuses?** Formez des questions et des réponses selon vos connaissances. Les cartes données dans **Thème VII** pourraient vous être utiles.

> MODÈLE: Sénégal / Afrique du Nord →
> *Étudiant(e) A:* Crois-tu que le Sénégal soit en Afrique du Nord? →
> *Étudiant(e) B:* Non, je ne crois pas que le Sénégal soit en Afrique du Nord. (*ou*) Je sais que le Sénégal est en Afrique occidentale.

1. Zaïre / Afrique centrale   2. Maroc / Afrique occidentale   3. Alsace / Allemagne   4. Nantes / Normandie   5. Marseille / Provence   6. Berne / Suisse   7. Calais / Belgique   8. Ottawa / Québec   9. Baton Rouge / Louisiane   10. Port-au-Prince / Haïti

B. **Des points communs.** En circulant dans la classe, posez des questions à vos camarades pour savoir si vous avez des points géographiques communs. Demandez-leur (1) où ils sont nés, (2) dans quels états ou pays ils ont habité, (3) quels pays ou états ils ont visités, et (4) d'où viennent leurs ancêtres. Notez les réponses, faites une liste des points communs, et puis préparez-vous à faire un rapport à la classe.

▦ 2. More About the Subjunctive*

As you express and support your opinion on abstract topics, such as racism and immigration, you will need to use the subjunctive more and more. (19.2)

A. More Verbs and Verbal Expressions That Are Followed by the Subjunctive

<table>
<tr><th>SUBJUNCTIVE</th><th>INDICATIVE</th></tr>
<tr>
<td>

• *Doubt:* **il est peu probable que, il ne semble pas que** (*it doesn't seem that*)
Il ne semble pas que ce soit juste.

</td>
<td>

• *Probability:* **il est probable que, il me semble que, il paraît que** (*it seems to me that, it appears that*)
Il me semble que c'est juste.

</td>
</tr>
<tr>
<td>

• *Will:* **désirer/souhaiter que** (*to desire, to wish*)
Je désire qu'on me comprenne.

</td>
<td>

• *Hope:* **espérer que**
J'espère qu'on me comprend.

</td>
</tr>
<tr>
<td>

• *Recommendation:* **proposer/recommander/suggérer que**
Je propose qu'on établisse des contrôles. (*I propose that controls be established.*)

</td>
<td></td>
</tr>
<tr>
<td>

• *Demands:* **exiger** (*to demand*)
Il faudrait exiger qu'il y ait plus de contrôles. (*We should demand that there be more controls.*)

</td>
<td></td>
</tr>
<tr>
<td>

• *Expectation:* **s'attendre à ce que** (*to expect*)
On ne peut pas s'attendre à ce que les citoyens du pays les acceptent à bras ouverts. (*You can't expect that the country's citizens welcome them with open arms.*)

</td>
<td></td>
</tr>
<tr>
<td>

• *Judgment:* **il est bon/juste que** (*it is good/fair that . . .*)
Il serait bon qu'on établisse des contrôles.

c'est dommage que (*it is too bad that . . .*)
C'est dommage qu'il y ait tant de problèmes.

ce n'est pas le peine que (*it's not worth the trouble . . .*)
Ce n'est pas la peine qu'ils viennent s'il n'y a pas de travail pour eux.

</td>
<td>

• *Fact:* **il est vrai que** (*it is true that . . .*)
Il est vrai qu'il faut des contrôles.

il est évident que (*it is obvious that . . .*)
Il est évident qu'il y a des problèmes.

</td>
</tr>
</table>

---

*You have already studied the **présent du subjonctif** in Chapter 9. You may want to review that section before you continue.

- *Opinion:* **trouver que, penser, croire** (*when used negatively or interrogatively*)

    Je ne trouve pas que ce soit une bonne idée.

- *Opinion:* **trouver que, penser,** and **croire** (*when used affirmatively*)

    Je trouve que c'est une bonne idée.

B. More Conjunctions That Are Followed by the Subjunctive

- **à condition que/pourvu que** (*provided that*)

    Ils peuvent venir, à condition qu'il y ait du travail.

- **afin que** (= **pour que**)

    Il faut des réformes afin qu'il y ait moins de pauvreté.

- **à moins que** (*unless*)

    A moins que les immigrés aient des qualifications professionnelles, il ne réussiront pas.

- **de peur que** (*for fear that*)

    Il faut des restrictions, de peur qu'il y ait des abus.

- **quoique** (= **bien que**)

    Quoique la loi garantisse l'égalité, cette égalité existe-t-elle vraiment?

- **sans que** (*without*)

    Il est parti sans qu'on le sache.   *He left without our knowing it.*

If the subject of the dependent clause is the same as that of the main clause, the conjunction is replaced by a corresponding preposition, followed by the infinitive. (19.2E)

    On fait ce qu'on peut **afin de** survivre.
    Il est parti **sans** dire au revoir.

Pourvu que, quoique, bien que and **jusqu'à ce que,** however, are always followed by the subjunctive; there is no corresponding preposition.

    Quoiqu'*ils* soient malheureux, *ils* restent dans leur nouveau pays.

■ *Maintenant à vous*

C. **Le racisme: un point de vue.** Relisez le paragraphe au début de la section **Structures,** et parlez-en à l'aide des expressions suggérées.

1. Il faut qu'on / limiter l'immigration...
2. ...afin qu'il / y avoir moins de chômage.
3. Les étrangers seraient les bienvenus à condition qu'ils / vouloir s'intégrer...
4. ...et à condition qu'ils / pouvoir contribuer à l'économie du pays.
5. Quoique la devise de la France / être: «Liberté, égalité, fraternité»,...
6. ...on ne peut pas s'attendre / le gouvernement / accomplir des miracles...
7. ...sans que / la situation économique / être favorable.

Connaissez-vous des personnes qui soient d'accord avec ce point de vue?

D. **Le racisme: un autre point de vue.** Lisez d'abord le point de vue anonyme suivant, puis résumez-le à l'aide des expressions suggérées.

«C'est bien beau de se plaindre des immigrés, surtout des Maghrébins, mais n'avions-nous pas besoin d'eux dans les années 50, par exemple, quand nous manquions de main-d'œuvre? N'avons-nous pas besoin d'eux aujourd'hui même pour effectuer les travaux que les Français trouvent trop ingrats (= désagréables), comme le ramassage des poubelles (*garbage pickup*), la construction routière et autres travaux manuels? Nous leur devons trop pour les renvoyer chez eux et oublier nos responsabilités.»

Selon ce point de vue...

1. Il faut / les Français / reconnaître leurs responsabilités.
2. Il ne semble pas / ils / se rendre compte de leur dette vis-à-vis des immigrés.
3. Ils désirent / quelqu'un d'autre / faire les travaux ingrats,
4. ...mais ils s'attendent / les immigrés / repartir chez eux.
5. Ils souhaitent / les immigrés / être une commodité en cas de besoin,
6. ...sans / ils / avoir des droits égaux.
7. Trouvez-vous / ce / être juste?

E. **Des slogans.** En utilisant les expressions suggérées, exprimez votre réaction aux slogans suivants qu'on entend actuellement en France.

1. «Deux millions de chômeurs = deux millions d'immigrés en trop.» (Les Français qui disent ça ont peur que... Ils souhaitent que...)
2. «La France, c'est comme une mobylette (*moped*); pour que ça marche il lui faut du mélange (*mixture; for a moped, gas and oil*)». (Les Français qui disent ça ne trouvent pas que... Selon ce slogan, il est bon que...)
3. Connaissez-vous un autre slogan sur le problème de l'immigration—aux États-Unis ou en France?

F. **Des phrases qui font réfléchir.** En groupes de deux, ou sous forme de débat, exprimez votre opinion et essayez de défendre votre point de vue sur les phrases suivantes. Après la discussion, récapitulez au tableau les réponses de la classe. D'abord, voici des suggestions pour développer un argument: (1) Commencez par expliquer la phrase en question. (2) Exprimez votre opinion. (3) Pour appuyer (*support*) votre opinion, donnez des exemples pris dans l'actualité, l'histoire, la littérature ou votre expérience personnelle. (4) Discutez le pour et le contre. (5) Concluez.

1. Certaines cultures s'assimilent beaucoup plus facilement que d'autres dans un pays d'immigration.
2. Les immigrés devraient se sentir obligés d'adopter le plus vite possible les valeurs, la langue et les coutumes du pays d'immigration.
3. Toute démocratie a le devoir d'accueillir les réfugiés politiques.
4. Les immigrés qui vivent aux dépens du gouvernement devraient être déportés.
5. En ce qui concerne le racisme, il est plus facile de changer les lois que l'attitude des gens.
6. La discrimination raciale est un phénomène universel.

G. **Jeu de rôles: Le racisme aux États-Unis.**

Student A: You believe that racism in the U.S. is a thing of the past; contrast, with as many examples as possible, how things used to be and how they are now. Emphasize the openness, the tolerance, and the genuine efforts toward integration of today's policies and attitudes.

Student B: You believe that racism is still very much a problem in the U.S. today. Ghettos are still a reality, and in many areas of the country, people's attitudes haven't really changed. Give as many examples as you can.

Un slogan raciste?

PAR ÉCRIT ▦ ∙∙∙∙∙∙∙∙∙∙∙∙∙∙∙∙∙∙∙∙∙∙∙∙∙

▪ *Avant d'écrire*

Argument   An argumentative essay uses persuasion to convince others of a certain viewpoint. Activity 6 (opposite) proposes five general steps to follow as you construct an argument. In addition, the following general suggestions will help you strengthen an argumentative essay and make it more persuasive.

1. Demonstrate in a step-by-step way how you arrived at your opinion. Inexperienced writers often seem to make unsupported assertions in their essays. In many cases, simply detailing how they reached their conclusions would be enough to convince others.
2. Anticipate possible objections to the main points in your argument. Try to imagine the questions a good reader might ask, raise them yourself, and answer them carefully. You will appear reasonable and thus more persuasive if you take opposing views seriously. In some instances, you may wish to concede minor objections to your point in order to demonstrate fairness.

▪ *Sujet de composition*

«Tous les hommes sont égaux.»   Que pensez-vous de cette phrase? Analysez dans quel sens les hommes peuvent être considérés comme égaux, et dans quel sens l'inégalité est inhérente à la condition humaine. Donnez des exemples pour appuyer votre opinion.

© MART ANTMAN / THE IMAGE WORKS

Devant un restaurant parisien

■■ EN DÉTAIL

19.1. Geographical Names

A. How to Determine the Gender of Geographical Names

If the name of a country, continent, island, state, or province ends with an **e,** the gender is feminine. If it ends with anything but an **e,** the gender is masculine. The exceptions are **le Cambodge, le Maine, le Mexique,** and **le Zaïre.**
   Note that usage for masculine islands is the same as for cities.

>   **Cuba** est une île.
>   Tananarive est **à Madagascar.**

Usage for feminine (singular or plural) islands is the same as for countries.

>   **La** Martinique est **aux** Caraïbes.
>   Napoléon est né **en** Corse.

B. *Pour*

With **prendre** (**le train, l'avion,** etc.), the preposition used to indicate the destination is **pour.**

>   On prend l'avion (à New York) **pour** Paris.
>   On prend le bateau **pour** l'Afrique.

Pour may be used with **partir** as well.

>   On part **pour** l'Europe. (On part en Europe.)

C. American States

The following states have corresponding French names; all are feminine: **la Californie, la Caroline** (du Nord, du Sud), **la Floride, la Géorgie, la Louisiane, la Pennsylvanie, la Virginie.** With these states, use the preposition **en: en Californie, en Géorgie,** etc. All other states are masculine: **le Colorado, le Névada,** etc. If the name of these states starts with a vowel, use the preposition **en** or **dans l'**...

>   **en** Utah/**dans l'**Utah

Before masculine states that begin with a consonant, use **au** or **dans le,** except for Texas, which always takes **au.**

>   **au** Texas
>   **dans le** Maine, **dans le** Michigan, etc.

To avoid confusion between states and cities that share the same name, use **dans l'état de** before the states of New York and Washington.

> **dans l'état de** New York

19.2. Notes on Conjunctions

A. The Difference Between *quoique* and *quoi que*

Both of these expressions are followed by the subjunctive, but their meanings are different. **Quoique** expresses *although* or *even though*, while **quoi que** expresses *whatever* or *no matter what*.

> **Quoique** j'essaie de gagner, je perds toujours.　　*Even though I try to win, I always lose.*
> **Quoi que** je fasse, je perds toujours.　　*No matter what I do, I always lose.*

B. Conjunction or Preposition?

The following conjunctions have corresponding prepositions, which are used with the infinitive.

> afin que → afin de
> sans que → sans
> à condition que → à condition de
> à moins que → à moins de
> de peur que → de peur de

When the subject of the dependent clause is the same as that of the main clause, the infinitive substitution is mandatory with **afin que** and **sans que** (as well as with **pour que** and **avant que**. See Chapter 9). With the other conjunctions listed above, the infinitive substitution is optional.

> Nous viendrons, **à moins que nous ayons** un empêchement.
> Nous viendrons, **à moins d'avoir** un empêchement.
> *We will come, unless we have an unexpected problem.*

It is common to use **pourvu que** in an independent clause to express a wish.

> **Pourvu qu**'il fasse beau!　　　　　　*Let's hope the weather will be nice!*

Rappel. Most conjunctions are followed by the subjunctive; remember, however, that the *indicative* is used with the following: **quand, lorsque, dès que, aussitôt que, pendant que** (*while*), **après que** (*after*), **depuis que** (*since*), **alors que/tandis que** (*whereas*), and **tant que** (*as long as*).

CHAPITRE 20

D'autres perspectives

Femmes en quête d'eau (Haute-Volta)

PAROLES

La colonisation

Une **colonie**: les **colons** (*colonizers*), **coloniser** (*to colonize*).

Un homme/une femme **libre**.

Un(e) **esclave** (*slave*), l'**abolition** de l'**esclavage** (*slavery*).

Une **tribu** (*tribe*).

Obtenir/déclarer son **indépendance.**

La vie politique

Les formes de gouvernement: une **démocratie;** une **dictature,** un **dictateur,** une **dictatrice;** une **monarchie,** un **roi** (*king*) / une **reine** (*queen*); une **république;** un(e) **président(e).**

Les **élections** [f.]: **voter pour/contre;** une **campagne électorale;** un(e) **candidat(e);** être **élu** (*elected*).

Prendre le pouvoir (*to take office*).

Gouverner le pays/l'état [m.].

Le **mandat présidentiel** (*presidential term*).

Démissionner (*to resign*).

Le **pouvoir exécutif:** le **premier ministre** (*prime minister*), le **ministre des relations extérieures** (*Foreign minister*), le **ministre des finances,** etc.

Le **pouvoir législatif:** le **parlement** (*parliament*) [le Congrès]; l'**Assemblée nationale;** le **Sénat** [un sénateur]

Un **parti politique:** la **gauche,** la **droite,** le **centre**

La terre (*the land/earth/soil*)

Un **fleuve**/une **rivière,** un **barrage** (*dam*), un **lac,** une **plaine,** un **plateau,** une **montagne,** un **bois** (*woods*), une **forêt,** un **champ,** une **route,** un **pont** (*bridge*), une **terre fertile/aride, ingrate** (*barren, unproductive*), l'**irrigation** [f.].

Les ressources [f.]

L'agriculture: le **blé** (*wheat*), le **maïs** (*corn*), le **coton,** les **cacahuètes** [f.] (*peanuts*), le **riz,** etc.

L'**élevage** [m.] (*raising livestock*): une **vache,** un **mouton,** un **cochon.**

Les **minerais** [m.] (*minerals*): le **cuivre** (*copper*), le **fer** (*iron*), l'**or** [m.] (*gold*), l'**uranium** [m.], etc.

L'énergie: le **charbon** (*coal*), le **gaz naturel,** le **pétrole** (*oil*).

L'industrie [f.]: **chimique, textile,** etc.

Société de Tourisme aérien international

■ *Parlons-en*

Visite au Sénégal. Imaginez que vous êtes en visite au Sénégal, et que vous avez été invité(e)s à venir observer une salle de classe. En groupes de quatre, jouez les rôles suivants: les deux touristes, avec toutes leurs questions, et les deux jeunes Sénégalais(es), tout aussi curieux (curieuses). Utilisez votre imagination, mais faites aussi quelques recherches à l'avance pour pouvoir discuter des sujets suivants.

1. les ressources de votre propre pays
2. les différentes formes de gouvernement dans le monde et le rôle du gouvernement dans le développement économique d'un pays
3. Votre attitude personnelle vis-à-vis de la «civilisation» et de la politique

Résumez ensuite pour la classe l'aspect de la discussion que votre groupe aura le mieux développé.

LECTURES ▧ :·:·:·:·:·:·:·:·:·:·:·:·:·:·:·:·:·:·

Many fine literary works have come from the former French colonies. Writers from these countries choose to write in French for a variety of reasons: their countries have no truly national language, the writers themselves have been educated in French schools, or they want to address a larger audience than it would be possible to do in their native tongue. In Chapter 20, you will read the poetry of three francophone writers from diverse parts of the world: Guadeloupe in the Caribbean, Guyane in South America, and Senegal in Africa.

Within the great variety of what is called francophone literature, two themes recur often: pride in one's race and background, asserted in protest against a feeling of second-class status, and refusal to conform to the norms of the dominant culture.

▪ *Avant de lire*

Reading Poetry: Connotation   The connotation of a word is what that word suggests—the ideas and images we associate with it, rather than its strict formal definition. The words *house* and *home,* for example, have similar definitions (denotations), but their connotations are very different. *House* suggests a building or structure. *Home* is usually considered a richer word; it connotes warmth, familiar people and objects, and security. The word *home* has a strong and generally positive connotation. The word *house* has no special connotation for most people.

Writers use connotation frequently to shape our perceptions and opinions. The connotations of words affect us in subtle ways; often we are not aware of their power. Thus we can come away from an article persuaded of a certain viewpoint because we have been influenced as much by what the words suggest as by the facts presented. Poetry relies especially on the connotation of words for its power. Poetic language is rich and suggestive. As you read the three poems in this chapter, pay particular attention to the words in each poem that have strong connotations for you. Keep a list of words with strong connotations and discuss them with your classmates. In a few instances, try substituting different words, and then noting the effect on the poem as a whole.

:: Lecture 1

Guy Tirolien (1917–   ) is a poet who was born and educated in Pointe-à-Pitre in Guadeloupe. He studied in France and then served in the French diplomatic corps in Africa. «Prière d'un petit enfant nègre» appears in his best known collection of poetry, *Balles d'or*.

    Before reading this poem, let your imagination wander for a few moments. Imagine that you are a young black child in Guadeloupe early in this century. What might your prayer be concerning life under the white colonial French administration? List four or five ways in which rural life might be changing. What might you regret especially? Compare your ideas with other students' before actually reading the poem.

Prière d'un petit enfant nègre

GUY TIROLIEN

Seigneur je suis très fatigué.
Je suis né fatigué.
Et j'ai beaucoup marché depuis le chant du coq
Et le morne° est bien haut qui mène à leur école.   *(mot créole)* petite montagne
Seigneur, je ne veux plus aller à leur école,
Faites, je vous en prie, que je n'y aille plus.
Je veux suivre mon père dans les ravines fraîches
Quand la nuit flotte encore dans le mystère des bois
Où glissent° les esprits que l'aube° vient chasser.   *slip / dawn*
Je veux aller pieds nus par les rouges sentiers°   *paths*
Que cuisent les flammes de midi,
Je veux dormir ma sieste au pied des lourds manguiers,°   *mango trees*
Je veux me réveiller
Lorsque là-bas mugit° la sirène des blancs   *roars, bellows*
Et que l'Usine°   *factory*
Sur l'océan des cannes°   *sugar cane fields*
Comme un bateau ancré°   *mot ap.*
Vomit dans la campagne son équipage° nègre...   *crew*
Seigneur, je ne veux plus aller à leur école,
Faites, je vous en prie, que je n'y aille plus.
Ils racontent qu'il faut qu'un petit nègre y aille
Pour qu'il devienne pareil°   *similaire*

Aux messieurs de la ville
Aux messieurs comme il faut.°   messieurs... bien élevés,
Mais moi je ne veux pas   corrects
Devenir, comme ils disent,
Un monsieur de la ville,
Un monsieur comme il faut.
Je préfère flâner° le long des sucreries°   *stroll* / usines de sucre
Où sont les sacs repus°   pleins
Que gonfle° un sucre brun autant que ma peau brune.   *swells*

Je préfère vers l'heure où la lune amoureuse
Parle bas à l'oreille des cocotiers° penchés°   *coconut trees* / courbés
Écouter ce que dit dans la nuit
La voix cassée° d'un vieux qui raconte en fumant   *broken*
Les histoires de Zamba° et de compère Lapin°   personnages de fables
Et bien d'autres choses encore   guadeloupiennes
Qui ne sont pas dans les livres.
Les nègres, vous le savez, n'ont que trop travaillé.
Pourquoi faut-il de plus apprendre dans des livres
Qui nous parlent de choses qui ne sont point d'ici?
Et puis elle est vraiment trop triste leur école,
Triste comme
Ces messieurs de la ville,
Ces messieurs comme il faut
Qui ne savent plus danser le soir au claire de lune
Qui ne savent plus marcher sur la chair° de leurs pieds   *flesh*
Qui ne savent plus conter les contes aux veillées.°   réunions familiales ou
Seigneur, je ne veux plus aller à leur école.   entre amis après le
                                                                    dîner

■ *Avez-vous compris?*

A. Quel est le refrain (la phrase répétée) du poème? Le mot «leur» dans le refrain a un sens très profond. Expliquez à quoi il se réfère.

B. Présentez l'argument de l'enfant: pourquoi ne veut-il pas «aller à leur école»? Faites une liste de ce qu'il préfère faire.

C. Quels types d'arbres et de plantes sont mentionnés dans le poème? Quelle ambiance créent-ils?

D. Quel travail font les nègres?

E. Trouvez les mots et les expressions qui décrivent les messieurs de la ville. Quel contraste est-ce que l'enfant établit entre eux et les nègres?

F. Quand l'enfant parle de ce qu'il préfère faire, dans la nature, avec son père et son peuple, le ton du poème change. Quelles images l'auteur crée-t-il? Quel en est l'effet?

G. L'imagerie du poème est frappante et insolite (*unusual*). Analysons certaines de ces images. Donnez vos propres interprétations et vos réactions.

   1. «...**mugit la sirène des blancs...** » Le verbe «mugir» est ordinairement utilisé pour le son d'un animal (par exemple, une vache), ou d'un groupe féroce (par exemple, des soldats). Ici c'est la sirène de l'usine qui mugit. Pourquoi employer ce verbe? Quelle impression est-ce qu'il produit?

   2. «...**l'usine ancrée sur l'océan des cannes vomit... son équipage nègre...** » Quelle est votre interprétation de cette image?

   3. «...**la lune amoureuse / Parle bas à l'oreille des cocotiers penchés...** » Quel effet a cette personnification de la lune? Qu'est-ce qu'elle suggère au sujet des rapports de l'enfant avec les éléments de la nature?

■ *Et vous?*

   1. L'enfant résiste à l'idée qu'il doit devenir «un monsieur comme il faut». Quel est le sens spécial de cet idéal pour un jeune nègre dans sa situation? Que feriez-vous à sa place?

   2. Être «comme il faut» est un idéal souvent proposé aux enfants. Est-ce que c'était le cas dans votre enfance? Dans celle d'un de vos amis? Expliquez.

⁞⁞ Lecture 2

Léon Damas (1912–78) is a poet from Guyane who studied in Martinique and then in France. He is known as a leader of the movement for **la négritude,** which emphasizes the pride and dignity of blacks under the cultural and political oppression of Europeans. This poem is taken from his 1937 collection *Pigments,* the first published collection of poetry in the **négritude** movement.

Solde°   à vendre

LÉON DAMAS

J'ai l'impression d'être ridicule
dans leurs souliers dans leur smoking°   *tuxedo*
dans leur plastron° dans leur faux col   *false shirt front*
dans leur monocle dans leur melon°   chapeau rond

J'ai l'impression d'être ridicule
avec mes orteils° qui ne sont pas faits pour   *toes*
transpirer° du matin jusqu'au soir qui déshabille   *to perspire*
avec l'emmaillotage° qui m'affaiblit les membres   *swaddling*
et enlève à mon corps sa beauté de cache-sexe

J'ai l'impression d'être ridicule
avec mon cou en cheminée d'usine
avec ces maux de tête qui cessent
chaque fois que je salue quelqu'un

J'ai l'impression d'être ridicule
dans leurs salons dans leurs manières
dans leurs courbettes° dans leurs formules   *bows*
dans leur multiple besoin de singeries°   manières affectées

J'ai l'impression d'être ridicule
avec tout ce qu'ils racontent
jusqu'à ce qu'ils vous servent l'après-midi un peu d'eau chaude°   eau... Devinez le sens.
et des gâteaux enrhumés

J'ai l'impression d'être ridicule
avec les théories qu'ils assaisonnent°   *mot ap.*
au goût de leurs besoins de leurs passions
de leurs instincts ouverts la nuit en forme de paillasson.°   *doormat*

J'ai l'impression d'être ridicule
parmi eux complice parmi eux souteneur°   *pimp*
parmi eux égorgeur° les mains effroyablement° rouges   *cutthroat* / terriblement
du sang° de leur civilisation.   *blood*

■ *Avez-vous compris?*

A. **Vrai ou faux?**

1. Le narrateur déteste porter les vêtements occidentaux.   2. Mais il se sent à l'aise avec les coutumes et les habitudes européennes.   3. Certaines des idées des blancs lui font plaisir.   4. Il rejette les théories de la civilisation occidentale.

B. Décrivez les vêtements que portent les hommes européens, d'après le poème.

C. Qu'est-ce qu'on vous sert et qu'est-ce qui se passe quand on est invité l'après-midi chez des blancs, d'après le poème?

D. Quels sont les sentiments qui dominent le poème?

E. Très souvent, les mots portent une signification affective (émotionnelle) par le ton, ou les images qu'ils évoquent. Cherchez dans ce poème les mots qui vous émeuvent. Analysez votre réaction. Avec quoi les associez-vous?

■ *Et vous?*

1. L'individu qui adopte les habitudes et les vêtements de ceux qui contrô-lent la société sent quelquefois qu'il «joue le jeu», qu'il se vend et qu'il se met «en solde», pour être accepté. Y a-t-il des solutions possibles à cette situation difficile? Est-ce que vivre en société nécessite toujours ce type d'hypocrisie? Est-il possible d'être vraiment «naturel» avec les autres? Discutez. Racontez des expériences personnelles.

2. Parlez du rôle des vêtements dans la société. Êtes-vous influencé par la mode ou par ceux qui vous disent ce qu'il faut porter à tel ou tel en-droit? Comment exprimez-vous votre personnalité à travers vos vête-ments?

▣ Lecture 3

Léopold Sédar Senghor (1906–   ), born in Senegal, a former French colony in Africa, is widely known as a writer, philosopher, and statesman. He studied in Paris and then became a leader in the **négritude** movement. Whereas Damas and Tirolien wrote about the dangers of cultural assimilation, the dominant theme in Senghor's poetry is a return to one's African roots. The following poem is from an anthology entitled *Chants d'ombre*. Senghor is one of the best

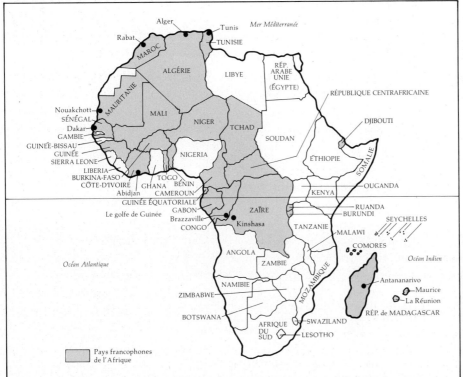

Haute-Volta: jeune femme en costume traditionnel

known francophone poets. In recognition of his excellence as a writer, he was elected to the **Académie Française** in 1983. He became the first president of the Republic of Senegal in 1960 and retired in 1979.

"Femme noire," a poem celebrating the beauty of black woman, may very well be a poem celebrating Africa as well. Like much good poetry, it can be interpreted on many levels. Organize your first reading by listing the objects to which Senghor compares **la femme noire.** Compare notes with classmates to discover what kinds of comparisons (with land? with animals?) Senghor makes.

Femme noire

LÉOPOLD SÉDAR SENGHOR

Femme nue, femme noire
Vêtue° de ta couleur qui est vie, de ta forme qui est beauté!
J'ai grandi à ton ombre°, la douceur de tes mains bandait° mes yeux.

habillée
shadow / couvrait

Et voilà qu'au cœur de l'été et de midi, je te découvre terre promise° du haut d'un haut col calciné°

terre... *promised land*
col... *burnt pass*

Et ta beauté me foudroie° en plein cœur comme l'éclair d'un aigle.°

strikes (*like lightning*) / *eagle*

Femme nue, femme obscure!

Fruit mûr à la chair ferme, sombres extases du vin noir, bouche qui fais lyrique ma bouche

Savane° aux horizons purs, savane qui frémis° aux caresses ferventes du Vent d'est

mot ap. / tremble

Tam-tam° sculpté, tam-tam tendu° qui grondes° sous les doigts du Vainqueur

mot ap. / stretched / rumbles

Ta voix grave de contre-alto est le chant spirituel de l'Aimée.

Femme nue, femme obscure!

Huile que ne ride nul souffle,° huile calme aux flancs de l'athlète, aux flancs des princes du Mali

que... *unruffled by any breath*

Gazelle aux attaches célestes,° les perles sont étoiles sur la nuit de ta peau

aux... *with wrists and ankles made in heaven*

Délices des jeux de l'esprit, les reflets de l'or rouge sur ta peau qui se moire.°

qui... aux reflets changeants

A l'ombre de ta chevelure,° s'éclaire° mon angoisse° aux soleils prochains de tes yeux.

ta... *tes cheveux / lightens / mot ap.*

Femme nue, femme noire!

Je chante ta beauté qui passe, forme que je fixe dans l'éternel

Avant que le destin jaloux ne te réduise en cendres pour nourrir les racines° de la vie.

roots

■ *Avez-vous compris?*

A. Complétez d'après le poème.

1. La couleur de la femme, pour le poète, est la couleur de _____.   2. Sa forme est celle de _____.   3. Sa voix est comme _____ spirituel.   4. Quand elle mourra, le poète dit que ses cendres vont _____.

B. Comparez ce que dit le poète de la femme noire de son enfance avec ce qu'il dit de la femme noire qu'il découvre au moment du poème.

C. Que pourrait représenter le «Vainqueur» du neuvième vers (*line*)?

■ *Et vous?*

1. Quelles images du poème suggèrent que Senghor décrit l'Afrique aussi bien que la femme noire?

2. Au niveau symbolique, pourquoi l'Afrique est-elle «nue» et «obscure»? Quelles sont, pour Senghor, les caractéristiques de l'Afrique?
3. On dit que la poésie africaine vient d'une tradition orale et surtout musicale. En relisant ce poème à haute voix, essayez d'entendre la musique qui en émane. Est-ce que la sonorité des mots contribue au sens du poème? Comment? Choisissez un passage qui vous plaît tout particulièrement et lisez-le aux autres étudiants. Expliquez pourquoi vous l'aimez.

STRUCTURES ■ :

Les Blancs, vus par le petit enfant nègre

C'est dommage qu'ils n'**aient** pas **appris** à marcher sur la chair de leurs pieds dans une communion sacrée avec la nature.

C'est dommage qu'ils **aient oublié** que **le temps** se mesure par les murmures des bois, la couleur des sentiers et la romance des astres* avec la terre aux différents **moments** de **la journée.**

C'est dommage qu'ils n'**aient** jamais **connu** la magie des légendes qui, chaque **soir,** unissent les générations en un lien plus fort que le sang.

C'est dommage qu'ils **se soient compliqué** la vie avec leurs horloges et leurs livres.

---

* Le soleil, la lune, les étoiles.

■ 1. Talking About Time

A. *Temps*

Temps is used to talk about time in the most general sense.

Le temps se mesure par la romance des astres avec la terre.	*Time is measured by the romance between the stars and the earth.*
Ne perdons pas de **temps.**	*Let's not waste any time.*
Combien de temps est-ce que ça va prendre?	*How much time is it going to take?*
Il est temps de partir.	*It's time to go.*

Here are some expressions with the word **temps.**

- **à temps** (*in time*): Nous sommes arrivés juste à temps.
- **de temps en temps** (*from time to time*): On se voit de temps en temps.
- **en même temps** (*at the same time*): Il est arrivé en même temps que moi.

B. *Fois*

Fois is used for repeated occurrences; it often suggests a countable number of times.

Ce n'est pas la première **fois** que j'oublie.	*It is not the first time I've forgotten.*
La plupart des gens mangent trois **fois** par jour.	*Most people eat three times a day.*

Here are some expressions with the word **fois.**

- **chaque fois que** (*every time*): Chaque fois que j'ouvre la bouche, je fais des fautes.
- **à la fois** (*at once*): Ne mange pas tout à la fois.
- **des fois** (*at times*): Des fois, je me pose des questions profondes.
- **Il était une fois...** (*Once upon a time . . .*): Il était une fois un petit enfant nègre qui ne voulait pas aller à l'école.

C. *Heure*

Heure refers to the time on the clock.

Quelle **heure** est-il? Vous avez **l'heure?**	*What time is it?*
Revenez vers 8 **heures** et demie.	*Return around/about 8:30.*
Soyez **à l'heure!***	*Be on time!*

D. *Moment*

Moment indicates a point in time:

Ce n'est pas **le moment** d'en parler.	*It's not the time to talk about it.*

Here are some expressions with the word **moment.**

- **au moment où** (*at the time when*): Il est arrivé juste au moment où on parlait de lui.
- **en ce moment / à ce moment-là** (*now, at this time / then, at that time*): En ce moment, nous travaillons ensemble. A ce moment-là, je ne le connaissais pas encore.
- **par moments** (*at times*): Par moments, je me décourage.

---

*Not to be confused with **à temps,** which means *in time.*

E. *Époque*

Époque refers to a longer period of time than **moment** does, and one that is farther in the past.

Auriez-vous aimé vivre **à l'époque de** Napoléon?	*Would you have liked to live in Napoleon's time?*
A cette époque-là, la France avait beaucoup de colonies.	*At that time, France had many colonies.*

F. *Année/an*

Année is the standard word for *year.*

En quelle année le Sénégal est-il devenu indépendant?	*In what year did Senegal become independent?*
Bonne année!	*Happy new year!*
C'est **ma deuxième année** à l'université.	*This is my second year at the university.*

An is used with cardinal numbers.

Ça fait **deux ans** que je suis à l'université.

It is also used in the following expressions.

- **tous les ans** (*every year*) **toute l'année** (*the whole year*)
- **par an** (*per year*): On se voit trois ou quatre fois par an.
- **l'an dernier/l'année dernière** (*last year*)

G. *Jour/journée, matin/matinée, soir/soirée*

The short form **(jour, matin, soir)** is the standard form.

Jour après jour, le petit enfant nègre devait aller à l'école.
Le matin (*in the morning*), il préférait se promener avec son père.
Le soir (*at night*), il écoutait des contes aux veillées.

The long form **(journée, matinée, soirée)** is used to emphasize the duration.

Nous avons passé **la soirée** (*evening*) ensemble.

Contrast the following expressions:

tous les jours (*every day*)	**toute la journée** (*the whole day*)
tous les matins (*every morning*)	**toute la matinée** (*the whole morning*)
tous les soirs (*every evening/night*)	**toute la soirée** (*the whole evening*)

See *En détail* section 20.1.

Boutique de mode au Zaïre

■ *Maintenant à vous*

A. **Complaintes en noir et blanc.** Complétez les phrases suivantes à l'aide des termes appropriés: **temps, fois, heure, moment** ou **époque.** (Il y aura parfois plusieurs possibilités.)

1. Complainte du petit enfant blanc: Quelle _____ est-il? Oh, il est _____ que j'aille à l'école! Il faut que je me dépêche pour arriver à _____. Je n'ai pas _____ de finir mon petit déjeuner. La dernière _____ que je suis arrivé en retard, j'ai été puni. Mais ce n'est pas _____ d'y penser. Je n'ai pas de _____ à perdre.

2. Complainte du petit enfant nègre: Comme je regrette _____ où les différents _____ de la journée n'étaient pas mesurés par une horloge. L'aube, c'était _____ où les esprits de la nuit glissaient encore dans les bois. Le matin, on avait _____ d'explorer la nature; l'après-midi, des _____, on faisait la sieste au pied d'un arbre. Et puis le soir, vers _____ où la lune amoureuse parlait doucement aux cocotiers, on écoutait les vieux raconter des histoires, sans penser au _____ qui passait.

Résumez les points de vue des deux enfants.

B. **Les masques sociaux.** Dans le poème intitulé «Solde», Léon Damas parle des masques que nous portons en société. En groupes de deux, discutez: (1) les moments typiques où l'individu «civilisé» porte des masques et (2) quelques moments spécifiques où vous avez porté un de ces masques. Soyez prêts à partager quelques-unes de vos conclusions ou expériences avec la classe.

C. **Le temps et vous.** Avec un(e) autre camarade de classe, discutez: (1) à quelle heure vous accomplissez certaines choses rituelles de la journée, comme se lever, manger, etc., (2) votre moment favori de la journée, (3) ce que vous considérez comme une perte de temps, (4) ce que vous n'avez jamais le temps de faire, (5) deux choses (ou plus) que vous faites souvent à la fois.

Après la discussion, faites le portrait de votre partenaire à la classe, selon son utilisation et son concept du temps.

D. **Des moments mémorables.** Changez de partenaire et racontez des souvenirs personnels liés à un ou deux des moments suivants: (1) une matinée mémorable, (2) une soirée mémorable ou (3) une journée qui vous a beaucoup marqué(e).

■ 2. The Past Subjunctive

A. Formation

The past subjunctive is a compound tense formed with: (1) the present subjunctive of the auxiliary verb **avoir** or **être** and (2) the past participle of the main verb.

	PARLER	**PARTIR**
...que je/j'	aie parlé	sois parti(e)
tu	aies parlé	sois parti(e)
il/elle/on	ait parlé	soit parti(e)
nous	ayons parlé	soyons parti(e)s
vous	ayez parlé	soyez parti(e)(s)
ils/elles	aient parlé	soient parti(e)s

C'est dommage qu'ils n'**aient** jamais **connu** la magie des légendes.
It's too bad that they have never known the magic of legends.

C'est dommage qu'ils **se soient compliqué** la vie.
It's too bad that they have complicated their own lives.

B. Usage

The same verbs and expressions that must be followed by the present subjunctive govern the past subjunctive. Use the present or the past according to the following rules. (See also 20.2.)

• If the action of the subordinate clause takes place *at the same time* or *after* the action of the main clause, use the *present* subjunctive.

Je doute qu'il **vienne** (*is coming*) maintenant.
Je doute qu'il **vienne** (*will come*) demain.

- If the action of the subordinate clause took place *before* the action of the main clause, use the *past* subjunctive.

> Je doute qu'il **soit venu** hier.
> C'est dommage qu'ils **aient oublié...**

■ *Maintenant à vous*

E. **La colonisation.** Du point de vue des colons, quels ont été les avantages de la colonisation? Complétez les phrases selon les indications données.

> MODÈLE: il est bon / nous / coloniser ces pays barbares →
> Il est bon que nous ayons colonisé ces pays barbares.

1. il est bon / nous / sortir ces peuples de leur ignorance
2. il est bon / nous / mettre fin à leurs guerres tribales
3. faut-il regretter / ils / devenir plus prospères?
4. faut-il regretter / tout le monde / y gagner?

F. **Ah oui?** La réponse des colonisés, inspirée d'un autre poème de Léon Damas, intitulé «Limbe». Complétez selon les indications données.

> MODÈLE: est-il bon / vous / prendre notre terre? →
> Est-il bon que vous ayez pris notre terre?

1. est-il bon / vous / voler notre terre et notre eau?
2. est-il bon / vous / tuer nos chansons?
3. est-il bon / vous / détruire nos traditions?
4. ne regrettez-vous pas / des hommes libres / devenir / des esclaves?
5. ne regrettez-vous pas / les noirs / perdre leur dignité?

G. **L'homme et la nature.** Sous forme de débat ou en petits groupes, discutez votre opinion sur les phrases suivantes. A la fin, choisissez par un vote les arguments les plus convaincants.

EXPRESSIONS SUGGÉRÉES:

1. Plus l'homme s'éloigne de la nature, moins il est heureux.

Il est évident que...
Il me semble que...
Je (ne) trouve (pas) que...
Je suis d'accord, à condition que...
Prenons le cas de/où...
Afin que...
Sans que...
Ce n'est pas la peine que...

2. Le progrès industriel devrait avoir la priorité sur les projets écologiques, comme les parcs nationaux, etc.

D'une part... d'autre part...
Comme par exemple...

EXPRESSIONS SUGGÉRÉES:

La preuve, c'est que...
Il vaut mieux que...
Il faut exiger que...
On ne peut pas s'attendre à ce que...

H. **C'est dommage?** En groupes de deux, faites une liste en deux colonnes des choses (a) qui n'auraient pas dû arriver, et (b) qui ont été bénéfiques...

1. dans l'histoire de la civilisation occidentale,
2. dans l'histoire de votre pays, et
3. dans l'actualité récente.

Commencez vos phrases par «C'est dommage que... » ou «Il est bon que... » et expliquez votre point de vue. Comparez ensuite vos réponses avec celles du reste de la classe.

I. **Jeu de rôles:** a parent/teacher conference in Guadeloupe.

Student A: You are the teacher of the black child who hates to come to school. Find out why the boy feels the way he does, and try to convince his parent that school is important for him. Discuss the value of books, progress, and "civilization." Be persuasive.

Student B: You are the parent of the black child, and you are torn between the old and the new ways. Defend your child and his desire to follow tradition. At the same time, ask more questions about what your child will learn in a Western school. Express your fears about the influence of Western civilization, based on what you have seen. Be open, yet skeptical.

PAR ÉCRIT ■ :: . . . .

■ *Avant d'écrire*

Opening Paragraphs   A good opening paragraph may be the most important part of an essay. No matter how convincing the rest of your essay, your efforts are wasted if you bore the reader with the first few lines. A good introduction "hooks" readers and makes them want to find out more. Here are a few of the many possible ways to capture readers' interest.

1. Begin with a shocking or surprising statement. For example, *La France est-elle toujours «terre d'accueil»?* (Chapter 19) begins: **Je n'aime pas les Arabes!**
2. Offer a bit of conventional wisdom. In an essay contrasting country and

city life, you might begin with the proverb: **Dieu a fait la campagne, l'homme a fait la ville et le diable la petite ville.** In the following sentences, you could point out the essential truth in this and expand on it, or else you could disagree.

3. Ask a rhetorical question that readers probably cannot resist thinking about. **Que feriez-vous si vous vous trouviez sans argent à deux heures du matin à Paris?**

4. Tell a brief but vivid story that will lead into the main point you wish to make.

In all cases, you want to avoid stating your thesis baldly. The first few lines of an essay must create the right tone to persuade readers to go on and listen to what you have to say.

Closing Paragraphs   The best concluding paragraphs signal the end of an essay by a revealing change in tone or intensity. It is not enough simply to bring the reader back to the main point and repeat the thesis. This leads to wooden conclusions. Furthermore, in a brief essay, it is an insult to readers to repeat points you have already made. If your essay is good, they will remember what you have written. A better way to conclude might be to use one of the following devices:

1. Offer a final, provocative thought to ponder. Look beyond the thesis, for example, to its implications. Don't launch a new topic, but do broaden the main point of the essay.

2. Save a clinching statement or anecdote for the end—something that will stay with the readers to remind them of the main point in your essay. Most readers will remember a story long after they have forgotten facts and opinions.

The following expressions are often used in opening and closing paragraphs:

Tout d'abord...	*First of all . . .*	Tout d'abord, il faut considérer...
D'une part...	*On one hand . . .*	D'une part, l'indépendance est désirable dans le sens où...
D'autre part...	*On the other hand . . .*	D'autre part, on peut se demander si l'indépendance totale est vraiment possible.
Il s'agit de...	*It's about/it's a matter of . . .*	Dans ce texte, il s'agit des masques que nous portons en société.
Donc...	*Thus . . .*	On peut donc en conclure que...

Opening and closing paragraphs usually demand more revision than the body of the essay. Revise these two parts of your essay last, after you know your argument well and are certain of what you want to say.

■ *Sujets de composition (au choix)*

1. **L'indépendance.** Quand on parle de colonies, on parle aussi d'indépendance. Mais qu'est-ce que c'est que l'indépendance? Les révolutions industrielles et techniques ne rendent-elles pas les peuples de plus en plus dépendants les uns des autres? Y a-t-il des pays qui se suffisent à eux-mêmes (*that are self-sufficient*)? Et dans le contexte personnel, l'indépendance totale est-elle possible, ou même désirable? Quel est votre concept de l'indépendance? Analysez la nature paradoxale de l'indépendance dans le contexte politique et économique, *ou/et* dans votre vie.

2. **Les masques sociaux.** Vous avez déjà eu l'occasion, dans ce chapitre, de parler des masques que nous portons en société. Analysez maintenant par écrit la nature de ces masques. Quels genres de masques porte-t-on, et pourquoi? Pouvez-vous donner des exemples? Est-ce vraiment nécessaire de porter des masques en société? Est-ce parfois dangereux? Quelles sont les conséquences de ces «jeux» pour l'individu et pour la société?

⬛ EN DÉTAIL

20.1. Dates and Time

A. Dates

Always use **le** to introduce dates, always use cardinal numbers, with the exception of **premier,** and never capitalize months.

> Quelle est la date? c'est le premier janvier (le deux février, le trente et un mars, etc.)

If the day of the week is included in the date, the article may be placed before or after the day of the week:

> Il est né **le** samedi 17 mai. / Il est né samedi **le** 17 mai.

B. Prepositions Used with Expressions of Time

- **heure:** Il est huit heures; on mange **à** huit heures; on finit **vers** neuf heures moins le quart (*about 8:45*).
- **du matin** (A.M.), **de l'après-midi/du soir** (P.M.): Ils sont partis **à** trois heures de l'après-midi (*3:00* P.M.).
- **mois:** Il est né **en** mai/**au mois de** mai.
- **année:** C'était **en** 1980.
- **siècle:** La colonisation a commencé **au** dix-septième siècle. Ce document date **du** dix-neuvième siècle.
- With days or periods of the day, no preposition is used to express *on, in the,* or *at.*

> Comme je ne travaille pas **le** dimanche, je me repose **le** matin, l'après-midi et **le** soir!

C. *Prendre* or *mettre?*

Expressing the idea *to take* with an expression of time can be problematic. As a general rule, if you want to express *take time* **to** (*do something*), use the verb **mettre** and the preposition **à** before the infinitive.

> Je **mets** *des heures* à faire mes devoirs.
> Il **a mis** *du temps* à comprendre.
> Ne **mettez** pas *trop longtemps* à répondre.

If there is no infinitive construction following the time expression, use **prendre.**

> Combien de temps est-ce que ça va **prendre?**

Ça va **prendre** deux heures.
Prenez votre temps!

20.2. The Past Subjunctive

Since it is the *relationship* between the dependent clause and the main clause that determines whether to use the present or the past subjunctive, it may be helpful to analyze the following examples. For each sentence, check the box *same time*, *after*, or *before* to identify when the action of the dependent clause took place in relation to the action of the main clause. Afterwards, translate the sentences.*
Remember to use the present subjunctive if the action of the main clause occurs at the *same time* or *after* the action of the main clause, and the past subjunctive if the action of the dependent clause occurs *before* that of the main clause.

	SAME TIME	AFTER	BEFORE
(1) He doubted you would come.			
(2) I was afraid you had been hurt.			
(3) He was surprised that 1 knew that.			
(4) I'll stay, provided you stay too.			

Answers: (1) [*after*] Il doutait que vous veniez. (2) [*before*] J'avais peur que tu te sois fait mal. (3) [*same time*] Il était surpris que je sache ça. (4) [*same time*] Je resterai pourvu que tu restes aussi.

CHAPITRE 21

Le Québec

Québec: la vieille ville

PAROLES ▣ :·:·:·:·:·:·:·:·:·:·:·:·:·:·:·:·:·:

La nature

Les saisons, le climat et le temps

L'hiver: le **froid**, la **glace** (*ice*), la **grêle** (*hail*), le **verglas** (*black ice*), le **brouil-lard** (*fog*), le **vent**, une **tempête** (*storm*), la **neige**, un **flocon de neige** (*snow flake*), un **bonhomme de neige** (*snowman*).

Le printemps: la fonte des neiges [**fondre** = *to melt*], la **boue** (*mud*), un **nuage** (*cloud*), la **pluie,** une **averse** (*shower*), les **bourgeons** [m.] (*buds*), **fleurir** (*to bloom*), **semer** (*to sow*) [des graines, f. (*seeds*)].

L'été: la **chaleur** (*heat*), la **sécheresse** (*drought*), un **orage** (*thunderstorm*), le **tonnerre** (*thunder*), un **éclair** (*bolt of lightning*), la **moisson** (*grain harvest*), une **récolte** (*harvest, reaping*).

L'automne: les **feuilles mortes** (*dead leaves*), les **vendanges** [f.] (récolte du raisin).

Les insectes et les plantes

Une **abeille** (*bee*), une **fourmi** (*ant*), une **mouche** (*fly*), un **moustique** (*mosquito*), un **papillon** (*butterfly*), les **racines** [f.] (*roots*), une **fleur,** un **fruit,** l'**herbe** [f.] (*grass*), les **mauvaises herbes** (*weeds*), la **pelouse** (*lawn*), les **arbres:** un **chêne** (*oak tree*), un **sapin** (*pine tree*), un **érable** (*maple tree*), un **pommier** (*apple tree*).

La philosophie de la vie

L'**optimisme,** le **pessimisme,** l'**idéalisme,** le **réalisme.**

Croire à [quelque chose]* un **principe,** une idéologie, etc.

Croire en [quelqu'un]* Dieu, un être suprême, etc.

La **religion:** la **foi** (*faith*), le **culte,** l'**âme** [f.] (*soul*).

L'**athéisme** [m.].

Le **scepticisme.**

Le **libre arbitre** (*free will*).

Une **épreuve** (*a trial/hardship*), l'**adversité** [f.], des **circonstances adverses, surmonter** (*to overcome*) [ses épreuves].

Un **but** (*goal, purpose*): **se fixer** des buts (*to set goals*), **atteindre** (*to reach*) ses buts.

Le **destin** (*fate, destiny*).

---

*Ne pas confondre **croire à/en** (*to believe in*) avec **croire quelque chose/quelqu'un** (*to believe something/someone*). Je vous crois. (*I believe you.*)

Changement des saisons

■ *Parlons-en*

Les saisons

1. Individuellement, faites une liste (par écrit) des images que ces photos évoquent en vous. Pour chaque saison, essayez de trouver deux images qui sortent de votre imagination ou de vos souvenirs.
2. Avec un(e) partenaire, discutez ces images, en élaborant le plus possible.

   MODÈLE: En voyant l'image du printemps, je vois (je me rappelle)...

Prenez des notes sur ce que dit votre partenaire pour pouvoir ensuite faire un rapport à la classe.

3. Partagez avec la classe une des images données par votre partenaire, et expliquez pourquoi cette image vous a particulièrement frappé(e).

LECTURES ▦ ·

French-speaking people make up nearly 80% of the population of the province of Quebec and a significant proportion of the population elsewhere in eastern Canada. Canada has made important contributions to francophone literature. In this chapter, you will read three examples of **québécois** literature: a poem, a song, and an excerpt from a novel. These pieces resemble francophone literature from other parts of the world in some of their themes: identification with and pride in one's ethnic group, rejection of colonial culture, and intense attachment to one's native land.

▦ Lecture 1

The English-speaking population has governed Canada and dominated its cultural life for more than two centuries, even in the predominantly French-speaking population of Quebec. In the twentieth century, Quebec has increasingly tried to broaden its provincial rights in Canada. In the 1960s and 70s, the dissatisfaction of many **Québécois** intensified, and a genuine secessionist movement formed. The separatists formed a political party, **le parti québécois.** In 1976, the **parti québécois** won a large majority in the provincial assembly, but in 1980 Quebec's voters turned down a referendum to secede from Canada. French separatism continues, however, to threaten national unity.

Félix Leclerc (d. 1988), whose poem you will read here, was an ardent spokesman for the separatist cause. "Rêves à vendre," published in 1984 in an anthology of the same name, vengefully evokes the new situation of the English-speaking minority population in Quebec.

■ *Avant de lire*

Metaphor   In "Prière d'un petit enfant nègre," when Guy Tirolien writes **[la nuit] où glissent les esprits que l'aube vient chasser,** he has created a metaphor. A metaphor draws a comparison between two things that are not really alike but seem, to the writer, to be similar in some important way. We know that the dawn cannot "chase away" anything, but Tirolien wants us to think of the dawn as a person. One of the central devices of his poem is metaphor; he likens the boy's world, the forest, to a living thing by making repeated comparisons between the inanimate objects in the forest and living beings.

Metaphor is central to most poetry and to much literary language. Metaphors often evoke images with strong connotations. In order to understand highly metaphoric language, you must learn to recognize these comparisons and see their implications.

Although the following poem, "Rêves à vendre," does not seem especially rich in metaphor at first reading, it is in fact built around a central metaphor. In the last stanza, the poet writes: **Je savoure un mets que je n'avais jamais goûté auparavant, vraiment royal...** As you read this line, you probably sense that **mets** is an important image in the poem. Why did the poet choose this metaphor? **Un mets** is a prepared dish, something to eat. Leclerc compares the victory—the freedom of expression—that he and his fellow French Canadians are experiencing now for the first time to an exquisitely prepared dish of food, which he describes as **vraiment royal.** You may remember that in the first stanza, Leclerc compares the oppression he and other French Canadians have felt at the hands of the English-speaking majority to a **pilule empoisonnée.** The contrast is striking; freedom is like an exquisitely prepared plate of food, oppression a bitter medecine. By linking the abstract concepts of freedom and oppression through metaphor to something as essential to life as food, Leclerc emphasizes just how much freedom of expression means to French Canadians. No direct statement could make the point with such conviction.

To practice identifying metaphors, look for them in the second poem in this chapter, "Mon pays." Are any of the metaphors extended through more than one stanza? Also look for metaphors in the excerpt from *Maria Chapdelaine,* the third chapter reading.

- -

Rêves à vendre

FÉLIX LECLERC

> **Je me souviens***
> **(devise° de la moitié des Québécois.)**   *slogan*
> **Je me souviens que je n'ai pas de mémoire**
> **(devise de l'autre moitié.)**

Les Anglais minoritaires ici se sentent abandonnés
des francophones.
Rarement salués, jamais attendus, invités nulle part,°   nulle... *nowhere*
ils se disent frustrés, délaissés,°   abandonnés
comme s'ils n'existaient plus.

Ce n'est pas de la vengeance que leur font subir° les   *to undergo*
francophones, ni représailles, ni méchancetés, ni
joie secrète de leur faire goûter la pilule

_____

*This is the slogan of the province of Quebec, which alludes to its francophone past.

empoisonnée° qu'ils ont avalée   *mot ap.*
deux cents ans de temps.
C'est rien que du normal.
Ils nous disent humblement qu'ils peuvent apporter
quelque chose au Québec, de valeureux,° de large,°   de... *mot ap.* / *broad, of*
d'ouvert au point de vue connaissance.   *breadth*
Ils nous rappellent qu'ils sont chez eux ici depuis
deux cents ans de père en fils et qu'on les a oubliés
depuis quelques années.
On croirait se relire . . .
On croirait relire les pauvres papiers de notre triste
histoire, c'est presque le mot à mot des pauvres
lettres françaises, de suppliques,° d'appels au   demandes
secours, de timides appels de détresse que nos pères
leur ont adressés pendant deux siècles sans réponse,
sans réponse de France non plus.
Je les aime bien mes compatriotes anglais,
je les comprends exactement
comme je comprenais leur père de nous ignorer.
Hélas,° contrairement à quelques futuristes trop   Malheureusement
jeunes pour avoir des marques, je suis incapable
d'inviter chez moi les dominateurs de ma jeunesse.

Je n'ai pas l'âme charismatique.
Une question, une seule: combien de temps
prendraient-ils, eux, pour nous re-humilier de
nouveau,
s'ils avaient le pouvoir tout d'un coup chez nous,
s'ils avaient la majorité et l'autorité légale pour le
faire?
Un mois? Deux mois?
Dès° demain matin, on y goûterait!°   *as soon as* / on... *we*
                                                            would experience it
Je ne suis pas plus méchant qu'eux.
mais le baume° qu'ils réclament à grandes cuillerées,°   *balm* / à... *in great por-*
je le garde pour les miens° qui n'en ont jamais eu!   *tions*
Je savoure un mets° que je n'avais jamais goûté   les... mes compatriotes
auparavant,° vraiment royal: la victoire   *dish*
sans vengeance ni châtiment,   avant
simplement la victoire
que mon père n'a jamais connue! . . .

■ *Avez-vous compris?*

1. D'après le poème, qui est minoritaire au Québec?
2. Qui est majoritaire au Québec?
3. Quelles plaintes portent les anglophones au sujet de leur vie sociale et politique dans le Québec des années 80?
4. Quelle est la réponse du poète à ces plaintes?
5. Quelle était la situation des francophones au Québec avant 1976?
6. D'après le poète, que feraient les anglophones s'ils avaient de nouveau le pouvoir?
7. A quoi le poète compare-t-il la joyeuse situation actuelle pour les francophones du Québec?

■ *Et vous?*

1. «Je me souviens» est la devise des Québécois. Les souvenirs amers et pénibles font que le poète limite ce qu'il est prêt à faire pour les anglophones. Que pensez-vous de son attitude? Serait-il mieux de tout oublier, de tout pardonner? Présentez quelques arguments pour et contre.
2. Leclerc écrit que si les anglophones avaient de nouveau le pouvoir, s'ils constituaient une majorité au Québec, ils commenceraient de nouveau à humilier les francophones. Quelles sortes de choses feraient-ils probablement? (Pensez aux moments de la vie où la langue qu'on parle devient importante: à l'école, au travail, dans les magasins, etc.) Avez-vous déjà éprouvé de la discrimination basée sur la langue que vous parlez? Cela est-il arrivé à quelqu'un que vous connaissez?

▪▪ Lecture 2

Gilles Vigneault is a folksinger from the small town of Natashquan in Quebec province. He writes and performs his own songs, which often evoke life in rural Quebec. A hallmark of his songs is the inclusion of dialogues between villagers in their native dialect; these help bring his birthplace to life.

The following song, "Mon pays," describes what Vigneault loves about his home, and also the role he hopes his songs will play in the world. **Pays** usually means *country*, but here it can be interpreted as *region*. During your first reading, scan for the images to which he compares his region, and then group the dominant, recurring images. What patterns do you find? What do they tell you about how Vigneault feels about his homeland and about his songs?

Gilles Vigneault

Mon pays

GILLES VIGNEAULT

Mon pays, ce n'est pas un pays
c'est l'hiver

Mon jardin, ce n'est pas un jardin,
c'est la plaine

Mon chemin, ce n'est pas un chemin,
c'est la neige

Mon pays, ce n'est pas un pays,
c'est l'hiver

Dans la blanche cérémonie,
où la neige au vent se marie
Dans ce pays de poudrerie°   *mot ap.*
Mon père a fait bâtir° maison   construire
Et je m'en vais être fidèle
A sa manière, à son modèle
La chambre d'ami° sera telle   chambre... chambre
Qu'on viendra des quatre saisons   pour invités
Pour se bâtir à côté d'elle

Mon pays, ce n'est pas un pays,
c'est l'hiver
Mon refrain ce n'est pas un refrain,
c'est rafale°   le vent
Ma maison, ce n'est pas ma maison,
c'est froidure
Mon pays, ce n'est pas un pays,
c'est l'hiver

De mon grand pays solitaire,
Je crie avant que de me taire°   devenir silencieux
A tous les hommes de la Terre
Ma maison, c'est votre maison
Entre mes quatre murs de glace,°   *ice*
Je mets mon temps et mon espace
A préparer le feu, la place
Pour les humains de l'horizon
Et les humains sont de ma race

Mon pays, ce n'est pas un pays,
c'est l'envers°   l'autre côté
D'un pays qui n'était ni pays,
ni patrie°   pays de naissance
Ma chanson, ce n'est pas ma chanson
C'est ma vie
C'est pour toi, que je veux posséder
mes hivers

■ *Avez-vous compris?*

1. Que décrivent les trois premières strophes (*stanzas*) de la chanson?
2. Comment est la maison du père du poète?
3. Quelle est l'idée principale des deux dernières strophes de la chanson? A qui Vigneault s'adresse-t-il?
4. Trouvez un jeu de mots dans la dernière strophe. Pouvez-vous l'interpréter?

■ *Et vous?*

1. Pourquoi est-ce que Vigneault utilise tant d'images de froid? Quelles sortes de sentiments pour son pays a-t-il? Où voyez-vous des exemples de ces sentiments?
2. Il y a une grande différence entre la chaleur de la Martinique, de la Guadeloupe et du Sénégal, et le froid du Québec. Essayez tout de même de discuter les similarités dans les descriptions des poèmes du chapitre 20 et du chapitre 21. Quel rôle joue le sens de la beauté du pays pour chacun des auteurs?

⠿ Lecture 3

Louis Hémon (1880–1913) was born in France. After a stormy period as a young adult, he left his family and travelled around the world. He came to Montreal in 1911. At first, he wandered in the forests of Quebec and worked on farms. During this time in the wilderness, Hémon wrote *Maria Chapdelaine*, as well as several other novels and short stories. In his writings, he repeatedly compares the hardships of survival in the cold Canadian countryside to those of city life and family entanglements. A true vagabond, he seemed to prefer the wilds and to feel most at home in the backwoods of Quebec. *Maria Chapdelaine* first appeared in episodes in 1914 and was published as a novel in 1923. In the passage you will read, Maria's parents have settled in an isolated part of Quebec. Maria faces a difficult choice between marrying one suitor, moving with him to Boston, and benefiting from the ease and conveniences of city life—or marrying the trapper next door and continuing her difficult existence in the wilderness near her family.

This section of the novel is sometimes referred to as **les voix de Maria.** Three voices "speak" to her, each giving one reason why she should stay in Quebec. As you read, list the arguments of each voice, and give a title to each one (**La voix de** _____).

Maria Chapdelaine [extrait]

LOUIS HÉMON

Maria se demandait encore: pourquoi rester là, et tant peiner,° et tant souffrir? Pourquoi?... Et comme elle ne trouvait pas de réponse voici que du silence de la nuit, à la longue, des voix s'élevèrent.

Elles n'avaient rien de miraculeux, ces voix; chacun de nous en entend de semblables lorsqu'il s'isole et se recueille° assez pour laisser loin derrière lui le tumulte mesquin de la vie journalière. Seulement elles parlent plus haut et plus clair aux cœurs simples, au milieu des grands bois du Nord et des campagnes désolées. Comme Maria songeait aux merveilles lointaines des cités, la première voix vint lui rappeler en chuchotant° les cent douceurs méconnues° du pays qu'elle voulait fuir.°

L'apparition quasi° miraculeuse de la terre au printemps, après les longs mois d'hiver... La neige redoutable se muant° en ruisselets° espiègles sur toutes les pentes; les racines surgissant,° puis la mousse encore gonflée d'eau, et bientôt le sol° délivré sur lequel on marche avec des regards de délice et des soupirs° d'allégresse, comme en une exquise convalescence... Un peu plus tard les bourgeons° se montraient sur les bouleaux,° les aunes° et les trembles,° le bois de charme se couvrait de fleurs roses, et après le repos forcé de l'hiver le dur travail de la terre était presque une fête; peiner du matin au soir semblait une permission bénie°...

Le plus pauvre des fermiers s'arrêtait parfois au milieu de sa cour ou de ses champs, les mains dans ses poches, et savourait le grand contentement de savoir que la chaleur du soleil, la pluie tiède,° l'alchimie généreuse

peiner: travailler
se recueille: se... fait de la méditation
chuchotant: parlant bas
méconnues / fuir: pas appréciées / *flee*
quasi: presque
se muant / ruisselets: se... changeant / *streams*
racines surgissant: racines... *roots appearing*
sol: *earth*
soupirs / allégresse: *sighs* / joie / *mot ap.*
bourgeons / bouleaux / aunes: *buds* / *birches* / *alders*
trembles: *aspens*
bénie: *blessed*
tiède: presque chaude

de la terre, —toutes sortes de forces géantes, —travaillaient en esclaves
soumises pour lui... pour lui...

Dans les villes il y aurait des merveilles dont Lorenzo Surprenant avait
parlé, et ces autres merveilles qu'elle imaginait elle-même confusément:
les larges rues illuminées, les magasins magnifiques, la vie facile, presque
sans labeur, emplie de° petits plaisirs. Mais peut-être se lassait-on° de ce   emplie... pleine de / se...
vertige° à la longue, et les soirs où l'on ne désirait rien que le repos et la   on se fatiguait
tranquillité. Où retrouver la quiétude° des champs et des bois, la caresse   *dizziness*
de la première brise fraîche, venant du nord-ouest après le coucher du   calme
soleil, et la paix infinie de la campagne s'endormant tout entière dans le
silence?

«Ça doit être beau, pourtant!» se dit-elle en songeant aux grandes
cités américaines. Et une autre voix s'éleva comme une réponse. Là-bas
c'était l'étranger: des gens d'une autre race parlant d'autre chose dans
une autre langue.

Tous les noms de son pays, ceux qu'elle entendait tous les jours, comme
ceux qu'elle n'avait entendus qu'une fois, se réveillèrent dans sa mémoire:
les mille noms que des paysans pieux° venus de France ont donnés aux   *mot ap.*
lacs, aux rivières et aux villages de la contrée nouvelle qu'ils découvraient
et peuplaient à mesure... lac à l'Eau-Claire... la Famine... Saint-Cœur-de-
Marie... Trois-Pistoles... Sainte-Rose-du-Dégel... Pointe-aux-Outardes...
Saint-André-de-l'Épouvante...

Qu'il était plaisant d'entendre prononcer ces noms, lorsqu'on parlait
de parents ou d'amis éloignés,° ou bien de longs voyages! Comme ils   comparez: loin
étaient familiers et fraternels, donnant chaque fois une sensation chaude
de parenté,° faisant que chacun songeait° en les répétant: «Dans tout ce   relation / rêvait
pays-ci, nous sommes chez nous... chez nous!»

Vers l'ouest, dès qu'on sortait de la province, vers le sud, dès qu'on
avait passé la frontière, ce n'était plus partout que des noms anglais qu'on
apprenait à prononcer à la longue et qui finissaient par sembler naturels
sans doute; mais où retrouver la douceur joyeuse des noms français?

Maria frissonna;° l'attendrissement° qui était venu baigner° son cœur   a tremblé / *mot ap.* /
s'évanouit;° elle se dit une fois de plus: comparez: bain
a disparu

«Tout de même... c'est un pays dur, icitte.° Pourquoi rester?»   ici (*en québécois*)

Alors une troisième voix plus grande que les autres s'éleva dans le
silence: la voix du pays de Québec, qui était à moitié un chant de femme
et à moitié un sermon de prêtre.°   *priest*

Elle vint comme un son de cloche, comme la clameur auguste des
orgues° dans les églises, comme une complainte naïve et comme le cri   *mot ap.*
perçant et prolongé par lequel les bûcherons s'appellent dans les bois. Car
en vérité tout ce qui fait l'âme de la province tenait dans cette voix: la
solennité° chère du vieux culte, la douceur de la vieille langue jalousement   *mot ap.*

gardée, la splendeur et la force barbare du pays neuf où une racine ancienne a retrouvé son adolescence.

Elle disait:

«Nous sommes venus il y a trois cents ans, et nous sommes restés...
Ceux qui nous ont menés ici pourraient revenir parmi nous sans amertume° comparez: amer
et sans chagrin, car s'il est vrai que nous n'ayons guère° appris, assurément   ne... *scarcely*
nous n'avons rien oublié.

«Nous avions apporté d'outre-mer° nos prières et nos chansons: elles   d'... *from overseas*
sont toujours les mêmes. Nous avions apporté dans nos poitrines° le cœur   *chests*
des hommes de notre pays, vaillant° et vif,° aussi prompt à la pitié qu'au   *mot ap.* / *vivant*
rire, le cœur le plus humain de tous les cœurs humains: il n'a pas changé.
Nous avons marqué un plan du continent nouveau en disant: ici toutes les
choses que nous avons apportées avec nous deviennent des choses sacrées
intangibles et qui devront demeurer jusqu'à la fin.

«Autour de nous des étrangers sont venus, qu'il nous plaît d'appeler
des barbares; ils ont pris presque tout le pouvoir; ils ont acquis° presque   *mot ap.*
tout l'argent; mais au pays de Québec rien n'a changé. Rien ne changera,
parce que nous sommes un témoignage.° De nous-mêmes et de nos des-   *witnessing*
tinées nous n'avons compris clairement que ce devoir-là: persister... nous
maintenir...

«C'est pourquoi il faut rester dans la province où nos pères sont restés,
et vivre comme ils ont vécu, pour obéir au commandement inexprimé° qui   *unexpressed*
s'est formé dans leurs cœurs, qui a passé dans les nôtres et que nous
devrons transmettre à notre tour à de nombreux enfants: Au pays de
Québec rien ne doit mourir et rien ne doit changer... »

Maria Chapdelaine sortit de son rêve et songea: «Alors je vais rester
ici... de même!» car les voix avaient parlé clairement et elle sentait qu'il
fallait obéir.

■ *Avez-vous compris?*

A. Répondez.

1. Qu'est-ce qui fait que Maria est disposée à entendre des voix?   2.
Quelles sortes de beautés de la nature suggère la première voix?   3. Quelle
tactique utilise la deuxième voix?   4. Et quel est l'argument principal de la
troisième?   5. Quels sont les attraits de la vie en ville?   6. Laquelle des
trois voix réussit à la convaincre?   7. Quelle est sa décision finale?

B. En parlant de leur pays, Vigneault, Leclerc et Hémon insistent sur la lutte
pour survivre. Mais tous les trois expriment aussi leur amour du pays. Sur

quoi cet amour est-il basé? Essayez de définir ce qui lie ces trois auteurs à leur pays natal.

C. Il y a une qualité poétique au roman de Hémon. Considérez par exemple le troisième et le quatrième paragraphe du passage où il décrit l'arrivée du printemps. Quelles images y trouvez-vous? Quel est leur effet? Essayez de dégager les éléments de son style qui créent cet effet. Parlez de sa manière de décrire les sons et les couleurs du paysage.

■ *Et vous?*

1. Le choix de Maria est basé sur un jugement de valeur. Pourriez-vous vous souvenir d'un choix difficile que vous avez dû faire? Comment avez-vous fait votre choix? Avec le temps et la distance qui changent bien souvent nos idées, pensez-vous que vous prendriez la même décision aujourd'hui? Sinon, parlez de ce que vous auriez dû faire.

2. Avec un(e) camarade de classe, discutez le choix de Maria. Une personne expliquera pourquoi elle doit rester au Québec. L'autre expliquera pourquoi il serait préférable qu'elle parte.

3. A votre avis, Maria est-elle une héroïne ou une victime? Victime de son devoir filial? d'un pays froid et dur? Expliquez votre impression. Auriez-vous pris la même décision que Maria?

STRUCTURES ■ :

La première voix de Maria

Cette voix était venue **en chuchotant,** mais les images qui **avaient été évoquées** criaient plus fort que les lumières des villes: la neige **se changeant** en eau, **délivrant** la terre; les bourgeons **donnant** aux arbres un air de fête; le vent tiède du printemps **caressant** le soir; tout cela était comme un miracle, et Maria, **sachant** qu'elle **était bénie*** de pouvoir participer à cette «exquise convalescence», pressentait déjà qu'elle ne pourrait jamais quitter son pays.

_____

* *blessed*

As you become more proficient in French, you will begin to use some of the structures that you have already encountered many times in readings, such as the present participle and the passive voice.

1. The Present Participle

A. Formation

To form the present participle:

- drop the **-ons** from the **nous** form of the present indicative

  caress(ons)   **change**(ons)   **donn**(ons)

- and add **-ant.**

  caressant   changeant   donnant

All verbs follow this pattern, except the following three:

  avoir → ayant   être → étant   savoir → sachant

B. Usage

When used as an adjective, the present participle agrees with the noun it modifies.

  une histoire intéressant**e**   des enfants obéissant**s**

When used as a verb, the present participle is invariable. With **en,** it is equivalent to the English *by, while, upon, or in* followed by the present participle, ending in *-ing.*

  Je l'ai vu en passant.   *I saw her in passing.*
  Je suis tombé(e) en descendant l'escalier.   *I fell while coming down the stairs.*

Used without **en,** the present participle acts like a **qui** clause, modifying the nearest noun. This usage is considered literary.

  Maria, **obéissant** aux voix, a décidé de rester au Québec. (Maria, **qui obéissait** aux voix,...)

■ *Maintenant à vous*

A. **La deuxième voix de Maria.** Reprenez le texte de Louis Hémon à partir de «Ça doit être beau, pourtant!» (quand la deuxième voix se fait entendre), jusqu'à «Tout de même... c'est un pays dur, icitte. Pourquoi rester?», et identifiez:

1. un participe présent utilisé comme adjectif
2. deux participes présents utilisés comme verbes, avec **en**
3. trois participes présents utilisés comme verbes, sans **en**

B. **Des images.** Quelles images est-ce que les mots suivants évoquent pour vous? Complétez de façon personnelle, selon le modèle.

MODÈLE: l'hiver →   Quand je pense à l'hiver, je vois (j'imagine) la neige **tombant** doucement du ciel, des enfants **faisant** un bonhomme de neige, (etc.).

1. l'été   2. le Québec   3. un autre pays francophone   4. un endroit cher à mon enfance   5. ?

C. **L'autre jour.** Complétez les phrases de façon personnelle, selon le modèle.

MODÈLE: écouter la radio → **En écoutant** la radio, l'autre jour, j'ai entendu la dernière chanson de... , j'ai appris que...

1. regarder la télé   2. sortir de chez moi   3. lire le journal/un livre
4. réfléchir à ma vie   5. ?

⠿ 2. The Passive Voice

When the grammatical subject of the sentence *acts*, the sentence is said to be in the *active* voice; when the subject *is acted upon,* the sentence is in the *passive* voice.

ACTIVE VOICE	PASSIVE VOICE
*Louis Hémon **wrote** this novel.*	*This novel **was written by** Louis Hémon.*
Louis Hémon **a écrit** ce roman.	Ce roman **a été écrit par** Louis Hémon.

A. Formation

As illustrated in the example above, the passive voice is made up of **être** conjugated in the desired tense and the *past participle* of the main verb. The tense is indicated by the conjugated form of **être** alone. The past participle acts like an adjective; it agrees with the noun it modifies.

Les images qui **avaient été** évoquées... (plus-que-parfait)
Elle **était** bénie... (imparfait)

The person or thing that acts upon the subject is called the *agent*. It is generally introduced by **par.** (21.1A)

Maria est guidée **par** des voix.   *Maria is guided by voices.*

B. Usage

Although the passive voice is not uncommon in French, it is not used as frequently as in English. As in English, excessive use of the passive voice creates a "heavy" style. Here are alternatives to the passive voice. If the agent is mentioned, you may reverse the order of the sentence and use the active voice.

J'ai été frappé(e) par **la beauté du paysage.**   *I was struck by the beauty of the countryside.*
La beauté du paysage m'a frappé(e).   *The beauty of the countryside struck me.*

Use **on** and the active voice to express in French what is, in English, often expressed in the passive voice. This is very common in French. (21.1B)

On m'a dit de partir.   *I was told to leave.*
On ne m'a pas invité(e).   *I wasn't invited.*

With a few verbs, a pronominal form can be used. (21.1C)

Le français se parle ici.   *French is spoken here.*

■ *Maintenant à vous*

D. **Les Anglais minoritaires.** Dans les phrases suivantes, qui reprennent le thème du poème de Félix Leclerc sur le Québec, remplacez la voix passive par la voix active. Si l'agent est mentionné, renversez l'ordre de la phrase. Si non, utilisez **on.** Faites attention de garder le temps de la phrase originale.

   MODÈLE: Les Anglais ont été oubliés par les francophones. → Les francophones ont oublié les Anglais.

   1. Les Anglais minoritaires ont été abandonnés.   2. Ils ne sont pas souvent salués par leurs compatriotes francophones.   3. Ils ne sont jamais invités nulle part.   4. Ils sont persécutés.

E. **Les francophones majoritaires.** Toujours sur le thème de «Rêves à vendre», mettez maintenant les phrases suivantes à la voix passive. Gardez le temps de la phrase originale.

   MODÈLE: Pendant deux cents ans, on a maltraité les francophones. → Pendant deux cents ans, les francophones ont été maltraités.

   1. Les francopones se rappellent qu'autrefois on n'écoutait pas leurs appels au secours.   2. On ne les aimait pas.   3. On les ignorait.   4. On les avait humiliés.   5. Les Anglais les ont persécutés.

F. **Les influences.** Changez de partenaire et discutez ensemble (a) par qui et (b) comment vous avez été influencé(e) à différents moments de votre vie. A la fin, votre partenaire racontera l'incident le plus intéressant à la classe.

1. quand vous étiez enfant
2. quand vous étiez à l'école secondaire
3. depuis que vous êtes à l'université

3. More About Transitions

One of your goals in **Thème VI** and **Thème VII** has been to learn to *elaborate* on what you are talking about. Before you begin the following activities, review the expressions in Chapter 15 that can help you connect and articulate your ideas. If you have trouble at times with vocabulary, remember the strategy of circumlocution.

Maintenant à vous

G. **L'hiver.** Comme un écho aux célèbres paroles de Vigneault, «Mon pays, c'est l'hiver», cette pensée de Félix Leclerc, tirée de *Rêves à vendre,* nous donne à réfléchir: «L'été, le corps s'énerve (*s'irrite*), / la tête dort, / on se baigne, on joue au tennis, on pollue la nuit. / Mais l'hiver, / assis, / on lave ses pensées / et sur la route libre, / on file à grande allure (*on va très vite*) vers les pâturages!» En groupes de conversation, ou par écrit, faites les activités suivantes.

1. Expliquez cette pensée de Félix Leclerc. (Il veut dire que... en d'autres termes..., etc.)
2. Élaborez sur l'été: est-ce vrai que «la tête dort» et qu'«on pollue la nuit»? N'y a-t-il pas une autre façon de voir les choses?
3. Élaborez sur l'hiver: est-ce vrai que l'on réfléchit davantage en hiver?
4. Analysez la relation entre les activités du corps et de l'esprit. Croyez-vous que les «champs de l'esprit» soient plus accessibles et plus fertiles quand les activités du corps sont restreintes? Donnez des exemples pour illustrer votre opinion.
5. Faites un rapport de vos conclusions à la classe.

H. **Jeu de rôles (en groupes de trois).**

Student A: You were born and raised in a small farming community, and you are thinking about moving to a big city. In one sense you want to go, and in another, to stay. Express your feelings and ask for advice. Respond to your partners' enticements with further questions and reservations.

Student B: You are the advocate of the big city. Do everything you can to entice *Student A* to leave.

Student C: You are the advocate of the rural community. Do everything you can to convince *Student A* to stay.

PAR ÉCRIT ▦ :::::::::::::::::::::::::::::

■ *Avant d'écrire*

Summary: Organizing Ideas   What follows is a list of specific suggestions to help you organize the essay topic below. These suggestions synthesize many of the writing strategies presented in *Ensuite*.

1. Make a list of factors that seem to control your life. As you make the list, keep in mind the questions raised in the texts that you have just read.
2. Make a list of examples that show that an individual really can control his or her own destiny.
3. Analyze your two lists of examples, keep the most pertinent and memorable, and omit the others. Next, organize your examples in order of importance.
4. Come up with a working thesis that can be stated in one or two sentences.
5. Think about the most persuasive ways to present your examples and arguments.
6. Review, if you need to, the strategies given in Chapters 15–20 on writing paragraphs.

Suggested plan

1. Introduction: les différentes façons de voir la vie.
2. Arguments pour le déterminisme. (Notre vie est déterminée par des facteurs externes que nous ne pouvons pas contrôler.)
3. Arguments contre le déterminisme. (Nous sommes responsables de notre propre destin.)
4. Conclusion personnelle: pour? contre? entre les deux?

■ *Sujet de composition*

Circonstances et conséquences. Comme nous l'avons vu dans les trois derniers chapitres, la discrimination et l'adversité sont des réalités parfois très cruelles.

Les circonstances qui semblent déterminer notre vie peuvent être raciales, génétiques, sociales, économiques, politiques ou même géographiques (par exemple, le climat). Sommes-nous victimes de ces circonstances? Est-ce que notre libre arbitre est limité par toutes sortes de facteurs externes que nous ne pouvons pas contrôler? Ou bien, au contraire, est-ce que la liberté est un état d'esprit, et est-ce que nous pouvons vraiment contrôler notre vie, même si les circonstances qui nous entourent ne sont pas les meilleures?

EN DÉTAIL

21.1. The Passive Voice

A. Prepositions Used to Introduce the Agent

Par is used when the verb indicates an action.

> Maria avait été guidée **par** des voix.

De is used when the verb indicates a state or an emotion.

> Son cœur était rempli **de** joie.
> La terre était recouverte **de** neige.

B. Verbs That Cannot Be Used in the Passive Voice

Verbs that take an indirect object cannot be made passive. For this reason, many passive constructions in English cannot be translated literally into French. *I was told to leave* represents a common English construction, but the French verb *to tell* takes an indirect object (**dire *à* quelqu'un**), so the passive voice is impossible.

> On m'a dit de partir.

We were given a warning is also a common English construction, but the verb **donner** takes an indirect object (**donner *à* quelqu'un**), so the active voice must be used.

> On nous a donné un avertissement.

To express *We were forced to leave,* on the other hand, the passive voice is possible, since the verbs **forcer** or **obliger** take a direct object.

> Nous avons été forcés (obligés) de partir.   (forcer/obliger quelqu'un)

C. Pronominal Substitutes for the Passive Voice

A few French verbs can be made pronominal to state general facts; here are the most common:

se composer de	Ce livre se compose de vingt et un chapitres.
se comprendre	Cela se comprend bien. (*That is well understood.*)
se faire	Ça ne se fait pas! (*That's just not done!*)
se trouver	Ça se trouve en librairie. (*That is found in bookstores.*)
se vendre	Les yaourts Danone se vendent partout. (*. . . are sold everywhere.*)
se voir	La tache ne se voit pas. (*The stain doesn't show.*)

Marie Galanti

Marie Galanti: Directrice de journal

Marie Galanti is director of the *Journal Français d'Amérique,* a French language newspaper published in San Francisco and New York.

In the following interview, Marie Galanti describes her experience as a French-speaker growing up in English-speaking Canada. She also talks about the current political situation in Quebec, and compares French-Canadian and American culture.

■

Tout d'abord, un peu d'histoire personnelle. Où êtes-vous née? Quelles études avez-vous suivies? Quel travail avez-vous fait avant d'arriver à votre poste actuel de directrice du Journal Français d'Amérique?

Je suis d'origine canadienne, née à Montréal. J'ai fait presque toutes mes études au Canada, avec l'intention de devenir professeur, ce que j'ai fait pendant plusieurs années. J'ai également fait des manuels scolaires,° ce sont eux qui m'ont conduite au journalisme. Cela fait presque douze ans que je suis au *Journal Français d'Amérique* et j'ai cessé d'enseigner il y a plus de huit ans.

manuels... livres de classe

Parlons un peu du bilinguisme au Canada où le français et l'anglais co-existent, non sans difficultés. Pourriez-vous nous parler un peu des deux langues, des tensions qu'elles ont produites dans votre enfance?

C'est une question importante. Je vais d'abord en parler à un niveau strictement personnel, ensuite nous pourrons aller plus loin. Je suis née dans une famille francophone, nous parlions français à la maison. Mes parents, quand nous étions très petits, ont voulu nous enseigner un peu d'anglais. Nous apprenions quelques mots, mais nous n'étions pas en fait de très bons élèves. Comme nous nous exprimions toujours en français, nous n'étions pas du tout conscients du fait qu'il serait utile de parler une autre langue.

Cela a changé quand j'avais neuf ans. Nous avons alors quitté un quartier totalement francophone pour emménager° dans un quartier bi- *to move into* lingue, «La côte des neiges», à Montréal. Un an après notre installation dans ce quartier, mes parents ont décidé de m'envoyer à l'école anglaise. La transition a été alors très abrupte car c'est non seulement un change- ment de langue mais aussi un changement de mentalité. A l'époque, mes professeurs étaient des religieuses° alors que l'école anglophone était com- *nuns* plètement laïque.° L'attitude et la discipline étaient très différentes. J'ai *mot ap.* suivi des études en anglais jusqu'à l'université et à la maison nous conti- nuions à parler français

Et l'on comprend les frustrations que cela peut causer; on se dit: «Ce n'est pas juste, je suis francophone dans une province où 80% des gens sont francophones et moi, je dois parler anglais pour gagner ma vie, tandis que les autres, la minorité de 20%, n'a pas à faire d'efforts».

Cela situe le contexte des années 65, période marquée par le début de grandes tensions et revendications,° assez violentes parfois. On mettait des *protestations* bombes dans les boîtes aux lettres, des groupes terroristes s'étaient formés. On peut comprendre la colère des Canadiens français—à l'époque, ils se définissaient comme tels—et leur frustration face à une telle injustice.

De nos jours, quelle est la situation des francophones au Québec et dans les autres provinces du Canada? Parle-t-on toujours du Québec libre?

Non. Vous savez, il y a quelques années, il y a eu un référendum au Québec. Je vais revenir un peu en arrière. J'ai fait allusion à des manifestations violentes dans les années 60, mais il y a eu très peu de violence en fait. On a appelé la révolution du Québec «La révolution tranquille». Il n'y a pas eu de guerre civile. Les manifestations ont été relativement calmes dans le contexte d'une révolution. Mais ce qui s'est passé, et qui est beaucoup plus important, c'est la prise de conscience de la part des gens que quelque chose devait changer, que ce n'était pas juste. Et qu'il fallait, nous, Cana- diens français, prendre notre avenir en main. Les mots d'ordre à l'époque étaient: «Être maîtres chez nous».

Il y a eu l'arrivée au pouvoir du Parti québécois qui avait promis pendant la campagne électorale l'indépendance du Québec. Ils ont travaillé à cela pendant plusieurs années. Mais quand le moment est venu de demander aux gens: «Voulez-vous que le Québec soit indépendant?», ils ont dit non. Cela a fermé la parenthèse, ce qui ne veut pas dire que les gens n'ont pas acquis° énormément de choses. *obtenu*

Maintenant, les Canadiens français se définissent en tant que Québécois. Ce ne sont pas des Canadiens qui parlent français, ce sont des Québécois qui sont fiers de leur identité. Toutes ces transformations dans la vie sociale et éducative du Québec ont porté leurs fruits. Maintenant, on peut faire en français au Québec, les Anglais parlent français ou dans le cas contraire quittent le Québec.

Les nouveaux immigrants savent qu'ils vont faire leur vie en français au Québec. Mais au plaisir de parler la langue s'ajoute le plaisir de s'ouvrir sur l'Amérique et sur le monde. Prenez la situation du tiers monde: il est très souvent francophone, beaucoup de pays africains sont francophones. Ces gens ont besoin de l'expérience et de l'assistance technique nord-américaine. A qui vont-ils s'adresser? Aux Américains, qui ne parlent pas français? Non, ils vont se tourner vers les Québécois qui sont des Nord-Américains. Ils ont les traditions, les coutumes et l'esprit pragmatique des Américains, mais ils s'expriment en français. Il n'y a plus besoin de revendications, il n'y a plus besoin de dire: «Je refuse de parler anglais, car c'est la langue de l'ennemi». Les jeunes parlent anglais mais cela ne change en rien leur identité francophone et je trouve que cela est une évolution merveilleuse de ces vingt dernières années.

Pouvez-vous comparer le degré d'américanisation en France et au Québec?

Disons qu'il n'y a pas de comparaison parce que le Québec est américain, il n'y a donc pas d'américanisation du Québec. Au Québec, nous sommes des Américains qui parlons le français. En fait, un Américain qui va à Montréal et au Québec ne voit aucune différence dans la façon de manger, de s'habiller, même dans les systèmes scolaires. Il n'y a pas de différences fondamentales dans les structures sociales, ni dans les habitudes. Au Québec, vous allez manger du «poulet frit à la Kentucky», on ne vous fera pas manger des escargots ou des cuisses de grenouilles.

Cela dit,° il reste des façons latines d'agir, de penser, ce que l'on appelle la joie de vivre et je pense que cela a un fondement. Gilles Vigneault dit: «Mon peuple est un peuple de causerie». C'est vrai. Les Québécois aiment se retrouver, aiment parler, discuter. Donc de ce côté-là ils sont plus français qu'américains.

La France est un phénomène plus complexe. Depuis quelques années, l'Amérique est à la mode en France. En France, vous allez rencontrer des gens qui vont se faire un point d'honneur° à vous dire: «Je pense à l'américaine, je fonctionne à l'américaine, je comprends les Américains et j'aime beaucoup leur façon de penser et je m'identifie à eux». Qu'est-ce que cela veut dire pour eux? Je pense que c'est avoir une approche pragmatique de la vie, c'est-à-dire avoir les pieds sur terre, ne pas être rêveur. Cela veut dire être actif, dynamique. Créer, fonder. Ça, c'est la mode en France. De plus en plus de petites entreprises, de nouvelles publications s'adressent aux nouveaux patrons et cela va dans le sens du contexte américain.

se... *to make it a point of honor*

■ *Avez-vous compris?*

A. Complétez.

1. Marie Galanti est née à _____. 2. Jusqu'à l'âge de neuf ans Marie Galanti a parlé surtout _____. 3. Au Québec, _____% des gens sont francophones. 4. Dans les années 60 il y a eu des _____. 5. Dans les années 60, ceux qui parlaient français au Québec se nommaient _____. Aujourd'hui, ils se nomment _____. 6. Pendant sa campagne électorale, le Parti québécois avait promis _____ du Québec. Mais au moment de l'élection les Québécois ont voté _____. 7. Marie Galanti dit que les Québécois peuvent offrir de l'assistance technique aux pays _____ africains.

B. Décrivez le rôle de l'anglais et du français dans la vie de Marie Galanti. A quelle époque ne parlait-elle que le français? Quand a-t-elle appris l'anglais?

C. Expliquez le sentiment d'injustice que les Canadiens français ont ressenti pendant les années 60.

D. Quelles différences et similarités Marie Galanti mentionne-t-elle entre le Québec et la France?

■ *Et vous?*

1. Les Québécois ont lutté pour leurs droits comme l'ont fait bien d'autres groupes minoritaires. Parlez d'une minorité qui vous est familière, et dites quelle était la situation de ses membres. Qu'est-ce qu'ils ont fait pour la changer? Ont-ils réussi? Que pensez-vous des moyens qui ont été employés pour effectuer un changement?

2. **En groupes de deux.** Imaginez que vous êtes un adolescent (une adolescente) francophone à Montréal pendant les années 60. Décrivez votre vie à un cousin français (une cousine française). Il/elle va poser plusieurs questions pour bien comprendre ce que vous dites.

3. Le Parti québécois a proposé un Québec libre, mais le peuple a voté «non». Très souvent, des minorités imaginent une vie meilleure dans la séparation. Quels seraient les avantages et les inconvénients d'un Québec séparé du reste du Canada?

Conjugaisons des verbes

NOTE: Examples of English equivalents are given for the regular verb forms in this appendix. They can be misleading if taken out of context. Remember, for example, that the English auxiliary verb *would* can be expressed by the French **imparfait** or the **conditionnel.** Consult the relevant grammar sections.

The left-hand column of each chart contains the infinitive, participles, and (in parentheses) the auxiliary verb necessary to form the perfect tenses. Complete conjugations (including compound tenses) are modeled for regular verbs, verbs conjugated with **être,** and pronominal verbs (Sections I, II, III, and IV). Irregular verb conjugations (Section V) do not include compound tenses, since these can be generated from the models given in the previous sections and the past participle listed with each irregular verb.

I. Verbes réguliers: temps simples

1ᵉʳ Groupe

Infinitif et participes

parler (*to speak*)
parlé *spoken*
parlant *speaking*
ayant parlé *having spoken*
(avoir)

Indicatif

PRÉSENT	IMPARFAIT	FUTUR SIMPLE
je parle	je parlais	je parlerai
tu parles	tu parlais	tu parleras
il parle	il parlait	il parlera
nous parlons	nous parlions	nous parlerons
vous parlez	vous parlez	vous parlerez
ils parlent	ils parlaient	ils parleront

(I speak / do speak / am speaking / have been speaking; you speak; etc.)

(I spoke / was speaking / used to speak / would speak / had been speaking; you spoke; etc.)

(I will / shall speak; you will / shall speak; etc.)

Passé simple

je parlai
tu parlas
il parla
nous parlâmes
vous parlâtes
ils parlèrent

(I spoke / have spoken / did speak; you spoke; etc.)

Conditionnel

PRÉSENT
je parlerais
tu parlerais
il parlerait
nous parlerions
vous parleriez
ils parleraient

(I would speak; you would speak; etc.)

Impératif

parle *speak*
parlons *let's speak*
parlez *speak*

Subjonctif

PRÉSENT
que je parle
que tu parles
qu' il parle
que nous parlions
que vous parliez
qu' ils parlent

([that] I speak / do speak / will speak / would speak / [for] me to speak; [that] you speak; etc.)

2ᵉ groupe

Infinitif et participes

finir (*to finish*)
fini
finissant
ayant fini
(avoir)

Indicatif

PRÉSENT	IMPARFAIT	FUTUR SIMPLE	Conditionnel PRÉSENT	Passé simple
je finis	je finissais	je finirai	je finirais	je finis
tu finis	tu finissais	tu finiras	tu finirais	tu finis
il finit	il finissait	il finira	il finirait	il finit
nous finissons	nous finissions	nous finirons	nous finirions	nous finîmes
vous finissez	vous finissiez	vous finirez	vous finiriez	vous finîtes
ils finissent	ils finissaient	ils finiront	ils finiraient	ils finirent

Impératif

finis
finissons
finissez

Subjonctif

PRÉSENT
que je finisse
que tu finisses
qu' il finisse
que nous finissions
que vous finissiez
qu' ils finissent

3ᵉ groupe

Infinitif et participes

rendre (*to return, give back*)
rendu
rendant
ayant rendu
(avoir)

Indicatif

PRÉSENT	IMPARFAIT	FUTUR SIMPLE	Conditionnel PRÉSENT	Passé simple
je rends	je rendais	je rendrai	je rendrais	je rendis
tu rends	tu rendais	tu rendras	tu rendrais	tu rendis
il rend	il rendait	il rendra	il rendrait	il rendit
nous rendons	nous rendions	nous rendrons	nous rendrions	nous rendîmes
vous rendez	vous rendiez	vous rendrez	vous rendriez	vous rendîtes
ils rendent	ils rendaient	ils rendront	ils rendraient	ils rendirent

Impératif

rends
rendons
rendez

Subjonctif

PRÉSENT
que je rende
que tu rendes
qu' il rende
que nous rendions
que vous rendiez
qu' ils rendent

II. Verbes conjugués avec *avoir* aux temps composés

Indicatif

PASSÉ COMPOSÉ		PLUS-QUE-PARFAIT		FUTUR ANTÉRIEUR	
j'ai		j'avais		j'aurai	
tu as	parlé	tu avais	parlé	tu auras	parlé
il a	fini	il avait	fini	il aura	fini
nous avons	rendu	nous avions	rendu	nous aurons	rendu
vous avez		vous aviez		vous aurez	
ils ont		ils avaient		ils auront	

(I spoke / did speak / have spoken; you spoke; etc.)   *(I had spoken; you had spoken; etc.)*   *(I shall/will have spoken; you shall/will have spoken; etc.)*

Conditionnel		Subjonctif		
PASSÉ		PASSÉ		
j'aurais		que j'aie		
tu aurais	parlé	que tu aies		parlé
il aurait	fini	qu' il ait		fini
nous aurions	rendu	que nous ayons		rendu
vous auriez		que vous ayez		
ils auraient		qu' ils aient		

(I would have spoken; you would have spoken; etc.)   *([that] I spoke / did speak / have spoken; [that] you spoke; etc.)*

III. Verbes conjugués avec *être* aux temps composés

Indicatif		
PASSÉ COMPOSÉ	PLUS-QUE-PARFAIT	FUTUR ANTÉRIEUR
suis entré(e)	étais entré(e)	serai entré(e)
es entré(e)	étais entré(e)	seras entré(e)
est entré(e)	était entré(e)	sera entré(e)
sommes entré(e)s	étions entré(e)s	serons entré(e)s
êtes entré(e)(s)	étiez entré(e)(s)	serez entré(e)(s)
sont entré(e)s	étaient entré(e)s	seront entré(e)s

Conditionnel	Subjonctif
PASSÉ	PASSÉ
serais entré(e)	sois entré(e)
serais entré(e)	sois entré(e)
serait entré(e)	soit entré(e)
serions entré(e)s	soyons entré(e)s
seriez entré(e)(s)	soyez entré(e)(s)
seraient entré(e)s	soient entré(e)s

IV. Verbes pronominaux aux temps simples et aux temps composés

Infinitif et participes	Indicatif	Conditionnel	Impératif	Subjonctif
se laver (*to wash oneself*) se lavant lavé(e)(s) lavé (être)	**PRÉSENT** me lave / te laves / se lave / nous lavons / vous lavez / se lavent	**PRÉSENT** me laverais / te laverais / se laverait / nous laverions / vous laveriez / se laveraient	lave-toi lavons-nous lavez-vous	**PRÉSENT** me lave / te laves / se lave / nous lavions / vous laviez / se lavent
	IMPARFAIT me lavais / te lavais / se lavait / nous lavions / vous laviez / se lavaient			
	FUTUR SIMPLE me laverai / te laveras / se lavera / nous laverons / vous laverez / se laveront	**FUTUR ANTÉRIEUR** me serai lavé(e) / te seras lavé(e) / se sera lavé(e) / nous serons lavé(e)s / vous serez lavé(e)(s) / se seront lavé(e)s		
	PASSÉ COMPOSÉ me suis lavé(e) / t'es lavé(e) / s'est lavé(e) / nous sommes lavé(e)s / vous êtes lavé(e)(s) / se sont lavé(e)s	**PASSÉ** me serais lavé(e) / te serais lavé(e) / se serait lavé(e) / nous serions lavé(e)s / vous seriez lavé(e)(s) / se seraient lavé(e)s		**PASSÉ** me sois lavé(e) / te sois lavé(e) / se soit lavé(e) / nous soyons lavé(e)s / vous soyez lavé(e)(s) / se soient lavé(e)s
	PLUS-QUE-PARFAIT m'étais lavé(e) / t'étais lavé(e) / s'était lavé(e) / nous étions lavé(e)s / vous étiez lavé(e)(s) / s'étaient lavé(e)s			

Passé simple

me lavai
te lavas
se lava
nous lavâmes
vous lavâtes
se lavèrent

V. Verbes irréguliers

accueillir	conduire	cueillir	être	mettre	pleuvoir	rire	valoir
aller	connaître	devoir	faire	mourir	pouvoir	savoir	venir
s'asseoir	conquérir	dire	falloir	ouvrir	prendre	suivre	vivre
avoir	courir	dormir	fuir	partir	recevoir	tenir	voir
battre	craindre	écrire	lire	plaire	résoudre	vaincre	vouloir
boire	croire	envoyer					

Infinitif et participes	Indicatif PRÉSENT	IMPARFAIT	FUTUR SIMPLE	Conditionnel PRÉSENT	Impératif	Subjonctif PRÉSENT	Passé simple
accueillir (to welcome) accueilli accueillant (avoir)	accueille accueilles accueille accueillons accueillez accueillent	accueillais accueillais accueillait accueillions accueilliez accueillaient	accueillerai accueilleras accueillera accueillerons accueillerez accueilleront	accueillerais accueillerais accueillerait accueillerions accueilleriez accueilleraient	accueille accueillons accueillez	accueille accueilles accueille accueillions accueilliez accueillent	accueillis accueillis accueillit accueillîmes accueillîtes accueillirent
aller (to go) allé allant (être)	vais vas va allons allez vont	allais allais allait allions alliez allaient	irai iras ira irons irez iront	irais irais irait irions iriez iraient	va allons allez	aille ailles aille allions alliez aillent	allai allas alla allâmes allâtes allèrent
s'asseoir* (to sit down) assis asseyant (être)	m'assieds t'assieds s'assied nous asseyons vous asseyez s'asseyent	m'asseyais t'asseyais s'asseyait nous asseyions vous asseyiez s'asseyaient	m'assiérai t'assiéras s'assiéra nous assiérons vous assiérez s'assiéront	m'assiérais t'assiérais s'assiérait nous assiérions vous assiériez s'assiéraient	assieds-toi asseyons-nous asseyez-vous	m'asseye t'asseyes s'asseye nous asseyions vous asseyiez s'asseyent	m'assis t'assis s'assit nous assîmes vous assîtes s'assirent
avoir (to have) eu ayant (avoir)	ai as a avons avez ont	avais avais avait avions aviez avaient	aurai auras aura aurons aurez auront	aurais aurais aurait aurions auriez auraient	aie ayons ayez	aie aies ait ayons ayez aient	eus eus eut eûmes eûtes eurent
battre (to beat) battu battant (avoir)	bats bats bat battons battez battent	battais battais battait battions battiez battaient	battrai battras battra battrons battrez battront	battrais battrais battrait battrions battriez battraient	bats battons battez	batte battes batte battions battiez battent	battis battis battit battîmes battîtes battirent
boire (to drink) bu buvant (avoir)	bois bois boit buvons buvez boivent	buvais buvais buvait buvions buviez buvaient	boirai boiras boira boirons boirez boiront	boirais boirais boirait boirions boiriez boiraient	bois buvons buvez	boive boives boive buvions buviez boivent	bus bus but bûmes bûtes burent

* *Alternate conjugation of **s'asseoir** in the present tense:* assois, assois, assoit, assoyons, assoyez, assoient.

Infinitif et participes	Indicatif PRÉSENT	IMPARFAIT	FUTUR SIMPLE	Conditionnel PRÉSENT	Impératif	Subjonctif PRÉSENT	Passé simple
conduire (to lead) conduit conduisant (avoir)	conduis conduis conduit conduisons conduisez conduisent	conduisais conduisais conduisait conduisions conduisiez conduisaient	conduirai conduiras conduira conduirons conduirez conduiront	conduirais conduirais conduirait conduirions conduiriez conduiraient	conduis conduisons conduisez	conduise conduises conduise conduisions conduisiez conduisent	conduisis conduisis conduisit conduisîmes conduisîtes conduisirent
connaître (to be acquainted) connu connaissant (avoir)	connais connais connaît connaissons connaissez connaissent	connaissais connaissais connaissait connaissions connaissiez connaissaient	connaîtrai connaîtras connaîtra connaîtrons connaîtrez connaîtront	connaîtrais connaîtrais connaîtrait connaîtrions connaîtriez connaîtraient	connais connaissons connaissez	connaisse connaisses connaisse connaissions connaissiez connaissent	connus connus connut connûmes connûtes connurent
conquérir (to conquer) conquis conquérant (avoir)	conquiers conquiers conquiert conquérons conquérez conquièrent	conquérais conquérais conquérait conquérions conquériez conquéraient	conquerrai conquerras conquerra conquerrons conquerrez conquerront	conquerrais conquerrais conquerrait conquerrions conquerriez conquerraient	conquiers conquérons conquérez	conquière conquières conquière conquérions conquériez conquièrent	conquis conquis conquit conquîmes conquîtes conquirent
courir (to run) couru courant (avoir)	cours cours court courons courez courent	courais courais courait courions couriez couraient	courrai courras courra courrons courrez courront	courrais courrais courrait courrions courriez courraient	cours courons courez	coure coures coure courions couriez courent	courus courus courut courûmes courûtes coururent
craindre (to fear) craint craignant (avoir)	crains crains craint craignons craignez craignent	craignais craignais craignait craignions craigniez craignaient	craindrai craindras craindra craindrons craindrez craindront	craindrais craindrais craindrait craindrions craindriez craindraient	crains craignons craignez	craigne craignes craigne craignions craigniez craignent	craignis craignis craignit craignîmes craignîtes craignirent
croire (to believe) cru croyant (avoir)	crois crois croit croyons croyez croient	croyais croyais croyait croyions croyiez croyaient	croirai croiras croira croirons croirez croiront	croirais croirais croirait croirions croiriez croiraient	crois croyons croyez	croie croies croie croyions croyiez croient	crus crus crut crûmes crûtes crurent
cueillir (to pick) cueilli cueillant (avoir)	cueille cueilles cueille cueillons cueillez cueillent	cueillais cueillais cueillait cueillions cueilliez cueillaient	cueillerai cueilleras cueillera cueillerons cueillerez cueilleront	cueillerais cueillerais cueillerait cueillerions cueilleriez cueilleraient	cueille cueillons cueillez	cueille cueilles cueille cueillions cueilliez cueillent	cueillis cueillis cueillit cueillîmes cueillîtes cueillirent

Infinitif / Participes	Présent	Imparfait	Passé simple	Futur	Conditionnel	Subjonctif	Impératif
devoir (to have to, to owe) — dû, devant, (avoir)	dois, dois, doit, devons, devez, doivent	devais, devais, devait, devions, deviez, devaient	dus, dus, dut, dûmes, dûtes, durent	devrai, devras, devra, devrons, devrez, devront	devrais, devrais, devrait, devrions, devriez, devraient	doive, doives, doive, devions, deviez, doivent	dois, devons, devez
dire (to say, tell) — dit, disant, (avoir)	dis, dis, dit, disons, dites, disent	disais, disais, disait, disions, disiez, disaient	dis, dis, dit, dîmes, dîtes, dirent	dirai, diras, dira, dirons, direz, diront	dirais, dirais, dirait, dirions, diriez, diraient	dise, dises, dise, disions, disiez, disent	dis, disons, dites
dormir (to sleep) — dormi, dormant, (avoir)	dors, dors, dort, dormons, dormez, dorment	dormais, dormais, dormait, dormions, dormiez, dormaient	dormis, dormis, dormit, dormîmes, dormîtes, dormirent	dormirai, dormiras, dormira, dormirons, dormirez, dormiront	dormirais, dormirais, dormirait, dormirions, dormiriez, dormiraient	dorme, dormes, dorme, dormions, dormiez, dorment	dors, dormons, dormez
écrire (to write) — écrit, écrivant, (avoir)	écris, écris, écrit, écrivons, écrivez, écrivent	écrivais, écrivais, écrivait, écrivions, écriviez, écrivaient	écrivis, écrivis, écrivit, écrivîmes, écrivîtes, écrivirent	écrirai, écriras, écrira, écrirons, écrirez, écriront	écrirais, écrirais, écrirait, écririons, écririez, écriraient	écrive, écrives, écrive, écrivions, écriviez, écrivent	écris, écrivons, écrivez
envoyer (to send) — envoyé, envoyant, (avoir)	envoie, envoies, envoie, envoyons, envoyez, envoient	envoyais, envoyais, envoyait, envoyions, envoyiez, envoyaient	envoyai, envoyas, envoya, envoyâmes, envoyâtes, envoyèrent	enverrai, enverras, enverra, enverrons, enverrez, enverront	enverrais, enverrais, enverrait, enverrions, enverriez, enverraient	envoie, envoies, envoie, envoyions, envoyiez, envoient	envoie, envoyons, envoyez
être (to be) — été, étant, (avoir)	suis, es, est, sommes, êtes, sont	étais, étais, était, étions, étiez, étaient	fus, fus, fut, fûmes, fûtes, furent	serai, seras, sera, serons, serez, seront	serais, serais, serait, serions, seriez, seraient	sois, sois, soit, soyons, soyez, soient	sois, soyons, soyez
faire (to do, make) — fait, faisant, (avoir)	fais, fais, fait, faisons, faites, font	faisais, faisais, faisait, faisions, faisiez, faisaient	fis, fis, fit, fîmes, fîtes, firent	ferai, feras, fera, ferons, ferez, feront	ferais, ferais, ferait, ferions, feriez, feraient	fasse, fasses, fasse, fassions, fassiez, fassent	fais, faisons, faites
falloir (to be necessary) — fallu, (avoir)	il faut	il fallait	il fallut	il faudra	il faudrait	il faille	

Infinitif et participes	Indicatif PRÉSENT	IMPARFAIT	FUTUR SIMPLE	Conditionnel PRÉSENT	Impératif	Subjonctif PRÉSENT	Passé simple
fuir (*to flee*) fui fuyant (avoir)	fuis fuis fuit fuyons fuyez fuient	fuyais fuyais fuyait fuyions fuyiez fuyaient	fuirai fuiras fuira fuirons fuirez fuiront	fuirais fuirais fuirait fuirions fuiriez fuiraient	fuis fuyons fuyez	fuie fuies fuie fuyions fuyiez fuient	fuis fuis fuit fuîmes fuîtes fuirent
lire (*to read*) lu lisant (avoir)	lis lis lit lisons lisez lisent	lisais lisais lisait lisions lisiez lisaient	lirai liras lira lirons lirez liront	lirais lirais lirait lirions liriez liraient	lis lisons lisez	lise lises lise lisions lisiez lisent	lus lus lut lûmes lûtes lurent
mettre (*to put*) mis mettant (avoir)	mets mets met mettons mettez mettent	mettais mettais mettait mettions mettiez mettaient	mettrai mettras mettra mettrons mettrez mettront	mettrais mettrais mettrait mettrions mettriez mettraient	mets mettons mettez	mette mettes mette mettions mettiez mettent	mis mis mit mîmes mîtes mirent
mourir (*to die*) mort mourant (être)	meurs meurs meurt mourons mourez meurent	mourais mourais mourait mourions mouriez mouraient	mourrai mourras mourra mourrons mourrez mourront	mourrais mourrais mourrait mourrions mourriez mourraient	meurs mourons mourez	meure meures meure mourions mouriez meurent	mourus mourus mourut mourûmes mourûtes moururent
ouvrir (*to open*) ouvert ouvrant (avoir)	ouvre ouvres ouvre ouvrons ouvrez ouvrent	ouvrais ouvrais ouvrait ouvrions ouvriez ouvraient	ouvrirai ouvriras ouvrira ouvrirons ouvrirez ouvriront	ouvrirais ouvrirais ouvrirait ouvririons ouvririez ouvriraient	ouvre ouvrons ouvrez	ouvre ouvres ouvre ouvrions ouvriez ouvrent	ouvris ouvris ouvrit ouvrîmes ouvrîtes ouvrirent
partir (*to leave*) parti partant (être)	pars pars part partons partez partent	partais partais partait partions partiez partaient	partirai partiras partira partirons partirez partiront	partirais partirais partirait partirions partiriez partiraient	pars partons partez	parte partes parte partions partiez partent	partis partis partit partîmes partîtes partirent
plaire (*to please*) plu plaisant (avoir)	plais plais plaît plaisons plaisez plaisent	plaisais plaisais plaisait plaisions plaisiez plaisaient	plairai plairas plaira plairons plairez plairont	plairais plairais plairait plairions plairiez plairaient	plais plaisons plaisez	plaise plaises plaise plaisions plaisiez plaisent	plus plus plut plûmes plûtes plurent

Infinitive	il pleut	il pleuvait	il pleuvra	il pleuvrait		il pleuve	il plut
pleuvoir (*to rain*)	il pleut	il pleuvait	il pleuvra	il pleuvrait		il pleuve	il plut
plu							
pleuvant							
(avoir)							
pouvoir (*to be able*)	peux, puis	pouvais	pourrai	pourrais		puisse	pus
	peux	pouvais	pourras	pourrais		puisses	pus
pu	peut	pouvait	pourra	pourrait		puisse	put
pouvant	pouvons	pouvions	pourrons	pourrions		puissions	pûmes
(avoir)	pouvez	pouviez	pourrez	pourriez		puissiez	pûtes
	peuvent	pouvaient	pourront	pourraient		puissent	purent
prendre (*to take*)	prends	prenais	prendrai	prendrais		prenne	pris
	prends	prenais	prendras	prendrais	prends	prennes	pris
pris	prend	prenait	prendra	prendrait		prenne	prit
prenant	prenons	prenions	prendrons	prendrions	prenons	prenions	prîmes
(avoir)	prenez	preniez	prendrez	prendriez	prenez	preniez	prîtes
	prennent	prenaient	prendront	prendraient		prennent	prirent
recevoir (*to receive*)	reçois	recevais	recevrai	recevrais		reçoive	reçus
	reçois	recevais	recevras	recevrais	reçois	reçoives	reçus
reçu	reçoit	recevait	recevra	recevrait		reçoive	reçut
recevant	recevons	recevions	recevrons	recevrions	recevons	recevions	reçûmes
(avoir)	recevez	receviez	recevrez	recevriez	recevez	receviez	reçûtes
	reçoivent	recevaient	recevront	recevraient		reçoivent	reçurent
résoudre (*to resolve, to solve*)	résous	résolvais	résoudrai	résoudrais		résolve	résolus
	résous	résolvais	résoudras	résoudrais	résous	résolves	résolus
résolu	résout	résolvait	résoudra	résoudrait		résolve	résolut
résolvant	résolvons	résolvions	résoudrons	résoudrions	résolvons	résolvions	résolûmes
(avoir)	résolvez	résolviez	résoudrez	résoudriez	résolvez	résolviez	résolûtes
	résolvent	résolvaient	résoudront	résoudraient		résolvent	résolurent
rire (*to laugh*)	ris	riais	rirai	rirais		rie	ris
	ris	riais	riras	rirais	ris	ries	ris
ri	rit	riait	rira	rirait		rie	rit
riant	rions	riions	rirons	ririons	rions	riions	rîmes
(avoir)	riez	riiez	rirez	ririez	riez	riiez	rîtes
	rient	riaient	riront	riraient		rient	rirent
savoir (*to know*)	sais	savais	saurai	saurais		sache	sus
	sais	savais	sauras	saurais	sache	saches	sus
su	sait	savait	saura	saurait		sache	sut
sachant	savons	savions	saurons	saurions	sachons	sachions	sûmes
(avoir)	savez	saviez	saurez	sauriez	sachez	sachiez	sûtes
	savent	savaient	sauront	sauraient		sachent	surent
suivre (*to follow*)	suis	suivais	suivrai	suivrais		suive	suivis
	suis	suivais	suivras	suivrais	suis	suives	suivis
suivi	suit	suivait	suivra	suivrait		suive	suivit
suivant	suivons	suivions	suivrons	suivrions	suivons	suivions	suivîmes
(avoir)	suivez	suiviez	suivrez	suivriez	suivez	suiviez	suivîtes
	suivent	suivaient	suivront	suivraient		suivent	suivirent

Infinitif et participes	Indicatif PRÉSENT	IMPARFAIT	FUTUR SIMPLE	Conditionnel PRÉSENT	Impératif	Subjonctif PRÉSENT	Passé simple
tenir (to hold, keep) tenu tenant (avoir)	tiens tiens tient tenons tenez tiennent	tenais tenais tenait tenions teniez tenaient	tiendrai tiendras tiendra tiendrons tiendrez tiendront	tiendrais tiendrais tiendrait tiendrions tiendriez tiendraient	tiens tenons tenez	tienne tiennes tienne tenions teniez tiennent	tins tins tint tînmes tîntes tinrent
vaincre (to beat) vaincu vainquant (avoir)	vaincs vaincs vainc vainquons vainquez vainquent	vainquais vainquais vainquait vainquions vainquiez vainquaient	vaincrai vaincras vaincra vaincrons vaincrez vaincront	vaincrais vaincrais vaincrait vaincrions vaincriez vaincraient	vaincs vainquons vainquez	vainque vainques vainque vainquions vainquiez vainquent	vainquis vainquis vainquit vainquîmes vainquîtes vainquirent
valoir (to be worth) valu valant (avoir)	vaux vaux vaut valons valez valent	valais valais valait valions valiez valaient	vaudrai vaudras vaudra vaudrons vaudrez vaudront	vaudrais vaudrais vaudrait vaudrions vaudriez vaudraient	vaux valons valez	vaille vailles vaille valions valiez vaillent	valus valus valut valûmes valûtes valurent
venir (to come) venu venant (être)	viens viens vient venons venez viennent	venais venais venait venions veniez venaient	viendrai viendras viendra viendrons viendrez viendront	viendrais viendrais viendrait viendrions viendriez viendraient	viens venons venez	vienne viennes vienne venions veniez viennent	vins vins vint vînmes vîntes vinrent
vivre (to live) vécu vivant (avoir)	vis vis vit vivons vivez vivent	vivais vivais vivait vivions viviez vivaient	vivrai vivras vivra vivrons vivrez vivront	vivrais vivrais vivrait vivrions vivriez vivraient	vis vivons vivez	vive vives vive vivions viviez vivent	vécus vécus vécut vécûmes vécûtes vécurent
voir (to see) vu voyant (avoir)	vois vois voit voyons voyez voient	voyais voyais voyait voyions voyiez voyaient	verrai verras verra verrons verrez verront	verrais verrais verrait verrions verriez verraient	vois voyons voyez	voie voies voie voyions voyiez voient	vis vis vit vîmes vîtes virent
vouloir (to wish, want) voulu voulant (avoir)	veux veux veut voulons voulez veulent	voulais voulais voulait voulions vouliez voulaient	voudrai voudras voudra voudrons voudrez voudront	voudrais voudrais voudrait voudrions voudriez voudraient	veuillez	veuille veuilles veuille voulions vouliez veuillent	voulus voulus voulut voulûmes voulûtes voulurent

496

Vocabulaire français-anglais

This vocabulary contains French words and expressions used in this book, with contextual meanings. Exact cognates and other recognizable words are not included. An asterisk (*) indicates words beginning with an aspirate **h**.

Abbreviations

ab.	abbreviation	*Gram.*	grammar term	*prep.*	preposition
adj.	adjective	*interj.*	interjection	*pron.*	pronoun
adv.	adverb	*intr.*	intransitive	*rel.*	relative
conj.	conjunction	*m.*	masculine	*sing.*	singular
f.	feminine	*pl.*	plural	*trans.*	transitive
fam.	familiar	*p.p.*	past participle	*sl.*	slang

A

abandonner to give up
l'**abattoir** (*m.*) slaughterhouse
l'**abeille** (*f.*) bee
abîmer to ruin
abolir to abolish
s'**abonner à** to subscribe
l'**abord** (*m.*) onset, surroundings; **d'abord** at first
l'**abricot** (*m.*) apricot
abrupt(e) (*adj.*) steep; gruff, brusque
absolu(e) (*adj.*) absolute
absorber to consume
abstrait(e) (*adj.*) abstract
académique (*adj.*) academic
accabler to overwhelm
accéder to accede; to gain access
accentuer to accentuate; to emphasize, to stress
accepter to accept
accompagner to accompany
accomplir to accomplish
l'**accord** (*m.*) agreement; **d'accord** all right; **se mettre d'accord** to reconcile, to come to an agreement
accorder to grant
l'**accouchement** (*m.*) delivery
accrocher to hang up; **s'accrocher** to get caught
accueillir to welcome

l'**achat** (*m.*) purchase
acheter to buy
l'**acompte** (*m.*) deposit, down payment
acquis(e) (*adj.*) acquired
l'**acte** (*m.*) act
l'**acteur (-trice)** actor (actress)
actif (-ive) (*adj.*) active
l'**action** (*f.*) action; share of stock
l'**activité** (*f.*) activity
actuel(le) (*adj.*) present, of the present time
actuellement (*adv.*) now, at the present time
l'**addition** (*f.*) bill (in a restaurant)
admettre to admit
admirer to admire
adorer to adore, to worship
l'**adresse** (*f.*) address; dexterity
s'**adresser à** to speak to, to appeal to
adroit(e) (*adj.*) dexterous
l'**adversaire** (*m.,f.*) opponent, adversary
aérien(ne) (*adj.*) aerial; la **compagnie aérienne** airline
l'**aérobique** (*f.*) aerobics
l'**aéroport** (*m.*) airport
affaiblir to weaken
l'**affaire** (*f.*) affair, business matter; les **affaires** (*f.pl.*) belongings
affectueux (-euse) (*adj.*) affectionate

l'**affiche** (*f.*) poster
d'**affilée** (*adv.*) in a row; at a stretch
affiné(e) (*adj.*) refined
affirmatif (-ive) (*adj.*) affirmative
affirmer to affirm, to assert
affranchir to free
affrété(e) (*adj.*) chartered
affreux (-euse) (*adj.*) horrible
afin, afin de (*prep.*) to, in order to; **afin que** (*conj.*) so, so that
africain(e) (*adj.*) African
l'**Africain(e)** African
l'**Afrique** (*f.*) Africa
agacer to annoy; to irritate
l'**âge** (*m.*) age, years, epoch; **le moyen âge** the Middle Ages
âgé(e) (*adj.*) aged, old, elderly
l'**agence** (*f.*) agency; l'**agence de voyage** travel agency
l'**agent** (*m.*) agent; l'**agent de police** police officer
agir to act
s'**agir de** to be a question of
l'**agneau** (*m.*) lamb
agréable (*adj.*) pleasant, nice, agreeable
l'**agrément** (*m.*) pleasure
agresser to attack
agricole (*adj.*) agricultural
agriculteur (-trice) cultivator, farmer
agripper to hold on tightly

ah bon? ah oui? really?

l'aide (*f.*) help, assistance; helper, assistant

aider to help

aie! ouch!

l'aïeul(e) (*m., f.*) ancestor

l'aigle (*m.*) eagle

aigre (*adj.*) sour

aiguiser to sharpen

l'ail (*m.*) garlic

l'aile (*f.*) wing

ailleurs (*adv.*) elsewhere; **d'ailleurs** (*adv.*) anyway; **par ailleurs** otherwise, besides

aimable (*adj.*) likeable, friendly

aimer to like, to love; **aimer mieux** to prefer

aîné(e) (*adj.*) older; **l'aîné(e)** oldest sibling

ainsi (*conj.*) thus, so, such as; **ainsi que** (*conj.*) as well as, in the same way as; **ainsi soit-il** so be it

l'air (*m.*) air, tune; **avoir l'air de** to seem, to look like; **en plein air** outdoors, in the open air

l'aise (*f.*) ease, comfort; **être à l'aise** to be at ease

ajouter to add

l'alchimie (*f.*) alchemy

l'alcool (*m.*) alcohol

alcoolisé(e) (*adj.*) alcoholic

alentour (*adv.*) around; **d'alentour** neighboring; **les alentours** (*m.pl.*) surroundings

l'Algérie (*f.*) Algeria

aligner to line up

l'aliment (*m.*) food

alimenter to feed, to supply

allégé(e) (*adj.*) lightened

l'allégresse (*f.*) gladness, cheerfulness

l'Allemagne (*f.*) Germany

allemand(e) (*adj.*) German

aller to go; **aller à la chasse** to go hunting; **aller à la pêche** to go fishing; **aller à l'université** to attend college; **aller de l'avant** to go forward; **aller en vacances** to go on vacation; **aller en ville** to go downtown; **aller et venir** to come and go; **aller tout droit** to go straight ahead; **l'aller simple** (*m.*) one way ticket; **l'aller et retour** (*m.*) round-trip ticket

allô hello (*phone greeting*)

allonger to lengthen

allumer to light, to turn on

l'allure (*f.*) speed; **à grande allure** quickly

alors (*adv.*) then, in that case, therefore; **alors que** (*conj.*) while; whereas

les Alpes (*f.pl.*) the Alps

l'alpinisme (*m.*) mountain climbing

amaigrissant(e) (*adj.*) thinning

l'amant(e) lover

l'amateur (*m.*) amateur, connoisseur

l'ambiance (*f.*) atmosphere, surroundings

ambitieux (-euse) (*adj.*) ambitious

l'âme (*f.*) soul

améliorer to improve

aménagé(e) (*adj.*) equipped

l'amende (*f.*) fine; **faire amende** to apologize

amener to bring

amer (amère) (*adj.*) bitter

américain(e) (*adj.*) American

l'Amérique (*f.*) America

l'amertume (*f.*) bitterness

l'ameublement (*m.*) furnishings

l'ami(e) friend; **petit(e) ami(e)** boy/girlfriend

l'amitié (*f.*) friendship

amollir to soften

l'amoncellement (*m.*) pile

l'amour (*m.*) love

amoureux (-euse) (*adj.*) in love with; **tomber amoureux (-euse) (de)** to fall in love (with)

amuser to entertain; **s'amuser** to have fun, to have a good time

l'an (*m.*) year; **un an à l'avance** a year ahead

analyser to analyze

l'ananas (*m.*) pineapple

l'ancêtre (*m.,f.*) ancestor

ancien(ne) (*adj.*) old, antique; former, ancient

l'ancienneté (*f.*) seniority

ancré(e) (*adj.*) anchored

l'âne (*m.*) donkey

l'anémie (*f.*) anemia

l'anesthésie (*f.*) anesthesia

anglais(e) (*adj.*) English

l'Angleterre (*f.*) England

l'anglophone (*m., f.*) English-speaking person

l'angoisse (*f.*) anguish

angoissé(e) (*adj.*) distressed

animé(e) (*adj.*) animated; **le dessin animé** cartoon

animer to animate

l'année (*f.*) year; **les années cinquante** the fifties; **Bonne Année!** Happy New Year! **au fil des années** down the years

l'anniversaire (*m.*) anniversary; birthday

l'annonce (*f.*) announcement; **la petite annonce** ad (*in the newspaper*)

annoncer to announce, declare

l'annuaire (*m.*) phone directory

annuel(le) (*adj.*) yearly

annuler to cancel

l'antenne (*f.*) antenna

antérieur(e) (*adj.*) anterior, previous

anticiper to anticipate, expect

les Antilles (*f.pl.*) West Indies

antipathique (*adj.*) unlikeable

l'antiquaire (*m., f.*) antique dealer

l'antonyme (*m.*) antonym

l'anxiété (*f.*) anxiety

anxieux (-euse) (*adj.*) anxious

apercevoir to perceive, notice; **s'apercevoir de** to become aware of

aperçu(e) (*p.p. of* **apercevoir**) noticed

l'apéritif (*m.*) before-dinner drink

aplatir to flatten

l'apogée (*f.*) apogee; climax, apex

apparaître to appear

l'appareil (*m.*) apparatus; **l'appareil ménager** (*m.*) appliance; **l'appareil-photo** (*m.*) camera

l'apparence (*f.*) appearance

apparenté(e) (*adj.*) related

l'appartement (*m.*) apartment

appartenir à to belong to

apparu (*p.p. of* **apparaître**) appeared

l'appel (*m.*) call; **appel au secours** call for help; **faire appel** to call on

appeler to call; **s'appeler** to be named

l'appendice (*m.*) appendix

appétisant(e) (*adj.*) appetizing

l'appétit (*m.*) appetite

l'application (*f.*) implementation

appliquer to apply

l'apport (*m.*) contribution

apporter to bring; to furnish

apprécier to appreciate, to value

apprendre to learn; to teach; **apprendre à** to learn how to

l'apprenti(e) apprentice

l'apprentissage (*m.*) apprenticeship

l'apprêt (*m.*) preparation

approcher to approach

approprié(e) (*adj.*) appropriate, proper, suitable

approuver to approve

approximativement (*adv.*) approximately

appuyer to press; **s'appuyer (sur)** to lean (on); **appuyer son opinion** to stress one's opinion

après (*prep.*) after; **après que** (*conj.*) after, when; **d'après** (*prep.*) according to

l'après-midi (*m.*) afternoon

arabe (*adj.*) Arabic;

l'Arabe (*m., f.*) Arab

l'araignée (*f.*) spider

l'arbre (*m.*) tree

l'arc (*m.*) bow

l'architecte (*m.*) architect

l'argent (*m.*) money; silver

argenté(e) (*adj.*) silvery

l'argot (*m.*) slang

aride (*m.,f.*) arrid, dry

l'arme (*f.*) weapon

armé(e) (*adj.*) armed

l'armée (*f.*) army; le **vol à main armée** armed robbery

l'armoire (*f.*) wardrobe, closet

arracher to pull (off, out)

l'arrangement (*m.*) arrangement; **l'arrangement des pièces** lay-out (of a dwelling)

arranger to arrange, to accommodate; **s'arranger à l'amiable** to settle a difference out of court

l'arrêt (*m.*) stop

arrêter to stop; to arrest; **s'arrêter de** to stop (oneself)

arrière (*adv.*) back; **faire marche arrière** to back up; **revenir en arrière** to go back; **une poche arrière** back pocket; **l'arrière-grand-parent** (*m.*) great grandparent

l'arrivée (*f.*) arrival

arriver to arrive, come; to happen; **arriver à** to manage to, to succeed in

l'arrondissement (*m.*) borough (division of Paris)

l'arrosage (*m.*) watering; **arrosage automatique** sprinkling system

arroser to water; to sprinkle

l'artère (*f.*) artery

l'artichaut (*m.*) artichoke

l'article (*m.*) article (in a newspaper); article (*Gram.*)

articuler to articulate

l'artisan(e) artisan, craftsperson

l'artiste (*m., f.*) artist

artistique (*adj.*) artistic

l'ascenseur (*m.*) elevator

l'Asie (*f.*) Asia; **asiatique** (*m., f.*) Asian

l'asile (*m.*) asylum

l'asperge (*f.*) asparagus

l'aspirateur (*m.*) vacuum cleaner; **aspirateur-traîneau** canister vacuum; **passer l'aspirateur** to vacuum

l'assaisonement (*m.*) seasoning

assaisoner to season

l'assaut (*m.*) assault

l'assemblée (*f.*) assembly; **l'Assemblée Nationale** the French National Assembly

asseoir to seat; **s'asseoir** to sit down

assez (*adv.*) enough; rather; quite; **en avoir assez** to have had enough

l'assiette (*f.*) plate

assimiler to assimilate

assis(e) (*adj.*) seated

assister à to attend

l'associé(e) associate, partner

associer to associate

assorti(e) (*adj.*) assorted, matching

l'assortiment (*m.*) assortment

s'assoupir to drop off to sleep

assouplir to limber up

assourdissant(e) (*adj.*) deafening

l'assurance (*f.*) assurance; insurance

assurément (*adv.*) assuredly

assurer to insure

l'astre (*m.*) star

astreindre to compel; to tie down; *subjonctif:* **astreigne; s'astreindre** to commit oneself to; **s'astreindre à un régime** *sévère* to keep to a strict diet

l'astronaute (*m., f.*) astronaut

l'atelier (*m.*) workshop; studio (*artistic*)

l'athée (*m., f.*) atheist

l'Atlantique (*m.*) the Atlantic Ocean

l'atmosphère (*f.*) atmosphere; feeling

l'atout (*m.*) advantage; trump (in cards)

l'attache (*f.*) limb

attacher to tie, to attach

attaquer to attack

atteindre to reach; to affect

l'attelage (*m.*) coach (*horse-drawn*); carriage (and horses)

attendant (*adj.*) waiting; **en attendant de** (*conj.*) while waiting to

attendre to wait; **s'attendre à** to expect

l'attendrissement (*m.*) pity; emotion

l'attentat (*m.*) terrorist attack

l'attente (*f.*) wait; expectation; **la salle d'attente** waiting room

attentif (-ive) (*adj.*) attentive

l'attention (*f.*) attention; **attention à** watch out for; **faire attention** to pay attention to

atterrir to land

attirant(e) (*adj.*) attractive

attirer to attract; to draw

attiser to fuel

l'attitude (*f.*) attitude

l'attrait (*m.*) attraction, lure; attractiveness; charm

attraper to catch

attribuer to attribute

l'aube (*f.*) dawn

l'auberge (*f.*) inn; **l'auberge de jeunesse** youth hostel

aucun(e) (*adj., pron.*) none; no one, not one, not any; anyone; any

aucunement (*adv.*) not at all, not in the least

l'audace (*f.*) audacity; **avoir l'audace de** to have the audacity to

l'augmentation (*f.*) increase; **l'augmentation de salaire** raise

augmenter to increase

auguste (*adj.*) august, solemn

aujourd'hui (*adv.*) today; nowadays

l'aune (*m.*) alder (*tree*)

auparavant (*adv.*) previously

auprès de (*prep.*) near to

aussi (*adv.*) also; so; consequently; **aussi... que** as . . . as

aussitôt (*conj.*) immediately, at

once, right then; **aussitôt que** as soon as

autant (*adv.*) as much, so much, as many, so many; **autant de** as many . . . as; **autant que** (*conj.*) as much as, as many as; **d'autant mieux** all the better; **d'autant plus** especially, particularly; **pour autant que** provided that

l'auteur (*m.*) author; perpetrator

l'autobus (*m.*) bus

l'autocar (*m.*) bus

l'auto-école (*f.*) driving school

automatique (*adj.*) automatic

l'automne (*m.*) autumn

l'autorisation (*f.*) authorization

autoriser to authorize; to allow

l'autorité (*f.*) authority

l'autoroute (*f.*) freeway

l'auto-stop (*m.*) hitchhiking; **faire de l'auto-stop** to hitchhike

autour de (*prep.*) around

autre (*adj., pron.*) other; another; **d'autre part** on the other hand; **en d'autres termes** in other words; **l'autre** (*m., f.*) the other; **les autres** the others, the rest; **rien d'autre** nothing else

autrefois (*adv.*) formerly; in the past

autrement (*adv.*) otherwise; **autrement dit** in other words

l'Autriche (*f.*) Austria

avaler to swallow

l'avance (*f.*) advance; **à l'avance** beforehand; **en avance** early

avancer to advance

avant (*adv.*) before (*time*); **avant** (*prep.*) before, in advance of; **avant de** (*prep.*) before; **avant que** (*conj.*) before; **aller de l'avant** to forge ahead

l'avantage (*m.*) advantage, benefit

avec (*prep.*) with

l'avenir (*m.*) future; **à l'avenir** in the future, henceforth

l'aventure (*f.*) adventure

l'aventurier (-ière) adventurer

l'averse (*f.*) rain shower

l'avertissement (*m.*) warning

l'avion (*m.*) airplane; **en avion** by plane

l'avis (*m.*) opinion; **à son avis** in his/her opinion

l'avocat(e) lawyer

avoir to have; **avoir affaire à** to deal with; **avoir (20) ans** to be (20) years old; **avoir beau** (+ *inf.*) to do (something) in vain; **avoir besoin de** to need; **avoir confiance** to have confidence; **avoir cours** to have (a) class; **avoir de la chance** to be lucky; **avoir de la peine** to have a problem, trouble; **avoir droit à** to be entitled to; **avoir du mal à** to have a hard time; **avoir du succès** to be successful; **avoir envie de** to feel like; to want to; **avoir faim** to be hungry; **avoir hâte** to be in a hurry, to be eager; **avoir honte** to be ashamed; **avoir horreur de** to hate; **avoir l'air de** to look like; **avoir l'appui** to have the support; **avoir l'audace** to have the audacity; **avoir la priorité** to have the right of way; **avoir le cafard** to be depressed, to have the blues; **avoir le mal de mer** to be seasick; **avoir le mal du pays** to be homesick; **avoir l'esprit borné (ouvert)** to be narrow- (open-) minded; **avoir le temps** to have the time; **avoir l'habitude de** to have the custom, habit; **avoir lieu** to take place; **avoir l'intention de** to have the intention; **avoir l'occasion de** to have the opportunity; **avoir mal à la tête** to have a headache; **avoir peur** to be afraid; **avoir rendez-vous** to have a date, appointment; **avoir sommeil** to be sleepy; **avoir tort** to be wrong

l'**avoir** (*m.*) holdings
l'**avortement** (*m.*) abortion
  avouer to confess; to admit
l'**azur** (*m.*) azure, blue; **la Côte d'Azur** the Riviera

B

le **bac** (*ab.*) baccalauréat
le **baccalauréat** baccalaureate
  bâcler to botch
les **bagages** (*m.pl.*) luggage
le **bagne** convict prison; forced labor
la **bagnole** (*sl.*) car
  bah (*interj.*) Bah!; Really?; Well!
  baigner to bathe; **se baigner** to bathe oneself
la **baignoire** bathtub
le **bain** bath
le **baisemain** kiss on the hand
la **baisse** decrease
  baisser to lower
le **bal** ball; dance
la **balade** stroll
le **balcon** balcony
  ballant(e) (*adj.*) dangling
la **balle** ball; **jouer à la balle** to play ball
le **ballon** large ball; balloon
la **banane** banana
le **banc** bench; **char à bancs** wagon
  bancaire (*adj.*) banking
la **bande** band; group; gang
  bander to blindfold; to bandage
la **banlieue** suburbs
  bannir to banish

la **banque** bank
le/la **banquier (-ière)** banker
  baptisé(e) (*adj.*) named
le **bar** seabass (*fish*); bar
la **baraque** barrack, hut, shed; (*fam.*) house
  barbare (*adj.*) barbaric, barbarous
la **barbe** beard
le **barrage** dam; barrage of gun fire
  bas(se) (*adj.*) low; **là-bas** over there
le **bas** stocking
  basané(e) (*adj.*) tanned, dark-skinned
la **base** base; basis
  baser to base
les **baskets** (*m.pl.*) tennis shoes
la **bataille** battle
le **bateau** boat
le **bâtiment** building
  bâtir to build
le **bâton** stick; pole
le **battement** beat; **battement d'aile** flutter
  battre to beat; **se battre** to fight
le **baume** balm
  bavard(e) (*adj.*) talkative
le **bavardage** talk, conversation, chat
  bavarder to chat; to talk
  BCBG (*ab.*) **bécébégé: bon chic bon genre** clothing and behavior fad
  bd. (*ab.*) **boulevard**
  béarnais (*adj.*) from the Béarn region
  beau (bel, belle, beaux, belles) (*adj.*) beautiful; handsome; **faire beau** to be nice outside
  beaucoup (*adv.*) much, many
le **beau-frère** brother-in-law
le **beau-père** father-in-law; stepfather
la **beauté** beauty
le **bébé** baby
le **bec** beak
la **belle-mère** mother-in-law
la **belle-sœur** sister-in-law
  ben (*fam.*) Well!
le **bénéfice** profit
  bénéficier to profit
  bénéfique (*adj.*) profitable, beneficient
  béni(e) (*adj.*) blessed
la **béquille** crutch
le/la **berbère** (*adj.*) Berber
le **berceau** cradle
la **berline** sedan
la **besogne** task
le **besoin** need; **avoir besoin de** to need
le **bêta** (*fam.*) silly person; stupid person
le **bétail** cattle
  bête (*adj.*) silly; stupid
la **bête** beast; animal
la **bêtise** foolishness; foolish thing
la **betterave** beet
le **beurre** butter

  beurrer to butter
le **bibelot** knickknack
la **bibliothèque** library
la **bicyclette** bicycle
le **bidon** can; drum
  bien (*adv.*) well, quite; **bien que** (*conj.*) although; **bien sûr** of course; **eh bien** well!; **ou bien** or else; **bien élevé(e)** well behaved; **bien en chair** plump; **bien entendu** of course; **bien se tenir** to behave; **être bien chez soi** to be comfortable at home; **tant bien que mal** somehow or other; **tout va bien** all is well
  bientôt (*adv.*) soon; **à bientôt!** see you soon!
  bienvenu(e) (*adj.*) welcome
la **bière** beer
le **bifteck** steak
le **bijou** jewel
le **bilan** statement of account; schedule of assets and liabilities; **faire le bilan** to take stock of
  bilingue (*adj.*) bilingual
la **bille** marble
le **billet** ticket
le **binage** hoeing
la **bineuse** hoeing machine
la **biologie** biology
le **biscuit** cookie
  bizarre (*adj.*) strange
la **blague** joke
  blâmer to blame
  blanc (blanche) (*adj.*) white
  blanchir to whiten
le **blé** wheat
  blême (*adj.*) pale
le/la **blessé(e)** wounded person
  blesser to wound; **se blesser** to hurt oneself
la **blessure** wound
  bleu(e) (*adj.*) blue; **bleu clair** light blue; **bleu marine** navy blue
le **bleu** blue cheese
le **bleu** bruise, contusion; **en bleus** in workclothes
  bleuir to make blue; to turn blue
  blinder to armor
  blond(e) (*adj.*) blond
  bloquant(e) blocking
  bloquer to block
  blotti(e) (*adj.*) nestled
le **blouson** jacket
le **bocage** grove
le **bœuf** beef; ox
  boire to drink; **boire un coup** to have a drink
le **bois** wood; forest
la **boisson** drink
la **boîte** box; can; la **boîte aux lettres** mailbox; la **boîte de nuit** nightclub
le **bol** bowl: **en avoir ras-le-bol** (*sl.*) to have it up to here
la **bombe** bomb

bon(ne) (*adj.*) good; charitable; right; **ah bon?** really? **bon marché** cheap; **de bonne famille** well born; **de bonne heure** early
le **bonbon** piece of candy
le **bond** jump
bondé(e) packed, full
le **bonheur** happiness
le **bonhomme de neige** snowman
bonjour hello
la **bonne** maid
le **bord** edge; **le bord de la rivière** riverbank **à bord de** on board
la **borne** road marker (*for kilometers*)
la **bosse** lump; bump
la **botte** boot
la **bouche** mouth
bouché(e) (*adj.*) stuffy (*nose*); plugged
la **boucherie** butcher shop
le **bouchon** plug; traffic backup
bouclé(e) curly
bouder to pout
la **boue** mud
le **bouffant** fullness
bouger to move
bouillir to boil
bouillon broth
le/la **boulanger (-ère)** baker
la **boulangerie** bakery
la **boule** ball
le **bouleau** birch tree
le **boulet-wagon** rocket ship
la **boum** (*fam.*) party
le **bouquin** (*sl.*) book
la **bourgeoisie** middle-class, bourgeoisie
le **bourgeon** bud
bourguignon (-onne) (*adj.*) from the Burgundy region
la **bourriche** sack (*for hunters*)
la **bourse** scholarship
la **bousculade** shoving and pushing
bousculer to push and shove
le **bout** end; **à bout d'arguments** at wit's end; **à bout de bras** at arm's length; **à tout bout de champ** again and again
la **bouteille** bottle
le **bouton** button
la **boutonnière** button hole
la **boyauderie** sausage factory
la **branche** branch
branché(e) (*adj., sl.*) with it, in
brancher to plug in
le **bras** arm; **à bras-le-corps** whole-heartedly
bref (brève) (*adj.*) short, brief
la **Bretagne** Brittany
breton(ne) (*adj.*) from Brittany
le **bretzel** pretzel
le **breuvage** drink; brew
le **brevet** diploma; certificate
bricoler to putter around the house
brièvement (*adv.*) briefly
la **brièveté** brevity

la **brigade** task force
briguer to seek
brillant(e) brilliant
briller to shine
la **brioche** sweet roll
le **briquet** (cigarette) lighter
la **brise** breeze
la **brochure** pamphlet; leaflet
la **bronchite** bronchitis
bronzé(e) (*adj.*) tanned
la **brosse à dents** toothbrush
brosser to brush; **se brosser** to brush
le **brouillard** fog
brûler to burn
la **brûlure d'estomac** heartburn
brun(e) (*adj.*) brown; dark-haired
la **brusquerie** abruptness
brutalement brutally
bu(e) (*p.p.* **boire**) drunk
le **bûcheron** woodcutter
le **buisson** bush; **faire l'école buissonnière** to play hooky
le **bureau** office; desk; **le bureau de poste** post office
le **burin** engraving
le **but** goal
le **butin** loot

C

la **cabine** cabin
le **cabinet** (doctor's) office
le **cabriolet** cabriolet
la **cacahuète** peanut
cache-cache (*m.*) hide-and-seek
le **cachemire** cashmere
cacher to hide; le **cache-sexe** loin cloth
le **cadeau** present
le **cadenas** lock
le **cadre** frame; setting; executive
le **cafard** cockroach; the blues; depression
le **café** coffee; café
le **cahier** notebook, workbook
la **caisse** cash register; cashier's desk
le/la **caissier (-ière)** cashier
calciné burned
le **calcul** calculation; arithmetic; calculus
caler to stall
la **Californie** California
calme (*adj.*) calm
calmement calmly
calmer to calm; **se calmer** to quiet down
le/la **camarade** friend; le/la **camarade de chambre** roommate
cambré(e) (*adj.*) arched
le **camembert** camembert cheese
la **caméra** movie camera
le **camion** truck
la **camionnette** pickup truck

la **campagne** countryside, country; campaign
le **Canada** Canada
le **canal** channel
le **canard** duck
la **canette** female duckling
la **canne** cane; la **canne à sucre** sugar cane
la **cantine** grade-school or high-school cafeteria
la **capacité** ability
le **capitaine** captain
le **capot** hood
le **caprice** whim
capricieux (-euse) (*adj.*) capricious; flighty
car (*conj.*) for, because
la **carabine** carbine
le **caractère** character
caractériser to characterize
la **caractéristique** characteristic, trait
la **carafe** pitcher; decanter
la **caravane** trailer (*for camping*)
cardiaque cardiac; la **crise cardiaque** heart attack
la **caresse** caress
caresser to caress
la **caricature** caricature
la **carie** cavity (*tooth*)
le **carnet** booklet; le **carnet de chèques** checkbook
la **carotte** carrot
carré(e) (*adj.*) square
le **carré** square; silk scarf
le **carreau** small square; la **chemise à carreaux** checkered shirt
le **carrefour** crossroad
la **carrière** career
carriériste (*adj.*) career-oriented
carrosse coach; **rouler carrosse** to ride in an expensive coach; to be rich
la **carrosserie** auto body
le **cartable** school bag
la **carte** card; la **carte de crédit** credit card; la **carte des vins** wine list; la **carte postale** postcard
le **carton** cardboard
la **cartouche** bullet
le **cas** case, instance; **en-cas** snack; **en tout cas** in any case
le **casier** locker
le **casque** helmet
la **casquette** cap
le **casse-croûte** snack, lunch
casser to break; **se casser la jambe** to break one's leg
la **casserole** pan
la **caste** caste; class
la **catégorie** category, class
la **cathédrale** cathedral
la **cause** cause; **à cause de** because of
causer to cause
la **causerie** conversation; discussion
la **cave** (wine) cellar
la **caverne** cave

ce (cet, cette, ces) (*pron.*) this, that
ceci (*pron.*) this, that
céder to give in; to give up; to give away
la ceinture belt
cela (*pron.*) this, that
célèbre (*adj.*) famous
céleste (*adj.*) celestial
le/la célibataire unmarried person
celui (ceux, celle, celles) (*pron.*) the one, the ones, this one, that one, these, those
la cendre ash
le cendrier ashtray
cent one hundred
la centaine about one hundred
la centrale center; headquarters; la centrale nucléaire nuclear power station
le centre center; centre commercial mall
cependant (*adv.*) in the meantime, meanwhile; (*conj.*) yet, still, however, nevertheless
la céramique ceramics
le céréalier cereal producer
cérébral(e) (*adj.*) cerebral
la cérémonie ceremony
la cerise cherry
certain(e) (*adj.*) sure; particular; certains (*pron.*) certain ones, some people; depuis un certain temps for some time
certainement (*adv.*) certainly
le cerveau brain
la cervelle brain
la cesse ceasing
cesser to stop, to cease
chacun(e) (*pron.*) each, each one, every one
le chagrin sorrow, sadness
chagriner to sadden
la chaîne channel; chain; la chaîne stéréo stereo system
la chair flesh; bien en chair plump; la chair de poule goose pimples
la chaise chair
la chaleur heat
chaleureusement (*adv.*) warmly
la chambre bedroom; chamber; la chambre d'ami guest room; la femme de chambre maid
le champ field; à tout bout de champ all the time
le champignon mushroom
la chance luck; possibility; opportunity; avoir de la chance to be lucky
le chandail sweater
le changement change
changer to change
la chanson song
le chant song
chanter to sing
le/la chanteur (-euse) singer
le chantier work area

le chapeau hat
le chapitre chapter
chaque (*adj.*) each, every
le char wagon
le charbon coal
le charbonnage coal enterprise
la charcuterie deli; cold cuts
la charge load; les charges sociales social security taxes prendre en charge to cover; insure
chargé(e) (*adj.*) in charge of, responsible for; une journée chargée busy day
le chargeur man loading the guns (*hunting*)
le chariot cart
le charlatanisme financial dishonesty
le charme charm
le charpentier carpenter
la chasse hunting
chasser to hunt; to chase away
le/la chasseur (-euse) hunter/huntress
le/la chat(te) cat
châtain(e) (*adj.*) chestnut, auburn
le château castle
le châtiment punishment
chaud(e) (*adj.*) warm; hot; il fait chaud the weather is hot
chaudement warmly
le chauffeur chauffeur, driver
la chaussée pavement; le rez-de-chaussée ground floor, first floor
la chaussette sock
la chaussure shoe
le chef leader; head; cook; le chef d'orchestre conductor
le chef-d'œuvre masterpiece
le chemin way; road; path; le chemin de fer railroad; à mi-chemin halfway; en chemin on the way
la cheminée chimney
la chemise shirt
la chemisette tee shirt; short-sleeved shirt
le chemisier blouse
le chêne oak tree
le chèque check; le carnet de chèques checkbook; faire un chèque to write a check
cher (-ère) (*adj.*) dear; expensive; coûter cher to be expensive
chercher to look for; to pick up
le/la chercheur (-euse) seeker; researcher
le cheval horse
le chevalier knight
la chevelure hair
le cheveu strand of hair; les cheveux (*m.pl.*) hair
la cheville ankle
la chèvre goat
chez (*prep.*) at, to, in (*the house, family or country of*); among, in the works of
le chic chic; style
la chicorée chicory (*used in coffee*)
le/la chien(ne) dog

le chiffre number; le chiffre d'affaires turnover
la chimie chemistry
chimique (*adj.*) chemical
le/la chimiste chemist
la chirurgie surgery
le/la chirurgien(ne) surgeon
le choc shock
le chocolat chocolate
choisir to choose
le choix choice
le chômage unemployment; au chômage out of work
le/la chômeur (-euse) unemployed person
choquer to shock
la chose thing; autre chose something else; en toute chose in everything; quelque chose something
le chou cabbage; un chou à la crème cream puff
chouette (*adj.*) super, neat, great
chronique (*adj.*) chronic
chronologique (*adj.*) chronological
chuchoter to whisper
la chute fall; remnant (*sewing*)
la cicatrice scar
le ciel sky; heaven
le cigare cigar
la cigarette cigarette
le cil eyelash
le cimetière cemetery
le cinéma movies; cinema
la cinquantaine about fifty
la circonlocution circumlocution
la circonstance circumstance; occurrence
la circulation traffic
circuler to circulate
le cirque circus
les ciseaux scissors
le/la citadin(e) city dweller
la cité city
citer to cite, quote
le/la citoyen(ne) citizen
citron (*adj.*) lemon-colored
le citron lemon
la citronnade lemonade
la civière stretcher
civil(e) (*adj.*) civil; état civil civil status
civilisé(e) (*adj.*) civilized
clair(e) (*adj.*) light-colored; clear, evident
clairement (*adv.*) clearly
la clameur clamor
la classe class; classroom
classique (*adj.*) classical
la clé key
le/la client(e) client
le clignotant turn signal, blinker
clignoter to blink
le climat climate
la clinique clinic
le/la clochard(e) hobo

la **cloche** bell
cloisonné(e) (*adj.*) divided
le **clou** nail
clouer to nail
le **coche** coach
le **cochon** pig
le **cocotier** coconut tree
la **cocotte** pan
le **code** code; le **code de la route** highway rules
le **cœur** heart
coexister to coexist
le **coffre** chest
cogner to hit
le/la **coiffeur (-euse)** hairdresser
le **coin** corner
la **coïncidence** coincidence
le **col** collar
la **colère** anger
le/la **collaborateur (-trice)** collaborator
la **colle** glue
collectif (-ive) (*adj.*) collective
collectionner to collect
le/la **collectionneur (-euse)** collector
collet monté (*adj.*) highbrow
le **collier** necklace
le **colon** colonist
la **colonie** colony; la **colonie de vacances** summer camp
la **colonisation** colonization
coloniser to colonize
la **colonne** column
coloré(e) (*adj.*) colorful
colorer to color
colporté(e) (*adj.*) spread out, peddled
le **combat** fight
combatif (-ive) pugnacious
combattre to fight; se **combattre** to fight (each other)
combien (de) (*adv.*) how much; how many
la **combinaison** combination
combiner to combine
le **comble** heaped measure; **à son comble** at its peak
la **comédie** comedy
commandement leadership; commandment
commander to order; to give orders
comme (*adv.*) as, like, how
le **commencement** beginning
commencer to begin
comment (*adv.*) how
le **commentaire** commentary
commenter to comment
le **commerce** business
commettre to commit
le **commissaire** member of a commission; le **commissaire de police** superintendent of police
le **commissariat** police station
la **commission** commission; **faire les commissions** (*f.pl.*) to do the grocery shopping

la **commode** dresser; chest of drawers
la **commodité** practicality
commun(e) (*adj.*) ordinary, common, usual; popular; **transports en commun** public transportation
la **communauté** community
la **commune** commune; town
la **communication** communication
la **communion** communion
communiquer to communicate
la **compagnie** company
le/la **compagnon(ne)** companion
comparable (*adj.*) comparable
la **comparaison** comparison
le **comparatif** (*Gram.*) comparative
comparer to compare
le **compartiment** compartment
la **compassion** compassion
compatible (*adj.*) compatible
le/la **compatriote** fellow countryman
le **compère** fellow, associate; (*fam.*) crony
la **compétence** competence, ability
la **compétition** competition
la **complainte** complaint
complémentaire (*adj.*) complementary
le **complet** suit (*clothing*); le **complet-veston** suit
complet (-ète) (*adj.*) complete; filled; le **pain complet** whole wheat bread
complètement (*adv.*) completely
compléter to complete
le **complexe** complex
complexé(e) (*adj.*) affected by complexes
le/la **complice** accomplice
le **compliment** compliment
compliqué(e) (*adj.*) complicated
le **comportement** behavior
comporter to conduct (oneself); to include; se **comporter** to behave
composé(e) (*adj.*) composed
composer to compose; to make up; se **composer de** to be composed of
la **composition** composition
composter to stamp (*date*); to punch (*ticket*)
le **composteur** (automatic) ticket puncher
compréhensif (-ive) (*adj.*) understanding
la **compréhension** understanding
comprendre to understand; to comprise, include
le **comprimé** tablet
comprimer to compress, squeeze
compris(e) (*adj.*) included; le **service compris** tip included; y **compris** (*prep.*) including
la **comptabilité** accounting
le/la **comptable** accountant
le **compte** account; **en fin de compte**

all told; le **compte en banque** bank account; **pour mon compte** as far as I am concerned; **tout compte fait** all things considered
compter to plan on; to intend; to count
le **comptoir** counter
la **concentration** concentration
le **concentré** concentrate, extract
se **concentrer** to concentrate
le **concept** concept
la **conception** conception
concerner to concern
le **concert** concert
la **concession** concession
concevoir to conceive
conclure to conclude
la **conclusion** conclusion
le **concombre** cucumber
la **concordance** (*Gram.*) agreement
le **concours** competition; contest
concourir to concur, to agree
la **concurrence** competition
le/la **concurrent(e)** competitor
le/la **condisciple** fellow student, schoolmate
la **condition** condition; **à condition que** (*conj.*) provided that
conditionné conditioned
le/la **conducteur (-trice)** driver
conduire to drive; to take; to conduct; le **permis de conduire** driver's license
la **conduite** behavior; driving
la **confection** confection
la **confiance** confidence; **avoir confiance en** to have confidence in
confier to confide
confirmer to strengthen; to confirm
confisquer to confiscate
la **confiture** jam
le **conflit** conflict
confondre to confuse
confondu(e) (*adj.*) confused
se **conformer** to conform
le **confort** comfort
confortable (*adj.*) comfortable
confronté(e) (*adj.*) confronted
confus(e) (*adj.*) confused
confusément (*adv.*) confusedly
la **confusion** confusion
le **congé** leave, vacation; **prendre un congé** to take time off
le **congélateur** freezer
la **congestion** congestion; la **congestion cérébrale** stroke
le **congrès** congress
le/la **conjoint(e)** spouse
la **connaissance** knowledge; acquaintance; **perdre connaissance** to faint
connaître to know; to be acquainted with
connu(e) (*adj.*) known
le/la **conquérant(e)** conqueror
conquérir to conquer

la **conquête** conquest
conquis(e) (*adj.*) conquered
consacré(e) (*adj.*) consecrated
se **consacrer** to consecrate oneself
la **conscience** conscience
conscient(e) (*adj.*) conscious
le **conseil** advice; council
conseiller to advise; to counsel
le/la **conseiller (-ère)** advisor, counselor;
conseiller (-ère) technique technical advisor
consentir to agree
la **conséquence** consequence
conservateur (-trice) (*adj.*) conservative
la **conserve** preserve; **en conserve** canned; la **boîte de conserve** can of food
conserver to conserve
considérablement (*adv.*) considerably
la **considération** consideration
la **consigne** orders
la **consistance** consistency
consistant(e) (*adj.*) firm, stable; consistent
consister to consist
consolant(e) (*adj.*) consoling
consolé(e) (*adj.*) consoled
le/la **consommateur (-trice)** consumer
la **consommation** consumption
le **consommé** clear soup, consommé
consommer to consume
constamment (*adv.*) constantly
constater to notice
constituer to constitute
la **construction** construction
construire to construct, build
construit(e) (*adj.*) constructed, built
la **consultation** consultation
consulter to consult
contacter to contact
contaminé(e) (*adj.*) contaminated
le **conte** tale; le **conte de fées** fairy tale
contemporain(e) (*adj.*) contemporary
contenir to contain
content(e) (*adj.*) content; happy
se **contenter de** to be content with, satisfied with
le **contenu** contents
conter to tell
continuer to continue
contourner to go around
la **contraction** (*Gram.*) combination by elision
la **contrainte** constraint
contraire (*adj.*) opposite
le **contraire** opposite; **au contraire** on the contrary
contrairement (à) (*adv.*) contrarily, contrary (to)
le **contraste** contrast
contraster to contrast

le **contrat** contract
la **contravention** traffic ticket; minor violation
contre (*prep.*) against; la **contre-attaque** counter attack
contredire to contradict
la **contrée** region, district
contribuer to contribute
contrôler to check, verify; to stamp
le/la **contrôleur (-euse)** ticket collector
la **controverse** controversy
convaincant(e) (*adj.*) convincing
convaincre to convince
convaincu(e) (*adj.*) sincere, earnest; convinced
la **convalescence** convalescence
convenable (*adj.*) proper; appropriate
convenir to fit; **en convenir** to admit
conventionné(e) (*adj.*) under contract
le/la **convive** guest
le/la **copain (copine)** friend, pal
copier to copy
copieux (-euse) (*adj.*) copious, abundant
le **coq** rooster
le **coquillage** shell
la **coquille** shell
le **corbeau** crow
le **cordon** ribbon; string
le **cordonnier** shoe repairman
le **cornichon** pickle
le **corps** body; **prendre corps** take form; **à bras-le-corps** whole-heartedly
correspondre to correspond
corriger to correct
la **Corse** Corsica
la **cosmétique** cosmetic
le **costume** suit
la **côte** coast; la **Côte d'Azur** French Riviera
le **côté** side; **à côté de** (*prep.*) by, near, next to; **mettre de côté** to save
la **côtelette** cutlet; la **côtelette d'agneau** lamb chop
la **cotisation** dues
cotiser to pay dues
le **coton** cotton
le **cou** neck
couché(e) (*adj.*) lying in bed
coucher to put to bed; se **coucher** to go to bed
la **couchette** bunk (on a train)
le **coude** elbow
coudre to sew
couler to flow; to run (*nose*)
la **couleur** color
le **couloir** hall
le **coup** blow; coup; **après coup** too late, after the event; **un coup de cafard** attack of depression; le **coup d'œil** glance; le **coup de pied** kick; **tout à coup** (*adv.*)

suddenly; **tout d'un coup** (*adv.*) at once, all at once
coupable (*adj.*) guilty
couper to cut; to censor
la **coupure** cut
la **cour** yard
le **courage** courage
couramment fluently
courant(e) (*adj.*) frequent
le **courant** current, tide; course; **être au courant** to be up with; se **tenir au courant** to keep up with the news
la **courbature** muscle pain
la **courbe** curve
la **courbette** curtsy
le/la **coureur (-euse)** runner; womanizer
courir to run
la **couronne** crown
couronner to crown
le **courrier** mail
le **cours** course; **au cours de** (*prep.*) during; **libre-cours** free rein; **sécher un cours** to skip class
la **course** race; **faire une course** to run an errand; **faire les courses** to do the shopping
court(e) (*adj.*) short; le **court-bouillon** water with herbs in which fish is cooked
le **cousin** cousin; le/la **cousine(e) germain(e)** first cousin
le **couteau** knife
coûter to cost; **coûter cher** to be expensive
coûteux (-euse) costly
la **coutume** custom
la **couture** sewing; seam; la **haute couture** high fashion
le/la **couturier (-ière)** designer, dress-maker
couvert(e) (*adj.*) covered; **couvert(e) de** covered with
le **couvert** table setting
la **couverture** blanket
couvrir to cover
le **crabe** crab
la **craie** chalk
craindre to fear
la **crainte** fear
la **cravate** tie
le **crayon** pencil; le **crayon de couleur** colored pencil; le **crayon-feutre** felt pen; le **taille-crayon** pencil-sharpener
le/la **créateur (-trice)** creator
créer to create
la **crème** cream
le **crème** white coffee; coffee and cream
le **créneau** crenel; battlement; **faire un créneau** to reverse into a parking place
créole (*adj.*) creole
le **créole** Creole (*language*)
creux (-euse) (*adj.*) hollow

la **crevasse** crevice
crevé(e) (*adj.*) punctured; le **pneu crevé** flat tire
la **crevette** shrimp
le **cri** shout
crier to cry out; to shout
le **crime** crime
la **crise** crisis
crisper to contract
le **cristal** crystal
le **critère** criterion
le/la **critique** criticism, critique
critiquer to criticize
croire to believe
croiser to cross; **croiser les bras** to fold one's arms
la **croisière** cruise
la **croissance** growth, development
le **croissant** crescent (moon); crescent roll
la **croûte** crust; le **casse-croûte** snack
la **croyance** belief
le/la **croyant(e)** believer
cru (*p.p.* **croire**) believed
la **crudité** raw vegetable
cruel(le) (*adj.*) cruel
la **cuillère** spoon
la **cuillerée** spoonful
cuire to cook; **faire cuire** to cook
cuisant(e) (*adj.*) cooking; burning (*regret*)
la **cuisine** cooking; kitchen; **faire la cuisine** to cook; la **grande cuisine** fine cooking; le **livre de cuisine** cookbook
le/la **cuisinier (-ière)** cook
la **cuisse** thigh; leg; les **cuisses de grenouille** frog legs
la **cuisson** cooking process
le **cuivre** copper
culinaire (*adj.*) culinary
les **culottes** knee breeches; trousers
le **culte** cult
le/la **cultivateur (-trice)** farmer
cultivé(e) (*adj.*) educated
cultiver to cultivate, to farm
la **culture** cultivation, farming; education, culture, breeding
culturel(le) (*adj.*) cultural
culturellement (*adv.*) culturally
la **cure** treatment
le **curé** parish priest
curieux (-euse) (*adj.*) curious
la **curiosité** curiosity; point of interest
le **cycle** cycle
le **cyclisme** bicycle riding
le/la **cycliste** bicycle rider

D

la **dactylo** ab. **dactylographe** typist
dactylographié(e) (*adj.*) typed
la **dame** lady
les **dames** checkers; **jouer aux dames** to play checkers

dangereux (-euse) (*adj.*) dangerous
dans (*prep.*) within, in
la **danse** dance, dancing
danser to dance
la **date** date
dater to date; **dater de** to date from
davantage (*adv.*) more
débarrassé(e) (*adj.*) rid of
se **débarrasser** to get rid of
le **débat** debate
se **débattre** to fight
le **débit de boisson** liquor store
le **débouché** opening, demand; market for
débouler to bolt
debout (*adv.*) standing
débrouiller to disentangle; se **débrouiller** to manage
le **début** beginning; **au début** in the beginning
débuter to begin
décalé(e) (*adj.*) off course
décerné(e) (*adj.*) granted
décevoir to disappoint
la **décharge** discharge
le **déchet** waste; les **déchets nucléaires** nuclear waste
déchiqueter to tear apart
déchirant(e) (*adj.*) tearing; le **choix déchirant** agonizing choice
déchirer to tear
décidément (*adv.*) decidedly; definitely
décider de to decide to; se **décider à** to make up one's mind to
décisif (-ive) (*adj.*) decisive
la **décision** decision; **prendre une décision** to make a decision
déclaratif (-ive) (*adj.*) declaratory
déclarer to declare
le **déclin** decline
le **décollage** takeoff (airplane)
décoller to take off
décommander to cancel an order
décompenser to lose emotional equilibrium
décontracté(e) (*adj.*) relaxed
le **décor** scenery, stage effects
se **décourager** to get discouraged
la **découverte** discovery
découvrir to discover
le **décret** decree
décrire to describe
déçu(e) (*adj.*) disappointed
décupler to increase tenfold
dedans (*prep., adv.*) within
dédicacé(e) (*adj.*) dedicated
la **dédicace** dedication
dédier to dedicate
déduire to deduce
défaillant(e) (*adj.*) failing
le **défaut** bad quality; **à défaut de** (*prep.*) for lack of; **faire défaut** to fail
défendre to defend; **défendre de** to

forbid; se **défendre** to fight back
défenestré(e) (*adj.*) thrown out of the window
déferler to unfurl
déficitaire (*adj.*) deficient
le **défilé de mode** fashion show
définir to define
dégager to free; to extract
le **dégât** damage
dégonfler to deflate
le **degré** degree
déguster to taste; to relish
dehors (*adv.*) out of doors, outside
déjà (*adv.*) already
déjeuner to lunch
le **déjeuner** lunch; le **petit déjeuner** breakfast
déjouer to thwart, foil
delà; au delà de (*prep.*) beyond
le **délai** delay
délaissé(e) (*adj.*) neglected
délégué(e) (*adj.*) delegated
délicat(e) (*adj.*) delicate; touchy (*subject*)
la **délicatesse** tactfulness
le **délice** delight
délicieux (-euse) (*adj.*) delicious
délié(e) (*adj.*) slender
délivrer to set free; to deliver; to hand over
déloger to drive out; to dislodge
demain (*adv.*) tomorrow
demander to ask; se **demander** to wonder
la **démangeaison** itching
démanteler to destroy; to break up
la **démarche** walk; **faire une démarche auprès de quelqu'un** to approach someone (about something)
démarrer to start
le **déménagement** moving (out of a house)
au **demeurant** (*adv.*) after all; all the same
demeurer to stay; to live, to reside
demi(e) (*adj.*) half
le **demi-frère** half brother
la **demi-heure** half an hour
la **demi-sœur** half sister
le **demi-tour** U-turn
la **démission** resignation
démissionner to resign
la **démocratie** democracy
la **demoiselle** young lady; single, unmarried woman
démonstratif (-ive) (*adj.*) demonstrative
démontrer to demonstrate
démouler to remove from pan (*cake*)
dénicher to find
dénoncé(e) (*adj.*) denounced; exposed
dénoter to denote; to indicate

la **dent** tooth; **arracher une dent** to pull out a tooth; **plomber une dent** to fill a tooth
dentaire (*adj.*) dental; **fil dentaire** dental floss
le **dentifrice** toothpaste
le **dentiste** dentist
le **départ** departure
le **département** department
dépasser to go beyond
se **dépêcher de** to hurry
dépeint(e) (*adj.*) depicted
dépendant(e) (*adj.*) dependent
dépendre (de) to depend (on)
la **dépense** expense; **aux dépens de** at the expense of
dépenser to spend
dépensier (-ière) (*adj.*) extravagant; spendthrift
le **dépit** spite
déplacer to displace; to shift; se **déplacer** to move around
déplier to unfold
déporter to deport
déposer to deposit; **la marque déposée** registered trademark
déposséder to deprive of
déprimé(e) (*adj.*) depressed
depuis (*prep.*) since; **depuis combien de temps?** how long?
le/la **député(e)** delegate
déranger to disturb; to bother
déraper to skid
déridé(e) (*adj.*) cheered up
dériver to derive
dernier (-ière) (*adj.*) last, most recent
se **dérouler** to unfold; to develop
derrière (*prep.*) behind
désagréger to disintegrate
désappointé(e) (*adj.*) disappointed
le **désastre** disaster
le **désavantage** disadvantage
désavantagé(e) (*adj.*) at a disadvantage
descendre (*intr.*) to go down; (*trans.*) to take down; **descendre de** to get out of
le **déséquilibre** imbalance
le **désert** desert, wilderness
déserté(e) (*adj.*) deserted
désespéré(e) (*adj.*) desperate
déshabiller to undress
déshumaniser to dehumanize
désigner to designate
désinfecter to disinfect
le **désir** desire
désirer to desire
désobéir to disobey
désobéissant(e) (*adj.*) disobedient
désolé(e) (*adj.*) desolate; very sorry
désormais (*adv.*) henceforth
le **dessert** dessert
le **dessin** drawing; **le dessin animé** cartoon

dessiner to draw; **dessiner à la craie** to draw with chalk; **dessiner au crayon** to draw with pencil; **bande dessinée** (newspaper) cartoon
dessous (*adv.*) under, underneath; **ci-dessous** below
les **dessous** underwear
dessus (*adv.*) above; over; **au dessus de** above
le **dessus** the upper part; **prendre le dessus** to overcome one's feelings
le **destin** fate
la **destinée** destiny
le **détail** detail
détailler to detail
détendre to relax; se **détendre** to relax
détendu(e) (*adj.*) relaxed
la **détente** relaxation
le/la **détenteur (-euse)** holder of
se **détériorer** to deteriorate
déterminer to determine
le **déterminisme** determinism
détester to detest; to hate
le **détour** detour
détourner to divert; to distract
la **détresse** distress
détruire to destroy
la **dette** debt
deuxième (*adj.*) second
deuxièmement (*adv.*) second
devant (*prep.*) before, in front of
dévastateur (-trice) (*adj.*) devastating
le **développement** development
développer to spread out; to develop; se **développer** to expand; to develop
devenir to become
deviner to guess
la **devise** motto; slogan
devoir to be obliged to; to have to; to owe
le **devoir** duty; **les devoirs** (*pl.*) homework
dévolu(e) (*adj.*) reserved for
dévot(e) (*adj.*) devout
la **dextérité** dexterity; skill
le **diable** devil
le **diagnostique** diagnosis
diagostiquer to diagnose
la **diapo** (*ab.* **diapositive**) photographic slide
le/la **dictateur (-trice)** dictator
la **dictature** dictatorship
le **dictionnaire** dictionary
le **dieu** god; **Dieu soit loué!** Praise be to God!
différemment (*adv.*) differently
se **différencier** to differentiate; to be different
différent(e) (*adj.*) different
différer to differ
difficile (*adj.*) difficult

difficilement (*adv.*) with difficulty
la **difficulté** difficulty
diffuser to broadcast
la **diffusion** broadcasting
digérer to digest
le **digestif** brandy, liqueur
la **dignité** dignity
la **diligence** (stage) coach
le **dimanche** Sunday
diminuer to lessen
la **diminution** diminution, reduction
la **dinde** turkey
dîner to dine; to have dinner
le **dîner** dinner
le **diplôme** diploma
diplômé(e) (*adj.*) graduate; holder of a diploma
dire to tell; to say; to speak; **vouloir dire** to mean; **pour ainsi dire** so to speak
direct(e) (*adj.*) direct, straight; through, fast (train); live (television); **en direct** live
directement (*adv.*) directly
le/la **directeur (-trice)** director
la **direction** direction; management; leadership
dirigé(e) (*adj.*) directed
le/la **dirigeant(e)** leader
le **discours** discourse; speech
discret (-ète) (*adj.*) discreet; considerate; unobtrusive
discuter to discuss
disparaître to disappear
disparu(e) (*adj.*) missing; dead
disponible (*adj.*) available
disposer de to have (available)
la **dispute** quarrel
se **disputer** to quarrel
le **disque** record
la **dissémination** scattering of; dissemination
dissous(-oute) (*adj.*) dissolved
dissuader to dissuade; to talk out of
distingué(e) (*adj.*) distinguished
la **distraction** recreation; entertainment; distraction
se **distraire** to amuse oneself
distribuer to distribute
dit(e) (*adj.*) so-called
divers(e) (*adj.*) changing; varied; le **fait divers** news item, incident
diviser to divide
le **divorce** divorce
dixième (*adj.*) tenth
la **dizaine** about ten
docile (*adj.*) docile, submissive; manageable
docilement (*adj.*) obediently
le **docteur** doctor
le **document** document
le **documentaire** documentary
dodu(e) (*adj.*) plump
le **doigt** finger

le **domaine** domain; (real) estate; property, field

le/la **domestique** servant

le **domicile** place of residence, home

dominant(e) (*adj.*) predominate

dominateur (-trice) (*adj.*) dominant, overbearing

dominer to rule

le **domino** domino; **jouer aux dominos** to play dominoes

le **dommage** damage; **c'est dommage!** it's too bad! what a pity!

donc (*conj.*) then; therefore

donnant sur overlooking

donner to give; **donner à réfléchir** to provoke thought; **donner sa langue au chat** to give up (*in charades, guessing games*)

dont (*pron.*) whose, of which, of whom, from whom, about which

dorer to brown

dormir to sleep

le **dortoir** dormitory

le **dos** back; le **sac à dos** backpack

la **dose** amount; dose

doter to endow

la **douane** customs

le/la **douanier (-ière)** customs officer

double (*adj.*) double

doublé(e) (*adj.*) dubbed

doubler to pass (a car); to double

doucement (*adv.*) gently, softly; sweetly; slowly

la **douceur** softness; gentleness; sweetness; la **douceur de vivre** easy, gentle way of life

la **douche** shower (*in bathroom*)

doué(e) (*adj.*) talented; gifted; bright

la **douleur** pain

douloureux (-euse) (*adj.*) painful

douter to doubt

douteux (-euse) (*adj.*) doubtful, uncertain, dubious

doux (douce) (*adj.*) sweet, kindly, pleasant; soft, gentle; **à feu doux** on low heat

la **douzaine** about twelve

la **drague** cruising for girls/boys

dramatique (*adj.*) dramatic

dressé(e) (*adj., p.p.* **dresser**) set up

dresser to set; to arrange; to draw up (list); to hold up, lift (head)

la **drogue** drug

droit (*adv.*) straight on; **aller tout droit** to go straight ahead

droit(e) (*adj.*) straight

le **droit** law; right; fee

la **droite** right hand, right; **à droite** on the right

drôle (*adj.*) funny, amusing

dû (due) (*adj.*) due

la **dune** dune

dur(e) (*adj.*) hard

durant (*prep.*) during

durcir to harden

la **durée** duration

durer to last, continue; to endure; to last a long time

dynamique (*adj.*) dynamic

E

l'**eau** (*f.*) water; l'**eau minérale** mineral water

éblouir to dazzle

ébranler to shake; disturb; **s'ébranler** to start up, to set off

écarter to open (one's arms)

échanger to exchange

l'**échantillonnage** (*m.*) sampling

échapper to escape; **s'échapper** to escape, to break free

l'**écharpe** (*f.*) scarf

l'**échec** (*m.*) failure; **jouer aux échecs** to play chess

l'**échelle** (*f.*) scale

échelonné(e) (*adj.*) staggered (holidays)

l'**écho** (*m.*) echo

échouer to fail

l'**éclair** (*m.*) flash of lightning; éclair (*pastry*)

l'**éclairage** (*m.*) lighting, illumination

l'**éclaircissement** (*m.*) enlightenment; explanatory statement

éclairer to light; to give light to

éclatant(e) (*adj.*) dazzling, brilliant

éclater to break out

l'**école** (*f.*) school; l'**école maternelle** kindergarten; l'**école primaire** grade school; **faire l'école buissonnière** to skip school

l'**écolier (-ière)** (primary) schoolboy, schoolgirl

l'**écologie** (*f.*) ecology

écologique (*adj.*) ecological

économe (*adj.*) thrifty, economical

l'**économie** (*f.*) economy

les **économies** (*f. pl.*) savings; **faire des économies** to save money

économiser to save

l'**écorce** (*f.*) **terrestre** the earth's crust

l'**Écosse** (*f.*) Scotland

écossais (-aise) (*adj.*) Scottish

écouter to listen

l'**écran** (*m.*) screen; le **petit écran** television

l'**écrevisse** (*f.*) crayfish

s'écrier to cry out; exclaim

écrire to write

écrit(e) (*adj.*) written **par écrit** in writing

l'**écrivain** (*m.*) writer; author

l'**écurie** (*f.*) stable (*for horses*)

l'**édifice** (*m.*) building, edifice

éditer to edit

l'**éducation** (*f.*) upbringing; breeding; education

éducatif (-ive) (*adj.*) instructive; educative

éduquer to bring up; to educate

effacer to erase

effectivement (*adv.*) effectively

effectuer to effect, to carry out; to accomplish

l'**effet** (*m.*) effect; **en effet** as a matter of fact

efficace (*adj.*) efficacious, effective, effectual

s'effondrer to collapse

l'**effort** (*m.*) effort

l'**effroi** (*m.*) fright

effroyablement (*adv.*) tremendously

égal(e) (*adj.*) equal; all the same; **cela m'est égal** I don't care

l'**égalité** (*f.*) equality

l'**égard** (*m.*) consideration; **à l'égard de** with respect to

égaré(e) (*adj.*) lost

l'**église** (*f.*) church

l'**égoïsme** (*f.*) selfishness

égoïste (*adj.*) selfish

l'**égorgeur** (*m.*) murderer; slaughterer

l'**égratignure** (*f.*) scratch

eh (*interj.*) hey!; **eh bien!** well!, now then!

élaborer to elaborate

l'**électricité** (*f.*) electricity

électrique (*adj.*) electric

l'**électroménager** (*m.*) household electrical system; les **appareils électroménagers** electric household appliances

l'**électronique** (*f.*) electronics

l'**élégance** (*f.*) elegance

l'**élément** (*m.*) element

élémentaire (*adj.*) primary (*school*); elementary

l'**éléphant** (*m.*) elephant

s'élever to rise

l'**élevage** (*f.*) rearing (*of stock*)

l'**élève** (*m., f.*) pupil, student

élever to raise, lift up; to erect

éliminer to eliminate

l'**élite** (*f.*) elite

éloigné(e) (*adj.*) distant, remote

éloigner to remove to a distance; **s'éloigner** to move off, to go away

élu(e) (*p.p.* **élire**) elected

émancipé(e) (*adj.*) liberated

émaner to emanate

s'emballer to get carried away

l'**embarquement** (*m.*) embarcation

embarrassant(e) (*adj.*) embarrassing

embauché(e) (*adj.*) hired

embêté(e) (*adj., fam.*) annoyed; bothered

emboîter to encase; **emboîter le**

pas à quelqu'un to follow someone
l'**embouteillage** (*m.*) traffic jam
embrasser to kiss; to embrace; **s'embrasser** to embrace or kiss each other
l'**embrayage** (*m.*) clutch
émettre to emit; to utter
l'**émeute** (*f.*) riot
l'**émigrant(e)** emigrant
émincé(e) (*adj.*) chopped (*onions*)
l'**émission** (*f.*) show; program
l'**emmaillotage** (*f.*) swaddling clothes
emménager to move into
emmener to take (*someone somewhere*)
emmerder (*sl.*) to plague
émotif (-ive) (*adj.*) emotive; emotional
émotionnel(le) (*adj.*) emotional
émouvoir to touch (*emotionally*)
s'emparer to take possession
l'**empêchement** (*m.*) obstacle; **avoir un empêchement** to be held up
empêcher to prevent
l'**empereur** (*m.*) emperor
l'**emphase** (*f.*) emphasis
emphatique (*adj.*) grandiloquent
l'**emplacement** (*m.*) location
empli(e) (*adj.*) filled
l'**emploi** (*m.*) use; job; l'**emploi du temps** schedule; **mode d'emploi** directions for use; **faire une demande d'emploi** to apply for a job
l'**employé(e)** employee
employer to use; to employ; **s'employer** to be used
l'**employeur (-euse)** employer
empoisonné(e) (*adj.*) poisoned
emporter to take (*something somewhere*)
emprunter to borrow
ému(e) (*adj.*) moved, touched (*emotionally*)
en (*prep.*) in; to; within; into; at; like; in the form of; by
en (*pron.*) of him, of her, of it, of them; from him, by him, etc.; some of it; any
encaisser (*fam.*) to take
enceinte (*adj.*) pregnant
enchanté(e) (*adj.*) enchanted; pleased
enclore to enclose
encombré(e) (*adj.*) filled (*hands*)
l'**encombrement** (*m.*) congestion (*traffic*)
s'encombrer to burden oneself
encore (*adv.*) still; again; yet; even
encourager to encourage
endetté(e) (*adj.*) in debt
endormi(e) (*adj.*) asleep
s'endormir to fall asleep

l'**endroit** (*m.*) place, spot
énergétique (*adj.*) energizing
l'**énergie** (*f.*) energy
énergique (*adj.*) energetic
énergiquement (*adv.*) energetically
énerver to irritate
l'**enfance** (*f.*) childhood
l'**enfant** (*m., f.*) child
enfantin(e) (*adj.*) childish; juvenile
enfin (*adv.*) finally, at last
enfoncer to push in
enfoui(e) (*adj.*) buried
engager to hire
engendrer to generate; to create
l'**engouement** (*m.*) infatuation
l'**engrais** (*m.*) fertilizer
enlever to lift; to take away; to kidnap
l'**ennemi(e)** enemy
l'**ennui** (*m.*) trouble, worry; **avoir des ennuis** to have worries, problems
ennuyer to bother; to bore; **s'ennuyer** to be bored
ennuyeux (-euse) (*adj.*) boring; annoying
énoncer to state
énorme (*adj.*) huge
énormément enormously
l'**enquête** (*f.*) inquiry; investigation
enregistrer to record; to register (*luggage*)
enrhumé(e) (*adj.*): **être enrhumé(e)** to have a cold
enrichir to enrich
l'**enseignement** (*m.*) teaching
enseigner to teach
ensemble (*adv.*) together
l'**ensemble** (*m.*) suit
ensoleillé(e) (*adj.*) sunny
ensommeillé(e) (*adj.*) dormant; sleepy
ensuite (*adv.*) next; then
entasser to pile up
entendre to hear; **s'entendre avec** to get along with; **bien entendu!** of course!
enthousiasmant(e) (*adj.*) firing with enthusiasm
l'**enthousiasme** (*m.*) enthusiasm
entier (-ière) (*adj.*) entire, whole, complete
entièrement (*adv.*) entirely
entourer to surround
l'**entrain** (*m.*) liveliness, high spirits
entraîner to carry along; to train
entre (*prep.*) between, among; **entre temps** meanwhile
l'**entrée** (*f.*) entrance, entry; admission
entrer (dans) to go into, enter
entreprendre to undertake
l'**entrepreneur** (*m.*) entrepreneur, enterprise head
l'**entreprise** (*f.*) enterprise

l'**entretien** (*m.*) upkeep; maintenance
énumérer to enumerate; to count up
envahir to invade
l'**envahisseur** (*m.*) invader
envers (*prep.*) to; toward; in respect to
l'**envie** (*f.*) desire; **avoir envie de** to want; to feel like
environ (*adv.*) about, approximately
les **environs** (*m. pl.*) neighborhood, surroundings; outskirts
envisager to envision
envoyer to send
épais(se) (*adj.*) thick
épargner to spare, to save
éparpillé(e) (*adj.*) scattered
l'**épaule** (*f.*) shoulder
épeler to spell
l'**épice** (*f.*) spice
l'**épicerie** (*f.*) grocery store
les **épinards** (*m. pl.*) spinach
l'**épisode** (*m.*) episode
l'**époque** (*f.*) epoch, period, era; time; **à l'époque de** at the time of
l'**épouvante** (*f.*) terror; **le film d'épouvante** horror film
l'**époux (-ouse)** spouse
l'**épreuve** (*f.*) test; trial; examination
éprouver to feel, to experience; to test
l'**équateur** (*m.*) equator
l'**équilibre** (*m.*) balance
l'**équipage** (*m.*) crew
l'**équipe** (*f.*) team
équiper to equip, to fit out
l'**équitation** (*f.*) riding (*horse*)
l'**équivalent** (*m.*) equivalent
l'**érable** (*m.*) maple; **le sirop d'érable** maple syrup
l'**ère** (*f.*) era
l'**erreur** (*f.*) error; mistake
l'**escadrille** (*f.*) squadron
l'**escalier** (*m.*) stairs, stairway
l'**escargot** (*m.*) snail; escargot
l'**esclavage** (*m.*) slavery
l'**esclave** (*m., f.*) slave
l'**espace** (*m.*) space
l'**espadrille** (*f.*) espadrille
l'**Espagne** (*f.*) Spain
espagnol(e) (*adj.*) Spanish; **l'espagnol** (*m.*) Spanish (*language*); **l'Espagnol(e)** Spaniard
l'**espèce** (*f.*) species; **une espèce de** a kind of
espérer to hope
espiègle (*adj.*) mischievous
l'**espoir** (*m.*) hope
l'**esprit** (*m.*) mind, spirit; wit; **avoir l'esprit borné** to be narrow-minded; **avoir l'esprit ouvert** to be open-minded; **l'état d'esprit** (*m.*) state of mind
esquinter (*fam.*) to spoil; to ruin

l'essai (*m.*) trial; experiment; le cinéma d'essai experimental films

essayer to try

l'essence (*f.*) gasoline; être en
panne d'essence to be out of gas

essentiel(le) (*adj.*) essential

essentiellement (*adv.*) essentially

essuyer to wipe

l'estaminet (*m.*) pub

esthétique (*adj.*) esthetic

estimatif (-ive) (*adj.*) estimated

estimer to value; to esteem

l'estomac (*m.*) stomach

l'étable (*f.*) stable (*for horses*)

établir to establish; s'établir dans
to settle in

l'établissement (*m.*) settlement, es-
tablishment

l'étage (*m.*) floor

l'étape (*f.*) stage, stopping place

l'état (*m.*) state; le chef d'état head
of state; l'état-civil civil status;
l'état d'esprit state of mind

les États-Unis (*m. pl.*) United States

l'été (*m.*) summer

éteindre to put out; to turn off;
s'éteindre to go out

étendre to spread; to stretch

éternel(le) (*adj.*) eternal éternellement (*adv.*) eternally

éternuer to sneeze

ethnique (*adj.*) ethnic

l'étiquette (*f.*) label

s'étirer to stretch

l'étoile (*f.*) star

étonnant(e) (*adj.*) astonishing, surprising

étonné(e) (*adj.*) astonished

l'étonnement (*m.*) astonishment

étouffer to smother

étrange (*adj.*) strange

étranger (-ère) (*adj.*) foreign;
l'étranger (-ère) stranger, foreigner; à l'étranger abroad

être to be; être à l'aise to be comfortable; être à la mode to be in
style; être au chômage to be unemployed; être bien dans sa
peau to be at ease; être collé(e) à
un examen to fail a test; être
d'accord to agree; être debout
to be standing; être en bonne
(mauvaise) santé to be in good
(bad) health; être en forme to be
in shape; être en panne to have a
breakdown; être en retard to be
late; être en train de to be in the
process of; être en vacances to
be on vacation; être reçu(e) à un
examen to pass a test; c'est mon
tour it's my turn

l'être (*m.*) being

l'étude (*f.*) study; faire des études
to study

l'étudiant(e) student

étudier to study

l'Europe (*f.*) Europe

européen(ne) (*adj.*) European

l'euthanasie (*f.*) euthanasia

s'évader to escape

s'évanouir to faint

éveiller to awaken; s'éveiller to
wake up

l'événement (*m.*) event

l'éventail (*m.*) fan

éventer to fan

éventuellement (*adv.*) eventually

évidemment (*adv.*) evidently; ob-
viously

l'évidence (*f.*) evidence

évident(e) (*adj.*) obvious, clear

l'évier (*m.*) sink

éviter to avoid

évoluer to evolve

évoquer to evoke

exactement (*adj.*) exactly

exagérer to exaggerate

exagérément (*adv.*) exaggeratedly

l'examen (*m.*) test, exam; avoir du
succès à un examen to pass an
exam; être collé(e) à un examen
to fail a test; être reçu(e) à un
examen to pass a test; passer un
examen to take a test; rater un
examen to fail a test; réussir à
un examen to pass a test

l'examinateur (-trice) examiner

examiner to examine

exaspérer to exasperate

exceptionnel(le) (*adj.*) exceptional

l'excès (*m.*) excess

excessif (-ive) (*adj.*) excessive

excité(e) (*adj.*) excited

exclure to exclude

exclusivement (*adv.*) exclusively

s'excuser to excuse oneself

exécuter une ordonnance to fill a
prescription

exécutif (-ive) (*adj.*) executive

exemplaire (*adj.*) exemplary

l'exemple (*m.*) example

exercer to exercise; s'exercer à to
practice

l'exercice (*m.*) exercise; faire de
l'exercice to do exercises

l'exigence (*f.*) demand

exiger to demand

l'existence (*f.*) life, existence

exister to exist

exotique (*adj.*) exotic; foreign

l'expérience (*f.*) experience; experiment

expérimenté(e) (*adj.*) experienced

expirer to breathe out; to expire

l'explication (*f.*) explanation

expliquer to explain

l'exploitant(e) farmer, cultivator, ex-
ploiter

l'explorateur (-trice) explorer

explorer to explore

exploser to explode

exporter to export

exposer to expose; to display

l'exposition (*f.*) exhibition, art show

exprès (*adv.*) on purpose

exprimer to express

exquis(e) (*adj.*) exquisite

l'extase (*f.*) ecstasy

l'extérieur (*m.*) exterior; outside

externe (*adj.*) external

l'extraction (*f.*) extraction; de modeste extraction of humble birth

l'extrait (*m.*) excerpt; extract

extraordinaire (*adj.*) extraordinary

l'extravagance (*f.*) extravagance

extrême (*adj.*) extreme

extrêmement (*adv.*) extremely

l'extrémiste (*m., f.*) extremist

exubérant(e) (*adj.*) exuberant

F

la fable fable; story

la fabrication manufacture

fabriquer to fabricate; to manufacture

fabuleux (-euse) (*adj.*) fabulous;
incredible

la face face, façade; en face de (*prep.*)
opposite

la facette facet

fâché(e) (*adj.*) angry

se fâcher to get angry

fâcheux (-euse) (*adj.*) troublesome,
annoying

facile (*adj.*) easy

facilement (*adv.*) easily

la facilité aptitude, talent; easiness

faciliter to facilitate

la façon way, manner; de toute façon
anyhow

le facteur factor; mail carrier

la facture bill

la faculté ability; school of a university; la faculté des lettres School
of Arts and Letters

faible (*adj.*) weak

la faiblesse weakness

la faïence earthenware

faillir to be on the point of; to almost do something

la faim hunger; avoir faim to be hungry

faire to do; to make; to form; to
be; faire amende honorable to
make amends; faire attention
to pay attention; faire autre
chose to do something else; faire
beau to be nice out; faire concurrence to compete; faire confiance to trust; faire cuire to cook;
faire défaut to fail; faire de
l'aérobique to do aerobics; faire

de la danse to dance; **faire de la gymnastique** to do gymnastics; to do exercises; **faire de la marche à pied** to hike; **faire de la voile** to sail; **faire de l'auto-stop** to hitchhike; **faire de l'exercice** to do exercises; **faire demi-tour** to turn around; **faire des affaires** to get good deals; **faire des avances** to make a pass; **faire des bêtises** to do silly things; **faire des cauchemars** to have nightmares; **faires des courses** to do the shopping; **faire des économies** to save money; **faire des études** to study; **faire des frais** to incur expenses; **faire des manifestations** to demonstrate; **faire des projets** to make plans; **faire du bateau** to go boating; **faire du bateau à voile** to sail; **faire du camping** to camp; **faire du gringue** (*fam.*) to make a pass; **faire du jogging** to jog; **faire du macramé** to do macrame; **faire du ski** to ski; **faire du théâtre** to act; **faire exprès** to do something on purpose; **faire face** to face (up); **faire faire** to have done; **faire fortune** to get rich; **faire froid** to be cold; **faire honneur à** to do credit to; **faire la connaissance** to get acquainted; **faire la cuisine** to cook; **faire la fête** to party; **faire la grasse matinée** to sleep late; **faire la grève** to go on strike; **faire la gueule** (*sl.*) to sulk; **faire la guerre** to make war; **faire la queue** to stand in line; to queue up; **faire la vaisselle** to do the dishes; **faire le baisemain** to kiss someone's hand; **faire l'école buissonnière** to play hooky; **faire le marché** to do the grocery shopping; **faire le ménage** to do housework; **faire le plein (d'essence)** to fill up (with gas); **faire les commissions** to do the grocery shopping; **faire les devoirs** to do homework; **faire marche arrière** to back up; **faire peur** to scare; **faire place** to make room; **faire plaisir** to please; **faire revenir** to brown (*cooking*); **faire sa toilette** to wash up; **faire semblant** to pretend; **faire ses preuves** to prove oneself; **faire signe** to signal; to beckon; **faire un chèque** to write a check; **faire un créneau** to parallel park; **faire un exposé** to give an oral report; **faire un pique-nique** to go on a picnic; **faire un tour** to go out for a spin; **faire un sondage** to take a poll; **faire un voyage** to take a trip; **faire une demande d'emploi** to apply for a job; **faire une pause-café** to take a coffee break; **faire une promenade** to take a walk; **faire une promenade en voiture** to take a ride; **en faire une maladie** to make a song and dance about it; **se faire mal** to hurt oneself; **se faire un point d'honneur de** to make it a point to

le **faisceau** beam
le **fait** fact
  falloir to be necessary
  fallu (*p.p.* **falloir**) necessary
  fameux (-euse) (*adj.*) famous
la **famille** family
  fanatique (*adj.*) fanatical
la **fantaisie** fantasy
  fantaisiste (*adj.*) imaginative; whimsical
  fantastique (*adj.*) fantastic
le **fantôme** phantom; ghost
la **farce** practical joke
  farci(e) (*adj.*) stuffed
la **farine** flour
  fascinant(e) (*adj.*) fascinating
  fasciner to fascinate
  fatigant(e) *adj.*) tiring
la **fatigue** tiredness
  fatiguer to tire
  fauché(e) (*adj.*) broke (*financially*)
la **faune** fauna
la **faute** fault, mistake; **faute de quoi** for lack of which
le **fauteuil** armchair
le **fauve** wild animal; big game
la **faveur** favor
  favori (-ite) (*adj.*) favorite
  favoriser to favor
la **fée** fairy
la **félicité** bliss, happiness
  féminin(e) (*adj.*) feminine
le **féminisme** feminism
  féministe (*adj.*) feminist
la **femme** woman; wife; la **femme au foyer** homemaker; la **femme de chambre** maid; la **femme de lettres** woman writer; la **femme de ménage** cleaning woman
la **fenêtre** window
le **fer** iron; le **fer à repasser** iron; le **chemin de fer** railroad
  ferme (*adj.*) firm
la **ferme** farm
le **ferment** ferment
  fermer to close; **se fermer** to close; to be closed
la **fermeture** closing; closure; **fermeture éclair** zipper
le/la **fermier (-ère)** farmer
  féroce (*adj.*) ferocious
  fertile (*adj.*) fertile, fruitful
  fervent(e) (*adj.*) fervent; ardent
la **fesse** buttock
la **fessée** spanking

le **festin** feast; banquet
la **festivité** festivity
la **fête** celebration, holiday; **faire la fête** to party
  fêter to celebrate; to observe a holiday
le **feu** fire
la **feuille** leaf; la **feuille de papier** sheet of paper
  feuilleter to leaf through
le **feuilleton** serial
le **feutre** felt
la **fève** bean
la **fiche** index card
  se ficher de (*fam.*) not to give a damn
  fidèle (*adj.*) faithful
  fidèlement (*adv.*) faithfully
  fier (fière) (*adj.*) proud
  se fier à to trust
  fièrement (*adv.*) proudly
la **fierté** pride
la **fièvre** fever
  figuratif (-ive) (*adj.*) figurative; emblematic
la **figuration** figuration, representation
la **figure** face
  figurer to appear
le **fil** thread; cord; **au fil des années** year after year
la **file** file
  filer (*fam.*) to make tracks; to make a bolt for it
le **filet** net; fillet (*of fish*); thin strip
  filial(e) (*adj.*) filial
la **fille** girl; daughter
la **fillette** little girl
le **film** movie
  filmer to film
le **fils** son
  fin(e) (*adj.*) fine; thin
la **fin** end
  finalement (*adv.*) finally
les **finances** (*f.pl.*) (public) finances
  financier (-ière) (*adj.*) financial
  finir to finish
la **firme** firm
  fixe (*adj.*) fixed
  fixer to fix, to make firm; **se fixer des buts** to set goals
  flambé(e) (*adj.*) flambé; set on fire
la **flamme** flame
le **flan** baked custard
  flâner to stroll, to dawdle
  flatter to flatter, to compliment
la **flatterie** flattery
le/la **flatteur (-euse)** flatterer
la **flèche** arrow; turn signal; **démarrer en flèche** to start fast
  fléchir to weaken
la **fleur** flower
  fleurir to flower
le **fleuve** river (*flowing into the sea*)
la **flexibilité** flexibility
le **flic** (*fam.*) cop
  flirter to flirt

le **flocon de neige** snowflake
la **flore** flora
la **Floride** Florida
flotter to float
flou(e) (*adj.*) blurred; fuzzy
la **foi** faith
le **foie** liver
la **fois** time, occasion; **une fois** once
la **folie** madness
folklorique (*adj.*) traditional
follement (*adv.*) madly
foncé(e) (*adj.*) dark in color
la **fonction** function; use, office
fonctionner to function
le **fond** bottom; back, background; **à fond** thoroughly; **au fond** basically; **ski de fond** cross-country skiing
fondamental(e) (*adj.*) fundamental, basic
le **fondement** foundation; basis
fonder to found; **fonder un foyer** to start a home and family
fondre to melt
fondu(e) (*adj.*) melted
la **fonte des neiges** thawing of the snow
le **football** soccer
la **force** strength; **dans la force de l'âge** in the prime of life; **à force de l'entendre** by hearing it constantly
forcer to force, to compel
la **forêt** forest
le **forfait** contract
la **formalité** formality
la **forme** form, shape
formel(le) (*adj.*) formal
former to form
formidable (*adj.*) great, wonderful
le **formulaire** form
la **formule** formula
formuler to formulate
fort (*adv.*) loudly; very, very much; hard; **fort(e)** (*adj.*) loud; le **château fort** medieval citadel
fortement (*adv.*) strongly
la **fortune** fortune
fortuné(e) (*adj.*) fortunate; rich
le **fossé** ditch
fou (fol, folle) (*adj.*) crazy
foudroyer to strike down (*by lightning*)
fouetter to whip
fouiller to search; to go through (*suitcase*)
le **foulard** scarf
la **foule** crowd
se **fouler la cheville** to sprain one's ankle
le **four** oven; **petit four** petit four (*pastry*)
la **fourchette** fork
la **fourmi** ant
fourmiller to swarm; to teem
les **fournitures** supplies

fourrer to stuff
le **foyer** home
la **fraction** fraction
la **fracture** fracture
frais (fraîche) (*adj.*) fresh
les **frais** (*m. pl.*) expenses
la **fraise** strawberry
la **framboise** raspberry
franc (franche) (*adj.*) frank; truthful; honest
le **franc** franc (*French coin*)
français(e) (*adj.*) French; le/la **Français(e)** Frenchman, Frenchwoman
la **France** France
franchement (*adv.*) frankly
franchir to cross
la **franchise** franchise
francophone (*adj.*) French-speaking, of the French language
la **francophonie** French-speaking world
la **frange** fringe
frappant(e) (*adj.*) striking
frapper to strike; to knock
fraternel(le) (*adj.*) fraternal; brotherly
la **fraternité** fraternity; brotherhood
le **frein** brake
freiner to brake
frêle (*adj.*) frail; weak
frémir to quiver
fréquemment (*adv.*) frequently
fréquent(e) (*adj.*) frequent
fréquenté(e) (*adj.*) much visited; popular
fréquenter to frequent; to visit frequently
le **frère** brother
la **fricassée** fricassee
le **frigo** the fridge
frire to fry
frisé(e) (*adj.*) curly
les **frites** (*f.*) french fries
frivole (*adj.*) frivolous
froid(e) (*adj.*) cold
la **froideur** coldness; indifference
la **froidure** coldness
le **fromage** cheese
le **froment** wheat
le **front** forehead; front
frontal(e) (*adj.*) frontal; **la collision frontale** head-on collision
la **frontière** frontier, border
le **fruit** fruit
fruité(e) (*adj.*) fruity
frustrant(e) (*adj.*) frustrating
la **frustration** frustration
frustré(e) (*adj.*) frustrated
fuir to flee, to run away; to shun
fumé(e) (*adj.*) smoked
la **fumée** smoke
fumer to smoke
le/la **fumeur (-euse)** smoker
au **fur et à mesure** (*adv.*) (in proportion) as, progressively

la **fureur** furor
furieux (-euse) (*adj.*) furious
la **fusée** rocket; spaceship
le **fusil** gun
la **fusillade** fusillade, rifle fire
futil(e) (*adj.*) futile
futur(e) (*adj.*) future
le **futur** future
futuriste (*adj.*) futuristic
le/la **fuyard(e)** fugitive; runaway

G

le **gâchis** (*fam.*) mess
gagner to win; **gagner sa vie** to earn a living
gai(e) (*adj.*) gay, cheerful
la **gaieté** gaiety; cheerfulness
le **gain** gain
le **galerie** gallery; balcony
le **gant** glove
la **garantie** warranty; guarantee; safeguard
garantir to guarantee
le **garçon** boy
la **garde** watch; **la garde à vue** close watch; **le garde** guard; le/la **garde d'enfants** babysitter; le **garde-chef** head warden; la **garde robe** wardrobe
garder to keep
la **gare** station
garer to park
garni(e) (*adj.*) garnished
la **garniture** garnish
le **gastronome** gourmet
gâté(e) (*adj.*) spoiled
le **gâteau** cake; **le petit gâteau** cookie
gâter to spoil
la **gauche** left
gaulois(e) (*adj.*) Gallic, of Gaul
le **gaz** gas
gazeux (-euse) (*adj.*) carbonated
géant(e) (*adj.*) giant
le **gendarme** police officer (*of the state*)
la **gêne** embarrassment
général(e) (*adj.*) general
généralement (*adv.*) generally
généralisé(e) (*adj.*) generalized
le/la **généraliste** general practitioner
la **génération** generation
généreux (-euse) (*adj.*) generous
la **générosité** generosity
le **genou** knee
le **genre** gender; kind, type
les **gens** (*m. pl.*) people; **les jeunes gens** young men
gentil(le) (*adj.*) nice, kind
la **gentillesse** kindness, niceness
la **géographie** geography
géographique (*adj.*) geographic
la **géométrie** geometry

géostationnaire (*adj.*) fixed around the earth

la **gerbe** sheaf; spray

gérer to manage

germain(e) (*adj.*) **cousin germain** first cousin

le **geste** gesture; movement

la **gestion** management

gestionnaire (*adj.*) administrative

le/la **gestionnaire** administrator; manager

le **gibier** game (*hunting*)

gigantesque (*adj.*) gigantic

le **gîte** leg of beef; lodging

la **glace** ice cream; ice

glacé(e) (*adj.*) chilled

glacial(e) (*adj.*) icy

le **glaçon** ice cube

glissant(e) (*adj.*) slippery

glisser to slide; to slip

glorifier to glorify; to praise

glossaire glossary; vocabulary

la **goguette** (*fam.*): **militaires en goguette** soldiers making merry on leave

le **golfe** gulf

gonfler to inflate; to swell

la **gorge** throat

la **gorgée** mouthful; gulp

gourmand(e) (*adj.*) gluttonous

le/la **gourmand(e)** glutton, gourmand

la **gourmandise** gourmandism, love of good food (especially sweets)

le **goût** taste

goûter to taste

la **goutte** drop

la **gouttelette** droplet

le **gouvernement** government

gouverner to govern

gr. (*ab.*) **gramme**

grâce à (*prep.*) thanks to

la **graine** seed

la **grammaire** grammar

le **gramme** gram

grand(e) (*adj.*) great; large; big; tall; **à grande allure** fast; **grand luxe** high luxury; **grand-mère** grandmother; **grand magasin** department store; **grande personne** adult; **grand restaurant** fancy restaurant; **grande surface** mall; **grande tenue** full dress; **grandes vacances** summer vacation; **grande vie** the good life; l'**arrière-grand-parent** great grandparent

le **graphisme** writing; pattern

la **grappe** cluster

gras(se) (*adj.*) fat

grassement (adv.) deeply; richly

gratiné(e) (*adj.*) sprinkled with cheese

le **gratte-ciel** skyscraper

gratuit(e) (*adj.*) free (of charge)

grave (*adj.*) serious, low (*voice*)

gravement (*adv.*) seriously

le **graveur** engraver

la **gravité** seriousness

la **gravure** engraving; print; picture (*in a book*)

grec (grecque) (*adj.*) Greek

la **grêle** hail

grignoter to nibble

grillé(e) grilled; broiled

la **grimace** grimace; **faire la grimace** to make a face

grimper to climb

le **gringue** (*sl.*) pass; **faire du gringue** to make a pass

la **grippe** flu

gris(e) (*adj.*) gray

grogner to grumble

gronder to rumble; to scold

gros(se) (*adj.*) big, stout

grossier (-ière) (*adj.*) vulgar

grossir to gain weight

grossissant(e) (*adj.*) fattening

le **groupe** group

le **gruyère** Swiss cheese

guadeloupien(ne) (*adj.*) of Guadeloupe

guère (*adv.*) but little; **ne... guère** scarcely, hardly

le **guéridon** coffee table; stand

la **guerre** war

guetter to watch for

la **gueule** mouth of an animal; **faire la gueule** (*sl.*) to sulk

le **guichet** (ticket) window, counter, booth

guider to guide

le **guidon** handlebar

la **guise** manner, way; **en guise de** in place of

la **gym** (*ab.*) **gymnastique**

la **gymnastique** gymnastics; exercise; **faire de la gymnastique** to do exercises; to do gymnastics

H

habillé(e) (*adj.*) dressed

l'**habillement** (*m.*) clothing

habiller to dress; **s'habiller** to get dressed

l'**habit** (*m.*) clothing

l'**habitant(e)** inhabitant, resident

l'**habitation** (*f.*) lodging, housing

habiter to live

l'**habitude** (*f.*) habit; **d'habitude** (*adv.*) usually, habitually

habituel(le) (*adj.*) habitual

habituer to familiarize; **s'habituer à** to get used to

*****haché(e)** (*adj.*) ground

la *****haie** edge

la *****haine** hatred

les *****halles** (*f.pl.*) covered market

le/la *****handicappé(e)** handicapped person

la *****hantise** obsession; haunting memory

l'**harmonie** (*f.*) harmony

le *****hasard** chance, luck; **par hasard** by accident, by chance

la *****hâte** haste; **avoir hâte** to be in a hurry

la *****hausse** rise

hausser to raise; **hausser les épaules** to shrug (one's shoulders)

*****haut(e)** (*adj.*) high, tall; **à haute voix** in a loud voice; **en haut** upstairs, above; **la haute couture** high fashion; **la haute cuisine** fine cooking; **parler haut** to speak loudly

hebdomadaire (*adj.*) weekly

*****hein** (*interj.*) eh? what?; **On ne sait jamais, hein?** One never knows, does one?

hélas (*interj.*) alas!

l'**herbe** (*f.*) grass; la **mauvaise herbe** weed

hériter to inherit

l'**héroïne** (*f.*) heroine

héroïque (*adj.*) heroic

le *****héros** hero

hésiter to hesitate

hétéroclite (*adj.*) ill assorted; unusual

la *****hêtraie (hêtrée)** beech grove

l'**heure** (*f.*) hour; time; **à l'heure** on time; **à tout à l'heure** see you soon!; **de bonne heure** early; les **heures de bureau** office hours; les **heures de pointe** rush hour; **faire des heures supplémentaires** to work overtime

heureusement (*adv.*) fortunately

heureux (-euse) (*adj.*) happy

hier (*adv.*) yesterday

la *****hiérarchie** hierarchy

l'**histoire** (*f.*) history; story

historique (*adj.*) historical

l'**hiver** (*m.*) winter; **dans le courant de l'hiver** during the winter

hollandais(e) (*adj.*) Dutch

le *****homard** lobster

hommasse (*adj.*) masculine, mannish

l'**homme** (*m.*) man

honnête (*adj.*) honest

l'**honnêteté** (*f.*) honesty

l'**honneur** (*m.*) honor; **faire honneur à** to do credit to; **se faire un point d'honneur** to make it a point

honorable (*adj.*) honorable; **faire amende honorable** to make amends

la *****honte** shame; **avoir honte de** to be ashamed of

*****honteux (-euse)** (*adj.*) shameful; ashamed

l'**hôpital** (*m.*) hospital

l'**horaire** (*m.*) schedule
l'**horloge** (*f.*) clock
l'**horreur** (*f.*) horror
horriblement (*adv.*) horribly
hors (*prep.*) out of; le ***hors-d'œuvre** appetizer
hospitalier (**-ère**) (*adj.*) pertaining to hospitals
l'**hostilité** (*f.*) hostility
l'**hôte** (**hôtesse**) host (hostess); guest
l'**hôtel** (*m.*) hotel
hôtelier (**-ière**) (*adj.*) pertaining to hotels
l'**huile** (*f.*) oil
l'**huître** (*f.*) oyster
humain(e) (*adj.*) human
humaniser to humanize
l'**humanité** (*f.*) humanity
humblement (*adv.*) humbly
l'**humeur** (*f.*) temperament, disposition; **être de bonne (mauvaise) humeur** to be in a good (bad) mood
humide (*adj.*) humid; damp
l'**humidité** (*f.*) humidity
humilier to humiliate
hydraulique (*adj.*) hydraulic
l'**hypermarché** (*m.*) big supermarket
l'**hypocrisie** (*f.*) hypocrisy
l'**hypothèse** (*f.*) hypothesis

I

ici (*adv.*) here
icitte (*adv.*) Canadian for **ici**
idéal(e) (*adj.*) ideal
l'**idéal** (*m.*) ideal
idéalisé(e) (*adj.*) idealized
l'**idéalisme** (*m.*) idealism
idéaliste (*adj.*) idealistic
l'**idée** (*f.*) idea
identifier to identify
identique (*adj.*) identical
l'**identité** (*f.*) identity
l'**idéologie** (*f.*) ideology
idiot(e) (*adj.*) idiotic, foolish
l'**idole** (*f.*) idol
l'**ignorance** (*f.*) ignorance
ignorer to not know
l'**île** (*f.*) island
illégal(e) (*adj.*) illegal, unlawful
illimité(e) (*adj.*) unlimited
illuminé(e) (*adj.*) lit
illusoire (*adj.*) illusory; illusive
illustrer to illustrate
l'**image** (*f.*) picture
l'**imagerie** (*f.*) imagery
imaginaire (*adj.*) imaginary
imaginer to imagine
imiter to imitate
immédiatement (*adv.*) immediately
immense (*adj.*) boundless; huge
immergé(e) (*adj.*) immersed, sunk
l'**immeuble** (*m.*) building
l'**immigré(e)** immigrant

immobile (*adj.*) motionless
immobilier (**-ière**) (*adj.*) pertaining to real estate; **agent immobilier** real estate agent
impalpable (*adj.*) intangible
l'**imparfait** (*m., Gram.*) imperfect (*verb tense*)
l'**impasse** (*f.*) dead end
impénétrable (*adj.*) unfathomable
l'**impératif** (*m., Gram.*) imperative, command
impérieux (**-euse**) (*adj.*) pressing; urgent
l'**imperméable** (*m.*) raincoat
impersonnel(le) (*adj.*) impersonal
impliquer to imply
important(e) (*adj.*) important
importer to matter; **n'importe comment** no matter how, any way; **n'importe lequel (laquelle)** any one of them; **n'importe où** anywhere; **n'importe quand** anytime; **n'importe quel(le)** any, no matter which; **n'importe qui** anyone; **n'importe quoi** anything
imposer to impose
l'**impossibilité** (*f.*) impossibility
l'**impôt** (*m.*) tax
impressionnant(e) (*adj.*) impressive
impressionner to impress
imprimé(e) (*adj.*) printed
improviste (*adv. phrase*): à l'improviste unexpectedly
imputé(e) (*adj.*) charged
inaugurer to usher in
incessant(e) (*adj.*) unending
s'incliner to bow; to yield to
inclure to include
incomber to rest with
inconnu(e) (*adj.*) unknown
inconsidéré(e) (*adj.*) rash
l'**inconvénient** (*m.*) disadvantage
incorporer to incorporate
incrédule (*adj.*) unbelieving
l'**Inde** (*f.*) India
indéfini(e) (*adj.*) indefinite
indéfiniment (*adv.*) indefinitely
l'**indépendance** (*f.*) independence
indépendant(e) (*adj.*) independent
indéterminé(e) (*adj.*) undetermined
les **indications** (*f.pl.*) instructions
l'**indice** (*m.*) evidence
indien(ne) (*adj.*) Indian
l'**indigène** (*m., f.*) native
s'indigner to become indignant
indiquer to indicate
l'**individu** (*m.*) person
individualiste (*adj.*) individualistic, nonconformist
individuel(le) (*adj.*) individual
industriel(le) (*adj.*) industrial
l'**inégalité** (*f.*) inequality
inévitable (*adj.*) unavoidable
inexplicable (*adj.*) unexplainable
inexprimé(e) (*adj.*) unexpressed
inextinguible (*adj.*) unquenchable

inférieur(e) (*adj.*) inferior
l'**infériorité** (*f.*) inferiority
infini(e) (*adj.*) infinite
infiniment (*adv.*) infinitely
l'**infirmier** (**-ière**) nurse
influencer to influence
influer to have an influence
informationnel(le) (*adj.*) pertaining to information
l'**informatique** (*m.*) computer science
l'**infraction** (*f.*) violation (of the law)
l'**infrastructure** (*f.*) substructure
l'**infusion** (*f.*) infusion, decoction (*herb tea*)
l'**ingénieur** (*m.*) engineer
ingrat(e) (*adj.*) unproductive, unprofitable; thankless; ungrateful
l'**ingrédient** (*m.*) ingredient
inhérent(e) (*adj.*) inherent (à, in)
injuste (*adj.*) unjust, unfair
inlassablement (*adv.*) tirelessly
inoffensif (**-ive**) (*adj.*) harmless
inquiet (**-ète**) (*adj.*) worried
inquiétant(e) (*adj.*) disturbing, upsetting
inquiéter to worry
l'**inquiétude** (*f.*) worry
l'**inscription** (*f.*) matriculation; les **frais d'inscription** (*m.pl.*) fees
s'inscrire à to join; to enroll; to register
inscrit(e) (*adj.*) enrolled
l'**insecte** (*m.*) insect
inséparable (*adj.*) inseparable
insister to insist; **insister sur** to stress
insolite (*adj.*) unusual
l'**insomnie** (*f.*) insomnia
insouciant(e) (*adj.*) carefree
inspecter to inspect
l'**inspecteur** (*m.*) inspector
inspirer to inspire
installer to install; to set up; **s'installer** to settle down
l'**instance** (*f.*) solicitation; **demander avec instance** to plead, to beg
l'**instant** (*m.*) moment, instant
l'**instituteur** (**-trice**) elementary school teacher
l'**instruction** (*f.*) education; les **instructions** instructions; directions
l'**instrument** (*m.*) implement
l'**insuccès** (*m.*) failure
insuffisant(e) (*adj.*) insufficient
insulté(e) (*adj.*) insulted
l'**insulte** (*f.*) insult
intact(e) (*adj.*) undamaged
intangible (*adj.*) intangible
intégralement (*adv.*) fully
intégrant(e) (*adj.*) integral
intégrer to integrate
intellectuel(le) (*adj.*) intellectual
intelligent(e) (*adj.*) intelligent

l'**intention** (*f.*) intention
interdire to forbid
intéressant(e) (*adj.*) interesting
intéresser to interest; **s'intéresser à** to take an interest in
l'**intérêt** (*m.*) interest, concern
l'**intérieur** (*m.*) interior; **à l'intérieur** inside
l'**interlocuteur (-trice)** interlocutor; speaker
l'**intermédiaire** (*m.*) intermediary; **par l'intermédiaire** through
international(e) (*adj.*) international
l'**interprétation** (*f.*) interpretation
interpréter to interpret
interrogatif (-ive) (*Gram., adj.*) interrogative
interroger to question
interrompre to interrupt
l'**intersection** (*f.*) intersection
l'**intervalle** (*m.*) interval
intervenir to intervene
l'**interviewer** to interview
l'**intervieweur** (*m.*) interviewer
intestinal(e) (*adj.*) intestinal
intime (*adj.*) intimate; private
intituler to entitle; **s'intituler** to be entitled
intraduisible (*adj.*) untranslatable
l'**intrigue** (*f.*) plot
introduit(e) (*adj.*) introduced
l'**intrus(e)** intruder
inutile (*adj.*) useless
l'**invasion** (*f.*) invasion
inventer to invent
l'**inverse** (*m.*) opposite
inverser to reverse; to invert
l'**investigation** (*f.*) inquiry
investir to invest
l'**investissement** (*m.*) investment
inviter to invite
ironique (*adj.*) ironic(al)
irrégulier (ière) (*adj.*) irregular
l'**irrigation** irrigation
irriter to irritate
isoler to isolate
issu(e) (de) (*adj.*) descended (from)
l'**issue** (*f.*) way out
l'**Italie** (*f.*) Italy
italien(ne) (*adj.*) Italian
l'**italique** (*f.*) italic; **en italique** in italics
l'**itinéraire** (*m.*) itinerary
l'**ivoire** (*m.*) ivory; la **Côte d'Ivoire** Ivory Coast
ivre (*adj.*) drunk

J

jadis (*adv.*) once; formerly
la **jalousie** jealousy
jaloux (-ouse) (*adj.*) jealous
la **Jamaïque** Jamaica
jamais (*adv.*) never; ever
la **jambe** leg

le **jambon** ham
le **Japon** Japan
japonais(e) (*adj.*) Japanese; le/la **Japonais(e)** Japanese (*person*)
le **jardin** garden
le **jardinage** gardening
jaune (*adj.*) yellow
jaunir to yellow; to fade
le **jet d'eau** fountain
jeter to throw
le **jeu** game; performance of actors; le **jeu de mots** play on words
le **jeudi** Thursday
jeune (*adj.*) young; les **jeunes gens** (*m.pl.*) young men; les **jeunes** (*m.pl.*) young people
la **jeunesse** youth
la **joie** joy
joindre to join
joint(e) (*p. p.* **joindre**) joined
joli(e) (*adj.*) pretty
jouer to play; **jouer à** to play (*a sport*); **jouer de** to play (*an instrument*); **jouer aux cartes** to play cards; **jouer aux dames** to play checkers; **jouer aux dominos** to play dominoes; **jouer aux échecs** to play chess
le **journal** newspaper; journal
journalier (-ière) (*adj.*) daily
le **journalisme** journalism
le/la **journaliste** reporter, newscaster, journalist
la **journée** day; **une journée typique** a typical day; **pendant la journée** during the day; **toute la journée** all day long
joyeux (-euse) (*adj.*) joyous; happy, joyful
le **jugement** judgment
juger to judge
juif (-ive) (*adj.*) Jewish
le/la **jumeau (jumelle)** twin
la **jupe** skirt
jurer to swear
le **jus** juice
jusqu'à (*prep.*) until, up to; **jusqu'à ce que** (*conj.*) until
juste (*adj.*) just
juste (*adv.*) precisely; **juste à temps** just in time, in the nick of time
la **justice** justice
justifier to justify

K

kaki (*adj.*) khaki
le **kilo** kilogram
le **kilojoule** kilohertz
le **kilométrage** measuring (of road, etc.) in kilometers; marking (of road) with milestones
le **kilomètre** kilometer
le/la **kinésithérapeute** physiotherapist

L

le **labeur** labor; toil
le **laboratoire** laboratory
le **lac** lake
lâcher to release; **ses nerfs ont lâché** he/she broke down
la **lâcheté** cowardice
lactique (*adj.*) lactic
la **laïcisation** secularization
laid(e) (*adj.*) ugly
la **laine** wool
laïque (*adj.*) lay; secular
laisser to let, allow; **laisser tomber** to drop; **laisser descendre** to let off
le **lait** milk
la **laiterie** dairy
laitier (-ière) (*adj.*) pertaining to milk; les **produits laitiers** (*m. pl.*) dairy products
la **laitue** lettuce
la **lampe** lamp
le **lancement** launching
lancer to launch; to throw, to hurl
la **langouste** lobster
la **langue** language; **donner sa langue au chat** to give up (*in charades, guessing games*)
la **lanière** thin strip
le **lapin** rabbit
large (*adj.*) wide
se **lasser de** to tire (of)
le **lavabo** bathroom sink
le **lave-vaisselle** dishwasher
laver to wash; **se laver** to wash, get washed
la **leçon** lesson
le/la **lecteur (-trice)** reader
la **légende** legend
léger (-ère) (*adj.*) light; slight
la **légèreté** lightness
légiférer to legislate
législatif (-ive) (*adj.*) legislative
le **légume** vegetable
le **lendemain** next day, day after, following day
lent(e) (*adj.*) slow
la **lentille** contact lens
lequel (laquelle) (*pron.*) which one, who, whom, which
la **lessive** laundry
lesté(e) (*adj.*) stuffed
la **lettre** letter; les **lettres** (*pl.*) literature; la **boîte aux letres** mailbox
leur (*adj., pron.*) their; to them
lever to raise, lift; **se lever** to get up
la **lèvre** lip
la **liaison** liaison; love affair
le **Liban** Lebanon
libéral(e) (*adj.*) liberal
la **libération** releasing; liberation
libérer to free
la **liberté** freedom
la **librairie** bookstore

libre (*adj.*) free; available; vacant; le **libre arbitre** free will; **libre cours** free rein
la **licence** bachelor's degree; license; permission
licencié(e) (*adj.*) fired; graduated
lier to bind
le **lien** tie, bond; **mot-lien** connecting word
le **lieu** place; **au lieu de** (*prep.*) instead of, in the place of; **avoir lieu** to take place; **fréquenter (un lieu)** to visit (a place) frequently; to "hang out" (at a place)
la **ligne** line; figure; **faire attention à sa ligne** to watch one's figure
le **limbe** limb; limbo
la **limite** limit
le **lin** linen (*textile*)
le **linge** linen; clothes; **le sèche-linge** clothes dryer
la **liqueur** liquor
lire to read
la **liste** list
le **lit** bed
le **litre** liter
littéraire (*adj.*) literary
la **littérature** literature
la **livraison** delivery
la **livre** pound
le **livre** book
local(e) (*adj.*) local
le/la **locataire** renter
le **logement** housing
loger to house
le **logiciel** software
logique (*adj.*) logical
le **logis** home
la **loi** law
loin (*adv.*) far, at a distance; **loin de** (*prep.*) far from
lointain(e) (*adj.*) distant
le **loisir** leisure, spare time; les **loisirs** spare-time activities
long(ue) (*adj.*) long; slow; **à la longue** in the long run
le **long de** (*prep.*) along
longtemps (*adj.*) long time
la **longueur** length
lors de (*prep.*) at the time of
lorsque (*conj.*) when
le **lot** batch (of goods, etc.); set
louable (*adj.*) praiseworthy
louanger to glorify
la **louche** ladle
louer to rent; to reserve; to praise; **Dieu soit loué!** Praise be to God!; **louer une place** to reserve a seat
lourd(e) (*adj.*) heavy
le **loyer** rent
lu(e) (*p.p.* **lire**) read
lucide (*adj.*) lucid
ludique (*adj.*) inclined to playing games

la **lumière** light
lunaire (*adj.*) lunar
le **lundi** Monday
la **lune** moon; la **lune de miel** honeymoon
les **lunettes** (*f. pl.*) eyeglasses
la **lutte** struggle
lutter to fight; to struggle
le **luxe** luxury
le **lycée** French secondary school
lyrique (*adj.*) lyrical

M

mâcher to chew
le **machin** (*fam.*) thing
machinalement (*adv.*) mechanically
la **machine** machine; la **machine à écrire** typewriter; la **machine à laver** washing machine
le **machiste** macho man
Madame (*f.*) madam; lady
la **madeleine** madeleine (*shell-shaped pastry*)
Mademoiselle (*f.*) Miss
le **magasin** store; le **grand magasin** department store
le **magazine** magazine
le/la **Maghrébin(e)** North African individual
la **magie** magic
magique (*adj.*) magic
magnétique (*adj.*) magnetic
le **magnétoscope** video tape recorder (VCR)
magnifique (*adj.*) magnificent
maigre (*adj.*) thin
maigrir to grow thin
le **maillot** sports jersey; le **maillot de bain** bathing suit
la **main** hand; **à la main** by hand; la **main-d'œuvre** labor, manpower; un **homme de main** thug, bully; un **vol à main armée** armed robbery
maintenant (*adv.*) now
maintenir to maintain; to keep up
mais (*conj.*) but; (*interj.*) why
la **maison** house; firm
la **maisonnée** household
le/la **maître (-esse)** master, mistress
la **maîtrise** master's degree
sa **Majesté** His/Her Majesty
majeur(e) (*adj.*) major; of age
majoritaire (*adj.*) of the majority
la **majorité** majority
mal (*adv.*) badly; **mal élevé(e)** (*adj.*) ill-bred; **pas mal** not badly; **pas mal de** quite a few (of)
le **mal** evil; pain; **avoir du mal** to have a hard time; **avoir le mal de mer** to be seasick; **avoir le mal du pays** to be homesick; **avoir**

mal à la tête to have a headache; **avoir mal aux oreilles** to have an earache; **avoir mal aux yeux** to have sore eyes; **faire mal** to ache; to be painful; **se faire du mal** to hurt oneself; to do oneself harm; **se faire mal** to hurt oneself
malade (*adj.*) sick
le/la **malade** sick person
la **maladie** illness; **en faire une maladie** to make a song and dance about it
maladroit(e) (*adj.*) unskillful; clumsy
malchanceux (-euse) (*adj.*) unlucky
le **malentendu** misunderstanding
malgré (*prep.*) in spite of
malheureusement (*adv.*) unfortunately
malheureux (-euse) (*adj.*) unhappy; miserable
malien(ne) (*adj.*) from Mali
malin (maligne) (*adj.*) sly
malmener to handle roughly, to maul
le/la **malotru(e)** boor; uncouth person
malpoli(e) (*adj.*) impolite
maltraité(e) (*adj.*) mistreated
mamy grandma
la **manche** sleeve
la **manchette** cuff; les **boutons de manchettes** cufflinks
le **mandat** mandate
manger to eat
le **manguier** mango tree
le **maniaque** maniac
manier to handle
la **manière** manner, way
la **manifestation** demonstration
manipuler to manipulate; to handle
le **mannequin** model
le **manque** lack
manquer to miss; to fail; to be lacking; **tu nous manques** we miss you
le **manteau** coat; le **manteau de pluie** raincoat
manuel(le) (*adj.*) manual
le **manuel** manual
se **maquiller** to put on makeup
le **marchand** merchant; seller
le **marché** market; **bon marché** (*adj.*) cheap; **marché de l'emploi** job market
marcher to walk; to work, function; **faire marcher** to make work, to run (*a machine*)
le **mardi** Tuesday
le **mari** husband
le **mariage** marriage; le **mariage mixte** interracial marriage
le/la **marié(e)** groom (bride); les **mariés** (*m. pl.*) newlyweds; les **nouveaux mariés** newly married couple
marier to perform the marriage ceremony; **se marier** to get married;

se **marier avec** to marry (*someone*)
la **marine** navy
maritime (*adj.*) maritime
la **marmite** (stew) pot
le **Maroc** Morocco
la **marque** trade name; brand; la **marque déposée** registered trademark
marquer to mark; to indicate
marron (*adj.*) brown, maroon
le **marteau** hammer
masculin(e) (*adj.*) masculine
le **masque** mask
masqué(e) (*adj.*) masked
le **match** game
le **matelas** mattress
le **matériel** material, working stock
matériel(le) (*adj.*) material
maternel(le) (*adj.*) maternal
la **maternité** maternity
les **mathématiques** (*f. pl.*) mathematics
la **matière** academic subject; matter; **en matière de** in the matter of
le **matin** morning
la **matinée** morning
la **maturité** maturity
maudire to curse
mauvais(e) (*adj.*) bad; wrong; la **mauvaise herbe** weed
le/la **mécanicien(ne)** mechanic
mécanique (*adj.*) mechanical; la **remontée mécanique** (ski) lift
mécanisé(e) (*adj.*) mechanized
la **méchanceté** spitefulness
méchant(e) (*adj.*) naughty, bad; wicked
méconnu(e) (*adj.*) badly known
mécontent(e) (*adj.*) dissatisfied; unhappy
le **mécontentement** dissatisfaction
le **médecin** doctor
la **médecine** medicine
médical(e) (*adj.*) medical
le **médicament** medicine (*drug*)
médiocre (*adj.*) mediocre
se **méfier de** to be wary of
meilleur(e) (*adj.*) better; le/la **meilleur(e)** best
le **mélange** mixture; blend
mélanger to mix
mêler to mix
le **melon** melon; (bowler) hat
le **membre** member
même (*adj.*) same; itself; very same; **en même temps que** at the same time as; **quand même** anyway; **tout de même** all the same
la **mémoire** memory
mémorable (*adj.*) memorable, eventful (trip)
la **menace** threat
menacer to threaten
le **ménage** housekeeping; **faire le ménage** to do the housework; la **femme de ménage** housekeeper
ménager to spare
ménager (-ère) (*adj.*) pertaining to

the house; les **travaux ménagers** (*m. pl.*) housework
mener to take; to lead
le **meneur d'hommes** leader of men
mensuel(le) (*adj.*) monthly
mental(e) (*adj.*) mental
la **mentalité** mentality
le/la **menteur (-euse)** liar
mentionner to mention
mentir to lie
le **menu** menu
mépriser to despise
la **mer** sea; **au bord de la mer** at the seashore; le **fruit de mer** seafood; le **mal de mer** seasickness; **outre-mer** (*adv.*) overseas
merci! thanks!
le **mercredi** Wednesday
merde (*interj.*) shit!
le **mérite** merit; worth
mériter to deserve
le **merlan** whiting
la **merveille** marvel
merveilleux (-euse) (*adj.*) marvelous
la **mésaventure** misadventure
mesquin(e) (*adj.*) petty
le **message** message
la **messe** mass (*religious*)
la **mesure** measure; **sur mesure** to order
mesurer to measure
la **métallurgie** metallurgy
métamorphoser to transform
la **météorologie** meteorology
la **méthode** method
méticuleux (-euse) (*adj.*) meticulous
le **métier** trade, profession, occupation
le **métro** subway
le **metteur-en-scène** stage director
mettre to put, put on; **mettre au courant** update; **mettre de l'argent de côté** to save money; **mettre des notes** to give grades; **mettre en colère** to anger; **mettre en évidence** to bring to light; **mettre en ordre** to put in order; **mettre en valeur** to emphasize; **mettre fin** to end; **mettre le couvert** to set the table; **mettre pied à terre** to alight; to dismount; se **mettre à** to begin; se **mettre en groupes** to get into groups; se **mettre en quatre** to put oneself out
le **meuble** piece of furniture
meublé(e) (*adj.*) furnished
le **meurtre** murder
la **meute** mob, pack (*dogs*)
le **Mexique** Mexico
mi (*adj.*): à **mi-chemin** halfway; à **mi-temps** part-time; à la **mi-août** in the middle of August
la **micro-informatique** micro-computer science
la **micro-onde** microwave

le **midi** noon; **à midi** at noon
la **mie** crumb (*as opposed to crust*); **pain de mie** soft bread
la **miette** crumb
mieux (*adv.*) better; **de mieux en mieux** better and better; le **mieux** the best
la **mignardise** dainty, delicate food item
le **milieu** environment; **au milieu de** in the middle of
le **militaire** serviceman, soldier
le **militantisme** militancy
mille thousand
le **milliard** billion
le **millionnaire** millionaire
mince (*adj.*) thin, slender; **mince alors!** blast!
la **mine** mine (*coal*); appearance, look; **il a fait mine de me suivre** he made as if to follow me
miner to mine
le **minerai** ore
le **mineur** miner
minier (-ère) (*adj.*) mining
le **ministre** minister
le/la **minoritaire** member of a minority
la **minorité** minority
le **minuit** midnight; **à minuit** at midnight
la **minute** minute
minutieux (-euse) (*adj.*) meticulous
miraculeux (-euse) (*adj.*) miraculous
la **mise** putting; la **mise en scène** production, staging, setting; direction; la **mise au point** restatement
la **mission** mission
le **mixeur** mixer
mixte (*adj.*) interracial; co-ed
la **mobylette** moped
moche (*adj., fam.*) ugly; rotten
la **mode** fashion, style; **à la mode** in style
le **mode** (*Gram.*) mood; mode; method; le **mode d'emploi** directions for use
le **modèle** model; pattern
modéré(e) (*adj.*) moderate
moderne (*adj.*) modern
moderniser to modernize
modeste (*adj.*) modest, humble
modifier modify; transform
les **mœurs** morals; customs
moindre (*adj.*) less, smaller, slighter; la **moindre idée** the least idea
le **moine** monk
moins (*adv.*) less; **moins de/que** fewer; **à moins que** (*conj.*) unless; **de moins en moins** less and less; **du moins** at least
se **moirer** to water (*like silk*)
le **mois** month
la **moitié** half
moka (*adj.*) mocha

mollement (*adv.*) weakly; indolently
le **moment** moment
la **monarchie** monarchy
le **monde** world; people; society; le **tiers monde** third world; **tout le monde** everybody
mondial(e) (*adj.*) worldwide
monétaire (*adj.*) monetary
le/la **moniteur (-trice)** coach; instructor; supervisor
la **monnaie** change
le **monocle** monocle
la **monotonie** monotony
le **monsieur** mister; man; gentleman; sir
le **monstre** monster
le **mont** hill; mountain
montagnard(e) (*adj.*) in the mountain
la **montagne** mountain
monter (*intr.*) to climb into; to get in; to mount; (*trans.*) to take up; **collet-monté** (*adj.*) straitlaced
la **montre** watch
montrer to show
se **moquer (de)** to make fun (of); to mock
la **moquette** wall-to-wall carpet
moqueur (-euse) (*adj.*) derisive
le **morceau** piece
le **morcellement** parcelling out; division
la **morgue** mortuary
morne (*adj.*) gloomy
le **morne** hillock, knoll
la **mort** death
mortel(le) (*adj.*) mortal
le **mot** word; le **mot-lien** connecting word
le **moteur** engine; motor
le **motif** design, pattern
motiver motivate
la **moto** motorbike
mou (molle) (*adj.*) soft; flabby
moucharder (*fam.*) to squeal
la **mouche** fly
moucher to wipe or blow the nose of (*someone*); se **moucher** to blow one's nose
le **mouchoir** handkerchief
mouiller to wet
le **moule** mold; le **moule à gâteaux** cake tin
mouler to mold
mourir to die
la **mousse** moss
le **moustique** mosquito
la **moutarde** mustard
le **mouton** mutton; sheep
le **mouvement** movement; le **Mouvement pour la Libération de la Femme** Women's Liberation Movement
moyen(ne) (*adj.*) average; mean, middle, medium; le **moyen âge** Middle Ages

le **moyen** means; way
se **muer (en)** to change (into)
muet(te) (*adj.*) silent
le **mufle** (*fam.*) lout, boor
mugir to bellow (*of cattle*); to moan
multiplier to multiply
municipal(e) (*adj.*) municipal; **autocar municipal** city bus
la **municipalité** municipality; town
le **mur** wall
mûr(e) (*adj.*) ripe, mature
la **mûre** mulberry; blackberry
le **murmure** murmur
murmurer to murmur
musclé(e) (*adj.*) muscular
muscler to develop the muscles of
la **musculation** muscle developing
le **musée** museum
musical(e) (*adj.*) musical
le/la **musicien(ne)** musician
la **musique** music; la **musique classique** classical music
musulman(e) (*adj.*) Mohammedan, Moslem
le/la **mutant(e)** mutant
la **mutuelle** mutual; insurance company
la **myrtille** huckleberry; blueberry; bilberry; whinberry
le **mystère** mystery
mystérieux (-euse) (*adj.*) mysterious
le **mythe** myth
mythologique (*adj.*) mythological

N

la **nage** swimming
nager to swim
naïf (naïve) (*adj.*) naïve; simpleminded
la **naissance** birth
naître to be born
nantais(e) (*adj.*) of the Nantes region
la **nappe** tablecloth
narguer to taunt
le/la **narrateur (-trice)** narrator
natal(e) (*adj.*) native
la **natation** swimming
la **nation** nation
national(e) (*adj.*) national
nationalisé(e) (*adj.*) nationalized
la **nationalité** nationality
la **nature** nature; le **yaourt nature** plain yoghurt; **en pleine nature** out in the country
naturel(le) (*adj.*) natural
la **nausée** nausea
nautique (*adj.*) nautical; le **ski nautique** water skiing
naval(e) (*adj.*) naval; la **construction navale** shipbuilding
la **navette** shuttle
le **navire** ship

néanmoins (*adv.*) nevertheless
nébuleux (-euse) (*adj.*) vague
nécessaire (*adj.*) necessary
la **nécessité** need
né(e) (*p.p.* **naître**) born
négatif (-ive) (*adj.*) negative
négligeable (*adj.*) negligible, insignificant
négliger to neglect
négocier to negotiate
le/la **nègre (négresse)** negro
la **négritude** negro condition
la **neige** snow
le **nerf** nerve
nerveux (-euse) (*adj.*) nervous; la **dépression nerveuse** nervous breakdown
la **nervosité** irritability
net(te) (*adj.*) neat; net (weight); le **bénéfice net** clear profit
nettoyer to clean
neuf (neuve) (*adj.*) new, brand-new
la **neurologie** neurology
neutre (*adj.*) neuter
neuvième (*adj.*) ninth
le **neveu** nephew
le **nez** nose
la **nièce** niece
nier to deny
le **niveau** level
la **noblesse** nobility
la **noce** wedding; le **voyage de noces** honeymoon trip
nocturne (*adj.*) nocturnal
(le) **Noël** Christmas
noir(e) (*adj.*) black
noircir to blacken; to darken
le **nom** noun; name
le **nombre** number
nombreux (-euse) (*adj.*) numerous
nommer to name
le **nord** north
normand(e) (*adj.*) of the Normandy region
la **norme** norm
la **nostalgie** nostalgia
le **notaire** notary
notamment (*adv.*) notably; especially
la **note** note; grade; bill
noter to notice; **à noter** worth remembering
la **notion** notion, idea
nouer to knot
la **nouille** noodle
nourrir to feed
la **nourriture** food
nouveau (nouvel, nouvelle) (*adj.*) new
la **nouveauté** novelty
noyé(e) drowned
le **nuage** cloud
la **nuance** shade of meaning
nucléaire (*adj.*) nuclear
nu(e) (*adj.*) naked
nuire (à) to harm
la **nuit** night

nul(le) (*adj., pron.*) no, not any; **nulle part** (*adv.*) nowhere
le **numéro** number
le **nymphe** white water lily

O

obéir to obey
obéissant(e) (*adj.*) obedient
l'**objet** (*m.*) objective; object
obligatoire (*adj.*) obligatory; mandatory
obliger to oblige; to compel
obscur(e) (*adj.*) dark; obscure
obsédé(e) (*adj.*) obsessed
les **obsèques** (*f. pl.*) funeral
l'**observateur (-trice)** observer
observer to observe
obstiné(e) (*adj.*) stubborn, obstinate
obtenir to obtain
l'**occasion** (*f.*) opportunity, occasion; bargain
occidental(e) (*adj.*) western, occidental
occupé(e) (*adj.*) occupied
l'**océan** (*m.*) ocean
l'**odeur** (*f.*) odor, smell
odieux (-euse) (*adj.*) odious
l'**œil** (*m. pl.,* **yeux**) eye; **avoir mal aux yeux** to have sore eyes
l'**œuf** (*m.*) egg
l'**œuvre** (*f.*) work; le **chef-d'œuvre** masterpiece; **à l'œuvre** at work
l'**offense** (*f.*) offense
officiel(le) (*adj.*) official
l'**officier (-ière)** officer
offrir to offer; **s'offrir** to buy for oneself
l'**oie** (*f.*) goose
l'**oignon** (*m.*) onion
l'**oiseau** (*m.*) bird
l'**olivier** (*m.*) olive tree
l'**ombre** (*f.*) shadow
l'**omelette** (*f.*) omelet
l'**omnibus** (*m.*) omnibus
l'**oncle** (*m.*) uncle
l'**onde** (*f.*) wave
ondulé(e) (*adj.*) wavy
onéreux (-euse) (*adj.*) expensive; burdensome
l'**ongle** (*m.*) nail
onctueux (-euse) (*adj.*) unctuous
l'**opéra** (*m.*) opera
l'**opération** (*f.*) operation
opérer to operate
l'**opinion** (*f.*) opinion
l'**opportunité** (*f.*) opportunity
l'**opposé** (*f.*) opposite
oppressant(e) (*adj.*) oppressive
optimiste (*adj.*) optimistic
or (*conj.*) now; well
l'**orage** (*m.*) storm
oral(e) (*adj.*) oral

orange (*adj.*) orange
l'**orbite** (*f.*) orbit
l'**orchestre** (*m.*) orchestra
ordinaire (*adj.*) ordinary
l'**ordinateur** (*m.*) computer
l'**ordonnance** (*f.*) prescription
l'**ordre** (*m.*) order
l'**oreille** (*f.*) ear; la **boucle d'oreille** earring
l'**oreiller** (*m.*) pillow
l'**organe** (*m.*) organ
organiser to organize
l'**organisme** (*m.*) organism
l'**orgue** (*m.*) organ
orienté(e) (*adj.*) oriented
originaire (de) (*adj.*) originating (from); native (of); original
original(e) (*adj.*) eccentric, original
l'**originalité** (*f.*) originality
l'**origine** (*f.*) origin
l'**orphelin(e)** orphan
l'**orteil** (*m.*) toe
l'**orthographe** (*f.*) spelling
l'**os** (*m.*) bone
oser to dare
l'**oubli** (*m.*) forgetfulness
oublier to forget
l'**ouest** (*m.*) west
l'**outil** (*m.*) tool
outre (*prep.*) beyond
l'**ouverture** (*f.*) opening
l'**ouvrier (-ière)** worker
ouvrir to open
l'**ouvroir** (*m.*) workroom; ladies' work party
l'**oxygène** (*m.*) oxygen

P

la **pagaille** disorder, clutter; mess
le **paillasson** doormat
le **pain** bread
au **pair** au pair
la **paire** pair
la **paix** peace
le **palais** palace
pâle (*adj.*) pale
le **palmier** palm tree
la **pancarte** sign, notice; placard
le **panier** basket
la **panne** breakdown; **être en panne, tomber en panne** to have a breakdown (*in a vehicle*)
le **panneau** road sign; panel
la **panoplie** panoply
panoramique (*adj.*) panoramic
le **pantalon** pair of pants
la **pantoufle** slipper
la **papeterie** stationery store
le **papier** paper
le **papillon** butterfly
papy grandpa
Pâques (*f. pl.*) Easter

le **paquet** package
par (*prep.*) by, through; **par conséquent** consequently; **par contre** on the other hand; **par écrit** in writing; **par exemple** for example; **par hasard** by chance; **par mois** per month; **par rapport à quelque chose** with regard/respect to something, in relation to something
la **parachimie** parachemistry
paradoxale (*adj.*) paradoxical
le **parapluie** umbrella
paraître to appear
le **parc** park
la **parcelle** parcel (of land); fragment
parcourir to travel through
le **parcours** route, course; distance to cover
le **pardon** pardon, forgiveness; **demander pardon** to apologize
pardonner to pardon
le **parebrise** windshield
pareil(le) (*adj.*) like, similar
le **parent** parent, relative
la **parenté** relationship, kinship
la **parenthèse** parenthesis
paresseux (-euse) (*adj.*) lazy
parfait(e) (*adj.*) perfect
parfois (*adv.*) sometimes; now and then
le **parfum** perfume
parier to bet
parisien(ne) (*adj.* Parisian; le/la **Parisien(ne)** Parisian (person)
parler to speak; to talk; **parler à** to speak to; **parler de** to talk about
parmentier (-ière) (*adj.*) way of preparing potatoes
parmi (*prep.*) among
la **parole** word
partager to share
le/la **partenaire** partner
le **parti** political party
participer to participate
la **partie** part (*of a whole*); **faire partie de** to be part of
partiel(le) (*adj.*) partial
partir to leave; **à partir de** (*prep.*) starting from
partitif (-ive) (*adj., Gram.*) partitive
partout (*adv.*) everywhere
parvenir à to attain; to succeed in
le/la **passant(e)** passer-by
la **passe** pass; **être en passe de** to be on the way to doing something
passé(e) (*adj.*) past, gone, last; spent
le **passeport** passport
passer (*intr.*) to pass; **passer par** to pass through; **ce film passe** this film is showing; (*trans.*) to pass; to cross; to spend; **passer la frontière** to cross the border; **passer un examen** to take an

exam; **passer une nuit blanche** to stay up all night; **se passer** to happen; to take place; **se passer de** to do without

le **passe-temps** pastime, hobby

passif (-ive) (*adj.*) passive

passionnant(e) (*adj.*) exciting, thrilling

passionné(e) (*adj.*) passionate; **passionné(e) de** very fond of

passionner to interest deeply; to excite

la **passivité** passivity, passiveness

la **pastèque** watermelon

la **patache** (*fam.*) ramshackle conveyance

la **pâte** dough

le **pâté** liver paste, pâté

paternel(le) (*adj.*) paternal

la **patience** patience

le/la **patient(e)** patient

le **patinage** skating

la **patinoire** skating rink

la **pâtisserie** pastry shop, bakery

le/la **pâtissier (-ière)** pastry chef

la **patrie** country; homeland, native land

le **patrimoine** heritage

le/la **patron(ne)** boss

la **patte-d'oie** wrinkle

le **pâturage** grazing; pasture

la **pâture** food, fodder (*of animals*); pasture

la **paupière** eyelid

la **pause-café** coffee break

pauvre (*adj.*) poor, needy; wretched, unfortunate; **les pauvres** (*m. pl.*) the poor

la **pauvreté** poverty

le **pavillon** pavilion

payer to pay; **se payer** to treat oneself to

le **pays** country, land; **le mal du pays** homesickness

le **paysage** landscape, scenery

le/la **paysan(ne)** peasant

la **paysannerie** peasantry; country people

la **peau** skin

la **pêche** fishing

le/la **pêcheur (-euse)** fisherman

la **pédale** pedal

peigner to comb; **se peigner** to comb one's hair

peindre to paint

la **peine** bother, trouble; **avoir de la peine** to have trouble, difficulty; **valoir la peine** to be worth the trouble

peiner to toil, labor; to grieve, upset

peint(e) (*p.p.* **peindre**) painted

le **peintre** painter

la **peinture** paint, painting; **la peinture à l'eau** watercolor; **la peinture à l'huile** oil painting

péjoratif (-ive) (*adj.*) pejorative, negative

la **pelouse** lawn

se **pencher** to bend down

pendant (*prep.*) during; **pendant que** (*conj.*) while

pénétrer to penetrate

pénible (*adj.*) difficult; painful

penser to think; to reflect; to expect; **penser à** to think of (*something*); **que pensez-vous de cela?** what do you think of that?

la **pension** boarding school

la **pente** slope

perçant(e) (*adj.*) piercing

la **perceuse** drill

percevoir to perceive

perché(e) (*adj.*) perched

perdre to lose

perdu(e) (*adj.*) lost

perfectionner to perfect

la **performance** performance

performant(e) (*adj.*) performing

la **période** period (*of time*)

la **perle** pearl

permettre to permit, allow, let; **se permettre** to permit oneself; to take the liberty

le **permis** license; **le permis de conduire** driver's license

perpétuel(le) (*adj.*) perpetual

persécuter to persecute

persévérer to persevere

le **persil** parsley

persistant(e) (*adj.*) persistent

persister to persist

le **personnage** character

la **personnalisation** personalization

personnaliser to personalize

la **personnalité** personality, personal character

la **personne** person; **ne... personne** nobody, no one

personnel(le) (*adj.*) personal

la **perte** loss

perturber to disturb

pesant(e) (*adj.*) heavy

peser to weigh

pessimiste (*adj.*) pessimistic

la **pétanque** game of bowling (*in the south of France*)

petit(e) (*adj.*) little; short; very young; **les petits** (*m. pl.*) young ones; little ones

le **petit-fils** grandson

la **petite-fille** granddaughter

le **pétrole** oil

peu (*adv.*) little, not much; few, not many; not very; **à peu près** nearly

le **peuple** nation; people of a country

peupler to populate

la **peur** fear; **avoir peur** to be afraid; **de peur de** (*prep.*) for fear of; **de peur que** (*conj.*) for fear that; **faire peur** to scare

la **pharmacie** pharmacy, drugstore

le/la **pharmacien(ne)** pharmacist

le **phénomène** phenomenon

le/la **philosophe** philosopher

la **photo** picture, photograph

le/la **photographe** photographer

la **photographie** photography

photographier to photograph

la **phrase** sentence

physiologique (*adj.*) physiological

physique (*adj.*) physical

la **physique** physics

le **piano** piano

le **pichet** pitcher

la **pièce** play; coin; room

le **pied** foot; **à pied** on foot; **au pied de** at the foot of; **le coup de pied** kick; **mettre pied à terre** to alight, dismount

piéger to trap

la **pierre** stone

le/la **piéton(ne)** pedestrian

pieux (-euse) (*adj.*) pious

le **pigeonneau** young pigeon

piloter to pilot

la **pilule** pill

le **piment** pimento

la **pincée** pinch

le/la **pionnier (-ière)** pioneer

la **pipe** pipe

le **pique-nique** picnic

la **piqûre** shot

pire (*adj.*) worse; **le/la pire** the worst

pis (*adv.*) worse; **le/la pis** the worst; **tant pis!** too bad!

le **pis** udder (*of cow*)

la **piscine** swimming pool

la **piste** path, trail; course; slope

la **pitié** pity

pittoresque (*adj.*) picturesque

le **placard** cupboard

la **place** place; position; seat; public square

placé(e) (*adj.*) situated

placer to find a seat for; **se placer** to be placed

la **plage** beach

la **plaie** wound; **Vous avez touché le vif de la plaie!** You've put your finger right on it!

plaindre to pity; **se plaindre** to complain

la **plaine** plain

la **plainte** complaint

plaire to please; **s'il te plaît, s'il vous plaît** please; **se plaire** to please oneself; **se plaire à** to delight in

plaisant(e) (*adj.*) pleasant

la **plaisanterie** joke; trick

le **plaisir** pleasure

la **planche** board; **planche à voile** sailboard

planer to hover

la **planète** planet

planifier to plan
la **plante** plant
le **plastique** plastic
le **plastron** dicky; front of shirt
plat(e) (*adj.*) flat
le **plat** dish; course
le **plateau** tray; plateau
le **plâtre** plaster
plein(e) (*adj.*) full; **à plein-temps** full-time; **en plein air** in the open air; **faire le plein (d'essence)** to fill up (*with gas*)
pleurer to cry
pleuvoir to rain
plier to fold; **se plier à** to submit, conform
le **plissage** pleating
plissé(e) (*adj.*) creased, wrinkled
plomber une dent to fill a cavity
plonger to dive; to dip
plu (*p.p. plaire*) pleased; (*p.p. pleuvoir*) rained
la **pluie** rain
le **plumage** plumage; feathers
la **plume** feather
la **plupart de** most (of); the majority of
plusieurs (*adj., pron.*) several
plutôt (*prep.*) rather
le **pneu** tire
la **poche** pocket
la **poêle** frying pan
le **poème** poem
la **poésie** poetry
le **poète** poet
le **poids** weight
la **poignée** handful
le **poing** fist
le **point** point; point of punctuation; la **mise au point** restatement; focusing; le **point de vue** point of view
la **pointe** peak; les **heures de pointe** (*f.pl.*) rush hour
la **poire** pear
le **pois** pea; les **petits pois** green peas
le **poisson** fish
la **poissonnerie** fish market
la **poitrine** chest
le **poivre** pepper
poivrer to pepper
le **poivron** green pepper
poli(e) (*adj.*) polite
la **police** police; l'**agent de police** (*m.*) police officer
policier (-ière) (*adj.*) pertaining to the police; le **film policier** detective film
la **politesse** politeness, good breeding
politique (*adj.*) political
la **politique** politics
polluer to pollute
le **polo** polo; sweatshirt
la **Pologne** Poland
la **pomme** apple
le **pommier** apple tree

la **pompe** pump (*gas*)
le/la **pompiste** pump attendant
la **ponctualité** punctuality
ponctuel(le) (*adj.*) punctual
le **pont** bridge
populaire (*adj.*) popular; common
le **porc** pork
la **porcelaine** porcelain
la **porte** door
la **portée** reach; **se mettre à la portée de quelqu'un** to get down to someone's level
le **portefeuille** wallet
le **porte-parole** mouthpiece
porter to carry; to wear
la **portière** door (*car*)
le/la **Portugais(e)** Portuguese (*person*)
poser to put; to state; to pose; to ask
positif (-ive) (*adj.*) positive
posséder to possess
possessif (-ive) (*adj.*) possessive
la **possession** possession
la **possibilité** possibility
postal(e) (*adj.*) postal, post
le **poste** employment
le/la **postier (-ière)** post office employee
la **posture** posture, attitude; position
le **potage** soup
potager (-ère) (*adj.*) vegetable (*soup*); **herbes potagères** soup herbs
le **pote** (*fam.*) buddy; pal
la **poubelle** garbage can
le **pouce** thumb
la **poudre** powder; **en poudre** powdered
la **poudrerie** flurry of snow
la **poularde** fattened pullet
la **poule** hen
le **poulet** chicken
le **poulpe** octopus
le **poumon** lung
la **poupée** doll
pour (*prep.*) for; on account of; in order; for the sake of; **pour que** (*conj.*) so that, in order that
le **pourboire** tip (*money*)
le **pourcentage** percentage
les **pourparlers** (*m.pl.*) parley; talks; negotiation
pourquoi (*adv., conj.*) why; wherefore
la **poursuite** pursuit
poursuivre to pursue
pourtant (*adv.*) however, yet, still, nevertheless
pourvu que (*conj.*) provided that
pousser to push
pouvoir to be able
pragmatique (*adj.*) pragmatic
pratique (*adj.*) practical
la **précaution** precaution
précédant(e) (*adj.*) preceding
préchauffer to preheat
précieux (-ieuse) (*adj.*) precious

précis(e) (*adj.*) precise, fixed, exact
préciser to state precisely; to specify
précoce (*adj.*) precocious
la **prédiction** prediction
préférable (*adj.*) preferable, more advisable
la **préférence** preferance
préférer to prefer; to like better
le **préjugé** prejudice
premier (-ière) (*adj.*) first; principal; former; le **premier ministre** prime minister; les **premiers secours** (*m.pl.*) first aid
prendre to take; to catch, capture; to choose; to begin to; **prendre feu** to catch fire; **prendre la parole** to begin speaking; **prendre le petit déjeuner** to have breakfast; **prendre plaisir (à)** to take pleasure (in); **prendre une décision** to make a decision; **prendre un pot** to have a drink
préoccuper to preoccupy
les **préparatifs** preparations
la **préparation** preparations
préparer to prepare; **préparer un examen** to study for a test; **se préparer à** to prepare oneself for
la **prépondérance** preponderance
près (*adv.*) by, near; **près de** (*prep.*) near, close to
prés. (*ab.*) **présenter**
préscrire to prescribe
la **présence** presence
présenter to present; to introduce; to put on; **se présenter** to present oneself; to appear
présider to preside
présidentiel(le) (*adj.*) presidential
la **présomption** presumption
presque (*adv.*) almost, nearly
la **presse** press
pressé(e) (*adj.*) in a hurry; squeezed
presser to squeeze; **se presser** to hurry, make haste
la **pression** pression; pressure
la **prestation** benefit; les **prestations sociales** national insurance benefits
le **prestige** prestige
prestigieux (-ieuse) (*adj.*) prestigious
prêt(e) (*adj.*) ready
prétendre to claim
la **prétention** pretension, claim
le **prétexte** pretext
le **prêtre** priest
la **preuve** proof
prévenir to warn
la **prévention** prevention
prévoir to foresee, to anticipate
prévu(e) (*p.p. prévoir*) anticipated
prier to pray
la **prière** prayer

primaire (*adj.*) primary
primordial(e) (*adj.*) primordial
principal(e) (*adj.*) principal, most important
le **principe** principle
le **printemps** spring, springtime
la **priorité** right of way; priority
la **prise** setting; grasp; **être en prise avec** to have a good grasp of; **prise de conscience** conscience awakening
prisé(e) (*adj.*) prized; appreciated
priser to take snuff
privé(e) (*adj.*) private
le **privilège** privilege
privilégier to favor
le **problème** problem
le **procès** lawsuit
prochain(e) (*adj.*) next; near; immediate
proche (*adj.*) near, close
proclamer to proclaim
le/la **producteur (-trice)** producer
produire to produce
le **produit** product
le **professeur** professor, teacher
professionel(le) (*adj.*) professional
profiter de to take advantage of
profond(e) (*adj.*) deep
la **profusion** abundance
programmable (*adj.*) programable
le/la **programmateur (-trice)** programer; program planner
le **programme** program; design, plan
le **progrès** progress
progresser to progress
la **proie** prey
le **projecteur** projector
le **projectile** projectile
le **projet** project
projeter to project; to plan; to intend
prolonger to prolong
la **promenade** walk; stroll; drive; excursion, pleasure trip; **faire une promenade à pied** to go for a walk; **faire une promenade en voiture** to go for a drive
promener to take out walking or for exercise; **se promener** to go for a walk, drive, ride
promettre to promise; **se promettre** to promise oneself; to promise each other
la **promotion** promotion
promouvoir to promote
promu(e) (*adj.*) promoted
prôner to praise, extol; to recommend
prononcer to pronounce; **se prononcer** to be pronounced
la **propagation** propagation; spreading
propice (*adj.*) propitious; favorable
le **propos** talk; **à propos de** (*prep.*) with respect to

proposer to propose
propre (*adj.*) own; proper; clean
la **propreté** cleanliness
le/la **propriétaire** owner
la **propriété** property
la **prose** prose
prospère (*adj.*) prosperous
le/la **protecteur (-trice)** protector
protéger to protect
protester to protest
prouver to prove
provenir (de) to arise, come (from)
la **province** province
le **proviseur** headmaster
la **provision** supply; les **provisions** groceries
provoquer to provoke
la **proximité** proximity, closeness
prudent(e) (*adj.*) prudent
psychanalytique (*adj.*) psychoanalytical
le/la **psychiatre** psychiatrist
la **psychologie** psychology
psychologique (*adj.*) psychological
le/la **psychologue** psychologist
la **psychosociologie** psychosociology
pu (*p.p.* **pouvoir**) been able
pub. (*ab.*) **publicité**
public (publique) (*adj.*) public
le **public** public; audience
la **publication** publication
publicitaire (*adj.*) connected with publicity, advertising
la **publicité** publicity; advertising
publier to publish
la **puce** flea; la **puce de silicium** silicone chip
puer (*fam.*) to stink
puis (*adv.*) then, afterward, next; besides; **et puis** and then; and besides
puisque (*conj.*) since, as, seeing that
la **puissance** power
puissant(e) (*adj.*) powerful, strong
le **pull** pullover
punir to punish
punitif (-ive) (*adj.*) punitive
la **punition** punishment
pur(e) (*adj.*) pure
la **purée** mashed potatoes
le **pyjama** pajamas
la **pyramide** pyramid

Q

le **quai** platform
la **qualification** qualification
qualifié(e) (*adj.*) qualified
la **qualité** quality; virtue
quand (*adv.*) when; **depuis quand?** since when? how long is it since?; **quand même** even though; all the same; nevertheless; **n'importe quand** anytime

quant à (*prep.*) as for
la **quantité** quantity
la **quarantaine** about forty
le **quart** quarter, fourth part
le **quartier** neighborhood
quasi (*adv.*) almost
quatrième (*adj.*) fourth
québécois(e) (*adj.*) of Quebec
quel(le) (*adj.*) what, which; what a
quelque (*adj.*) some, any; a few; **quelque chose** (*pron.*) something; **quelque part** somewhere
quelquefois (*adv.*) sometimes
quelqu'un (*pron.*) someone, somebody
la **querelle** quarrel
le **questionnaire** questionaire
questionner to ask questions
la **queue** tail; line; **faire la queue** to stand in line
la **quiche** egg custard pie; la **quiche lorraine** egg and bacon custard pie
la **quiétude** peacefulness
la **quinzaine** about fifteen
quitter to leave; to abandon, leave behind
quoi (*pron.*) which; what; **quoi que** (*conj.*) whatever
quoique (*conj.*) although
quotidien(ne) (*adj.*) daily, quotidian; le **quotidien** daily (newspaper)

R

le **rabatteur** beater (*in hunting*)
le **rachat** buying back
la **racine** root
le **racisme** racism
raciste (*adj.*) racist
raconter to tell; to recount, narrate
le **radical** (*Gram.*) stem; root
la **radio** radio; x-ray
radiologique (*adj.*) pertaining to x-rays
la **rafale** squall, strong gust
le **raffinement** refinement
rafraîchir to refresh
rager to rage
raide (*adj.*) stiff; straight (*hair*)
la **raideur** stiffness
rainuré(e) (*adj.*) grooved, fluted
le **raisin** grape
la **raison** reason; **avoir raison** to be right; **donner raison à quelqu'un** to admit someone is right; **en raison de** by reason of
raisonnable (*adj.*) reasonable; rational
raisonner to reason
rajeunir to rejuvenate
ralentir to slow down

le **ramage** chirping, warbling (of birds, children)
le **ramassage** pickup; gathering
ramasser to pick up
ramener to bring back
ramollir to soften
la **rancune** rancour, spite; **garder rancune à** to harbor resentment against
la **randonnée** tour, trip; ride; la **randonnée à bicyclette** bike ride; la **randonnée à pied** hike; **faire une randonnée** to take a tour, trip, ride
le **rang** row
ranger to put in order; to arrange
rapide (*adj.*) rapid, fast
la **rapidité** rapidity, swiftness
le **rappel** recall; reminder
rappeler to remind; **se rappeler** to recall; to remember
le **rapport** connection, relation; report; les **rapports** (*m.pl.*) relations
rapporter to bring back; to report; **se rapporter à** to fit
se **rapprocher** to draw nearer
la **raquette** racket
rare (*adj.*) rare
ras-le-bol (*adv., fam.*) up to here; **J'en ai ras-le-bol!** I've had it up to here!
raser to shave; to graze
rassembler to gather
rassurant(e) (*adj.*) reassuring
rassurer to reassure
rater to miss; to fail
ravi(e) (*adj.*) delighted
la **ravine** ravine, gully
se **raviser** to change one's mind
ravissant(e) (*adj.*) delightful, charming
le **rayon** department
la **rayure** stripe
la **réaction** reaction
réagir to react
réalisable (*adj.*) feasible
réaliser to realize
la **réalité** reality; **en réalité** in reality
réapparaître to reappear
rebaptisé(e) (*adj.*) rebaptized; renamed
récapituler to sum up
récemment (*adv.*) recently, lately
récent(e) (*adj.*) recent, new, late
réceptif (-ive) (*adj.*) receptive
la **réception** entertainment, reception
le/la **réceptionnaire** receiving agent
le/la **réceptionniste** receptionist
la **recette** recipe
recevoir to receive; to entertain
rech. (*ab.*) **rechercher**
recharger to recharge; to reload
réchauffer to warm up
la **recherche** research; search
rechercher to seek; to search for

le **récit** account
la **réclame** advertisement, commercial
réclamer to demand; to clamor for; to claim
la **récolte** harvest
recommander to recommend
recommencer to start over
reconnaissable (*adj.*) recognizable
reconnaissant(e) (*adj.*) grateful
reconnaître to recognize
reconsidérer to reconsider
reconstituer to reconstitute
reconstruire to rebuild
recouvert(e) (*adj.*) covered, recovered
recouvrir to cover up
la **récréation** recess (*at school*)
recréer to recreate
le **recruteur** recruiting agent
rectifier to rectify
reçu(e) (*p.p.* **recevoir**) received; entertained
le **reçu** receipt
recueillir to collect, to gather; to shelter
récupérer to recuperate; to recover
le/la **rédacteur (-trice)** writer
redécouvrir to rediscover
redemander to ask for something back again
rédiger to draft
redonner to give back
redoutable (*adj.*) redoutable, formidable
redouter to fear, to dread
redresser to straighten
réduire to reduce
réel(le) (*adj.*) real, actual
rééquilibrer to rebalance
réexpédié(e) (*adj.*) sent back
se **référer** to refer
refermer to shut, close again
réfléchir to reflect; to think
le **reflet** reflection
refléter to reflect
la **réflexion** reflection
la **réforme** reform
reformuler to reformulate
le **réfrigérateur** refrigerator
refroidir to cool
le/la **réfugié(e)** refugee
se **réfugier** to take refuge
le **refus** refusal
refuser to refuse
le **regard** glance; gaze
regarder to look at
le **régime** diet; **être au régime** to be on a diet
régional(e) (*adj.*) local, of the district
la **règle** rule
régler to regulate; to set; to settle
regretter to regret; to be sorry for
la **régularité** regularity; steadiness
régulier (-ière) (*adj.*) regular
rehumilier to humiliate again

le **rein** kidney
la **reine** queen
réinventer to reinvent
rejeter to reject
rejoindre to join; to reunite; **se rejoindre** to meet
relâcher to release; to let go
relancer to restart; **relancer le débat** to fuel the debate
relatif (-ive) (*adj.*) relative
la **relation** relationship
la **relève** relief; **prendre la relève** to take over
le **relief** relief; **mettre en relief** to bring out
religieux (-ieuse) (*adj.*) religious
relire to read again
remâcher (*fam.*) to brood over
remarquable (*adj.*) noteworthy
remarquer to remark upon; to notice; **faire remarquer** to point out, call attention to
le **remboursement** repayment
rembourser to repay
le **remède** remedy
remédier to cure, to remedy
le **remembrement** regrouping
remembrer to regroup
remercier to thank
remettre to put back
la **remontée** climb; la **remontée mécanique** ski lift
remonter to climb up; to lift; to wind up; **remonter le moral** to cheer up
le **remplacement** replacement
remplacer to replace
la **remorque** trailer
remplir to fill
rémunéré(e) (*adj.*) remunerated, paid
le **renard** fox
rencontrer to meet; **se rencontrer** to meet each other
le **rendez-vous** rendezvous; appointment; **se donner rendez-vous** to make an appointment
rendre to return, give back; **rendre visite à** to visit (*a person*); **se rendre compte de** to realize
renforcer to reinforce, to strengthen
renier to deny
renoncer to renounce, to give up
le **renouvellement** renewal
le/la **rénovateur (-trice)** renovator; restorer
rénover to renovate, to restore
le **renseignement** piece of information; les **renseignements** information
renseigner to inform
rentré(e) (*adj.*) suppressed
rentrer (*intr.*) to return home, go home; to go back; (*trans.*) to bring in

renverser to reverse
renvoyer to reflect; to send back
réparer to repair
repartir to leave again
le **repas** meal
le **repassage** ironing
repasser to iron; to pass by again; le **fer à repasser** iron
répéter to repeat; to rehearse
répétitif (-ive) (*adj.*) repetitive
le **répit** respite
répliquer to reply
répondre to answer, reply
la **réponse** answer, reply, response
le **repos** rest
reposer to put back down; se **reposer** to rest
reprendre to take up again
les **représailles** (*f.pl.*) reprisals
représentatif (-ive) (*adj.*) representative
représenter to represent; to depict
réprimander to rebuke, to reprove
la **reprise** resumption
le **reproche** reproach
reprocher to reproach, to blame
reproduire to reproduce
républicain(e) (*adj.*) republican
répudier to repudiate; to renounce
repu(e) (*adj.*) full
la **requête** request
requis(e) (*adj.*) required; requisite
la **réserve** preserve
réserver to reserve
la **résidence** residence; la **résidence universitaire** dorm
se **résigner** to resign oneself; to submit
résister à to withstand; to resist
résolu (*p.p.* **résoudre**) resolved
résonner to resound; to echo; to ring
résoudre to solve; to resolve
respecter to respect
respirer to breathe
la **responsabilité** responsibility
responsable (*adj.*) responsible, accountable
ressembler to be like; se **ressembler** to be like each other
le **ressentiment** resentment
ressentir to feel; to experience
la **ressource** resource
la **restauration** restoration
le **reste** remainder
rester to stay; to remain
restreint(e) (*adj.*) restricted
le **résultat** result
le **résumé** summary
résumer to sum up, to summarize
le **retard** delay; **être en retard** to be late
retirer to withdraw
retomber to fall again
le **retour** return; **être de retour** to be back

retourner to turn around; to turn over; to return; se **retourner** to turn oneself around; se **retourner contre** to turn against
retracer to retrace
la **rétraction** contraction, shortening
la **retraite** retirement
retrouver to find again; se **retrouver** to find each other again; to meet each other again
le **rétroviseur** rearview mirror
réunir to reunite; to reconcile; se **réunir** to assemble again; to meet
réussir to succeed; **réussir à un examen** to pass an exam
la **réussite** success
le **rêve** dream
réveiller to wake; se **réveiller** to wake up
révélateur (-trice) (*adj.*) revealing
révéler to reveal
revenir to come back; **Je n'en reviens pas!** I can't believe it!; **faire revenir la viande** to brown the meat
le **revenu** revenue
rêver to dream
le **revers** reverse; lapel
revêtir to put on (*clothes*)
le/la **rêveur (-euse)** dreamer
revivre to revive
la **révolte** revolt, rebellion
la **revue** review, magazine; critical review
le **rez-de-chaussé** ground floor
le **rhume** cold
ricaner to snicker, to smirk
riche (*adj.*) rich
la **richesse** wealth
le **rideau** curtain
rider to wrinkle
ridicule (*adj.*) ridiculous
rien (*pron.*) nothing
rigide (*adj.*) strict, inflexible
la **rigidité** stiffness
rigoler (*fam.*) to laugh; to have fun
rigolo (*adj., fam.*) funny
rire to laugh
le **rire** laughter; le **fou rire** uncontrollable laughter
le **risque** risk
risquer to risk
le **rite** ritual, rite
rituel(le) (*adj.*) ritual
rivaliser to compete
la **rivière** river
le **riz** rice
la **robe** dress
le **robot** robot
la **roche** rock, boulder
le **rocher** rock, crag
le **rodage** breaking in
roder to break in
le **roi** king
le **rôle** part, character, role

le/la **Romain(e)** Roman (*person*)
le **roman** novel; le **roman-photos** story told in photographs
la **romance** romance
le **romantisme** Romanticism
rompu(e) (*adj., p.p.* **rompre**) broken
rond(e) (*adj.*) round
le **rond de fumée** smoke ring
le **roquefort** roquefort, blue cheese
rose (*adj.*) pink
le **rôti** roast
le **rotin** rattan
la **roue** wheel
rouer de coups to thrash
rouge (*adj.*) red
rougir to blush
le **rouleau** roller; le **rouleau de pâtisserie** rolling pin
rouler to drive; to travel along
la **route** road
la **routine** routine
roux (rousse) (*adj.*) red-haired
royalement royally
le **royaume** realm, kingdom
la **rubrique** heading
rude (*adj.*) harsh, difficult
la **rue** street
la **ruine** collapse
ruiner to ruin, to destroy
le **ruisselet** brooklet
le **ruminant** ruminant
rural(e) (*adj.*) rural; le **gîte rural** lodging in the country
la **ruse** ruse, trick
rusé(e) (*adj.*) cunning
rustique (*adj.*) rustic
le **rythme** rhythm

S

le **sable** sand
sabler to sand; **sabler le champagne** to celebrate with champagne
le **sac** sack, bag, handbag; le **sac à dos** backpack
le **sachet** packet
sacré(e) (*adj.*) sacred
le **sacrifice** sacrifice
sage (*adj.*) good; wise
la **sagesse** wisdom
saharien(ne) (*adj.*) Saharan
saignant(e) (*adj.*) rare (*meat*)
saigner to bleed
saisir to seize, to grasp
la **saison** season
la **salade** salad
le **salaire** salary; paycheck
le/la **salarié(e)** wage earner
sale (*adj.*) dirty
saler to salt
la **salle** room; auditorium; la **salle à**

manger dining room; la **salle d'urgences** emergency room
le **salon** drawing room; **faire salon** to gather and converse
le **salopard** (*sl.*) bastard
saluer to salute
salut! (*interj.*) hi!
le **samedi** Saturday
la **sandale** sandal
le **sang** blood
sans (*prep.*) without; **sans doute** doubtless, for sure; **sans que** (*conj.*) without
la **santé** health; **en bonne (mauvaise) santé** in good (bad) health
le **sapin** fir tree
le **sarcasme** sarcasm
satisfaire to satisfy; to please
satisfait(e) (*adj.*) satisfied; pleased
la **sauce** sauce, gravy
la **saucisse** sausage
le **saucisson** hard salami
sauf (*prep.*) except
le **saumon** salmon
sauter to jump; les **plombs sautent** you blow a fuse
sauvage (*adj.*) wild; uncivilized
sauver to save
la **savane** savanna
le/la **savant(e)** scientist
la **saveur** flavor
savoir to know; **savoir-vivre** good manners
le **savon** soap
savourer to savour; to relish
scandalisé(e) (*adj.*) scandalized
scandinave (*adj.*) Scandinavian
le **scénario** scenario, script
la **scène** stage; scenery; scene; le **metteur en scène** stage director; la **mise en scène** setting, staging
le **scepticisme** skepticism
sceptique (*adj.*) skeptical
schématique (*adj.*) schematic
schizophrène (*adj.*) schizophrenic
la **science** science
scientifique (*adj.*) scientific
scolaire (*adj.*) of schools, academic; l'**année** (*f.*) **scolaire** school year
la **scolarité** school attendance
le **score** score
sculpté(e) (*adj.*) sculpted
la **sculpture** sculpture
sec (sèche) (*adj.*) dry
le **sèche-linge** clothes dryer
sécher to dry; to avoid; **sécher un cours** to cut class
la **sécheresse** drought
le **séchoir** dryer
secondaire (*adj.*) secondary
la **seconde** second gear; second (*unit of time*)
secouer to shake
le/la **secouriste** first aid worker
le **secours** help; **Au secours!** Help!;

les **premiers secours** first aid
secret (secrète) (*adj.*) secret, private
le/la **secrétaire** secretary
le **secteur** sector
la **section** section; division; la **Section d'Anglais** English Department
la **sécurité** security
séduire to seduce
séduisant(e) (*adj.*) attractive
le **Seigneur** Lord
le **séjour** stay
le **sel** salt
selon (*prep.*) according to
la **semaine** week; **en semaine** during the week; **une semaine de congé** a week off
semblable (*adj.*) like, similar, such
les **semblables** (*m.pl.*) fellow men
le **semblant** semblance; **faire semblant** to pretend
sembler to seem; to appear
la **semelle** sole
semer to sow
le **sénat** senate
le **sénateur** senator
sénégalais(e) (*adj.*) Senegalese
le **sens** meaning; sense; way; **avoir le sens des affaires** to have a good business head; le **mauvais sens** the wrong way; le **sens unique** one-way road
la **sensation** feeling
la **sensibilité** sensitivity
sensible (*adj.*) sensitive
sensuel(le) (*adj.*) sensual
le **sentier** path
sentir to feel; to smell; to smell of; **se sentir** to feel
séparer to separate
septième (*adj.*) seventh
la **séquence** sequence
la **série** series
sérieux (-euse) (*adj.*) serious; **prendre au sérieux** take seriously
le **sermon** sermon
le **serpent** snake
serré(e) (*adj., p.p.* **serrer**) tight
se serrer la main to shake hands
le/la **serveur (-euse)** barman, waiter/waitress
le **service** service; le **plat de service** serving platter; le **service compris** tip included; la **station-service** gas station; **être de service** to be on duty
la **serviette** napkin; briefcase
servir to serve; **servir à** to be of use in; **se servir de** to help oneself to
le/la **serviteur (-euse)** servant
la **servitude** servitude
le **set de table** placemat
le **seuil** threshold
seul(e) (*adj.*) alone; only
sévère (*adj.*) severe, stern, harsh

le **sexe** sex; le **cache-sexe** loin cloth
sexuel(le) (*adj.*) sexual
le **shampooing** shampoo
le **sida** AIDS
la **sidérurgie** siderurgy, iron metallurgy
le **siècle** century
le **siège** seat
le/la **sien(ne)** (*pron.*) his/hers
la **sieste** nap; **faire la sieste** to take a nap
le **sifflet** whistle
le **sigle** acronym; abbreviation
la **signalisation** road signs
le **signe** sign, gesture; **faire signe** to beckon
signé(e) (*p.p.* **signer**) signed
la **signification** meaning
signifier to mean
le **silence** silence
silencieux (-ieuse) (*adj.*) silent
similaire (*adj.*) similar
la **similarité** similarity, likeness
la **similitude** resemblance
simple (*adj.*) simple; l'**aller** (*m.*) **simple** one-way ticket
la **simplicité** simplicity
la **singerie** antics
singulier (-ière) (*adj.*) singular
le **sinistre** fire; disaster
sinon (*conj.*) otherwise
la **sirène** siren
le **sirop** syrup
la **situation** situation
situé(e) (*adj.*) situated
situer to place
sixième (*adj.*) sixth
le **smoking** tuxedo
le **snobisme** snobbery
sobrement (*adv.*) frugally, soberly
socialisé(e) (*adj.*) socialized
socialiste (*adj.*) socialist
la **société** society; firm; la **société de consommation** consumer society
sociologique (*adj.*) sociological
la **sœur** sister; la **belle-sœur** sister-in-law; stepsister; la **demi-sœur** half-sister
le **sofa** sofa, couch
la **soie** silk
la **soif** thirst; **avoir soif** to be thirsty
soigner to take care of; to treat
soigneusement (*adv.*) carefully
le **soin** care
le **soir** evening
la **soirée** party; evening
soit... soit (*conj.*) either . . . or
soit (*subjonctif of* **être**); **ainsi soit-il** so be it
le **sol** soil; ground; le **sous-sol** basement
le **soldat** soldier
les **soldes** (*m. pl.*) discount sale; **en solde** on sale
la **sole** sole (*fish*)

le **soleil** sun; le **coucher de soleil** sunset; le **coup de soleil** sunstroke
la **solennité** solemnity
solidaire (*adj.*) interdependent
la **solidarité** solidarity
solide (*adj.*) sturdy
la **solidité** solidity, strength
solitaire (*adj.*) solitary; single; alone
la **solitude** solitude, loneliness
solliciter to request
la **solution** solution
sombre (*adj.*) dark
la **somme** sum, total; amount; **en somme** all things considered
le/la **sommelier (-ière)** wine waiter
le **sommet** summit
le **somnifère** sleeping pill
somptueux (-ueuse) (*adj.*) sumptuous, splendid
le **son** sound
le **sondage** opinion poll
songer to dream; to daydream
sonner to ring
la **sonorité** tone; resonance
le/la **sorcier (-ière)** wizard; **ce n'est pas sorcier** there is no magic about that
la **sorte** sort, kind; manner
la **sortie** exit; going out
sortir to go out; to take out
sot(te) (*adj.*) stupid, silly, foolish
la **sottise** stupidity, foolishness
le **sou** sou (*copper coin*); cent
la **souche** origin
le **souci** worry
soucieux (-ieuse) (*adj.*) worried
la **soucoupe** saucer; **la soucoupe volante** flying saucer
soudain(e) (*adj.*) suddenly
souder to knit together
le **souffle** wind
souffler to blow (*wind*); to breathe
la **souffrance** suffering
souffrir to suffer
le **souhait** wish
souhaitable (*adj.*) desirable
souhaiter to desire, wish for
le **souk** souk, Arab market
soulager to relieve
soulever to raise
le **soulier** shoe
souligner to underline; to emphasize
soumettre to submit
soupçonneux (-euse) (*adj.*) suspicious
la **soupe** soup; la **cuillère à soupe** tablespoon
la **soupière** soup tureen
le **soupir** sigh
souple (*adj.*) flexible; supple
sourd(e) (*adj.*) deaf; muffled (*noise*)
sourire to smile; **se sourire** to smile at each other

le **sourire** smile
sous (*prep.*) under, beneath; le **sous-sol** basement; le **sous-titre** subtitle; les **sous-vêtements** underwear
le **souteneur** pimp
soutenir to support; to assert
le **soutien** support
le **souvenir** memory, remembrance, recollection
se **souvenir de** to remember
souvent (*adv.*) often
soviétique (*adj.*) Soviet
spatial(e) (*adj.*) spatial; spacial
la **spatule** spatula
spécial(e) (*adj.*) special
la **spécialisation** specialization; **domaine de spécialisation** major
se **spécialiser** to specialize
la **spécialité** specialty
spécifique (*adj.*) specific
le **spectacle** show; les **spectacles** entertainment
le/la **spectateur (-trice)** spectator
spéculatif (-ive) (*adj.*) speculative
spirituel(le) (*adj.*) spiritual
la **splendeur** splendor
spontanément (*adv.*) spontaneously
sportif (-ive) (*adj.*) athletic
le **stade** stadium
le **stage** training course; practicum
la **stance** stanza
le/la **standardiste** switchboard operator
la **station** resort; station; la **station de ski** ski resort; la **station-service** service station
le **statut** status
sté. (*ab.*) **société**
stimuler to stimulate; to spur
stipuler stipulate
le **stop** hitchhiking; **faire du stop** to hitchhike
la **stratégie** strategy
stressant(e) (*adj.*) stressful
stressé(e) (*adj.*) stressed
strict(e) (*adj.*) strict; severe
la **strophe** stanza, verse
studieux (-euse) (*adj.*) studious
stupéfait(e) (*adj.*) stupefied, amazed, astounded
stupéfiant(e) (*adj.*) astounding, amazing
stupide (*adj.*) stupid, foolish
le **style** style
su (*p.p. savoir*) known
subir to undergo
le **subjonctif** (*Gram.*) subjunctive (*mood*)
subsister to subsist; to remain
subtil(e) (*adj.*) subtle
succéder to follow after
le **succès** success
succulent(e) (*adj.*) succulent, tasty
suçoter to suck away at

le **sucre** sugar; la **canne à sucre** sugarcane
la **sucrerie** sugar refinery
le **sud** south; le **sud-est** southeast; le **sud-ouest** southwest
la **Suède** Sweden
la **sueur** sweat
suffire to suffice
suffisant(e) (*adj.*) sufficient
suggérer to suggest
la **suggestion** suggestion
la **Suisse** Switzerland
suisse (*adj.*) Swiss
la **suite** continuation; series; **dans la suite des siècles** in the course of time; **de suite** at once; **des suites de** following; **prendre la suite** to succeed; **tout de suite** immediately
suivant (*prep.*) according to
suivant(e) (*adj.*) following
suivre to follow; to take; **suivre des cours** to take classes
le **sujet** subject; topic
sujet(te) à (*adj.*) subject to
superficiel(le) (*adj.*) superficial
supérieur(e) (*adj.*) superior; les **études supérieures** advanced studies
le **superlatif** (*Gram.*) superlative
le **supermarché** supermarket
supplémentaire (*adj.*) supplementary, additional
la **supplique** request, petition
supporter to tolerate, put up with
supposer to suppose
sur (*prep.*) on, upon; concerning; about
sûr(e) (*adj.*) sure; unerring, trustworthy
la **sûreté** safety; la **ceinture de sûreté** safety belt
surgelé(e) (*adj.*) frozen
surgir to come into view, to appear
surmené(e) (*adj.*) overworked
surmener to overwork
surmonter to overcome
le **surplus** excess
surprenant(e) (*adj.*) surprising
surprendre to surprise
surpris(e) (*adj.*) surprised
la **surprise** surprise
surtout (*adv.*) above all, chiefly
la **surveillance** supervision
surveiller to watch over
survivre to survive
susceptible (*adj.*) susceptible
susciter to create
le/la **suspect(e)** suspect
la **sympathie** sympathy
sympathique (*adj.*) nice, likeable
sympathiser to sympathize
le **symptôme** symptom
le **syndicat** union
le **synonyme** synonym

la **synthèse** synthesis
systématiquement (*adv.*) systematically
le **système** system

T

le **tabac** tobacco
la **table** table
le **tableau** picture; painting; chart
la **tablette** tablet; shelf
le **tabou** taboo
tabuler to tabulate
la **tâche** task
tâcher to try, to endeavor
la **tachycardie** tachycardia, excessively rapid heartbeat
la **tactique** tactics
la **taille** waist; size
le **taille-crayon** pencil sharpener
tailler to carve
le **tailleur** women's suit; tailor
se **taire** to be quiet
le **tam-tam** tom-tom
tandis que (*conj.*) while; whereas
le **tank** tank (*container*)
tant (*adv.*) so much; so many; **tant de** so many; **tant mieux!** so much the better!; **tant pis!** too bad!; **tant qu'à faire** if it comes to that
la **tante** aunt; la **grand-tante** great-aunt
le **tapage** uproar; din; row
taper à la machine to type
le **tapis** rug
taquiner to tease
la **taquinerie** teasing
tard (*adv.*) late
tarder to delay
tardif (-ive) (*adj.*) late
le **tarif** tariff
la **tarte** tart; pie
la **tartine** slice of bread
le **tas** lot, pile; **un tas de** a lot of
la **tasse** cup
le **taureau** bull
la **taxe** tax
le/la **technicien(ne)** technician
technique (*adj.*) technical
la **technologie** technology
technologique (*adj.*) technological
teindre to color; to dye
tel(le) (*adj.*) such
la **télé** T.V.
télégraphique (*adj.*) telegraphic
le **téléski** ski lift
le/la **téléspectateur (-trice)** telespectator
téléviser to televise
le **téléviseur** television set
télévisuel(le) (*adj.*) televisual
le **télex** telex (*machine*)
tellement (*adv.*) so; so much
le **témoignage** witness; testimony

témoigner to witness; to testify
le **témoin** witness
le **tempérament** temperament; constitution
la **tempête** tempest
temporaire (*adj.*) temporary
le **temps** tense (*Gram.*); time; weather; **à temps partiel** part-time; **de temps en temps** from time to time; **l'emploi du temps** schedule; **entre-temps** meanwhile; le **passe-temps** hobby
la **tendance** tendency; trend
tendre (*adj.*) sensitive; soft
la **tendresse** tenderness
tendu(e) (*adj.*) stretched; outstretched (*arms*)
les **ténèbres** (*f.pl.*) darkness
la **teneur** content
tenir to hold; **tenir à** to cherish; to be anxious to; **se tenir (bien) à table** to have (*good*) table manners; **tenir dans** to fit in; **tenir en place** to hold still; **tenir les comptes** to do the accounting; **oh, tiens!** by the way! well!
la **tension** tension; stress
la **tentation** temptation
la **tente** tent
tenter to tempt
tenu(e) (*adj., p.p.* **tenir**) held
la **tenue** dress; **en grande tenue** in full uniform
le **terme** term; le **but à long terme** long-term goal
terminer to end; to finish
le **terrain** ground; **du terrain** land; le **terrain de camping** campground
la **terre** earth
terrestre (*adj.*) terrestrial, of the earth
terrible (*adj.*) terrible; dreadful
terrifiant(e) (*adj.*) terrifying
le **territoire** territory
le/la **terroriste** terrorist
la **tête** head
têtu(e) (*adj.*) stubborn
le **texte** text; passage
le **textile** textile
le **thé** tea
le **théâtre** theater
la **théière** teapot
le **thème** theme
la **théorie** theory
théorique (*adj.*) theoretical
thérapeutique (*adj.*) therapeutic
la **thérapie** therapy
la **thèse** thesis
le **thon** tuna
le **tic** habit; mannerism
tiède (*adj.*) lukewarm; mild
le **tiercé** forecast of the first three horses (*gambling*)
le **tiers** third
le **tiers monde** third world
le **tilleul** lindenflower tea

la **timbale** raised pie
le **timbre** stamp
timide (*adj.*) shy
le **tir à l'arc** archery
tirer to shoot; to fire at; to pull; **tirer des conclusions** to draw conclusions
le **tiret** hyphen; dash
le **tiroir** drawer
le **tissu** material, fabric
le **titre** title; le **gros titre** headline; le **sous-titre** subtitle
la **toile** cloth; canvas, painting
la **toilette** lavatory; **faire sa toilette** to wash up
le **toit** roof
tolérer to tolerate
la **tomate** tomato
tomber to fall; **tomber amoureux (-euse)** to fall in love; **tomber malade** to become ill
le **ton** color; shade; tone
le **tonnerre** thunder
la **torche** torch
tordre to twist
le **tort** wrong; **avoir tort** to be wrong
tôt (*adv.*) early
total(e) (*adj.*) total
toucher to touch
toujours (*adv.*) always; still
la **tour** tower
le **tour** turn; tour; trick; **à tour de rôle** in turn, by turns
le **tourisme** tourism
le/la **touriste** tourist
le **tourment** torment
tourmenter to torment
tourner to turn; **se tourner les pouces** (*fam.*) to twiddle one's thumbs
le **tournedos** filet mignon
le **tournevis** screwdriver
tousser to cough
tout(e) (*pl.* **tous, toutes**) (*adj.*) all; whole, the whole of; every; each; any; **à tout âge** at any age; **à toute allure** at full speed; **de toute manière** anyway; **en tout cas** in any case; **tout compte fait** all in all; **tout le monde** everybody; **tout le temps** all the time; **tous (toutes) les deux** both; **toute la journée** all day long; **tout** (*invariable excepté devant un adjectif féminin singulier ou pluriel qui commence par consonne ou h aspiré*) wholly, entirely, quite, very, all: **avoir tout intérêt** to be in one's best interest; **tout à fait** quite; **tout à l'heure** presently; **tout de même** all the same; **tout d'un coup** suddenly; **tout droit** straight ahead; **tout en haut** all the way up; **tout près** very near; **tout seul** all alone; **tout de suite** (*adv.*) at once, right away

la **toux** cough
le **tracé** layout
   tracer to draw; to trace out; to lay out; to outline
le **tract** leaflet
le **tracteur** tractor
   traditionnel(le) (*adj.*) traditional
   traduire to translate
le **trafic** traffic; le **trafic de drogue** drug traffic
   tragique (*adj.*) tragic
le **train** train; **être en train de** to be in the process of
le **traîneau** sleigh, sled
   traîner to drag
   traire to milk
le **trait** trait
la **traitement** treatment
   traiter to treat
la **trajectoire** trajectory
le **trajet** journey
la **tranche** slice
   tranquille (*adj.*) tranquil, quiet, calm
le **tranquillisant** tranquilizer
la **tranquillité** tranquility; calm
   transformable (*adj.*) convertible
   transformer to transform; to change
   transmettre to pass on
   transpirer to perspire
le **transport** transportation; les **transports en commun** public transportation
   transporter to carry
   traquer to track down
le **travail** work; les **travaux ménagers** housework
   travailler to work
   travailleur (-euse) (*adj.*) hardworking
   travers (*adv. phrase*): **à travers** through; **de travers** crooked
la **traverse** short cut
   traverser to cross
la **trayeuse** milking machine
le **tremble** aspen
   trembler to shake
   tremper to dunk; to dip
   très (*adv.*) very; most; very much
   tressaillir to shudder; to be startled
   tribal(e) (*adj.*) tribal
la **tribu** tribe
le **tribunal** tribunal; court of justice
   tricher to cheat
le **triomphe** triumph
   triste (*adj.*) sad
la **tristesse** sadness
   troisième (*adj.*) third
la **trompe** horn, trump
   trop (*adv.*) too much, too many; **beaucoup trop** much too much; **trop de** too much (of), too many (of)
le **trop-plein** overflow

le **trot** trot; **prendre le trot** to break into a trot
le **trottoir** sidewalk
le **trouble** disturbance; trouble
la **trousse** case; la **trousse de toilette** dressing case, toilet case
   trouver to find; to deem; to like; **se trouver** to be; to be located
le **truc** (*fam.*) thing; gadget
le **tube** tube; **à plein tube** full blast
   tuer to kill
le/la **tueur (-euse)** killer
le **tumulte** commotion; **loin du tumulte de la vie** far from the madding crowd
la **Tunisie** Tunisia
   tunisien(ne) (*adj.*) Tunisian
le **tuyau** pipe
le **type** type; (*fam.*) guy
   typique (*adj.*) typical
   tyranniser to oppress

U

   uni(e) (*adj.*) plain (*material*); united
l'**uniforme** (*m.*) uniform
   unique (*adj.*) only, sole; la **fille (le fils) unique** only daughter (son)
   unir to unite
l'**unité** (*f.*) unity
l'**univers** (*m.*) universe
   universel(le) (*adj.*) universal
   universitaire (*adj.*) of or belonging to the university
l'**université** (*f.*) university
l'**urgence** (*f.*) emergency
   urgent(e) (*adj.*) urgent
l'**usage** (*f.*) use
l'**usager (-ère)** (*m., f.*) user
l'**usine** (*f.*) factory
   usité(e) (*adj.*) used
l'**ustensile** (*m.*) utensil
   utile (*adj.*) useful
l'**utilisation** (*f.*) utilization
   utiliser to use

V

les **vacances** (*f. pl.*) vacation; **partir en vacances** to leave on vacation; **passer des vacances** to spend one's vacation; **prendre des vacances** to take a vacation
le/la **vacancier (-ière)** vacationist
la **vacation** clearance; recess; moving out
la **vache** cow
la **vague** wave
   vaguement (*adv.*) vaguely
   vaillant(e) (*adj.*) valiant, brave
le **vainqueur** winner
le **vaisseau** vessel

la **vaisselle** dishes; **faire la vaisselle** to wash the dishes
   valable (*adj.*) valid, good
le **valet de chambre** valet
la **valeur** value; worth
   valeureux (-euse) (*adj.*) valorous
la **valise** suitcase
la **vallée** valley
   valoir to be worth; **ça vaut la peine** it's worth the trouble; **il vaut mieux** it it better
la **valve** valve
la **vanille** vanilla
la **vanité** vanity
   vanter to praise
   vaporeux (-euse) (*adj.*) hazy; flimsy
   varier to vary; to change
la **variété** variety
   vaste (*adj.*) vast
le **veau** veal; calf
   vécu(e) (*p.p. vivre*) lived
la **vedette** star (*film or theater*)
   végétarien(ne) (*adj.*) vegetarian
la **végétation** vegetation
le **véhicule** vehicle
la **veille** the day (night) before; eve
la **veillée** evening meeting
la **veine** (*fam.*) luck
le **vélo** (*fam.*) bike; **aller à vélo** to bike; **faire du vélo** to bike
   velu(e) (*adj.*) hairy
la **vendange** grape harvest
le/la **vendeur (-euse)** salesperson
   vendre to sell
le **vendredi** Friday
   vendu(e) (*adj.*) sold
la **vengeance** revenge
   venir to come; **venir de** to have just
la **vente** sale; selling
le **ventilateur** fan
le **ventre** abdomen, belly; **avoir mal au ventre** to have a bellyache
   verbal(e) (*adj.*) verbal; oral
le **verbe** verb
   verdir to turn green
la **verdure** greenery
le **verglas** sleet
   vérifier to verify
   véritable (*adj.*) true; real
la **vérité** truth
le **verre** glass; **un verre de** a glass of
le **verrouillage** locking
   vers (*prep.*) toward; to; about
   verser to pour
   vert(e) (*adj.*) green; le **feux vert** green light
le **vertige** dizziness
la **vertu** virtue
la **veste** jacket
   vestimentaire (*adj.*) pertaining to clothing
le **veston** jacket
les **vêtements** (*m.pl.*) clothes
   vêtu(e) (*adj.*) dressed
le/la **veuf (veuve)** widower, widow

la **viande** meat
la **victime** victim
la **victoire** victory
les **victuailles** victuals, edibles
   vider to empty
la **vie** life; le **mode de vie** lifestyle; le **niveau de vie** standard of living
la **vieillesse** old age
   vieillir to grow old
   vierge (*adj.*) virgin; la **forêt vierge** virgin forest
   vieux (vieil, vieille) (*adj.*) old
   vif (vive) (*adj.*) lively, bright; **à feu vif** on high heat; **toucher le vif de la plaie** to put one's finger right on it
la **vigne** vine; les **vignes** vineyard
   vilain(e) (*adj.*) ugly; naughty
le **village** small town
la **ville** city; **aller en ville** to go to town
le **vin** wine
la **vinaigrette** French vinegar and oil salad dressing
la **vingtaine** about twenty
   vingtième (*adj.*) twentieth
le **viol** rape
la **violence** violence
   violent(e) (*adj.*) violent
   violet(te) (*adj.*) purple
le **virage** curve
   virer to turn
la **virgule** comma
   vis-à-vis (*prep.*) opposite, relative to
   viser to aim
la **visite** visit; **rendre visite à** to visit (*people*)
   visiter to visit (*a place*)
le/la **visiteur (-euse)** visitor

la **vitamine** vitamin
   vite (*adv.*) quickly, fast, rapidly
la **vitesse** speed; la **limitation de vitesse** speed limit
   vivace (*adj.*) vivacious
   vivre to live
le **vocabulaire** vocabulary
   voici (*prep.*) here is, here are
la **voie** way, road; course; lane; **en voie de développement** developing
   voilà (*prep.*) there, there now, there is, there are, that is
la **voile** sail; **la planche à voile** windsurfer; **faire de la voile** to sail
   voir to see
   voire (*adv.*) even, indeed
le/la **voisin(e)** neighbor
la **voiture** car, auto; **aller en voiture** to drive; to ride; to go by car; **doubler une voiture** to pass a car; **faire une promenade en voiture** to take a ride; **garer sa voiture** to park one's car
la **voix** voice; **à voix basse (haute)** in a low (high) voice; **perdre la voix** to lose one's voice
le **vol** flight; burglary
la **volaille** poultry; fowl
le **volant** steering wheel; ruffle
   voler (*intr.*) to fly; (*trans.*) to steal
le **voleur** thief
la **volière** aviary; bird cage
le/la **volontaire** volunteer
   volontiers (*adv.*) willingly
   volubile (*adj.*) talkative; glib
le **volume** volume
   vomir to spew out; to vomit
le **vote** vote, voting
   voter to voter

   vouloir to wish, want; **vouloir dire** to mean; **en vouloir à** to hold a grudge against
   vouvoyer to use the **vous** form
le **voyage** trip; journey
   voyager to travel
le/la **voyageur (-euse)** traveller
   voyant(e) (*adj.*) showy; loud; glaring (*color*)
   vrai(e) (*adj.*) true, real
   vraiment (*adv.*) truly, really
   vu (*p.p.* **voir**) seen
la **vue** view; sight; **en garde à vue** under close watch
   vulnérable (*adj.*) vulnerable; sensitive

X

la **xénophobie** xenophobia

Υ

le **yaourt** yoghurt
les **yeux** (*m.pl. of* **œil**) eyes
le **yoghourt** yoghurt
la **Yougoslavie** Yugoslavia

Z

le **zéro** zero
le **zeste** peel (*of lemon*)
le **zigzag** zigzag
la **zoologie** zoology

Index

About the Authors

Bette G. Hirsch is head of the French Department at Cabrillo College (Aptos, California). She holds an M.A. and Ph.D in French Literature from Case Western Reserve University. A member of the original group of instructors to be trained by the American Council on the Teaching of Foreign Languages (ACTFL) as Oral Proficiency trainers and testers, Professor Hirsch has conducted proficiency workshops in Australia and Canada as well as the United States. She is a member of the Foreign Language Advisory Committee of the College Board, and is the 1988 President of the Association of Departments of Foreign Languages of the Modern Language Association. She has taught at Cabrillo since 1973.

Chantal Péron Thompson is a native of Quimper (France). She holds a degree in French, English, and Russian from the Université de Rennes, and an M.A. from Brigham Young University. She has taught French language and literature at all levels, and currently directs the first and second year French programs at Brigham Young University. She is a certified ACTFL Oral Proficiency Tester and Trainer, and conducts workshops nationwide on teaching and testing for proficiency. At Brigham Young University, Chantal Thompson was awarded the Outstanding Teacher Award in 1986 and the Karl G. Maeser Distinguished Teaching Award in 1988.